標準言語聴覚障害学

聴覚障害学 第3版

シリーズ監修
藤田郁代　国際医療福祉大学大学院教授・医療福祉学研究科言語聴覚分野

編集
城間将江　国際医療福祉大学大学院教授・医療福祉学研究科言語聴覚分野
鈴木恵子　北里大学非常勤講師・医療衛生学部リハビリテーション学科言語聴覚療法学専攻
小渕千絵　国際医療福祉大学教授・成田保健医療学部言語聴覚学科

執筆〔執筆順〕

城間将江　国際医療福祉大学大学院教授・医療福祉学研究科言語聴覚分野
中村公枝　元 国立障害者リハビリテーションセンター学院・言語聴覚学科
富澤晃文　国際医療福祉大学准教授・保健医療学部言語聴覚学科
高木　明　静岡社会健康医学大学院大学教授・聴覚・言語領域／静岡県立総合病院耳鼻咽喉科・きこえとことばのセンター長
小渕千絵　国際医療福祉大学教授・成田保健医療学部言語聴覚学科
中村雅子　神尾記念病院 人工聴覚器室
井上理絵　医療法人桜友会 おぎはら耳鼻咽喉科
射場　恵　虎の門病院耳鼻咽喉科・聴覚センター
佐藤紀代子　県立広島大学教授・保健福祉学部保健福祉学科コミュニケーション障害学コース
鈴木恵子　北里大学非常勤講師・医療衛生学部リハビリテーション学科言語聴覚療法学専攻
川上紀子　川崎医療福祉大学講師・リハビリテーション学部言語聴覚療法学科
廣田栄子　筑波大学名誉教授・人間系

大原重洋　聖隷クリストファー大学教授・リハビリテーション学部言語聴覚学科
北　義子　武蔵野大学准教授・人間科学部人間科学専攻科言語聴覚士養成課程
高井小織　京都光華女子大学准教授・健康科学部医療福祉学科言語聴覚専攻
平島ユイ子　国際医療福祉大学・保健医療学部言語聴覚学科
楠居裕子　富士見台聴こえとことばの教室
和泉千寿世　横浜市総合リハビリテーションセンター発達支援部難聴幼児課
大金さや香　国際医療福祉大学准教授・保健医療学部言語聴覚学科
福島邦博　九州大学臨床教授・耳鼻咽喉科
柴崎美穂　東京都心身障害者福祉センター
北川可恵　北海道立心身障害者総合相談所
中津愛子　山口短期大学教授・児童教育学科
田中多賀子　白鳳短期大学専攻科教授・リハビリテーション学専攻言語聴覚学課程

医学書院

標準言語聴覚障害学
聴覚障害学

発　　　行	2010年12月1日　第1版第1刷
	2015年3月1日　第1版第6刷
	2015年9月1日　第2版第1刷
	2020年2月1日　第2版第5刷
	2021年3月1日　第3版第1刷Ⓒ
	2023年12月15日　第3版第4刷

シリーズ監修　藤田郁代（ふじたいくよ）

編　　　集　城間将江（しろままさえ）・鈴木恵子（すずきけいこ）・小渕千絵（おぶちちえ）

発　行　者　株式会社　医学書院
　　　　　　代表取締役　金原　俊
　　　　　　〒113-8719　東京都文京区本郷 1-28-23
　　　　　　電話　03-3817-5600（社内案内）

組　　　版　ビーコム

印刷・製本　リーブルテック

本書の複製権・翻訳権・上映権・譲渡権・貸与権・公衆送信権（送信可能化権を含む）は株式会社医学書院が保有します。

ISBN978-4-260-04350-2

本書を無断で複製する行為（複写，スキャン，デジタルデータ化など）は，「私的使用のための複製」など著作権法上の限られた例外を除き禁じられています．大学，病院，診療所，企業などにおいて，業務上使用する目的（診療，研究活動を含む）で上記の行為を行うことは，その使用範囲が内部的であっても，私的使用には該当せず，違法です．また私的使用に該当する場合であっても，代行業者等の第三者に依頼して上記の行為を行うことは違法となります．

|JCOPY|〈出版者著作権管理機構　委託出版物〉
本書の無断複製は著作権法上での例外を除き禁じられています．複製される場合は，そのつど事前に，出版者著作権管理機構（電話 03-5244-5088，FAX 03-5244-5089，info@jcopy.or.jp）の許諾を得てください．

＊「標準言語聴覚障害学」は株式会社医学書院の登録商標です．

刊行のことば

　ことばによるコミュニケーションは，人間の進化の証しであり，他者と共存し社会を構成して生きる私たちの生活の基盤をなしている．人間にとってかけがえのないこのような機能が何らかの原因によって支障をきたした人々に対し，機能の回復と獲得，能力向上，社会参加を専門的に支援する職種として言語聴覚士が誕生し，その学問分野が言語聴覚障害学（言語病理学・聴能学）としてかたちをなすようになってからまだ100年に満たない．米国では1925年にASHA（American Speech-Language-Hearing Association：米国言語聴覚協会）が発足し，専門職の養成が大学・大学院で行われるようになった．一方，わが国で言語聴覚障害がある者に専門的に対応する職種がみられるようになったのは1960年代であり，それが言語聴覚士として国家資格になったのは1997年である．

　言語聴覚障害学は，コミュニケーション科学と障害学を含み，健常なコミュニケーション過程を究明し，その発達と変化，各種障害の病態と障害像，原因と発現メカニズム，評価法および訓練・指導法などの解明を目指す学問領域である．言語聴覚障害の種類は多彩であり，失語症，言語発達障害，聴覚障害，発声障害，構音障害，口蓋裂言語，脳性麻痺言語，吃音などが含まれる．また，摂食・嚥下障害や高次脳機能障害は発声発語機能や言語機能に密接に関係し，言語聴覚士はこのような障害にも専門的に対応する．

　言語聴覚士の養成教育がわが国で本格化してから10年余りであるが，この間，養成校が急増し，教育の質の充実が大きな課題となってきた．この課題に取り組む方法のひとつは，教育において標準となりうる良質のテキストを作成することである．本シリーズはこのような意図のもとに企画され，各種障害領域の臨床と研究に第一線で取り組んでこられた多数の専門家の理解と協力を得て刊行された．

　本シリーズは，すべての障害領域を網羅し，言語聴覚障害学全体をカバーするよう構成されている．具体的には，言語聴覚障害学概論，失語症学，高次脳機能障害学，聴覚障害学，言語発達障害学，発声発語障害

学，摂食・嚥下障害学の7巻からなる．[注1] 執筆に際しては，基本概念から最先端の理論・技法までを体系化し，初学者にもよくわかるように解説することを心がけた．また，言語聴覚臨床の核となる，評価・診断から治療に至るプロセス，および治療に関する理論と技法については特にていねいに解説し，具体的にイメージできるよう多数の事例を提示した．

本書の読者は，言語聴覚士を志す学生，関連分野の学生，臨床家，研究者を想定している．また，新しい知識を得たいと願っている言語聴覚士にも，本書は役立つことと思われる．

本シリーズでは，最新の理論・技術を「Topics」で紹介し，専門用語を説明するため「Side Memo」を設けるなどの工夫をしている．また，章ごとに知識を整理する手がかりとして「Key Point」が設けてあるので，利用されたい．[注2]

本分野は日進月歩の勢いで進んでおり，10年後にどのような地平が拓かれているか楽しみである．本シリーズが言語聴覚障害学の過去，現在を，未来につなげることに寄与できれば，幸いである．

最後に，ご執筆いただいた方々に心から感謝申しあげたい．併せて，刊行に関してご尽力いただいた医学書院編集部に深謝申しあげる．

2009年3月

シリーズ監修
藤田郁代

[注1] 現在は『地域言語聴覚療法学』『言語聴覚療法 評価・診断学』が加わり，全9巻となっている．
(2020年12月)

[注2] 本シリーズでは全体の構成を見直した結果，「Topics」「Side Memo」欄を「Note」欄に統一，また章末の「Key Point」を廃止し新たに言語聴覚士養成教育ガイドラインに沿った「学修の到達目標」を章頭に設けることとした．
(2020年10月)

第3版の序

　本書は標準言語聴覚障害学シリーズ「聴覚障害学」の第3版である．初版は2010年，第2版は2015年に，故中村公枝先生を中心に編集・刊行された．

　中村先生は約半世紀にわたり日本の言語聴覚士養成教育を牽引され，また臨床家としても難聴児のハビリテーションの発展に大きく寄与された．先生は，「人は他者との関係，物や環境との関係，時間的・歴史的関係の中で育ち生かされる」との考えから，聞こえない・聞こえにくい方々がそれらの関係性を構築しやすいように「足場掛け」をして支援することこそ，言語聴覚士に求められる役割であるととらえておられた．この臨床観は，聴覚臨床に携わる言語聴覚士にとって普遍性があり貴重だと考え，先生が執筆された初版と第2版の第1章を今版でも一部活かすこととした．

　第3版では，聴覚学および聴覚臨床を取り巻く社会情勢の変化に鑑みて新規情報を加え，さらに学びの段階性や使いやすさも考慮して次の点を重点的に改訂した．

- 平衡機能検査の一部が2018年に言語聴覚士法に追加されたため，耳鳴やめまいに関する理論と検査を加えた．
- 非典型的あるいは特殊な難聴については「特異的な聴覚障害」として新規に章立てし，内容も更新した．
- 臨床における実践的な学習・指導に有用となるよう，非典型例を含む実際の事例について，評価サマリーと指導サマリーを加えた．
- 用語の記載については執筆者の考えを尊重し，前版と同様にあえて統一しなかった．
- 今版の執筆者として，言語聴覚士養成校や臨床現場で活躍されている中堅の方々に加わっていただいた．

初版と第2版の執筆にご尽力いただいた先生方には心より感謝申し上げる．長年，聴覚障害領域の学問的礎を築き，言語聴覚士を目指す方々の模範であられたことに改めて敬意を表したい．また新たに執筆に加わってくださった方々には，お力添えに感謝申し上げるとともに，今後のご活躍を祈念する．

　最後に，編集企画から校正・出版に至るまで，忍耐強くご尽力をいただいた医学書院編集部の皆さまに深く感謝申し上げる．

2021年1月

編集
城間将江
鈴木恵子
小渕千絵

初版の序

　「聴覚障害」といっても,「聞こえ」による障害をひとまとめに括るのは難しい.歴史的にみると聴覚障害への社会的な関心や取り組みは,主に「聾」といわれた人々への教育から始まり,すでに400年以上の歴史がある.20世紀に入り,「聴覚の科学」として"Audiology"が成立し,リハビリテーションの概念が広く普及した.それらを背景に聴覚障害に対する専門的なアプローチは,医療・福祉・教育の各領域で可能となり,いまや言語聴覚士は日本における聴覚障害児者のハビリテーション/リハビリテーションの中核的な仕事を担っている.

　聴覚障害の専門職としての言語聴覚士の歴史はまだ浅いが,その業務は幅広く,学ぶべき内容も,医学・音響学・心理学・言語学・音声学・社会学・教育学など極めて学際的である.また最近では,新生児聴覚スクリーニング検査で軽中等度難聴や一側性難聴も乳児期早期に発見される一方,高齢社会の進展に伴い高齢者の聴覚障害の問題も軽視できない.さらに補聴器や人工内耳などのテクノロジーの目覚ましい進歩は,聴覚障害の世界を大きく変えている.またそれとは異なり,手話言語により聾者を生きるという選択もある.いまや言語聴覚士は乳児から高齢者までのあらゆる年代の聴覚障害に対応し,多様な考え方とさまざまなニーズに直面する時代といえる.

　本書は,このような現状を踏まえ,広く聴覚障害を理解し,言語聴覚士として聴覚障害の臨床に携わるに必要な内容について解説した.執筆にあたっては,方法論の網羅的紹介に終わることがないよう,その方法のもつ意味や理論的背景を明らかにするよう留意した.

　第1章は,聴覚障害についての基本的理解を図るために,聴覚の機能と聴覚障害について概説した.とくに,聞こえる世界と,聞こえないまたは聞こえにくい世界の違いを十分認識したうえで,聴覚障害を理解できるよう配慮した.第2章の聴覚の医学では,言語聴覚士が理解すべき医学的・生理学的事項につき詳細に解説した.第3章では聴覚障害の評価,第4章では聴覚障害の指導・訓練について,それぞれ臨床の実際とそ

の理論的背景を，最新の知見も含めて詳述した．第5章では特異な聴覚障害を取り上げ，また第6章では情報保障や社会福祉制度，教育制度および社会資源の活用について解説した．

本書では，シリーズ共通要素であるSide MemoやTopicsとは別にColumnの欄を設け，理解に役立つ知見や先駆的試みを取り上げ，それぞれの専門家に解説を仰いだ．なお多様な考えがある用語については著者に一任し，あえて統一しなかった．それは医療・福祉・教育など各領域よって使用される用語は必ずしも同じではないことによる．

本書の執筆者は，長年聴覚障害領域で臨床・研究・教育に携わってこられた言語聴覚士と医師である．またColumnではそれぞれのテーマに相応しい関連領域の方々に御執筆いただいた．豊富な臨床・研究に裏打ちされた内容が，基礎的な知識から最新の知見まで詳細かつ実践的に解説されている．時に初学者には難解な部分もあろうが，臨床に出てからその意味に新たな気づきが生まれるであろう．また本書で取り上げた考え方や方法が，聴覚障害のある方々へのさらなる理解と実践を進めるきっかけとなるかもしれない．聴覚障害の臨床の全貌が見渡せる教科書として，言語聴覚士を目指す学生や関連領域の方々に有用な書となれば幸いである．

最後に，この領域の発展を願い，熱意をこめて御執筆くださった方々に心から感謝申し上げる．併せて発刊に際し忍耐強い励ましと献身的なご尽力をいただいた医学書院編集部の皆様に深い謝意を表したい．

2010年12月

編集
中村公枝
城間将江
鈴木恵子

目次

第1章 聴覚と聴覚障害 ……………………………………………（城間将江・中村公枝） 1

1 聴覚の機能 …………………………… 2
- Ⓐ 感覚のもつ意味 ……………………… 2
- Ⓑ 聴覚のはたらき ……………………… 2
- Ⓒ 聞こえとことば ……………………… 3
- Ⓓ 聴覚の発達 …………………………… 4

2 聴覚障害とは何か …………………… 7
- Ⓐ 用語の定義 …………………………… 7
- Ⓑ 難聴の発症率と分類 ………………… 7
- Ⓒ 「聞こえる世界」と「聞こえにくい世界」 …… 8
- Ⓓ 聴覚障害とライフステージ ………… 10
  1. 聴覚障害による影響 ……………… 10
  2. 難聴の発症時期と言語習得および
     コミュニケーションへの影響 …… 10
  3. 小児難聴とライフステージ ……… 12
  4. 中途難聴・失聴とライフステージ … 13

3 聴覚障害のリハビリテーションの
   歴史と現状 ………………………… 14
- Ⓐ 歴史 ………………………………… 14
  1. 教育不可能な時代(16世紀以前) …… 14
  2. 個別的教育の開始(16〜18世紀) …… 14
  3. 学校教育の開始と手話・口話論争
     (18世紀後半〜19世紀) …………… 15
  4. 聴覚活用とバイリンガル教育
     (20〜21世紀) ……………………… 15
- Ⓑ 聴覚障害のリハビリテーションの
  現状と課題 ………………………… 17

4 聴覚障害のリハビリテーションの概要 …… 19
- Ⓐ 聴覚障害のリハビリテーションの流れと
  言語聴覚士の役割 ………………… 19
- Ⓑ 聴覚障害のリハビリテーション/
  ハビリテーションの内容と構成 ……… 19
  1. 成人難聴のリハビリテーション …… 19
  2. 小児難聴のハビリテーション …… 21

第2章 音と聴覚 ……………………………………………………………（富澤晃文） 27

1 音の物理的特性 ……………………… 28
- Ⓐ 音波の性質 ………………………… 28
- Ⓑ 音の波形 …………………………… 30
- Ⓒ 音圧とデシベル尺度 ……………… 31
- Ⓓ 音の周波数とスペクトル ………… 32

2 聴覚の心理的特性 …………………… 34
- Ⓐ 聴覚閾値と聴野 …………………… 34
- Ⓑ 音の大きさ(ラウドネス) ………… 36
  1. フォン尺度と等ラウドネス曲線 … 36
  2. ソーン尺度 ………………………… 36

- **C** 音の高さ……37
  1. 純音のピッチ……37
  2. 周期性のある複合音のピッチ……37
  3. 音楽におけるピッチ……38
  4. 周期性のない複合音のピッチ……38
- **D** 音の弁別……38
- **E** マスキング……38
  1. マスキングの起こり方……38
  2. 臨界帯域幅，聴覚フィルター……39
  3. 継時マスキング……39
- **F** 音色……40
- **G** 騒音……40
  1. 音の風景と騒音……40
  2. 聴覚疲労……40
- **H** 両耳聴……40
  1. 頭部による遮蔽効果の軽減……40
  2. 両耳加算……41
  3. 両耳融合，両耳分離……41
  4. 音源定位能の改善……41
  5. カクテルパーティー効果……41
- **I** ことばの知覚・認知……42
  1. 音声の音響的特徴と知覚……42
  2. 音声知覚・認知……43

第3章 聴覚と平衡機能の医学　（高木 明）45

1 聴覚の発生……46
- **Ⓐ** 聴覚器官の発生……46
- **Ⓑ** 聴覚野の形成……47

2 聴覚器官の解剖と生理……48
- **Ⓐ** 解剖……48
  1. 外耳……48
  2. 中耳……49
  3. 内耳……50
  4. 聴覚路……53
- **Ⓑ** 聴覚生理と語音聴取……54
- **Ⓒ** 両耳聴……57

3 聴覚の病理……58
- **Ⓐ** 末梢感覚器官の疾患……58
  1. 伝音難聴……58
  2. 感音難聴……61
- **Ⓑ** 中枢聴覚伝導路の疾患……63
- **Ⓒ** 遺伝性難聴……63
- **Ⓓ** 聴力の変動……65
  1. 気導のみの変動……65
  2. 骨導の変動……65
- **Ⓔ** 耳鳴……66

4 平衡器……66
- **Ⓐ** 発生と解剖……66
- **Ⓑ** 平衡の生理と機能……67
  1. 三半規管……68
  2. head impulse test（HIT）……68
  3. 耳石器……69
  4. 前庭誘発筋電位（VEMP）……69
- **Ⓒ** 平衡障害（めまい）疾患……70
  1. 末梢前庭疾患……70
  2. 中枢神経性めまい……70

第4章 聴覚・平衡機能検査……73

1 聴覚・平衡機能検査の概要……（城間将江）74
- **Ⓐ** 聴覚・平衡機能検査と言語聴覚士……74
- **Ⓑ** 聴覚機能検査の種類……74
- **Ⓒ** 検査の心得……76
  1. 検査機器……76
  2. 検査環境……77
  3. 検者……77
  4. 被検者……77

2 自覚的聴覚検査 ……………………（城間将江）78
Ⓐ 純音による聴覚機能検査 ………………… 78
1. 純音聴力検査（閾値検査）………………… 79
2. 自記オージオメトリー ……………………… 88
3. 純音による閾値上検査 …………………… 89
Ⓑ 語音による聴覚検査 ……………………… 95
1. 語音聴力検査 ………………………………… 95

3 他覚的聴覚検査 ……………………（小渕千絵）100
Ⓐ インピーダンスオージオメトリー ………… 100
1. 検査概要 …………………………………… 100
Ⓑ 耳管機能検査 …………………………… 103
Ⓒ 耳音響放射（OAE）……………………… 103
1. 原理 ………………………………………… 103
2. 検査手順 …………………………………… 103
3. 結果の解釈 ………………………………… 104
Ⓓ 電気生理学的検査 ……………………… 104
1. 蝸電図（ECochG）………………………… 104
2. 聴性脳幹反応（ABR）……………………… 105
3. 聴性中間潜時反応（MLR）………………… 107
4. 頭頂部緩反応（SVR）……………………… 107
5. 聴性定常反応（ASSR）…………………… 107

4 平衡機能検査 ………………………（中村雅子）108
Ⓐ 平衡機能検査とは ……………………… 108
Ⓑ 平衡機能検査の種類 …………………… 109
Ⓒ 体平衡機能検査（前庭-脊髄反射）……… 109
1. 静的体平衡機能検査 ……………………… 109
2. 動的体平衡機能検査 ……………………… 110
Ⓓ 眼振検査（前庭-眼反射）………………… 111
1. 眼振の定義 ………………………………… 111
2. 眼球運動の観察と計測 …………………… 111
3. 眼振の記載法 ……………………………… 111
4. 注視時眼振検査 …………………………… 111
5. 非注視時眼振検査 ………………………… 111
6. 視刺激検査 ………………………………… 113
Ⓔ 迷路刺激検査 …………………………… 114
1. 温度刺激検査 ……………………………… 114
2. 回転刺激検査 ……………………………… 114
3. 前庭誘発筋電位（VEMP）………………… 114
4. head impulse test（HIT）………………… 114

5 乳幼児聴力検査 ……………………（城間将江）114
Ⓐ 検査の意義 ……………………………… 114
Ⓑ 検査の特殊性と留意点 ………………… 115
Ⓒ 乳幼児聴力検査の実際 ………………… 116
1. 質問紙検査法 ……………………………… 116
2. 新生児聴覚スクリーニング検査 …………… 116
3. 聴性行動反応聴力検査 …………………… 120
4. 視覚強化式聴力検査（VRA）……………… 122
5. 条件詮索反応聴力検査（COR）…………… 123
6. 遊戯聴力検査 ……………………………… 125
7. ことばの聞きとり検査 ……………………… 126

第5章 聴覚補償機器 ………………………………… 129

1 補聴器 …………………………………………… 130
Ⓐ 構造と機能 ………………………（富澤晃文）130
1. 補聴器の基本構造 ………………………… 130
2. 補聴器の調整機能 ………………………… 134
3. 補聴器から耳への伝達 …………………… 137
4. 補聴器の特性測定 ………………………… 138
5. デジタル補聴器の機能 …………………… 144
Ⓑ 適合の理論と実際 ………………（井上理絵）145
1. 成人の補聴器適合と装用指導 …………… 145
2. 小児の補聴器適合と装用指導 …………… 155

2 人工聴覚機器 …………………………………… 162
Ⓐ 種類 ………………………………（射場 恵）162
1. 伝音難聴，混合難聴向け ………………… 162
2. 感音難聴向け ……………………………… 162

Ⓑ 構造と機能，適合の理論と実際
　……………………………（射場　恵）162
　1．骨固定型補聴器………………………… 162
　2．人工中耳………………………………… 165
　3．人工内耳………………………………… 167
　4．残存聴力活用型人工内耳……………… 181
　5．聴性脳幹インプラント………………… 184
Ⓒ 幼児期の人工内耳マッピング…（城間将江）186
　1．小児人工内耳の適応基準……………… 186
　2．マッピングにおける成人と小児との違い… 186
　3．ラウドネス表現の段階性……………… 190
　4．両側人工内耳マッピングの留意点…… 191
　5．保護者へのアドバイス………………… 192

　6．マップの適切性の判断………………… 193
　7．人工内耳装用効果に影響を及ぼす要因… 195
　8．遠隔マッピング………………………… 196

3 補聴援助システム……………（佐藤紀代子）197
Ⓐ 音響環境と音響知覚……………………… 197
　1．距離……………………………………… 197
　2．騒音……………………………………… 198
　3．残響……………………………………… 199
Ⓑ 補聴援助システムとは何か……………… 199
Ⓒ 聴覚を活用した補聴援助システム……… 200
Ⓓ 感覚代行機器として便利な日常生活用具
　……………………………………………… 202

第6章　成人難聴のリハビリテーション……………………………………………………………… 205

1 成人難聴のリハビリテーションの概要
　……………………………（鈴木恵子）206
Ⓐ 成人期の聴覚障害の特徴………………… 206
　1．障害の多様性…………………………… 206
　2．リハビリテーションの3要素………… 208
Ⓑ 言語聴覚士の専門性と
　　成人難聴のリハビリテーション……… 208
　1．聴覚機能にかかわる側面……………… 208
　2．障害認識にかかわる側面……………… 209
　3．コミュニケーションにかかわる側面… 209

2 成人難聴の評価………………（鈴木恵子）210
Ⓐ 評価の方法と内容………………………… 210
Ⓑ 聴覚機能にかかわる評価………………… 210
　1．聴取能力の評価………………………… 210
　2．聞こえについての自己評価…………… 213
Ⓒ 障害認識にかかわる評価………………… 213
　1．質問紙による評価……………………… 213
　2．面接による評価………………………… 214
Ⓓ コミュニケーションにかかわる評価…… 215
　1．コミュニケーション手段……………… 215
　2．コミュニケーションの基本的態度…… 217
　3．コミュニケーションストラテジー…… 217

Ⓔ 評価のまとめ……………………………… 218
[事例1]成人難聴 評価サマリー
　……………………………（川上紀子）220

3 成人難聴の指導・支援………（鈴木恵子）221
Ⓐ 指導・支援の観点………………………… 221
　1．補聴と障害認識の相互関係…………… 221
　2．補聴からコミュニケーション障害の改善へ
　……………………………………………… 222
　3．補聴器とその他の人工聴覚器………… 222
　4．超高齢社会における難聴への対応…… 223
Ⓑ 中途難聴における補聴の課題…………… 223
　1．中途難聴における障害認識…………… 223
　2．補聴器に対する社会の認識…………… 223
Ⓒ 補聴器適合の進展と障害認識の変容…… 224
　1．補聴器適合の臨床の流れ……………… 224
　2．補聴における導入教育………………… 224
　3．補聴に関するニーズの確認…………… 225
　4．補聴器の試聴…………………………… 225
Ⓓ 語音聴取改善のための聴取訓練………… 226
　1．語音聴取の難易度を左右する条件…… 227
　2．要素的訓練……………………………… 227
　3．総合的訓練……………………………… 227

- **Ⓔ 語音聴取における視覚情報の活用**……… 228
  1. 日本語語音の口形分類………………… 228
  2. 聴覚情報と口形情報の併用効果……… 228
- **Ⓕ コミュニケーションにかかわる支援**…… 229
  1. コミュニケーションの成否を左右する要素……………………………………… 229
  2. コミュニケーションストラテジーの概要……………………………………… 229
  3. コミュニケーションストラテジーの指導……………………………………… 230
- **Ⓖ 中途難聴の聴覚リハビリテーションが目指すもの**……………………………… 232
- **Ⓗ 難聴発症時期別の対応**……………………… 234
  1. 言語獲得前発症例の指導・支援……… 234
  2. 成人期発症例の指導・支援…………… 235
  3. 高齢期発症例の指導・支援…………… 238
- [事例2] 成人難聴 指導サマリー
  ………………………………（井上理絵）241

第7章 小児難聴のハビリテーション …………………………………………………… 245

1 小児難聴のハビリテーションの概要
………………………………（小渕千絵）246
- **Ⓐ 難聴児のハビリテーションの目的と考え方**……………………………………… 246
  1. 早期発見と早期ハビリテーションの開始… 246
  2. 個の尊重と多様性を理解した対応…… 246
  3. 子ども自身のもつ育つ力・学ぶ力への支援……………………………………… 247
  4. 子どもの育ちにおけるコミュニケーションの重要性…………… 247
  5. メタコミュニケーションの形成……… 248
  6. ことばを含めた全体的な発達の促進… 248
  7. 子どもと家族を含めた支援計画の構築… 248
  8. 長期的視点に立ったハビリテーションプログラムの作成……………………… 249
- **Ⓑ 小児難聴のハビリテーションの流れと構成**……………………………………… 249
- **Ⓒ 小児期の発達と難聴の影響**……………… 250
  1. 乳児期………………………………… 250
  2. 幼児期前期…………………………… 250
  3. 幼児期後期…………………………… 251
  4. 学童期………………………………… 251

2 小児難聴の評価………………（廣田栄子）252
- **Ⓐ 聴覚評価**……………………………………… 252
  1. 概要…………………………………… 252
  2. 聴覚に関する医学的評価・診断……… 253
  3. 聴覚障害学的評価・診断……………… 253
  4. 関連情報の収集と総合評価…………… 256
  5. 聴覚障害の評価と社会的活動の制限…… 257
- **Ⓑ コミュニケーション発達評価**……………… 257
  1. 概要…………………………………… 257
  2. 日常的なコミュニケーション方法の評価… 258
  3. コミュニケーション行動……………… 258
  4. 言語学習に関連する行動……………… 260
  5. 発達全般（認知・社会・身辺自立など）…… 260
  6. 前言語コミュニケーション行動の評価…… 260
  7. コミュニケーション態度の評価……… 260
  8. 養育者のコミュニケーション能力評価…… 261
- **Ⓒ 言語評価**……………………………………… 261
  1. 概要…………………………………… 261
  2. 聴覚障害児の言語評価の基礎………… 262
  3. 聴覚障害児の言語評価の原理………… 263
  4. 聴覚障害児の言語発達評価…………… 265
  5. 観察法による発話サンプルの収集…… 268
  6. 言語心理検査を用いた言語発達評価…… 269
- **Ⓓ 発声発語評価**……………………………… 270
  1. 評価…………………………………… 270
- **Ⓔ 認知発達検査**……………………………… 272
- **Ⓕ 情緒・社会・精神衛生の評価**……………… 274
- **Ⓖ 書記言語力評価**……………………………… 274
- **Ⓗ まとめと展望**……………………………… 276
- [事例3] 小児難聴 評価サマリー
  ………………………………（大原重洋）278

3 小児難聴の指導・支援 …………………… 280
- Ⓐ 指導・支援の観点 ………………（小渕千絵）280
- Ⓑ 聴覚活用と聴覚学習 ………………（小渕千絵）280
  1. 難聴児における聴覚学習とその条件 ……… 281
- Ⓒ 小児期における選択の内容と条件
  ………………………………………（小渕千絵）282
  1. 乳児期・幼児期前期における選択 ………… 283
  2. 幼児期後期における選択 …………………… 284
  3. 学童期における選択 ………………………… 284
- Ⓓ 難聴児の音声言語習得上の課題
  ………………………………………（小渕千絵）284
  1. 課題の考え方 ………………………………… 284
  2. 課題設定における前提条件 ………………… 285
  2. 語彙習得の課題 ……………………………… 285
  4. 文の形成に関する課題 ……………………… 287
  5. 語用に関する課題 …………………………… 288
  6. 発声発語に関する課題 ……………………… 289
- Ⓔ ハビリテーションプログラムの立案
  ………………………………………（小渕千絵）290
  1. ハビリテーションプログラムの基本的な考え方 ……………………………… 290
  2. プログラム立案の視点と原則 ……………… 291
  3. 目標の設定 …………………………………… 291
- Ⓕ 小児の発達段階と学習方法 ………（小渕千絵）291
  1. 学習についての考え方 ……………………… 291
  2. 発達段階ごとの学習の特徴 ………………… 292
  3. 学習方法と留意点 …………………………… 293
- Ⓖ 言語指導段階 ………………………（小渕千絵）294
  1. 乳児期の指導 …………（中村公枝・北 義子）294
  2. 幼児期の指導 ………………………（小渕千絵）301
  3. 学童期の指導 ………………………（小渕千絵）308
- Ⓗ 障害認識へのアプローチ …………（高井小織）313
  1. 障害認識とは ………………………………… 313
  2. 発達段階ごとの特徴と指導の留意点 ……… 313
  3. 言語運用の力と自己開示 …………………… 317
- Ⓘ 軽度・中等度難聴児の課題 ………（井上理絵）318
  1. 新生児聴覚スクリーニング検査導入前 ……… 318
  2. 軽度・中等度難聴児の課題とその対応 …… 319
- Ⓙ 人工内耳装用児の課題 ……………（城間将江）322
  1. 重複障害の併有 ……………………………… 323
  2. 保護者支援・障害認識 ……………………… 324
  3. 子どもの障害認識 …………………………… 325

4 学校教育における指導と課題
………………………………………（平島ユイ子）325
- Ⓐ 聴覚障害児教育の歴史 …………………………… 325
- Ⓑ 指導体制 …………………………………………… 327
  1. 特別支援学校 ………………………………… 327
  2. 特別支援学級 ………………………………… 328
  3. 通級指導教室（通級による指導）…………… 329
  4. 通常の学級 …………………………………… 329
- Ⓒ 学校教育における聴覚障害児指導の課題
  …………………………………………………… 329
- Ⓓ 学校教育における言語聴覚士の役割と課題
  …………………………………………………… 332

[事例 4] 小児難聴（乳児期）指導サマリー
………………………………………（楠居裕子）333

[事例 5] 小児難聴（幼児期）指導サマリー
………………………………………（和泉千寿世）335

[事例 6] 小児難聴（学童期）指導サマリー
………………………………………（大金さや香）338

第8章 特異的な聴覚障害 …………………………………………………………………………… 341

1 一側性難聴 ……………………（福島邦博）342
- Ⓐ 概要 ……………………………………… 342
- Ⓑ 原因 ……………………………………… 342
- Ⓒ 対策 ……………………………………… 342
  1. 定期的な経過観察 …………………………… 342
  2. 補聴 …………………………………………… 343
  3. 環境調整 ……………………………………… 343

2 中枢性難聴 ……………………（福島邦博）343
- Ⓐ 概要 …………………………………… 343
- Ⓑ 原因と病態 …………………………… 345
  1. 脳幹性難聴 ……………………… 345
  2. 皮質性難聴 ……………………… 345
  3. 聴覚幻覚 ………………………… 346
- Ⓒ 原因疾患 ……………………………… 346
- Ⓓ 検査と対応 …………………………… 346
  1. 評価 ……………………………… 346
  2. 指導 ……………………………… 346
  3. 環境調整 ………………………… 346
  4. 補聴と支援機器の使用 ………… 347

3 オーディトリー・ニューロパチー（ANSD）
………………………………（福島邦博）347
- Ⓐ 概要 …………………………………… 347
- Ⓑ 原因と病態 …………………………… 347
- Ⓒ 診断 …………………………………… 348
- Ⓓ 対策 …………………………………… 348

4 聴覚情報処理障害（APD）………（福島邦博）349
- Ⓐ 概要 …………………………………… 349
- Ⓑ 症状 …………………………………… 349
- Ⓒ 対策 …………………………………… 349
  1. 検査と評価 ……………………… 349
  2. 環境調整 ………………………… 350
  3. 支援機器の使用 ………………… 350
  4. 直接指導 ………………………… 350

5 機能性難聴 ……………………（福島邦博）351
- Ⓐ 概要 …………………………………… 351
  1. 心因性難聴 ……………………… 351
  2. 詐聴 ……………………………… 351
  3. 検診難聴 ………………………… 351
- Ⓑ 検査 …………………………………… 352
- Ⓒ 診断 …………………………………… 352

- Ⓓ 対策 …………………………………… 353
  1. 評価と診断 ……………………… 353
  2. 心理学的介入 …………………… 353
  3. 環境調整 ………………………… 353

6 視覚聴覚二重障害 ……………（柴崎美穂）354
- Ⓐ 概要 …………………………………… 354
  1. 定義 ……………………………… 354
  2. 人口 ……………………………… 354
  3. 原因 ……………………………… 354
  4. 多様な状態像 …………………… 355
  5. 盲ろう者が抱えるコミュニケーションの困難 …………………………………… 356
  6. 盲ろう者のコミュニケーション手段 …… 356
- Ⓑ 支援の留意点 ………………………… 356
  1. 面接の際の留意点 ……………… 356
  2. 検査・評価における留意点 …… 358
  3. コミュニケーション手段の確保 …… 358
  4. 人生の諸段階と支援の留意点 …… 360
  5. 拡大・代替コミュニケーションおよび社会資源 …………………………… 361

7 難聴を伴う重複障害 ……………（北川可恵）362
- Ⓐ 概要 …………………………………… 362
  1. 難聴を伴う重複障害例 ………… 362
  2. 重複障害児の聴力評価に関する問題点 …… 364
- Ⓑ 検査・評価 …………………………… 364
  1. BOA, VRA, COR ……………… 365
  2. 発達評価 ………………………… 367
  3. 難聴の総合的診断 ……………… 367
- Ⓒ 補聴器装用指導とコミュニケーション発達の援助 …………………………………… 367
  1. 補聴器装用 ……………………… 367
  2. コミュニケーション発達の援助 …… 369

［事例 7］重複障害（難聴・発達障害）
指導サマリー ……………（中津愛子）371
［事例 8］重複障害（難聴・脳性麻痺）
指導サマリー ……………（北川可恵）373

第9章 情報保障と社会資源 ……………………………………………………………………… 377

1 情報保障 ……………………………………（柴崎美穂）378
Ⓐ 情報保障とは何か ………………………… 378
1. 障害の社会モデル ……………………………… 378
2. バリアフリーの理念 …………………………… 378
3. 情報保障の概念 ………………………………… 378
4. 情報が保障されないとどのようなことが起こるか …………………………………………… 379

Ⓑ 情報保障の実際 …………………………… 379
1. 人的資源 ………………………………………… 379
2. 物的資源 ………………………………………… 380
3. 意識・態度 ……………………………………… 381

2 聴覚障害と社会資源
………………………………（鈴木恵子・田中多賀子）382
Ⓐ 障害者施策の背景 ………………………… 382

Ⓑ 聴覚障害にかかわる社会福祉制度 ……… 382
1. 障害者基本法と身体障害者福祉法 …………… 382
2. 障害者総合支援法に基づく障害福祉サービス …………………………… 383
3. 児童福祉法に基づく障害福祉サービス ……… 385
4. その他の社会資源 ……………………………… 386
5. 障害者差別解消法と合理的配慮 ……………… 386

Ⓒ 聴覚障害にかかわる健診制度 …………… 386
1. 乳幼児健康診査 ………………………………… 386
2. 学校における健康診断 ………………………… 387
3. 職場における健康診断 ………………………… 387
4. その他の健康診断 ……………………………… 390

参考図書　391
索引　393

Note 一覧

1. speech（話しことば）と language（言語）　3
2. 反応閾値　5
3. リハビリテーションとハビリテーション　10
4. キュードスピーチ　25
5. 音圧と音圧レベル　31
6. デシベル尺度　31
7. 騒音計　32
8. 周波数選択性　54
9. 時間分解能　54
10. 鼓室形成術　59
11. 6 cm^3 カプラ　77
12. 音場検査　78
13. マスキングに用いる雑音の種類　84
14. TRT（耳鳴順応療法）　95
15. 前庭眼反射　111
16. 電気眼振計　111
17. 先天性眼振　111
18. カロリックテストの刺激条件　114
19. 人工聴覚機器と MRI 撮影　165
20. 人工内耳の歴史　168
21. プロモントリーテスト　171
22. 人工内耳施設基準　171
23. 蝸牛の骨化・線維化　172
24. 神経線維腫症2型（NF2）　185
25. 三項的相互行為フレーム　298
26. インクルーシブ教育　326
27. 合理的配慮　326
28. 特別支援教育コーディネーター　329
29. hidden hearing loss　348
30. 障害者権利条約における「盲ろう」　354
31. 制度運用上の「盲ろう」　354
32. 弱視　355
33. 盲ろう者向け通訳・介助者　360
34. 盲ろう者に使用可能な機器　362
35. ノーマライゼーションの理念　382
36. 電話リレーサービス／遠隔手話サービス　384
37. 乳幼児期の健康診査　386

第 1 章

聴覚と聴覚障害

学修の到達目標
- 聴覚の機能と意義を説明できる．
- 乳児期の聴性行動反応の定型発達過程を説明できる．
- 難聴が人間の活動と参加に及ぼす影響を，難聴の発症時期との関連から説明できる．
- 難聴の(リ)ハビリテーションの概要を説明できる．

聴覚の機能

A 感覚のもつ意味

人間の感覚は，特殊感覚(special sensation)，体性感覚(somatic sensation)，内臓感覚(visceral sensation)の3つに大別できる．特殊感覚は視覚，聴覚，味覚，嗅覚，平衡感覚があり，受容器がそれぞれの特定部位に限定される．一方の体性感覚は，触覚・圧覚・温覚・冷覚・痛覚・運動感覚・深部感覚があり受容器は全身に分布し，内臓感覚は受容器が内臓に分布している．

われわれはこのような多くの感覚を通して，環境のもつさまざまな情報を知覚し，認識している．一般に外界の情報の8割は視覚に依存しているといわれており，一瞥して瞬時に得られる正確な情報伝達量という意味合いにおいては，他感覚に比し優位性が高い．しかし，**感覚の優位性**は時代や文化的背景により変化する．例えば古代人にとっては触覚こそが原感覚であり，文字のない社会・時代においては聴覚で音や楽器や口頭表現を用いて伝承してきた．現代社会では活字や絵画や映像などから情報を得るのが主流なため視覚優位であり，過度に視覚依存しているのではないかと思われる．例えばソーシャル・ネットワーキング・サービス(SNS)では，効率よくコミュニケーションできるが，声やリズム，イントネーションのなどの韻律的情報や体性感覚などで伝わる情動的な微妙なニュアンスは視覚だけの情報では不十分で，全感覚を通して得られる情報とは性格を異にする．

感覚はきわめて個人的なものであるが，社会や文化，生活，人間の生き方そのものからも大きな影響を受けている．またそれぞれの感覚は固有の特性をもつが，同時に諸感覚は互いに譲り合い，統合されて機能する「共通感覚」[1]を有する．"感覚"を生理学的観点からだけではなく，心理・社会学的視点からとらえ直すことは，その感覚の機能的な意味を知るうえで重要である．

B 聴覚のはたらき

音やことばを「きく」という表現には，何気に「聞く」，注意を傾けて「聴く」，何かを「訊く」など聞き方のレベルがある．同じ音を耳にしても，聞く人の経験，興味，状況などによって音のもつ意味や感覚はさまざまで，これらの**聴覚機能**を，Ramsdell(1970年)は原始的レベル，信号的・警報的レベル，象徴的レベルに分類している[2]．

原始的レベルは最も基本的なレベルで，背景雑音も含めて無意識に音を感じている状態である．人間は時間的空間的広がりの中でさまざまな音に囲まれて存在し，それによって環境を「聴覚的背景」として認識している．例えば，換気扇の音，冷蔵庫の音，自動車の音，雨・風の音，何かを操作する音など，われわれが日常生活において絶えず耳にしている音などである．普段は意識していないが，耳せんを利用したりテレビ音量を思いきり下げて会話したりすることで軽い難聴状態にして擬似難聴体験をすると，原始的レベルの聴覚機能が容易に実感できる．わずかに聴覚の制限を受けただけで，いきいきとした環境は遠ざかり，人は周囲から断絶されたような不安な気分になる．つまり，音がなくなってはじめてわかる無自覚のレベルである．人は，意識せずに入ってくる音によって，外界との心理的なつながりを得，それによって情緒的安定がもたらされる．

信号的・警告的レベルは外界の認知レベルで，

種々の事象の生起や状態を瞬時に知ることで，危機の回避や適切な状況把握を可能にする．例えば，目覚まし時計の音，自動車・救急車の音や正体不明の音などである．これらの音を聞くと意識を集中し，場合によっては危険を察知して自分の行動を決め安全を確保する．視覚は空間的感覚であるが，聴覚は時間的感覚といわれ，四六時中，外界に開かれた感覚であり，360°全方位からの情報を察知でき，かつ必要な音を選択的に聴くことができるので，状況に応じた行動がとれる．

象徴的レベルは言語音を聞き取り，習得し，操作するレベルで，コミュニケーション，思考の論理化・明確化・組織化をはかる．子どもは聴覚を通して話しことば(speech)を学習し，母語としての言語(language)（➡ Note 1）を形成していく．すなわち，聴覚は音声言語によるコミュニケーションを可能にする最も重要な感覚で，言語学習を支えている．

有史以来，音楽は常に人間とともに存在し，人間の感情や知性を磨き上げる芸術に進化させた．音楽の3要素であるリズム・メロディー・ハーモニーは，主に聴覚を媒体にして構成され伝達される．なかでも聴覚的なリズムは人の身体活動の調整を容易にする．それは音楽とダンスの密接な関係ばかりでなく，運動や行動に伴う種々のかけ声のなかにも見てとれる．これらの聴覚的なリズムと運動感覚のリズムの協調でもある．

このように，聴覚は言葉や音楽を伝達する機能だけではなく，直接的に情動に働きかけ，人と人との交流や行動のつながりを形成し，瞬時に気持ちを束ねる力をもつ．この**情動伝搬**の機能は，特に胎生期から乳児期における母子コミュニケーションの形成にとってきわめて重要である．すなわち聴覚は人間の知性や社会性を支える重要な感覚であり，人の情動や感情にも深く関与する感覚といえる．

普段，人は多くの聴覚刺激に囲まれて生活しており，騒音の中から必要な音を聞き出すことも，時には騒音の存在を無視することもできる．人間の聴覚は特定の音を選択的に聴取し，ほかの音を抑制する機能も有しているのである．選択的聴取能力には両耳効果，注意機能，言語能力などが深く関与している．しかし，聴覚は単独で機能するよりも他感覚と相互作用することで，より鋭敏になる．日常生活における視覚的情報は聴覚が加わることによって拡大し，生命にとって脅威となるような危険を回避する行動をとることができる．例えば，パトカーのサイレンは赤い色が激しく回る運動と一体になって，その緊急性の認識を強化する．料理は舌で味わうだけではなく，視覚，嗅覚，聴覚および温・冷覚のような体性感覚および内臓感覚などでも味わっていて，それぞれの固有の感覚が相互に関連しあって知覚的体制化が進展する．つまり，1つの感覚に障害があったとき，単にその感覚だけが失われるのではなく，ほかの感覚活用にも影響を及ぼす．聴覚に障害がある人の視覚・他感覚の活用の仕方や，視覚に障害がある人の聴覚の活用の仕方は，障害のない人の視覚や聴覚とは異なる体制化を遂げていると考えられる．

これらの感覚活用を考えることは，後述する1章2C節の「『聞こえる世界』と『聞こえにくい世界』」（➡ 8頁）や聴覚障害（児）者の状況を理解するのに役立つ．

> **Note 1. speech（話しことば）と language（言語）**
> 英語では"language"が，気持ちや考えを表現する手段として，単語を用いるすべてのコミュニケーション・コードを指し，"speech"はそれより狭い意味で用いられ，話しことばや話す過程に用いられる．本項でも同じ立場をとり，「言語」は"language"を指し，「話しことば」「音声言語」は"speech"を指す．

C 聞こえとことば

人間の聴覚システムは，ことばの知覚に最適な特性を有しており，すべての音声言語は人間の構

音機能と聴覚機能と密接な関連をもって成立している．正常な聴力を有していれば誰でもことばは聞こえるが，必ずしも意味を伴うものではない．これは，外国語学習を考えれば容易に理解できる．耳はことばを聞き取り，話すための基礎データを提供するが，その意味を取り出し，発話を企画するのは大脳である．そしてその過程は，**聴覚的フィードバック回路**（auditory feedback loop）によって絶えず調整されている．聴覚に障害があると，このフィードバック機構が十分に機能しないため，発症が乳幼児期であればことばの習得に困難が生じる．一方で，言語習得後の失聴であれば，すでに学習した筋感覚的フィードバック回路などによって，若干の構音の歪みや韻律の崩れがあったとしても発話機能は保たれる．しかし，ことばの産出はできても，相手のことばが聞き取れないことによるコミュニケーションの障害が生じる．つまり，聞こえと発声発語とは密接に関与しており，なかでもことばの習得の窓口としての聴覚の機能は重要で，音声知覚に必要な中枢レベルの複雑な処理過程の形成を意味している．

　乳児は，生誕時にすでに基本的な音声知覚処理に関する生得的基盤を有しており，あらゆる言語に存在する言語音の対立をほぼすべて弁別できるといわれる[3]．しかしながら特定の言語環境におかれた影響を受け，生後1年くらいの間に，生誕時の普遍的な状態から母語に適した音声知覚を開始し，母語に適さない音の対立は弁別しにくくなる．通常乳児は生後1年ほどで初語が出現し，5〜6年かけて母語の音韻，韻律，語彙，意味，文法などの基本的事項を習得する．その際，言語習得の基礎となる音声知覚能力は音声言語の使用や構文の分化より先に発達し，4〜5歳ころには成人と同様の特定の言語に固有な音声パターンが学習され，自動化されてくる[4]．

　音声言語の特徴は，音素と形態素からなる二重分節性にある．乳児は発話の流れから，聴覚的にまとまりのある**パターン知覚**によって分節化を実現させていると考えられる．養育者が乳児に話しかける際の**マザリーズ**（motherese, infant-directed speech．母親語）の高めのピッチ，ゆったりした速度，抑揚の大きさなどには，発話への注目を促し，パターン知覚を容易にするさまざまな工夫がされている．これはどの言語でも普遍的にみられる現象である．例えば日本語では擬音語・擬態語の多用，短い発話の繰り返し，韻律的特徴の強調，リズミカルで情動的な発話などである．乳児はまずはことばのメロディやリズム的特徴を手がかりに語彙を抽出，記憶化し，次いで音韻配列の記憶へと移行することで語彙の分節化が進展すると推測される．すなわち子どもの言語習得は生得的な能力と同時に，マザリーズのような言語環境を提供してくれる大人の存在が必要とされる．

　さらに言語の本質は統語論にあるといわれるほど，文レベルの処理には，単語の語彙や意味処理だけでなく統語処理が必要である．聴覚障害児の音声言語習得の最大の課題も統語処理の困難さと深く関連する．文の処理能力は最終的には聴覚や視覚のモダリティに依存しなくなると考えられるが，習得過程においては，まず知覚レベルの問題を解決することが必要とされる．

D 聴覚の発達

　内耳の完成は，発生学的には胎生21〜24週くらいであり，胎生25〜28週ごろには外界の音や音楽に対する驚愕反射や心拍音の変化によって聴覚的反応を確認できる．さらに胎生35週目ころには成人の聴力レベルに近づき誕生を迎える．聴覚は生誕時ですでに外界の音を検知し，日々顕著に変化して生後1年間に驚異的な発達を遂げる．それは中枢神経系の成熟と学習の相互的関係に依存し，電気生理学的反応，聴性行動の反応様式や**反応閾値**（ Note 2）の変化として表される．

　新生児の聴力は聴性脳幹反応聴力検査（auditory brainstem response：ABR）などではほぼ成人

表 1-1　聴性行動の発達

月齢	反応閾値の目安 （warble tone）	聴性反応	聴性反応の内容
0〜3 か月	60〜70 dBHL	モロー反射	四肢または全身のびくつき
		眼瞼反射	瞬目，閉眼，開眼
		吸啜反射	サッキング運動
		呼吸反射	呼吸のリズム変化
3〜7 か月	50〜60 dBHL	驚愕反応	泣く，動きの停止，覚醒などの情緒的反応
		傾聴反応	集中して音に耳を傾ける
		詮索反応	音のほうを向く，探す，目を動かす
		定位反応	左右の音源へ顔を向ける
7〜9 か月	40〜50 dBHL	定位反応	左右方向をすばやく定位する
		詮索反応	下方向の音を探る
9〜16 か月	30〜40 dBHL	定位反応	左右下方向をすばやく定位する
		詮索反応	上方向の音を探る
16〜24 か月	20〜30 dBHL	定位反応	上下左右，あらゆる方向を定位する

正常聴力乳児の聴性行動反応検査（BOA）での反応の目安を示す．「Hearing in children」（2002）[5]掲載データを一部参照して作成．BOA での反応は，刺激音源（warble tone，楽器音，声など）や場面状況により異なり，発達的に変化する．

と同様の聴力閾値を示す．しかしながら ABR の潜時や波形は発達的に変化し，1〜2 歳ごろに成人と同等になる．一方，音場での検査では，聴性行動反応を指標にするため反応閾値は上昇する傾向にある．反応の出現や鋭敏さは，音源の種類，提示方法，子どもの検査時の状態などによっても異なる（表 1-1）[5, 6]．また中枢神経系の成熟や発達的条件による個人差も大きい（第 4 章 5 節➡114 頁）．

生後 1 年間の乳児の聴性行動反応の発達的変化は主に 3 つの時期に分けられる．

1）0〜3 か月

聴覚刺激に対し，モロー反射，眼瞼反射，吸啜反射，覚醒反射などの反射的反応が出現する．一方，心地良い音や声には，泣きやむ，笑う，合わせて手足を動かす，声で応えるなどの情緒的反応が出現し，その反応は豊かに分化していく．生誕時にすでにほかの女性の声より自分の母親の声によく反応するといわれ，7 週目ごろには大人同士の会話口調より，マザリーズへの選好的反応が確認される．2 か月ごろに出現するクーイングといわれる発声に大人が呼応的に反応することで，発声の交互的関係が生まれる．

2）3〜7 か月

3 か月ごろまでみられた**原始反射**は抑制され，驚愕反応，傾聴反応，詮索反応，定位反応が出現

> **Note 2. 反応閾値**
>
> 聴性行動反応聴力検査（behavioral observation audiometry：BOA）や条件詮索反応聴力検査（conditional orientation response audiometry：COR）などの音場での検査では，反応を引き出すのに必要な音圧が発達的に変化するため，見かけ上閾値が上昇する．これを反応閾値（反応値）とよび，真の聴覚閾値と区別する必要がある．聴覚閾値と反応閾値の差の大小は，検査者の技量によっても影響を受ける．

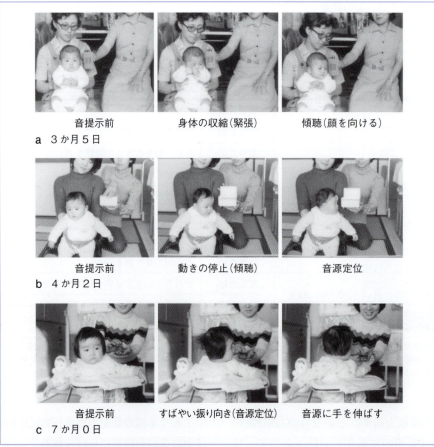

図 1-1 音源定位反応の発達的変化過程
乳児の左耳斜め後方 20～25 cm より音提示．1 枚目は提示前の状態．2～3 枚目は出現した聴性反応．
発達に伴い，動き（反応）がすばやく，かつ積極的になる．

する．特に 3 か月前後は，動きを停止し，傾聴する様子が顕著にみられる．聴性行動反応は，静から動へ，緩から敏へとその変化が顕著な時期である．3～4 か月ごろは反応変化が小さいことと原始反射の抑制のために，日常場面で反応が確認しにくい．そのため母親などが聞こえを心配しやすい時期である．反応は発達に伴って徐々に速くなり，6 か月ごろには振り向き反応が優位で左右の音に直線的に振り向くようになり，誰にでも反応がわかる．

座位姿勢での音源定位反応の発達的変化過程を連続写真で示した（図 1-1）．3～4 か月児では，音源定位の前に，動きの停止，身体の緊張や傾聴が起こる．しかし，音源方向に顔を向けてもそれ以上首が回せず定位には至らない．4 か月児は傾聴のあと音源方向を向くが，まだ首がちゃんと回らず目で定位している．一方，7 か月児では頭部を回転させすばやく直線的に振り向き，さらに音源に手を伸ばして探索する．このように音源探索意欲は早期から見られるが，運動発達や聴覚学習の影響を受け，音源定位反応は発達的に変容する．

3）7～12 か月

聴性反応は明確で，すばやい．検査場面では左右の音源定位反応が安定的に出現する．日常場面

では周囲の音だけでなく，隣室や外界のさまざまな音，かすかな音にも注目し，自分の名前に弁別的に反応するようになる．音楽に合わせて身体を動かしたり，「振る，叩く，打ち合わせる，吹く，放る，落とす」など遊具や楽器を操作し，音を出して遊ぶようになる．

乳児はこのような感覚運動的な遊びを自発的に繰り返すなかから，聴覚的な経験を広げ，自身の聴覚的世界を構築していく．また7か月ごろには[bababa]のような基準的喃語が出現し，発声の感覚的側面と運動的側面の統合が始まる．10か月前後には，「おいでおいで」「バイバイ」などのことばかけに理解反応を示すようになり，音声模倣もみられるようになる．

聴覚障害とは何か

用語の定義

聴覚の困難さを表す用語として，「聴力障害」「聴覚障害」「難聴」「聾」など多様なことばが使われる．それぞれに厳密な定義がなされているが厳密に使い分けられているわけではなく，時代や国，障害に対する認識，立場によってさまざまである．英語圏では，"hearing impairment"，"hearing disability"，"hard of hearing"，"hearing loss"，"deaf"などの表現がある．"hearing impairment"は，聴覚器官の構造や機能の損失・異常を意味するのに対し，"hearing disability"は，聞こえの障害に伴う能力障害や制限に言及した用語として用いられ，日本語の「聴力障害・聴覚障害」に該当する．また，"hard of hearing"は「難聴」，"deaf"は「聾」にほぼ対応する．医学分野では**難聴**と表現されることが多く，診断名や聞こえの障害の性質（例：伝音難聴・感音難聴），程度の数量的表現（例：軽度難聴・高度難聴）として用いられる．一般的には重度の難聴を「聾」というが，聴力と関係なく手話を主体としている場合を「聾」ということもある．また，頭文字が大文字の"Deaf"あるいは"Deaf people"と表現する場合は，「手話言語を第一言語とする言語的少数者」という明確な定義があり，deafとDeafを使い分けている．

聴覚障害者に対して聞こえが正常な人を「聴者」または「健聴者」という．現在の障害者間の基盤をなすノーマライゼーションの思想からすると，障害は必ずしも不幸でも不健康でもない．そこで「健」は適切性に欠けるとして，最近では「**聴者**」が使われることが多い．

また漢字表記では「障害」が通例であるが，これは1950年の「身体障害者福祉法」の施行を機に一般化したもので，本来は「障碍」である．「碍」とは「自分の意思が通じず困った状態」を表し，邪魔や害を与える意味はない．最近は本来の意味の「障碍」も「障がい」の表記も多く認められるようになってきた．

難聴の発症率と分類

日本産婦人科医会の報告によると，新生児期に発見できる永続的な両側難聴の発症頻度は，1,000人の出生に対して1〜2人という．さらに難聴の**ハイリスク因子**(表1-2)[7]があると，発症率は2.5〜5％に増加する．米国の聴覚障害に関する統計資料(National Institute on Deafness and

表 1-2 難聴のリスク因子

major factor 6 疾患	minor factor 7 疾患
①超低出生体重児 ②胎内感染(CMV) ③細菌性髄膜炎 ④ダウン症候群 ⑤奇形症候群 ⑥難聴遺伝子変異	①人工換気(低酸素障害) ②耳毒性薬物,筋弛緩剤 ③CMV以外のウイルス感染 ④新生児ビリルビン血症 ⑤ダウン症以外の染色体異常 ⑥内耳奇形 ⑦その他の希少な新規のハイリスク因子

〔加我君孝:周産期の難聴のハイリスクファクターの新分類と診断・治療方針の確立に関する研究.厚生労働科学研究平成22～24年度総合研究報告,2013 より〕

表 1-3 難聴の分類

基準	分類
病変部位	①伝音難聴,②感音難聴(内耳性,後迷路性),③混合難聴
原因・要因 (伝音難聴)	①炎症性伝音難聴(外耳道病変,中耳病変),②非炎症性伝音難聴(奇形,外傷,腫瘍,異物,骨性疾患)
原因・要因 (感音難聴)	①中毒性難聴,②音響性難聴,③外傷性難聴,④急性感音難聴,⑤遺伝性難聴,⑥加齢性(老人性)難聴,⑦原因不明の感音難聴,⑧疾患に伴う難聴
難聴の程度	①軽度難聴,②中等度難聴,③高度難聴,④重度難聴,⑤最重度難聴
聴力型	①正常型,②水平型,③高音漸傾型,④高音急墜型,⑤低音障害型,⑥谷型,⑦山型,⑧dip型,⑨S型,⑩聾型,⑪混合型,⑫不定型
発症時期	①先天性難聴,②中途難聴・失聴,③加齢性(老人性)難聴
言語習得	①言語習得前難聴,②言語習得途上(言語獲得期)難聴,③言語習得後難聴

難聴の分類基準の多様性は,障害像,予後,必要とされる医学的・福祉的・教育的対応の多様性を示唆している.

Other Communication Disorders, 2016)[8]によると,新生児の0.2～0.3%に両側性の難聴(軽・中等度を含む)を認める.18歳以上の成人の15%は難聴の訴えがある.高齢群では65～74歳の25%が難聴で,75歳以上だと50%と加齢とともに増加する.加齢による聴力低下は個人差も大きいが,一般的には40歳代から始まり,50歳代以降に急速に低下する.

難聴の存在は,環境の認識,対人関係,コミュニケーション,音声認識,言語習得,教育活動,精神衛生,情報収集,社会的活動,家庭生活など,多様な側面に相互関連的に影響を及ぼす.その影響の現れ方は,①難聴の発症時期や発見時期,②聴力の程度・型・障害部位,③発見後の治療や(リ)ハビリテーション・療育・教育,④家族の言語・文化・コミュニティ・価値観などによって異なる.

難聴の分類には,病変部位,原因・要因,難聴の程度,聴力型,発症時期,言語習得などによってさまざまな基準がある(表1-3).難聴(聴覚障害)の程度分類(grades of hearing impairment)については,WHOの基準[9]と日本聴覚医学会[10]が示す基準とでは多少異なる(表1-4).WHOの基準では,良聴耳の500,1,000,2,000,4,000 Hzの4周波数の平均値を用いる.さらに聴覚障害を成人は良聴耳の聴力が40 dB以上の者,小児は30 dB以上の者としている.一方わが国では,難聴のレベルを表す場合はWHOの基準を推奨するが,平均聴力算出法を付記すれば500,1,000,2,000 Hzを用いた3分法でも4分法でもよいとしている.また,障害認定も70 dB以上とWHOの40 dBに比べて高く,これは1つには身体障害者手帳の等級判定の影響が考えられる(第9章➡383頁).

C 「聞こえる世界」と「聞こえにくい世界」

聞こえの世界は,基本的には見ることも触ることもできない.そのため聴者でさえ,日常生活における聴覚への依存の実態はほぼ**無自覚**である.一般に先天性難聴児の90%の親は聴者であるが,これらの聴者も高齢になると難聴になる可能性は大いにある.つまり多くの人は聴者の立場も難聴

表1-4　難聴(聴覚障害)の程度分類

難聴の程度	WHO	聞こえの障害状況	推奨	日本聴覚医学会(2014)	聞こえの障害状況
正常聴力 (normal hearing)	25 dB 以下	囁き声を聞き取れる	特になし	25 dB 未満	特になし
軽度難聴 (slight impairment, mild hearing loss)	26 dB〜40 dB	1mでの普通の話声を聞き取れる	カウンセリング, 補聴器装用の可能性	25 dB 以上40 dB 未満	小さな声や騒音下での会話の聞き間違い, 聞き取り困難を自覚する. 会議などでの聞き取り改善目的では, 補聴器の適応となることもある.
中等度難聴 (moderate impairment/hearing loss)	41 dB〜60 dB	1mでの大声を復唱できる	補聴器装用	40 以上70 dB 未満	普通の大きさの声の会話の聞き間違いや聞き取り困難を自覚する. 補聴器のよい適応となる.
高度難聴 (severe impairment/hearing loss)	61 dB〜80 dB	耳元での叫び声を数語聞き取れる	補聴器+読話指導	70 dB 以上90 dB 未満	非常に大きい声か補聴器を用いないと会話が聞こえない. しかし, 聞こえても聞き取りには限界がある.
重度難聴 (profound impairment/hearing loss including deafness)	81 dB 以上	叫び声でも理解できない	補聴器+読話指導+手話	90 dB 以上	補聴器でも聞き取れないことが多い. 人工内耳の装用が考慮される.

〔WHO[9]と日本聴覚医学会[10]が示す難聴の程度分類をもとに作成〕

者の立場も経験することを意味し,「聞こえる世界」と「聞こえにくい世界」の違いを日ごろから認識することは, 多様な人との望ましい共存を実現するために重要である.

聞こえる人と聞こえにくい人の違いは, ①心や気持ちの動き方, ②周囲の状況の理解のしかた, ③情報の取り入れ方, ④行動のとり方, ⑤人とのかかわり方などに現れる. 聴者は声の大きさやプロソディ(韻律)で相手の感情を読み取る. 背景に流れる音楽や虫の声, 雨音, 泣き声・笑い声, 咳払いなどにより, 静寂や喧噪, 緊張や期待などを感じて気持ちが穏やかになったり昂揚感にあふれたりする. 乳児でさえ, 集団の中で誰か1人が泣き出すと次々に伝播して泣き, 笑い声につられて笑う様子がみられる.

聞こえる人は, 自分の行動に伴う音(例:足音, ドアの開閉音など)が, 状況を示すことを暗黙のうちに了解しているため, 相手に説明する必要がない. しかし難聴者は自分が発している音が周囲にどんな影響を与えているか知る由もなく, 足音が不要に大きいだの, ドアの開閉音がうるさいなどと非難されたりする. また, 聞こえる人は遠くから聞こえる足音が自分に近づくのを察知すると, 誰かが現れるのを予測して気持ちの準備ができる. しかし, 聞こえにくい人にとっては何かが突然に起こることになり, 臨機応変な対応が難しくなる. このような日常の些細なことの積み重ねが世界観の違いとなり, 聞こえにくい人にとって, 聞こえる世界は生活しづらい環境となる.

聞こえる人は, 直接的に伝えられる情報以外に,「耳に挿む」・「**耳学問**」などで間接情報を得ることができる. また,「**ながら聞き**」ができるので, 視覚と聴覚を同時にあるいは独立して活用でき, 情報収集と活動の効率性を高められる. しかし, このような「耳に挿む」・「耳学問」・「ながら聞き」などは, 聞こえにくい人にとっては情報障害

の大きな要因となる．家庭内の何気ない会話でさえ聞き漏らしが多く，その中に重要な情報が含まれていて，聴覚に障害をもつ者だけが知らなかったというトラブルはまれではない．それは単なる情報障害にとどまらず，心理的な疎外感や孤独感へとつながる重大な問題となる場合もある．

　成人であれば，上記のような問題が生じる可能性をあらかじめ伝えることで対策が立てられるが，乳幼児期だと大人が問題を認識して対応するしかない．聞こえる世界に生まれる難聴乳幼児は，①コミュニケーションが見えない，②生活の流れが見えない，③人の動きの意味が見えない状況に置かれる．環境認識や関係性の把握が聴者と異なることを聴者の側が理解することで，難聴児もコミュニケーション・生活の流れ・人の動きが見えるようになる．

　難聴(児)者は，自分の都合のよいような聞き方をしていると聴者に誤解されやすい[11]．これは加齢性難聴にもよくみられるトラブルの原因でもある．しかしながら聞こえは環境条件や心理条件，注意，話題への興味・関心などによって大きく左右されるため，聞こえの反応は一定ではないのである．聴者にとっては聴取条件の悪化にならないようなわずかな聴力の変化が，難聴(児)者にとっては高い障壁になることを認識する必要がある．

D 聴覚障害とライフステージ

1 聴覚障害による影響

　社会の大多数は聴者であり，聴覚に依存して生活を営んでいる．したがって聴覚音声環境においては，聴覚障害の影響は次々に拡大していく(図1-2)．またその影響は，発症時期や発見・診断時期，障害の程度，知能・認知的能力，重複障害の有無などのような個人因子のほかに，補聴器・人工内耳の装用，家庭環境，支援体制，リハビリテーション/ハビリテーション(➡ Note 3)の内容や方法などの関連因子によっても大きく変化する．さらに人間の一生を考えたとき，乳幼児期から高齢期までの各段階で，発達状況・学習課題・精神状態・活動・参加コミュニティ・社会的条件などが異なる．つまり，聴覚障害による影響は，個々の**ライフステージ**によっても異なる．

　聴覚障害による影響は本人の努力だけでは解決しない課題が多い．聞こえる側が，聴覚障害は関係性の障害であることを理解し，「聞こえない・聞こえにくい人」に必要な対応をとることができれば，これらの課題や影響は大きく軽減する．

2 難聴の発症時期と言語習得および コミュニケーションへの影響

　難聴の発症時期は言語習得やコミュニケーションに大きな影響を及ぼす．一般的な言語発達過程では，3〜4歳になると日常的な会話がほぼ成立するようになり，5〜6歳で母語の基本的構造が確立する．その後，書記言語学習が並行し，ほぼ10歳ごろには言語の論理的操作ができて概念コミュニケーションが進展する．個人の言語力は，教育や個人の資質，環境などの条件によって差はあるものの，その後も進展し，成人後も社会的に成熟しつづける．

　言語学習の観点からハビリテーションを考える際に，難聴の発症を言語習得(言語獲得)時期でとらえると，その予後の予測やハビリテーションの

> **Note 3. リハビリテーションとハビリテーション**
> 　リハビリテーションの語源は，教会文書の"Rehabilitas"であり，「復権・名誉回復」を意味する．すなわち"re"は「再び」を，"habilitas"は「可能にさせるものを調達する」を意味する．それが医学の文脈において"rehabilitation"となり，人生の半ばで障害を負った人の「能力回復」や「人生の立て直し」の意味で用いられるようになった．したがって小児の場合は，「再度」の概念は当てはまらないことから，"re"を除き"habilitation"（ハビリテーション）とよばれる．

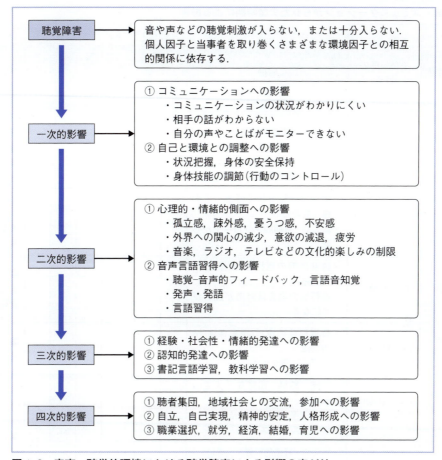

図 1-2　音声・聴覚的環境における聴覚障害による影響の広がり
聴覚障害の影響は，個人因子と当事者を取り巻くさまざまな環境因子との相互的関係に依存する．
したがってハビリテーションならびに配慮や支援のありようによって影響は軽減もしくは解消する．

計画は大きく異なる．一般には，**言語習得前**(prelinguistic stage)，**言語習得途上**(perilinguistic stage)，**言語習得後**(postlinguistic stage)に分類して，各々の特徴や言語・コミュニケーションへの影響を考える(表1-5)．言語習得前とする基準年齢はほぼ3～4歳を目安にするが，この時期の重篤な失聴は，日常生活文が話せたとしても急激に消滅することがある．そのため，失聴後の言語発達も考慮し，書記言語の基礎をつくる9～10歳までは「言語習得途上」とみなし，丁寧な言語評価に基づいた言語指導が必要である．言語習得後の発症は，主にコミュニケーションや情報収集，音声表出への影響を考慮する．

最近では，新生児聴覚スクリーニング検査の受検率が上がり，乳幼児期に軽度・中等度難聴児が発見されることも増えた．しかし，軽度・中等度難聴児は高度難聴児ほど重篤な影響が出ないために，リハビリテーションも受けずに放置されることがある．乳幼児期は問題が表面化しないだけで，「聞こえにくい」ことによる情報の脱落が重なると，学校などの集団の場でのコミュニケーション，情報収集，教科学習にはさまざまな影響がみられる．安心してその後の生活ができるように，定期的なフォローアップ体制や環境整備，個々の状況に応じたハビリテーションが用意されるべきである．

表 1-5 言語・コミュニケーションから見た失聴時期による影響

言語習得段階	失聴時期	失聴年齢の目安	特徴	言語・コミュニケーションへの影響							定型発達レベル
				音声言語		コミュニケーション	音声言語習得	書記言語学習	外国語学習	
				語音知覚	発声発語					
前	乳幼児前期	0〜3歳	・音声言語習得の困難 ・親子コミュニケーション，全体発達，家族支援を含め総合的・長期的アプローチが必要	〇	〇	〇	〇	〇	〇	言語習得前〜音声言語による日常的な会話
途上	幼児期後期	4〜6歳	・書記言語習得状況によって影響が異なる ・総合的・長期的アプローチが必要	〇	〇	〇	〇	〇	〇	日常的な会話〜日本語の基本的構造の完成
途上	学童期	6〜12歳	・教育形態の選択/授業保障/情報保障 ・進行性の場合は対応が遅れがちになる	〇	△	〇	△	〇	〇	書記言語習得，論理的言語の習得
後	思春期・青年前期	12〜18歳	・教育形態の選択/授業保障/情報保障 ・心理的葛藤が大きい	〇	△	〇		△	〇	論理的言語の習得と応用
後	青年後期	18〜20歳代前半	・就職，結婚，出産など人生の転換点 ・自立支援/講義保障/情報保障/メンタルヘルス	〇	△	〇			△	言語の社会的成熟
後	成人期	20歳代後半〜50歳代	・社会的・経済的影響が大きい ・情報保障/メンタルヘルス	〇	△	〇			△	言語の社会的成熟
後	高齢期	60歳代以降	・多くが加齢による難聴 ・家族関係の調整	〇	△	〇			△	言語の社会的成熟

影響は主に中等度以上の難聴を想定．〇印は「影響あり」，△印は「可能性あり」，空欄は「大きな影響はない」．ただし語彙や言い回しなどは年齢にかかわらず学習し続けるため，情報制限による音声言語習得の影響への配慮は常に必要である．

3 小児難聴とライフステージ

幼少期の発症は，先天性難聴(胎児期・周産期前の発症．congenital hearing loss)であれ，中途難聴(出産後の発症．acquired hearing loss)であれ，生涯にわたり聴覚障害の影響を受ける．特に先天性難聴による影響は多岐にわたる．

乳児期における聴覚障害の影響が顕著なのは，親子のコミュニケーションである．聞こえる乳児は，出産後すぐから養育者との間で声や表情，スキンシップなどによる**非言語的なコミュニケーション**を繰り返し，濃密な情動的関係を形成していく．聴覚は注意を喚起し，情動的な相互的関係の形成に重要な役割を担っているが，聴覚障害は親子の**情動的コミュニケーション**や**愛着関係**の形成を阻害する要因となる．さらに，他者との相互的関係性の発達や環境認識などにも影響を及ぼし，のちのち顕在化してくる問題を抱える．乳児期の聴覚障害児へのハビリテーションは「一対としての母子」の視点が必要で，養育者と子どもと

の**情緒的相互交流**がうまく循環するよう援助することが重要である．

　幼児期は言語・コミュニケーション（特に音声言語）の習得時期であり，コミュニケーションはあらゆる発達や学習の基盤となる．乳幼児期の聴覚障害は言語習得に限らず，情緒面，社会性，認知面などの発達や学習のさまざまな側面に影響を与え，相互に関連しあって拡大していく．その影響は，難聴の種類，原因，程度などの個人因子およびハビリテーションの開始時期や内容よっても異なる．乳幼児期の聴覚障害児へのハビリテーションは，聴覚補償や言語習得の問題だけに特化せずに，子どもの発達や学習全般を見通し，個々の特性や家庭環境などを考慮した個別的対応が必要とされる．

　学童期は書記言語習得や教科学習などの教育活動への影響が生じやすい．また通常学校に在籍している場合には，友人関係や学校への適応などの問題が出やすい．さらに学童期後半から思春期・青年期にかけては，自己の障害への葛藤が顕在化し，聴覚障害への忌避感やアイデンティティの危機など心理的な問題に直面する時期でもある．そのため学童期・思春期・青年期の聴覚障害児へのハビリテーションは，教科教育，心理的精神的支援，障害理解，情報保障など，自立や人格形成に向けたプログラムが必要とされる．

　青年期後期から成人期では，職業選択，就労，結婚，育児，人間関係，文化的活動，地域参加など，社会人・家庭人としての活動や適応への影響が想定される．近年では聴覚障害者同士の結婚も増加し，育児に関する情報提供や支援も必要となってくる．また，成人期に人工内耳装用に踏み切り，小児期の人工内耳リハビリテーションとは異なった聴覚活用の課題に直面することもある．

　先天性難聴（児）者のハビリテーション・ハビリテーションは，難聴（児）者としての肯定的な自己意識の形成が要点である．乳幼児期から同障の仲間や障害モデルとの関係を保障し，安定した精神的基盤を作り上げることが必要である．

4　中途難聴・失聴とライフステージ

　言語習得後の難聴・失聴になった人を中途難聴・失聴と表現する．すでに音声言語を習得しているため中途難聴・失聴には音声表出の影響は少ないが，環境音や音声の知覚・認識への困難が際立つ．聞こえにくいという状況にあっても，本人や家族が聴覚障害を認められず，補聴器装用や読話・手話の学習を受け入れられないことも多い．特に難聴が進行性の場合は，初期段階では自他ともに聞こえの障害を自覚しにくい．進行性難聴の場合は悪化を懸念し，失聴の場合は進路変更を余儀なくされ，失職して経済的基盤が揺らぐなど，心理的ストレスは一層増大する．また障害をきっかけにして家族間で潜在的にあった問題が噴出することもある．

　高齢者の難聴も緩やかに進行するが，若年・壮年期の進行性難聴と特性が異なる．社会との接点が少なく活動も限られているため，難聴の自覚が乏しく，周囲の気づきや理解が得られにくい．しかしながら，近年は難聴と認知症の関連性に関する研究が進み，わが国でも高齢難聴者の補聴器装用による情報保障の理解が得られやすくなってきた．生理的機能の衰えに加え，職業生活からの引退，子どもの自立，友人らの死亡など多くの喪失に直面する時期でもあり，情報保障を拒否する人もいる．しかし加齢による難聴は避けられず，孤独になりやすい高齢者の生活の質を保証するためには，コミュニケーションを確保することは重要な課題である．

　人は完全に，しかも突然に失聴することがある．聞こえることが当然の生活を送ってきた人が人生の途中で聞こえがきわめて困難と診断された場合，そのショックは甚大である．学校生活や仕事の変更を余儀なくされ，将来への不安などが増長して精神的に不安定になることも多い．中途失聴による影響は，現在の生活や立場，それまでの経歴，パーソナリティー，家族の状況などの要因が複雑に絡み合い，さまざまな様相を呈する．先

3 聴覚障害のリハビリテーションの歴史と現状

A 歴史

人間の全体発達を考えたとき，個々のデータをどのように理解し，リハビリテーションやハビリテーションに導入するかは，人間の発達や尊厳，生命に対する心理学的・社会学的・哲学的命題とも深く関与している．聴覚障害に関する基本的な課題は本質的には変わらない．聴覚障害の歴史の始まりは絶対少数者である「聾者」の歴史であり，その変遷をたどることはリハビリテーションの真髄を考えるうえで重要である．まず世界の歴史を概観し，そのうえでわが国における聴覚障害の教育・リハビリテーションを概括する．

1 教育不可能な時代(16世紀以前)

象形文字などの高度の文明をもつ古代エジプトでは，聾者は神々によって特別に選ばれた人として丁重に扱われたという．一方で，古代ギリシアでは障害者は社会の重荷であり，聾者への対応も厳しいものであった．哲学者アリストテレス(紀元前384～322年)は，聾であると必然的に唖となり，ことばを話すことはできないと述べた．また理性は天賦の才であるから，理性を欠いた聾者を教育することはできないという理論を提示した．その後もことばの役割は理性を司り，社会的規範に従った市民として生活し，宗教的な救済を得るためにますます重要視された．それに伴い，聴覚は言語学習の最大の回路として認識され，聴覚障害に対する偏見は続いた．

ローマのユスティニアヌス法典では，①先天性の聾唖者，②誕生後に聾唖になった者，③先天性の聾者だが唖者ではない者，④聴力を失ってしまったが唖でない者，⑤唖者，に分類して権利や義務が課されており，話すことのできる聾者のみに私有財産・結婚・遺言書作成などの法的権利が与えられた．しかしながら，ことばを聞くことと話せることが最優先されたなかにあって，聾者は身振り語や見えることば(サイン)によって会話ができ，宗教的な救済が得られることを認識していた記録も散見される．

2 個別的教育の開始(16～18世紀)

14～16世紀に展開されたルネッサンス文化(Renaissance．再生を意味するフランス語)は，聾教育にも黎明をもたらした．医学や哲学的好奇心から，聾や唖に対する新しい知見が得られ，聾者が探究の対象にもなった．聾教育は，聖職者や医師によって，まずは少数の富裕な子弟の私的教育から始められた．例えば16世紀のスペインの貴族社会では財産相続などの理由もあり，聾の子弟の教育に熱心であった．修道士ペドロ・ポンセ・デ・レオンは4人の聾児を指文字と書字から話すことへと導き，聾唖の教育は不可能とする従来の考えを打破した．

17世紀には聾者も教育可能とする考えが流布し定着していった．この時期に使用された言語・コミュニケーションモード(媒体)は，話しことば・書字・指文字・手話などであったが，その技

術が共有されることは少なかった．一般的には組織立った厳格な訓練がなされたが，ジョージ・ダルガーノ（1626～1687年）は，子どもは遊びを通して最もよく学習すると考え，**母親法**(mother method)による教育を実施した．すなわち，聾者の言語指導法に関する論争はすでにこの時期に萌芽していた．

3　学校教育の開始と手話・口話論争（18世紀後半～19世紀）

18世紀後半には，ヨーロッパにおいて広く聾者への関心が高まり，聾児の学校教育が開始された．最初の聾学校は1770年，アベ・ド・レペにより開設されたパリ聾学校といわれている．彼は教育を必要とする貧しい聾児を受け入れ，手話法を用いて教育をした．指導方法は，系統的な手話，指文字，書字を用い，「フランス法」とよばれた．ド・レペの功績は大きく，多くの国でフランス法が採用され手話がそれぞれの国で発展していった．

一方，ドイツでは，1778年にザムエル・ハイニッケがドイツ初の聾学校をライプツィヒに創設した．言語指導には手話や指文字を排し，純粋な口話法（ドイツ法）を採用し，聾教育教員の養成課程を設立した．手話法と口話法の是非については，両者の往復書簡にその様子が示されている[12]．

米国での聾学校設立の動きは19世紀初頭に始まる．フランス法を学んで帰国したトーマス・ホプキンス・ギャローデットは，1817年ハートフォードに手話法による聾学校を設立した．その後，手話法は初期の米国の聾学校の基本的教育法となった．ちなみにその息子エドワード・マイナー・ギャローデットはギャローデット大学（9割は聴覚障害学生）の初代学長である．

このように手話が聾者の言語であるとする一方で，ホレイス・マンとサミュエル・グリッドレィ・ハウはガーディナー・グリーン・ハバードと協力し，1867年に口話法のクラーク聾学校を設立した．

このように，聾学校における言語指導法は口話法，手話法，併用法など各国でさまざまに発展したが，選択基準は曖昧なものであった．1880年，世界中の聾教育者が集まって開催されたミラノ会議（第2回聾教育者会議）の結果，口話法が聾唖者を社会に復帰させ，十分な言語知識を与える点で優れていると採択され，手話・口話論争に一応の終止符が打たれた．なお19世紀初頭には，デンマークを皮切りに聾教育の義務化が欧米各国で実現していった．

4　聴覚活用とバイリンガル教育（20～21世紀）

a　聴覚補償機器の発展と聴覚活用の定着

20世紀は，医学・解剖学・生理学・物理学などの学問分野の新たな知見が聾教育に貢献をもたらした．なかでも残存聴力の存在とその活用への試みが一挙に花開いた．残存聴力への系統的な指導を最初に試みたのは，19世紀初頭にパリ聾学校に勤務していた医師ジャン・マルク・ガスパール・イタールであった．1900年にはフェルデナンド・アルトが初めて電気式補聴器を考案した．

聴力検査の技術の向上は聾児の残聴への気づきを促し，口話法のなかに聴覚訓練を加える動きをもたらした．1914年，米国に聾中央研究所(Central Institute for the Deaf：CID)を設立したMax Goldsteinは，音刺激を十分与えることによって声や発語の状態が改善する指導法を考案し，「手話法」「口話法」などと区別して「聴覚法」と命名した．また英国のEwing夫妻は，強力な増幅による残存聴力活用の可能性を主張し，「聴覚・読唇法」(hearing/lip reading method)を提唱した．

第二次世界大戦以降，補聴器の性能は急速に向上し，小型化，高性能化，デジタル化と発展の一途をたどってきた．人工内耳も同様で，特に20

世紀後半から21世紀初頭にかけて技術革新た技術革新は目覚ましく，中途失聴の重度難聴者や先天性難聴児に聴覚活用の可能性を広げた．これらの補聴補償機器の発展もさることながら，聴力検査や診断技術も進展した．これら補聴補償機器の発展と聴覚検査機器・技術の進歩によって，難聴の早期発見や早期の聴覚補償が可能になり，「口話法」は「聴覚口話法」(auditory-oral method)として急速な発展をみる．聴覚活用法については，読話などの他の感覚との併用を進める「多感覚法」と，聴取が確立するまでは他感覚の併用を抑える「単感覚法」があり，ウエーデンベルク(1951年)やDoreen Pollack(1964年)らはアクーペディックアプローチ(acoupedic approach)の単感覚法を提唱した．PollackはDaniel Ling, Ciwa Griffiths, Helen Beebeらとともに現在のAVT法(auditory verbal therapy：オーディトリー・バーバルセラピー)の基礎を築き，聴覚活用は音声言語の習得に欠かせず幼少期が感度が高いこと，言語は日常の活動を通して学ぶもので養育者のかかわりが重要であるとした．

初期の聴覚活用は「聴能訓練」とよばれ，領域別に細分化したプログラムを系列的に訓練する要素的なアプローチが主流であった．1980年代には，聴覚的アプローチをしているにもかかわらず，日常生活や言語習得に聴能を生かしきれていない難聴児の存在が問題化するようになった．このような傾向に対しLingやColeらは，「聴能は訓練ではなく日常の聴覚経験によって育つものであり，難聴児の聴覚活用は『聴能訓練』ではなく『**聴覚学習**』である**べき**」と主張し，聴覚活用の指導モデルを提案した[13]．

b 聴覚学の出現

聴覚活用の進展の背景には"**オーディオロジー**(audiology)"という新しい学問分野の出現がある．audiologyは「聴覚の科学」を意味し，1945年，のちに聴覚学の父とよばれることになるCarhartとCanfieldらによって命名された．それは，物理学，医学，心理学，教育学，社会学，言語学，言語病理学，小児科学，精神医学，電子工学など多くの分野とかかわる学際的な総合科学であり，それに携わる専門家を"オーディオジスト(audiologist)"とよんだ．このような新しい学問分野の成立は，聴覚障害領域の医療・教育・福祉に大きな影響を与え，聴覚障害へのアプローチにリハビリテーションやハビリテーションという新たな枠組みをもたらした．

"adult audiology"領域では，成人期の先天性聴覚障害者，中途失聴者，高齢難聴者などに対して，補聴器や人工内耳，その他の補聴援助機器による聴覚補償やコミュニケーションはもとより，心理的支援，読話や手話学習，家族や職場への対応など総合的なリハビリテーションの枠組みが用意されている．また"pediatric audiology"領域では，1960年代には重度聴覚障害児，1970年代は難聴児，1980年代は片側難聴児，1990年代は軽度難聴児へと主な関心が推移している．1990年代は新生児聴覚スクリーニング検査の実施による乳児期前期での早期発見・早期ハビリテーションの普及とその効果への科学的検証が推進された時代でもある．それは人工内耳の幼小児への適応や両耳装用と相まって，21世紀における新たな聴覚活用の枠組みが求められている．

c バイリンガル教育

20世紀のもう1つの大きな潮流は，デンマークやスウェーデンなどの北欧諸国や米国を中心に1980年代に台頭する「バイリンガル教育」である．バイリンガル教育とは，聾者の母語(第一言語)を手話言語とし，第二言語としてその国の言語を習得するというものである．このバイリンガル教育は1970年代の口話法教育への批判の高まりを背景とした，言語的少数者の言語権の保障による「聾者」(Deaf people)としての権利獲得を意味している．スウェーデンでは1981年に聾者の2言語併用権が認められ，1983年に「バイリンガル法」が実現して，同時法(音声言語対応手話と音声

言語を同時に使用)を禁止した．

米国では，言語の独自性がその文化を形成するという考えに立ち，「二言語二文化主義教育」が標榜された．これは，**バイリンガル・バイカルチュラル教育**(bilingual bicultural education of deaf and hard of hearing)のことで，手話と書記言語の2言語に，聴者の文化とろう文化(Deaf community で形成される文化)という2つの文化を指す．米国ではASL(American sign language)を第一言語として，英語を第二言語と位置付けている．

このような欧米の潮流は，わが国においても1990年代の聴覚口話教育批判と相まってさまざまな運動を引き起こした．聴覚口話法やインテグレーションは，聴者に近づくことを暗黙裡に是としており，それが青年期のアイデンティティの危機や自己否定感などの精神的問題の要因となるという指摘は，ハビリテーションや療育・教育の主体者と目的を見直すきっかけとなり，情報保障への意識を高めた．1996年には，「ろう者とは，日本手話という，日本語とは異なる言語を話す言語的少数者である」という「ろう文化宣言」[14]が出され，「聾者＝聞こえない者」という病理的視点から「聾者＝言語的少数者」という社会文化的視点への転換がはかられた．これは学校教育にも大きな転機となり，「聴者による聾児の教育」から「聾者による聾児の教育」が求められるようになり，2008年にわが国初の日本手話による聾学校，明晴学園が開校した．この「聾者の自立と尊厳」の主張は，人知れず内奥する障害に対する偏見への気づきを促すうえでも重要であった．それは補聴器や人工内耳による聴覚活用を選択する場合であっても，難聴(児)者としての生き方を肯定し，自立と尊厳を保障する取り組みの必要性を明示している．

一方21世紀に入ると，人工内耳が重度難聴者の聴覚補償機器としてその有効性が確認されて一挙に普及し，これまでの重度難聴児の聴覚的ハビリテーションの様相を一変させた．バイリンガル教育を推奨していたスウェーデン，デンマーク，ベルギーでさえ政策転換し，現在では音声活用や音声併用を認めており，聾学校の存続が危ぶまれる状況である．その背景には，新生児聴覚スクリーニング検査で重度難聴と診断された子どもの9割が人工内耳手術を選択して聴覚活用のニーズが高まったことや，バイリンガル教育において当初期待したほど第二言語の獲得が進まなかったことなどがあげられている[15]．

しかしながら人工内耳装用効果を保証するには，成人においても小児においても聴覚活用を可能にする一貫性のある包括的な(リ)ハビリテーションの体制が必要である．またその有効性には個人差があり，乳児期からの長期装用による人体への影響など，検証すべき未知の課題も多い．さらに，医療・福祉・教育の連携の不備，人員配置や専門性の不足など課題は山積しており，その中核を担う言語聴覚士の責務は重い．

B 聴覚障害のリハビリテーションの現状と課題

リハビリテーションは，医療・教育・職業・社会の諸分野にまたがる概念であり，その目的は「全人間的な復権」である．WHO(世界保健機関)は，2001年に国際障害分類から**国際生活機能分類**(International Classification of Functioning, Disability and Health：ICF)へと発展的な変更を加えた．そこでは従来の機能障害，能力障害，社会的不利を，それぞれ心身機能・身体構造，活動，参加という中立的な用語に改めたうえで，影響因子として環境因子と個人因子を加え(図1-3)，人と環境との相互作用により生み出される「障害構造」としてとらえる視点が提供された[16]．「障害」を個人的な問題としてではなく，広く構造的にとらえ，さまざまな関係性から理解しようという提案はまさしく「関係の障害」であり，「情報の障害」である聴覚障害のリハビリテーションやハビリテーションの流れに符合する．

ここまで聴覚障害のリハビリテーションの歴史

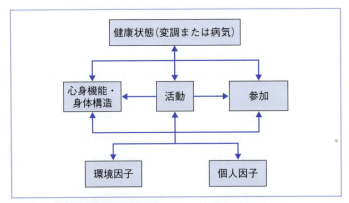

図 1-3　国際生活機能分類（ICF）
WHO は，「国際障害分類」を 2001 年「国際生活機能分類」に変更し，障害を人と環境との関係の構造としてとらえる新しい視点を提案した.
〔障害者福祉研究会（編）：ICF 国際生活機能分類—国際障害分類改訂版, p17, 中央法規出版, 2002 より〕

表 1-6　聴覚障害のリハビリテーションの課題

1. 新生児聴覚スクリーニング検査による早期発見と早期ハビリテーション
2. 補聴器・人工内耳装用(児)者の聴覚活用と長期支援体制の構築
3. 手話言語による教育の場の保障とバイリンガル教育
4. リハビリテーション/ハビリテーションの多様化と選択
5. 多様なコミュニケーションスキルの習得
6. 言語習得と読み書きリテラシー教育
7. 情報保障の多様化と制度化
8. 長期的視点に立ったリハビリテーション/ハビリテーションの構築
9. 家族支援と環境調整
10. 軽度難聴・片側難聴・中途失聴・高齢難聴のリハビリテーション/ハビリテーションの構築

を振り返り，①聴覚障害者観の変遷，②多様な方法論の変遷と検証，③教育・リハビリテーションの枠組みの変遷の過程をとらえてきたが，時代の動きは早く今でも変化を続けている．リハビリテーションを支える医療・福祉・教育制度は，今後も障害に関連する人権認識や社会情勢の変化，および各種施設の機能に応じて変遷していくものと考えられる．

医学や工学も日進月歩で，多様な機能を備えた補聴器や種々の人工聴覚器による新たな聴覚補償手段が生み出されており，再生医療や遺伝子診断・治療の研究も今後さらに進むと予測される．しかしながら，これらの技術革新は新たな差別や格差を生む土壌となりかねず，特に経済格差がリハビリテーションに及ぼす影響は社会制度もあわせて深慮すべきである．偏りのない情報提供が十分なされることによってこそ，技術革新や社会制度はリハビリテーションに活かされるものである．歴史から学んだ知見を参照しつつ，聴覚障害をとりまく種々の変化のなかで，表 1-6 に示す多くの課題をどのように具体化できるかは，これからの私たちに問われるところである．

ただし，どのように時代が変化したとしても，リハビリテーション/ハビリテーションに求められていることは，「障害」のみに焦点を当てるのではなく，全体的，構造的，長期的視点から人間を洞察し，聴覚障害者の自立性と主体性を尊重してアプローチする姿勢であることはいうまでもない．

4 聴覚障害のリハビリテーションの概要

A 聴覚障害のリハビリテーションの流れと言語聴覚士の役割

　言語聴覚士の実施するリハビリテーション活動の基本的流れは，①主訴・情報収集，②検査・観察，③評価・診断，④訓練・指導，⑤社会参加・適応，となり，その枠組みは聴覚障害領域においても同様である．難聴（児）者へのリハビリテーション／ハビリテーションには多くの専門職や機関が関与する．そのなかで言語聴覚士は連携の中核的な役割を担い，難聴（児）者の自立的な活動や日常生活の安定が促進されるよう，長期にわたって支援する立場にある．

　難聴の発見からリハビリテーションまでの流れを図1-4に示す．難聴は，検診，本人の自覚，家族や友人，先生などの周囲の人の気づき，遺伝因子，周産期障害などのハイリスク因子の存在による検査などによって発見の機会を得，精密検査のできる病院の耳鼻咽喉科で診断のための検査が実施される．診断後のリハビリテーションやハビリテーションに速やかにつなげるためには，医学的診断だけでなく，言語病理学的な鑑別診断や言語・コミュニケーション・聴能の評価が必要であり，言語聴覚士のいる耳鼻咽喉科での検査が望まれる．

　一般的には診断確定後，本人や家族への説明があり，必要な医療的措置やリハビリテーション／ハビリテーション計画の立案，実施となる．しかしながら難聴の疑いから診断までの過程に時間を要する場合も多く，またその期間は本人や家族にとって最も不安の高いときでもあり，本人や家族への支援は，検査時から開始されることが望ましい．

　リハビリテーション／ハビリテーション開始後も医師の指示のもとに定期的な検査や経過観察を実施し，聴覚管理や補聴器・人工内耳の調整を継続する．聴力の低下や変動は，種々の要因で生じる可能性があり，生涯にわたって適切な聴覚管理の必要がある．したがって，データ管理と本人・家族への検査結果の適切な情報提供を怠ってはならない．

　リハビリテーション／ハビリテーションプログラムは，評価・診断の結果をもとに長期目標と短期目標を設定し，その経過を評価しつつ進める．評価は個人内でとどめずに，定期的にケース会議などで他者からの評価や意見を求め，検証を繰り返すべきである．

B 聴覚障害のリハビリテーション／ハビリテーションの内容と構成

1 成人難聴のリハビリテーション

a 指導機関

　成人に対する指導・訓練はリハビリテーションセンターや大学病院の耳鼻咽喉科，医療法人の耳鼻咽喉科，個人クリニックなどの医療機関で行われることが多い．しかし，相談業務に関しては，当事者団体（全日本難聴者・中途失聴者団体連合会加盟協会など），聴覚障害者情報センター，職業訓練センター，各種関連団体などの指導機関や支援機関がある．そのなかで言語聴覚士は主に検査・評価・聴覚的リハビリテーション，コミュニケーション指導，補聴器・人工内耳の適合・調整・装用指導などにあたる．

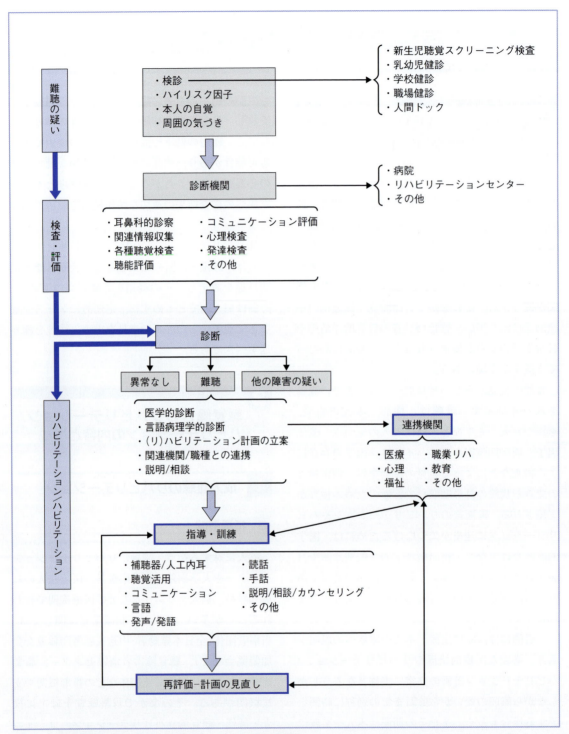

図1-4 聴覚障害の発見からリハビリテーションまでの流れ
医師による医学的診断後は速やかにリハビリテーション/ハビリテーションにつなげる必要がある．そのためには言語聴覚士による正確で適切な聴能言語的評価や言語病理学的診断が求められる．

表 1-7 療育・教育機関の特徴

	児童発達支援センター（難聴幼児通園施設）	リハビリテーションセンター・病院	聴覚特別支援学校（聾学校）	聴覚特別支援学級（難聴学級）	通級指導教室（聞こえとことばの教室）	児童発達支援事業・放課後児童デイサービスセンター
施設の性格	厚生労働省・福祉機関	厚生労働省・医療機関	文部科学省・教育機関	文部科学省・教育機関	文部科学省・教育機関	医療機関・福祉機関・NPO
対象年齢	0歳～就学まで	年齢制限なし	3～18歳（0～2歳児は教育相談）	主に小・中学生	主に小・中学生	乳幼児期～中学生
指導者	言語聴覚士，保育士	言語聴覚士	教員	教員	教員	言語聴覚士，保育士，児童発達指導員
指導形態	2～5日/週，半日～終日個別/グループ併行	1～2日/週，1～2時間/日個別指導基本，小グループ	5日/週，終日学級編成，個別指導もある	固定式学級（終日）または通級指導（時間単位），在籍が必要	通級指導在籍の必要なし	2～5日，放課後，休日

・「難聴幼児通園施設」は2012年児童福祉法の一部改正により2015年までに「児童発達支援センター」に名称変更
・「聾学校・難聴学級」は教育体制の変更により2007年より「特別支援学校・特別支援学級」に名称変更

b 指導内容

青年期から老年期まで幅広い年齢層があり，難聴の発症時期によって，①先天性聴覚障害，②中途失聴，③加齢性難聴，に分けられる．したがってその影響や問題は，それぞれの置かれている状況やライフステージによって異なる．

成人難聴のリハビリテーションについては，第6章を参照されたい（➡ 205頁）．

2 小児難聴のハビリテーション

a 成人との相違

小児難聴のハビリテーションが成人と最も異なる点は，子どもは発達や学習の初期段階にあり，家族や地域，学校などで育まれる成長段階にあることである．小児のハビリテーションの目標は1人の人間としての全人的な発達の実現であり，そのためには自身の聴覚障害の理解に基づく自覚と自立を目指した長期的なハビリテーションプログラムの実施が必要である．

b 指導機関

小児の指導機関（表1-7）は，児童発達支援センター（旧 難聴幼児通園施設），聴覚特別支援学校（聾学校），リハビリテーションセンター，病院，療育センター，児童発達支援事業・放課後等デイサービス，民間施設と多様であり，それぞれの機関によって組織形態，指導方法，対象年齢なども異なる．

難聴幼児通園施設は，厚生労働省によって認可された児童福祉施設である．2012年の児童福祉法の一部改正により，障害種別の一元化構想のもと「児童発達支援センター」に変更された．そのため聴覚障害以外の言語障害や発達障害をもつ幼児の相談や療育も実施しており，難聴児のみを対象とした通園施設は少ない．対象年齢は0歳から就学までを原則とし，難聴の程度も軽中等度から重度までさまざまである．親子通園が一般的であり，多くの子どもは幼稚園や保育園に併行通園している．指導は，個々の状態と保護者の希望に応じた通園体制を組み，個別指導とグループ指導を実施する．

表1-8 難聴児の指導形態

分類基準	アプローチ形態	内容	特色
対象	本人へのアプローチ	個別指導	・個別のニーズや特性に応じた指導が可能
		グループ指導 ピアカウンセリング	・グループのダイナミズムを利用できる ・同障の仲間との活動により精神的な安定を得られる
	家族へのアプローチ	家族指導	・家族間に共通理解や協力体制が生まれる
		母子臨床	・母子一対での指導 ・前言語的段階の愛着関係の形成に重要
場所	施設でのアプローチ	聴覚言語臨床 保育・教育	・部屋，教材などを目的に合わせて整備できる
	家庭でのアプローチ	家庭訪問指導	・日常場面を活用できる
	その他のアプローチ	学校・職場訪問指導	・周囲の人への障害理解や協力体制を促進できる ・参加集団の聴覚的環境整備ができる
考え方	訓練的アプローチ	要素法 聴能訓練	・設定課題を集中的に取り上げ，系統的に進められる ・課題中心となり指導者主導になりやすい
	自然的アプローチ	母親法・自然法 聴覚学習	・体験を通したより自然な学習環境を準備できる ・自発的な学習を重視するため，コミュニケーションパートナーの役割がきわめて重要となる

指導形態は，対象(児)者の個別的要因や指導内容に合わせ，適宜必要な方策を選択する．指導機関の特色によっては対応できないこともあり，他機関や他の専門職との連携が必要である．

　聴覚特別支援学校(聾学校)は各都道府県に少なくとも1校は存在し，幼稚部，小学部，中学部，高等部が設置されている．幼稚部からは学級編成された教育活動だが，0～2歳児は教育相談事業となる．また通常学校(小・中学校)には聴覚障害児を対象とした特別支援学級(難聴学級)や通級指導教室(聞こえとことばの教室)が設置されている．2009年の特別支援学校学習指導要領において，医師，看護師，理学療法士，作業療法士，言語聴覚士，臨床心理士などとの連携が明記された．言語聴覚士の雇用も増えつつあるが現在のところは子どもに直接介入はできず，教員に対する専門的アドバイスということになっている．しかし，学校と言語聴覚士の行政政策に位置づけらたことの意義は大きい．
　リハビリテーションセンターや病院などの医療機関では，言語聴覚士が外来で主に乳幼児期の聴覚的ハビリテーションを実施している．最近では幼児の人工内耳手術例が増加し，術後のマッピングや装用指導の充実が求められている．乳幼児期の聴覚検査・聴能評価・補聴器の適合・人工内耳のマッピングなどは成人とは異なる高度な専門性が必要とされる．特に乳幼児のハビリテーションは，1人の子どもが医療・福祉・教育と複数の場を併用することが多く，家族支援や子育て支援も含め機能的な連携が課題となる．

C 指導形態

　指導形態を表1-8に示す．いずれの機関においても，**個別指導**と**グループ指導**(集団教育)が実施されているが，その比重は機関の性格によって異なる．病院やセンターなどの医療機関では，個別指導が中心となるが，子どもも成人も同障の仲間やグループ指導の場の確保が必要である．また

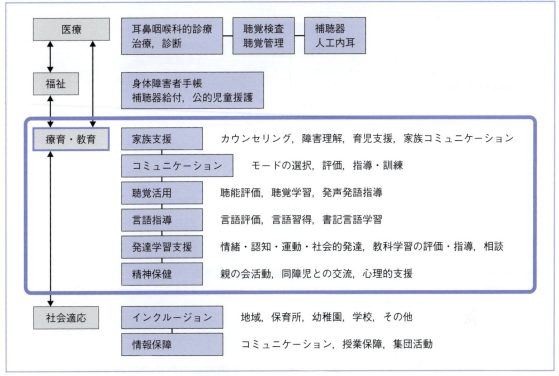

図 1-5　小児難聴のハビリテーションの構成と内容
小児のハビリテーションにおいては家族の状況や保護者の意向を尊重し，現状に即した対応をとると同時に，専門職として長期的視点からのハビリテーションを考え，発達や成長に合わせて必要な支援を実施する．

家庭や学校，職場への訪問指導は，日常の生活環境に合わせた対応ができ，補聴器 / 人工内耳の活用や聴覚環境の整備，周囲の人の理解促進につながる．さらに家庭訪問指導は，乳児や高齢者，共働き家庭など通院困難家族への負担軽減にもなる．指導形態はそれぞれに利点と問題点があり，対象や学習状況，目的に合わせ，効果的な活用を柔軟に検討すべきである．

d ハビリテーションの構成と内容

難聴の早期発見は，早期ハビリテーションの実現においてはじめて意味をもつ．医療機関では，聴覚検査・評価・診断・治療および診断後の補聴器適合・聴覚管理・人工内耳の適合判定・手術・マッピング，聴能評価・指導などを実施する（図 1-5）．このように言語聴覚士の仕事は多岐にわたり，多職種・他施設との緊密な連携が必要とされる（図 1-6）．医療においては耳鼻咽喉科のみならず小児科医や産科医との連携も必要とされる．近年では難聴の原因特定のための遺伝子診断も実施されており，遺伝カウンセリングの必要性もある．また新生児聴覚スクリーニング検査の施行に伴い，出産前からの聴覚障害に対する啓発活動や，スクリーニング検査に関連した家族ケアを十分に実施するため，産科医や看護師・保健師との連携が求められる．さらに重複障害児は理学療法士や作業療法士による介入もある．

e ハビリテーションの姿勢

早期ハビリテーションの実施においては，①コミュニケーションの尊重，②子どもの養育環境の尊重，③子どもの個体差の尊重，④発達の連続性・長期的視点，が重要である．

言語聴覚士は，「聞こえる」世界と「聞こえな

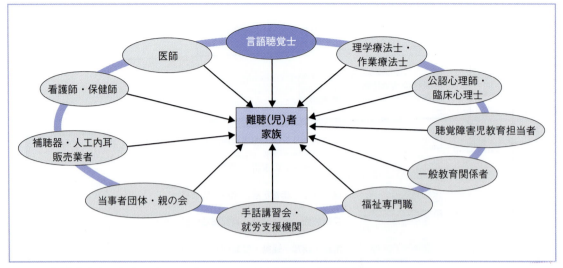

図 1-6　難聴(児)者の(リ)ハビリテーションにおける多職種・多施設連携
連携の仕方は個別的であり，必ずしもすべてが必要なわけではない．また多職種が関与する場合，全体を束ね，責任のとれるキーパーソンが必要であり，それが信頼関係の基盤となる．

い・聞こえにくい」世界の違いを十分認識したうえで，聴覚障害乳幼児に必要な養育環境を家族の意向を尊重しながら保障し，子どもの発達や学習の場であるコミュニケーション環境を整え，子どものバランスの取れた全体発達を実現することが重要な課題となる．そのなかで1人ひとりの子どもに合わせ，コミュニケーション指導，聴覚活用，言語指導，発声発語指導，発達・学習支援が実施される．小児のハビリテーションは家族の理解と協力抜きにはありえない．特に乳幼児期においては母子関係の調整とコミュニケーションパートナーとしての家族の力量を向上させることが重要である．また，小児ハビリテーションは乳児期―幼児期―児童期・思春期―青年期と連続していくため，長期的視点で子どもの可能性を広げていく技量と研鑽が求められる．

　指導内容や方針についても，本人や家族が主体的に選択できるよう支援する．選択は成長の節目ごとに出会う課題であり，言語聴覚士は，選択についての長期的視点をもつことが必要とされる．指導法の詳細は第7章「小児難聴のハビリテーション」を参照されたい(➡245頁)．

f 言語習得のための指導方法

1) わが国の聴覚障害児教育における　コミュニケーション手段と言語指導法の変遷

聴覚障害の教育実践において，コミュニケーション手段や言語指導法の変遷を斎藤(2018年)[17]は下記のように記している．

① 1880年代～1910年代：コミュニケーションは手話と筆談で，日本語指導は文字で行った．

② 1920年代～1960年代：コミュニケーションは口話法で，日本語指導は語彙・文型を計画的に指導する**構成法**が中心で，文型指導の方法として，「いつ，どこ，だれ，なに，どうした，いくつ」の6つの疑問詞を軸にした「六注法」を実践した．

③ 1965年～1990年ごろ：コミュニケーションは聴覚口話法，または指文字やキュードスピーチとの併用で，言語指導法については構成法と自然法を用いた．

④ 1990年代～(20世紀から21世紀へ)：人工内耳普及による聴覚活用の進展の一方で，手話の復

権と多様なコミュニケーション手段の活用・併用の時代へと移行した．また，超早期からの補聴器や人工内耳による対応が可能となった現在，**自然法**を中心とした日本語指導が再注目されている．

ちなみに自然法は自然な対話を通しての言語指導で，1958年にレキシントン聾学校のGrohtが提唱し，わが国では筑波聾学校の岡が導入した．指導者には，子どもの思考・認知・心理・言語発達などの知識と言語活動を拡充していく技量が求められる．

2) コミュニケーションモードの違いに基づくアプローチ

コミュニケーションモードの選択とその利用方法は言語習得と直接的に関係し，指導に大きな影響を与えるため，選択については保護者の同意と協力が欠かせない（表1-8）．

(1) auditory-verbal アプローチ

聴覚口話法よりさらに聴覚活用を重視した単感覚法的アプローチである．手話や読話など視覚的手がかりを限定し，聴覚的経験を豊富に与えて聴覚活用を推進する．早期から一貫した個人補聴システム（補聴器，人工内耳，FMシステム）の利用をはかる．視覚的手がかりの少なさによるコミュニケーション場面での過度なストレスが課題となるが，人工内耳の台頭によりAVT（オーディトリー・バーバルセラピー）として，世界的に注目されている．

(2) 聴覚口話法（auditory-oral method）

補聴器や人工内耳などの補聴機器により最大限に聴覚活用し，音声言語の習得と円滑なコミュニケーションを目指すプログラムである．特に初期段階では自然な身振りや手話表現を利用するが，聴覚／読話による音声言語の知覚処理システムを構築することを目標とする．日常的なコミュニケーション活動を言語習得の基盤とするため，コミュニケーションパートナーによる言語環境の整備が重要であり，親子のコミュニケーション指導が課題となる．

(3) キュードスピーチ（cued speech）

日本語の子音部分を表す手の形（キューサイン）を発話時に併用することで，音声認識を容易にすることを目標にしたアプローチである．音韻情報の認識には優れているが，ことばのプロソディ（韻律）情報は欠如する．そのため書記言語への移行は容易だが，実際には聴覚活用の実用性やコミュニケーションの機能性が課題となる（➡ Note 4）．

(4) 手指法（手話・指文字）

手話には音声言語と文法に基づいて使用される日本語対応手話（中間的手話）と手話を母語として位置付ける日本手話がある．聴覚口話法や同時法およびトータルコミュニケーションで用いる手話は日本語対応手話である．指文字は音韻対応になっており，助詞や固有名詞などを表現するのに便利で，通常，手話と併用する．

(5) トータルコミュニケーション

子どもに必要なあらゆるコミュニケーション手段や方法を使い，できるだけ制約の少ないコミュニケーションを確保し，言語習得や発達を促進しようとする指導理念である．残存聴力の程度，年齢，発達などから手話，指文字，補聴，読話，文字などを子どもに合わせて用いる手話と口話の併用的アプローチ．種々のモードが混在するため，どのような言語処理システムが形成されていくかを個別に評価することが重要な課題となる．

Note 4. キュードスピーチ

キュードスピーチは，1967年ギャロデット大学のコーネット（Cornett RO）によって読話を補助する目的で考案された．読話の際，視覚的に把握できない音韻の読み取りを容易にするように開発された音素レベルの手指記号である．わが国では1969年より，京都聾学校で実践が開始され，全国に普及した．キューサインは，聾学校で伝統的に用いられてきた発音誘導サインを元に作られた．そのため統一されたものはなく，聾学校や地域によりサインの形式が異なる．

(6) バイリンガル教育

聾者の第一言語を手話（伝統的手話）とし，日本手話によるコミュニケーション環境を保障して手話言語の習得を目指すアプローチである．日本語は第二言語として学ぶ．家族は日本手話を学び，日本手話による生活環境や教育環境を用意する．書記言語からの日本語習得が課題となる．

実際の臨床においては，方法論が先行するのではなく，1人ひとりの子どもに合わせてアプローチ方法を調整した個別プログラムを立案し，柔軟に適用すべきである．

引用文献

1）中村雄二郎：共通感覚論—知の組みかえのために．岩波現代選書，岩波書店，1979
2）Ramsdell D：The psychological problems of the hard of hearing and deafened adult. *In* Davis H, et al (eds)：Hearing and deafness. pp501-506, Holt, Rinehart & Winston, New York, 1970
3）梶川祥世：乳児の音声言語獲得．日本音工学会誌 59：230-235，2003
4）Strange W：Speech input and the development of speech perception. *In* Kavanagh JF(ed)：Otitis Media and Child Development. p23, York Press, 1986
5）Northern JL, et al：Hearing in Children. pp14-15, Lippincott Williams & Wilkins, 2002
6）中村公枝：聴覚障害．伊藤元信，他（編）：新編言語治療マニュアル，pp179-201，医歯薬出版，2002
7）加我君孝：周産期の難聴のハイリスクファクターの新分類と診断・治療方針の確立に関する研究．厚生労働科学研究平成22～24年度総合研究報告，2013
8）National Institute on Deafness and Other Communication Disorders(NIDCD), 2016
9）World of Health Organization(WHO)：The Grade of Hearing Impairment. https://www.who.int/pbd/deafness/hearing_impairment_grades/en/
10）難聴対策委員会：難聴（聴覚障害）の程度分類について．日本聴覚医学会，2014
11）津名道代：難聴　知られざる人間風景(上)　その生理と心理．文理閣，2005
12）ペール・エリクソン（著），中野善達，他（訳）：聾の人びとの歴史．明石書店，2003
13）コール・E，他（著），今井秀雄（監訳）：聴覚学習．コレール社，1990
14）木村晴美，他：ろう文化宣言．現代思想 24：8-17，1996
15）鳥越隆士：スウェーデンにおけるバイリンガル聾教育の展開と変成：聾学校，難聴学校の教師へのインタビューから．兵庫教育大学研究紀要 35：47-57，2009
16）障害者福祉研究会（編）：ICF　国際生活機能分類—国際障害分類改定版．中央法規出版，2002
17）齋藤佐和：日本の聴覚障害教育の変化．聴覚言語障害 47：1-29，2018

第 2 章

音と聴覚

学修の到達目標

- 音の物理的特性と感覚的特性を説明できる.
- 人間の聴覚における音の三要素を説明できる.
- マスキングの概念を説明できる.
- 両耳聴効果を説明できる.

音の物理的特性

人間の感覚について，バイオリンは机の上にただ置かれているだけで「視覚」は成立するが「聴覚」は成立しない．聴覚が成立するためには，バイオリンの弦が弓によって弾かれるという**運動**が必要となる．音波は，このような物質の物理的運動（振動）を音源にして発生する**波（波動）**の一種である．**音源**（バイオリン）から発生した音波は，周囲の空間に満ちた空気に伝わっていく．音波には音源の運動の**時間的変化**に関する情報が含まれる．音現象を時間と切り離せないことは，バイオリン演奏を思い浮かべればすぐに理解できるはずである．このように音には，音波という**物理的現象**の一面がある．

一方で，われわれが音を聞くときには，2つの耳（聴覚器）で受けた音情報を，内耳・聴覚中枢でその時間的変化の特徴を分析して，周囲の物音，騒音，音楽，音声などのその音の意味を認知・理解している．このように音には，音感覚という**心理的現象**という一面もある．聴覚は，音の強弱や周波数（音の高低）の変化の特徴を絶えず精巧に分析しながら，周囲の音源の状況や音声を知覚・類推する特殊感覚である．日常的な音の世界も，物理的現象と心理的現象という2面からとらえることができる．

 ## 音波の性質

音波はどのように発生，伝播するのだろうか．例えば，2つの物体がぶつかる，割れる，擦れる，震える，狭いすき間を流体が通過するなどの運動によって，物質（弾性体）に振動が生じると音波を発生させる**音源**となる．そして周囲の媒質（空気中では隣りの粒子）に圧力の変化（密度の疎・密の部分）が次々と伝わり続けると，音波が伝播する．池に石を落とすと，水面に同心円状の波動が広がっていくが，水面に浮かぶ落ち葉は上下（縦）に揺れるのみで移動しない．空気中の音波も，水面波と同じく，**疎密波**が縦方向の振動の波（縦波）となって伝播していく現象である（図2-1）．

音波は空気（気体）だけでなく，水などの液体や線路の鉄製レールなどの固体にも伝わるが，通常，人間が耳で感知するのは空気中の音響現象である．音波は常温，1気圧の条件で，1秒間におよそ340 m進む．音速は温度による影響を受け，温度が上がるほど音速も速まるが，このほかにも，音波は波としてのいくつかの性質をもつ．

①**回折**：音波は直進するが，障害物があると一部はその陰に回り込む性質がある．これを回折という．周波数が低く，障害物の大きさより波長が長いほど回折が起こりやすい．

②**反射・吸音・透過**：空気中を伝わる音波が，壁や水面などの伝播条件の異なる壁体との境界面に到達すると，音エネルギーの一部は反射し，一部は壁体に吸収され（吸音），残りはそのまま通り抜ける（透過）．反射は，壁体の物質の質量が大きいほど増す．

③**屈折**：音波は温度が高い空気よりも，温度が低い空気のほうへ伝わりやすい．夜間は地面に近いほど気温が低くなるため，上空へ発した音波は下方へ屈折しながら伝播する．この屈折効果のため，夜間は昼間よりも，遠くの音がよく聞こえるようになる．

④**干渉**：2つ以上の音波が同じ点に到達したとき，重なり合って互いに強め合ったり，弱め合ったりする．この現象を音波の干渉という．

⑤**共鳴**：管や箱などの構造体に，音や振動が与えられたときに，その材質，サイズ，長さなどによって特定の周波数成分が強められる現象を共

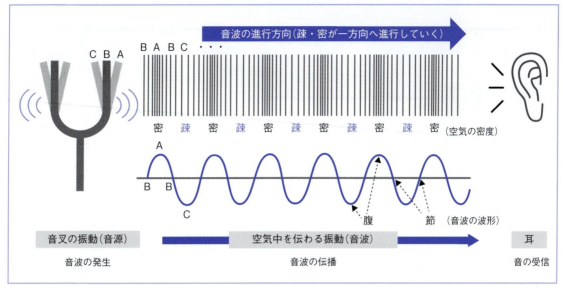

図 2-1 音波の発生と伝播

鳴という．
⑥**放射**：音源から音波が周囲の空間に広がっていくことを放射という．周波数が高いほど，音波の直進性（指向性）は強まる．

また，音波が遮られずに一方向のみに進むとき，**進行波**とよばれる．純音（正弦波）のような周期性のある音波が一方向へ進行する場合，壁からの反射音が加わると（波形同士の節・腹が加算されて）**定在波**が生じることがある．定在波が生じると，一方向に進行する性質は失われて，反射音が加わることにより室内に音圧が強い／弱い部分によるムラが起こる．**無響室**は，防音・遮音に加えて吸音材（グラスウール）を床・壁・天井に敷き詰めた音響実験室で，音の反射を極度に弱めるため定在波は生じない（図 2-2）．一方で，学校の教室，会議室，体育館，コンサートホールなど，通常の室内では反射音が生じ，定在波も生じやすい（図 2-3）．反射音（**残響音**ともよぶ）の程度は，音波発生時から 60 dB 減衰するまでの秒数（**残響時間**）で表す．反射音が多く加わり残響時間が長くなると，補聴器・人工内耳使用者は聴取の困難さが増す．

図 2-2　無響室
無響室の四方の内壁にはくさび形のグラスウールが張り詰められており，音の反射が生じない．室内を移動する際は床の上部の金網の上を歩く．
〔リオン株式会社の許可を得て撮影〕

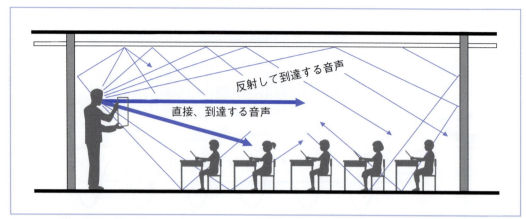

図 2-3　教室における音波の反射

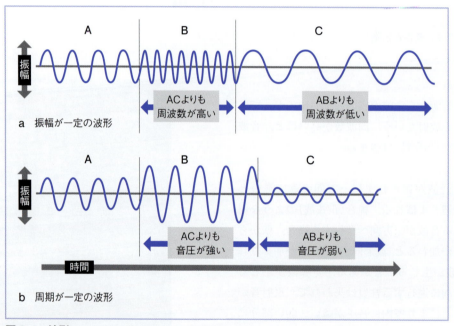

図 2-4　波形
a：周期の長短の変化により，音圧は変化しない．周波数のみ変化する．
b：振幅の大小の変化により，周波数は変化しない．音圧のみ変化する．

B 音の波形

　音は波の一種であり，その波の振動の時間的変化は**波形**で表すことができる．波形は横軸を時間軸，縦軸を振幅にして表示する（図 2-4）．聴力検査用オージオメータは**純音**（1つの周波数成分しか含まない音波）を発生させて，周波数別に聞こえの感度を調べることができるが，純音の波形はシンプルな正弦波であり，波の上下が単調に繰り返される．この単振動上下1回あたりにかかる時間は**周期**（T）とよばれる．**周波数**とは1秒間あたりの振動回数のことを指し，単位はHz（ヘルツ）

である．周期(T)×周波数(f)＝1になる．つまり周波数が上がれば，周期は短くなる．1秒間に1,000回振動する純音は，周期は0.001秒で，周波数は1,000 Hzである．周波数は音の物理的高さを表し，周波数が上がるほど音の高さも上がる．

波形における周期的な長さ（波が1回振動したときの距離）のことを，**波長**とよぶ．波長(λ)＝音速(c)／周波数(f)の式で算出される．音波は1秒間におよそ340 m進むため，340 Hzの波長は1 m，3,400 Hzの波長は0.1 mになる．

音圧とデシベル尺度

波形の振幅が高くなるほど，音波の圧力の強さも増す．音波の圧力の強さは，その気圧の変動量で表すことができ，これを**音圧**(sound pressure)とよぶ(➡ Note 5)．音圧の単位はPa(パスカル)である．人間の耳に聞こえる音圧の範囲は，0.00002 Pa(＝20 μPa；マイクロパスカル)～20 Paにまで及ぶ．しかし音圧を単位にすると，膨大な桁数の数値を扱わなければならず，対数を用いたほうが聴感にも近い．このため，音圧の基準値との比の対数をとったdB(デシベル)によるレベル化した尺度を用いるのが一般的である(**表2-1**)(➡ Note 6)．音圧20 μPa(＝0.00002 Pa)を基準音圧(0 dB)に定めて，音の物理的強さをdBで表したレベル尺度を**音圧レベル**(sound pressure level)とよぶ(➡ Note 7)．音圧レベルの単位はdBSPLである．人間の耳に聞こえる音圧レベルの範囲は周波数によって異なるが，およそ0～120 dBSPLである．

デシベル尺度は，基準値によって使い分けられる．人間の耳の感度は周波数によって異なるが，各周波数における純音に対する正常聴力の下限値を基準値にしたデシベル尺度は，**聴力レベル**(hearing level)とよばれ，単位は**dBHL**である．

表2-1 音圧，音圧比とデシベル値

音圧 (Pa)	基準音圧 との比 (P/P_0)	音圧レベル (dBSPL)
20 Pa	10^6倍	＋120 dBSPL
2 Pa	10^5倍	＋100 dBSPL
1 Pa	$10^5 \times 1/2$倍	約＋94 dBSPL
0.2 Pa	10^4倍	＋80 dBSPL
0.02 Pa	10^3倍	＋60 dBSPL
0.002 Pa＝2 mPa	10^2倍	＋40 dBSPL
0.0002 Pa	10^1倍	＋20 dBSPL
0.00004 Pa	2倍	約＋6 dBSPL
0.00002 Pa＝20 μPa	1倍 基準音圧	0 dBSPL
0.000002 Pa＝2 μPa	10^{-1}倍	－20 dBSPL

> **Note 5. 音圧と音圧レベル**
> 音圧は圧力であるため，圧力の単位(Pa：パスカル)を用いる．圧力は単位面積あたりに作用する力として定義される．1 Paは1 m^{2}あたり1 N(ニュートン)の力が作用するときの圧力を表す．
> 音圧は大気中の圧力の変化分であるが，音圧の変化の最大値－最小値間の幅でそのまま表すのではなく，分析時間内における波形の積分である実効値(または$\sqrt{2}$で割る)で表すのが一般的である．正常聴力の人間が音として感覚を引き起こす実効音圧は周波数により異なるが，1,000 Hzを例にしてみると，弱い音は0.00002 Pa すなわち20 μPa(マイクロパスカル)から，強い音はおよそ2 Paぐらいまでと広く，これをこのまま圧力の単位で扱うと膨大な桁数を扱わなければならない．このため，音圧比の対数をとった相対尺度であるデシベル尺度が用いられる．

> **Note 6. デシベル尺度**
> ここでデシベル尺度について説明を加えておく．デシベルは，ある音圧Pと基準となる音圧P_0の比の対数をとったもので，X dB＝20 $\log_{10} P/P_0$の式によって算出される．音圧レベルは20 μPa(マイクロパスカル)を基準値とする．この基準値に対して音圧が10倍の音は20 dBSPL，100倍の音は40 dBSPL，1,000倍の音は60 dBSPLとなる．

純音オージオグラムの縦軸は聴力レベルであり，0（ゼロ）dB は正常聴力の最小可聴閾値を表す．純音聴力検査の結果，聴力レベル 60 dBHL だったという意味は，その人の最小可聴閾値が正常聴力よりも 60 dB 大きい音で，ようやく聞こえ出したことを示す．

聴力レベルとは別の尺度で，その耳の閾値レベルを基準値にしたデシベル尺度は**感覚レベル**（sensation level）とよばれ，単位は **dBSL** である．聴力レベル 50 dBHL の耳に対して 70 dB HL の音を提示した場合は，閾値上 20 dB 強い音であるから，20 dBSL で提示されたという．また瞬時の非常に短い音の場合，計測器による音圧レベルの直接的な測定が困難である．このため計測器（オシロスコープなど）に波形を表示させ，これと同じ波高値となる持続音を与えて，ピーク値が等価となる音圧レベルで代替的に表すことがある．このときの単位は peak equivalent Sound Pressure Level(eq SPL)dB である．なお，誘発反応検査の 1 つである ABR 検査のクリック音刺激においては，正常聴力耳の聴覚閾値の基準に相当する聴力レベル尺度が用いられる．単位は **dBnHL**（normative hearing level）である．

D 音の周波数とスペクトル

われわれが日常，耳にする音は，図 2-1, 4 のようなシンプルな正弦波（純音）であることは少なく，多くはさまざまな周波数の純音が混じった音（**複合音**）である．複合音は部分音に分解して，どの周波数の純音がどのくらいのレベル値で含まれているかを分析できる（図 2-5）[1]．この分析結果を，横軸に周波数，縦軸にレベル値をとってグラフに表示したものを**スペクトル**という（図 2-5）．このスペクトル表示について，物体の振動などによる複合音（例えば母音や，ギターの弦を弾いたとき）においては，最も低い振動数にあたる純音（**基本音**）と，その整数倍の高さの純音である**倍音**（あるいは**高調波**）が複数加わってくる．このように基本音（基本周波数）に倍音が加わるという整数倍の成分がみられる（このようなとき「周期性がある」という）場合は**線スペクトル**とよばれ，基準音の線といくつもの整数倍の線が並んだ表示となる．

これに対し，音声の子音（摩擦音など），自動車の走行音などの**雑音**（ノイズ）はランダムに多周波数の音が含まれ，非周期音（周期性がみられない音）である．これらの音は部分音（純音）に分解できず，スペクトル表示では周波数成分が帯状に広がる**連続スペクトル**となる．周波数の音域が広い雑音は，**広帯域雑音**（ワイドバンドノイズ）とよばれる．広帯域雑音はその周波数特性によって種類があり，ホワイトノイズ（どの周波数帯も均一），ピンクノイズ（1 オクターブ上がると 6 dB ずつ減衰する）などがある．会話音声の平均レベルに模した周波数特性をもつノイズはスピーチノイズとよばれる．語音聴力検査のマスキングで使用するオージオメータのスピーチノイズは，1,000 Hz ま

> **Note 7. 騒音計**
>
> 音の音圧レベルは，**騒音計**（図）で測定する．騒音計は，周波数感度（特性）を切り替えて使用する．ここでは，Z 特性，C 特性，A 特性について説明する．Z（または FLAT）特性は全周波数にわたって平坦な周波数特性である．C 特性は，Z 特性よりもやや狭い帯域（31.5 Hz と 8,000 Hz の間の帯域）にわたってほぼ平坦な周波数特性である．Z と C 特性の測定値は dBSPL として読み取ってよい．
>
> 一方で A 特性は，人間の耳の周波数感度に近似させており，特に低音域の感度が下がっている．A 特性で室内騒音などを測定すると，人間の聴感に近似した測定値を得ることができるため，これらの特性は測定目的に応じて使い分ける．音場検査用スピーカの較正や検査室内の暗騒音レベル測定にも騒音計を用いる．測定値はどの感度特性に設定したものかわかるように，それぞれ XdB(C)，XdB(A)のように設定条件を記しておく．
>
>
>
> 図　騒音計

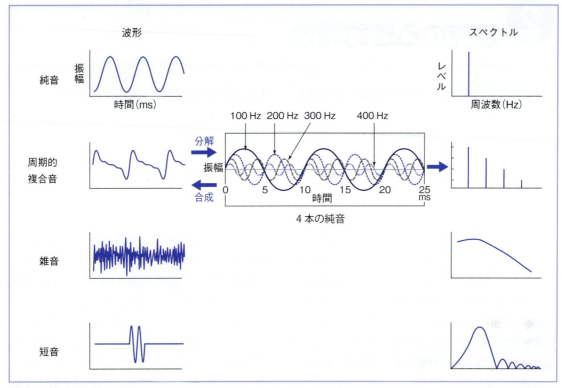

図 2-5 音の波形とスペクトル
4つの音の波形とそのスペクトルを示す．純音や周期的複合音のように周期的な波形の音はとびとびの周波数に成分をもつ（線スペクトル）のに対して，雑音や短音のように周期的でない波形の音は連続した周波数に成分をもつ（連続スペクトル）ことが多い．周期的複合音の波形を純音に分解すると，図の中央にあるように同じ周期をもつ（100 Hz の）純音とその整数倍（200，300，400 Hz）の周波数の純音に分解できる．この場合のスペクトルは，周波数を横軸，含まれている各周波数の純音のレベルを縦軸にとって表される．
〔松平登志正：音の物理的特性．藤田郁代（監修）：標準言語聴覚障害学 聴覚障害学，第2版．pp32-35，医学書院，2015 より改変〕

では均一で，1,000 Hz 以上では1オクターブ上がると 12 dB ずつ減衰する特性をもつ．

一定の周波数帯のみに音エネルギーをもつ**狭帯域雑音**（ナローバンドノイズ）とよばれる雑音もある．純音聴力検査でのマスキングに使用するバンドノイズは，中心周波数が検査周波数と同じ狭帯域雑音である．

打楽器の音（短音）やクリック音は，波形の持続時間が短いため，周波数成分を分析すると，広帯域に周波数成分が含まれる表示となる．

聴覚の心理的特性

　日常生活で，われわれが複数の音源に囲まれることはよくある．複数の音源から発した音波は折り重なって両耳の鼓膜に到達する．聴覚の知覚システムはこの音情報をいくつかの音の流れに分凝させ（**音脈分凝**），音源の方向を空間的にとらえる（**聴覚の情景分析**）．続いて，複数の音脈のうち1つの音のみに**選択的注意**（selective attention）を向けて，その音の特徴をとらえて意味を理解する．言い換えると，聴覚的注意・傾聴を要する目的音である「聴きたい音（listen to）」と，背景音として「聞こえてくる音（hear）」という二重の音の世界を，われわれは知覚していることになる．

　耳で検出・感知された音の特徴を分析して総合的に認知する機能は，**聴能**ともよばれる．聴力が耳の感度を表す用語であるのに対して，聴能は内耳以降の中枢機能を表す．内耳に入力された音の特徴は分析されて，**音の大きさ**，**高さ**，**音色**の3つの変化が知覚される．これらの3つは**音の三要素**（属性）とよばれ，聴覚心理学では，音の大きさは**ラウドネス**（loudness），音の高さは**ピッチ**（pitch）と言い表すことが多い．人間における音楽や音声の認知は，感情・記憶・表象・言語・思考といった精神活動との関連が深いが，聴覚認知の前には入力音の特徴分析が先立って行われると考えられる．

聴覚閾値と聴野

　音を弱いレベルから次第に強めていくと，あるレベルを超えた時点で音が聞こえ始める．音の感覚を生じさせる最小のレベルを**聴覚閾値**（最小可聴閾値）という．聴覚閾値の測定は，①室内などの空間（音場という）で，スピーカから音波を発生させて両耳で聴取させる場合と，②イヤホンを用いて片耳で聴取する場合の2つがある．

　聴覚閾値を超えて音を強めていくと，ラウドネス（音量感）は次第に大きくなり，あるレベルを超えると痛みの感覚が生じ始める．このときの音のレベルを（音の）**痛覚閾値**という．痛覚閾値が実質的に聞くことのできる上限と考えられるため，聴覚閾値から痛覚閾値までの範囲を**可聴閾値**または**聴野**（ダイナミックレンジ）という．図2-6から，自由音場では，3,000〜4,000 Hz付近で最も感度がよく（閾値が低く），これよりも周波数が低くあるいは高くなるにつれて，感度が悪く（閾値が高く）なっていることがわかる[1]．これに対して，痛覚閾値の音圧レベルは120 dB前後で，周波数による変化は少ない．その結果，聴野の幅は3,000〜4,000 Hz付近が最も広く，この周波数から外れると狭くなる．なお，内耳性難聴においては難聴が生じた周波数の聴覚閾値は上昇する一方で，痛覚閾値（あるいは不快閾値）は大きく変化しない．このため，聴野が狭小化する**リクルートメント現象**（補充現象）が生じる．内耳性難聴により聴野が狭小化すると同現象が生じやすく，正常耳に比べて音の強弱の変化に敏感になり，ラウドネスの増減が生じやすくなる（第4章2節の図4-15 ➡ 91頁）．

　ところで，図2-6の人間の正常耳に聞こえる周波数の範囲をみると，20〜20,000 Hzである．20 Hzより低い音波は超低周波，20,000 Hzより高い音波は超音波とよばれ，いずれも人間の耳には聞こえない周波数の範囲にある．周波数の可聴範囲は動物によって異なり（図2-7）[2]，多くの動物は，自分で発する音（鳴き声，音声）の周波数範囲よりも広い範囲の音を聞くことができる．

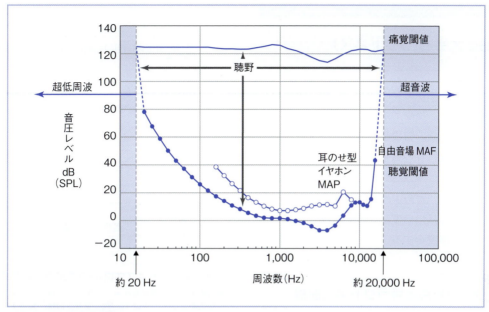

図 2-6　正常耳の聴野
- 可聴周波数（約 20～20,000 Hz）．20 Hz 以下は超低周波，20,000 Hz 以上は超音波とよぶ．
- 聴覚閾値：最小可聴閾値（minimum audible field：MAF），自由音場で測定．
- 最小可聴音圧（minimum audible pressure：MAP），耳のせ型イヤホンで測定．オージオメータの 0 dB は MAP を基準にしている．
- 痛覚閾値（threshold of pain）：聴覚以外の感覚（痛覚）が加わる．

〔松平登志正：人間の聴覚．藤田郁代（監修）：標準言語聴覚障害学 聴覚障害学，第 2 版．pp35-44，医学書院，2015 より〕

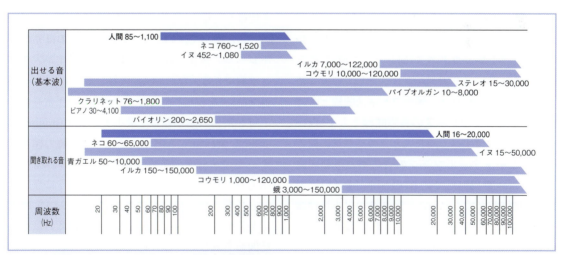

図 2-7　動物の出せる音・聞きとれる音の周波数帯域
〔Stevens SS，他（著）．結城錦一（監訳）：音と聴覚．タイムライフブックス，1975 より改変〕

B 音の大きさ（ラウドネス）

人間が感じる主観的な「音の大きさ」にかかわる心理量のことを，ラウドネスという．ラウドネスは，刺激音の強さの物理量によって決まると考えられるが，単純に音の強さのみによって決定されるわけではない．正常聴力における音の大きさ（ラウドネス）は，どのような特性をもつのだろうか．ラウドネスについて，フォン尺度と，ソーン尺度について解説をする．

1 フォン尺度と等ラウドネス曲線

音の大きさの物理量-心理量の関係をみる尺度に**フォン（phon）**がある．**フォン尺度**は1,000 Hzの純音（音圧レベル）を基準軸にして，1,000 Hzの音（X dBSPL）と同じラウドネスを得られる他周波数の音をXフォンという．1,000 Hzにおいてはフォンの数値は音圧レベルと一致するため，1,000 Hzの40 dBSPLの音は40フォン，60 dBSPLの音は60フォンとなる．

自由音場（無響室）にて両耳聴のもとで1,000 Hzの純音と等しいラウドネス（同じフォン値）を得られる他周波数の音を調べ，プロットして曲線で結んだグラフ（図2-8）は，**等ラウドネス曲線**とよばれる．別名で**ラウドネスの等感曲線**ともよばれ，各曲線上の音はすべて同じ大きさの感覚量に聞こえることを示す．40フォンの音にあたる他周波数の音は，A 125 Hzで約60 dBSPL，B 4 kHzで約35 dBSPLと読みとれる．図2-8の最小可聴閾値は国際規格（ISO226）で定められており，改訂されるたびに微差が生じている．

等ラウドネス曲線の最も下の曲線（音場における最小可聴閾値，minimum audible field：MAFともよばれる）をみると，4 kHz付近が最も感度がよい．4 kHz付近から外れるほど感度が悪くなり，特に周波数が低くなるほど感度低下が著し

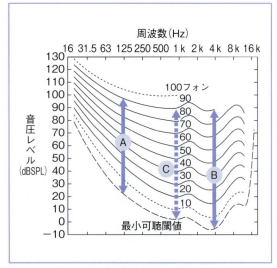

図2-8 等ラウドネス曲線（ISO 226を元に作成）
横軸に周波数，縦軸に音圧レベルをとって示した，ラウドネスの等感曲線を示す．Aは125 Hz，Bは4 kHz，Cは1 kHzを示す．Cの1 kHzはフォン尺度の基準となる周波数である．同じ40フォンであっても，周波数が異なると，対応する音圧レベルが異なることがわかる．ラウドネス曲線の下の破線は最小可聴閾値（MAFによる）を示す．

い．この感度低下は最小可聴閾値の曲線に近い下側（フォンの数値が小さい）ほど急峻であり，上側ほど緩やかになる．このためA 125 HzとB 4 kHzを比較した場合，125 Hzのほうが曲線間の幅が狭い．したがって，4 kHzよりも125 Hzのほうが音圧レベルの変化に伴うラウドネスの変化が大きいと解釈できる．なおMAFに対して，イヤホン（気導受話器）を使用して片耳ずつ測定した正常耳の最小可聴閾値の基準値は，最小可聴音圧（minimum audible pressure：MAP）とよばれる．聴力検査用オージオメータの気導受話器は，0 dBの純音の出力レベルがMAPの値に一致するように専用の6 cc音響カプラで較正する．MAPとMAFは測定条件の違いはあるが，両方とも正常耳の最小可聴閾値を表している．

2 ソーン尺度

フォンによるラウドネス尺度は，1,000 Hzの純音の音圧レベルを基準軸にしていた．このため，

2 聴覚の心理的特性

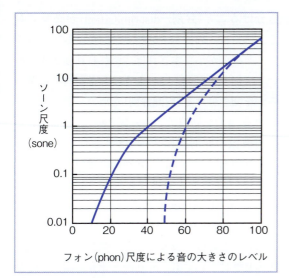

図 2-9　ソーン尺度
実線は正常耳におけるソーンの上昇曲線を示す．破線は中等度難聴(内耳性難聴)の一例を示す．閾値上では，補充現象(リクルートメント)によってラウドネスが急峻に上昇していく様子がわかる．

40 フォンと 60 フォンは数値上は 1.5 倍の比率であるが，実際にラウドネスの心理的感覚量が 1.5 倍に上がるわけではない．ラウドネス上昇自体を数値で表すための尺度にソーン(sone)がある(図 2-9)．**ソーン尺度**では，1,000 Hz，40 dBSPL の純音のラウドネス(40 フォン)を 1 ソーンと定義し，その 2 倍のラウドネスを 2 ソーンとし，1/2 のラウドネスを 0.5 ソーンと定めたものである．ソーン値とラウドネスレベルの関係は，40 フォン以上の大きさの範囲では，10 フォンの増加でラウドネス(ソーン値)は約 2 倍になり，ほぼ一定の比率で上昇することが知られている．一方で 0〜40 フォンまでの音が小さめの範囲では，10 フォンの増加でラウドネス(ソーン値)は急峻に(2 倍よりも大きく)変化する特性がある．

C 音の高さ

人間が感じる主観的な「音の高さ」にかかわる心理量のことを，**ピッチ**という．音の周波数が増すにつれて，心理的な音の高さ(ピッチ)も上がっていく．ただしピッチ感覚については，音の高さが明瞭に感じられる音(純音，周期性のある母音・楽器音など)がある一方で，それほど明瞭でなく定義しにくい音(雑音など)もある．

1 純音のピッチ

純音のピッチは，その周波数と強く関連しており，周波数が増すにつれて高く感じられる．物理学的には周波数が 2 倍になると，1 オクターブ高くなる．しかし，周波数が 2 倍になってもピッチが 2 倍になるわけではない．純音の高さの物理量－心理量の関係をみる尺度に**メル**(mel)がある．**メル尺度**では，1,000 Hz(40 フォン)の純音のピッチを 1,000 メルと定義し，この 2 倍のピッチを 2,000 メル，1/2 のピッチを 500 メルと定めたものである．純音の周波数とメル尺度の関係においても両者に比例関係はみられず，周波数が 2 倍になってもピッチの変化は 2 倍未満であることがわかっている．

2 周期性のある複合音のピッチ

母音・楽器音などは，基本音と複数の倍音からできた音であり，単一の周波数しか含まれない純音とは周波数成分が異なる．基本音がある場合，波形には周期性があり，周期は基本音(基本周波数)の周期に等しい．これらの音のピッチ知覚においては，倍音の構成成分にかかわらず，基本音の周波数に等しいピッチが聞こえるという現象がある．ピッチ知覚に関する別の現象として，イヤホンやスピーカの性能が悪く低音域を十分に再生

できない場合や，低周波数帯の雑音があるために音声の低音域成分がマスキングされて聞こえない場合などのように，基本音が欠けていてもピッチは変わらずに聞こえてしまうという錯聴現象（**ミッシング・ファンダメンタル**）がある．この補完現象の説明として，蝸牛基底膜の興奮する場所の違い（場所ピッチ）だけから成立したとは考えにくく，音刺激による神経インパルスの時間的周期性（時間ピッチ）が利用されて，周期性の情報の補完がなされたと考えられる．

3　音楽におけるピッチ

音楽で用いる2つの音のピッチの隔たりを音程という．2音の基本周波数の比が1:2となる音程は1オクターブとよばれる．ただし，楽器音の周波数が2倍になっても，ピッチが2倍になるわけではない．音楽で使用する音には，ド，レ，ミ，ファ…，A，B，C…などの音名がつけられている．これを周波数順に並べたものを音階（スケール）とよぶ．1オクターブの範囲内には，半音階では12音が配置されている．現在では，半音階の各音の周波数は平均律で決められており，隣り合う音の周波数の比が等しくなっている．

4　周期性のない複合音のピッチ

クリック音などの短音や，雑音の波形には周期性がみられない．雑音は連続スペクトルを示し，そのスペクトル成分が強い周波数帯に対応するピッチ感覚が得られる．ただし，周期音よりはピッチは不明確である．

D 音の弁別

会話音声を認知・理解する段階に先立って，その音声が単に聞こえるだけでなく，音の違いを聞き分けること（**弁別**，discrimination）が必要である．例えば，周波数fがわずかに異なる2つの音は，その差が小さすぎれば，われわれは2音の違いを区別できない．このように2音が同じか異なるかを聞き分ける（**異同弁別**）ための，最小の周波数の差（Δf）を周波数の**弁別閾**という．1,000 Hzでは周波数の弁別閾は2〜4 Hzとされている．一方で弁別閾の代わりに，弁別閾の元の周波数に対する比（Δf/f）で表す場合もある．これを**比弁別閾**という．1,000 Hzの純音の比弁別閾は，0.002（0.2%）〜0.004（0.4%）となる．なお，周波数にかかわることだけではなく，音の強さ，音の持続時間の長さについても，弁別閾と比弁別閾が定義されている．

周波数の弁別閾は周波数によって異なる．周波数が1,000 Hzから2,000 Hzに上がると，弁別閾も約2 Hzから約4 Hzに増す．その結果，比弁別域はどちらも約0.2%とほぼ等しくなる．この関係は，1,000〜4,000 Hzの範囲で近似的に成り立つ．同様のことは，音の強さ，持続時間の長さについてもいえる．このように，音の周波数，強さ，長さの比弁別域は，ある範囲内ではほぼ一定値を示す場合が多い．この関係は**ウェーバー（Weber）の法則**という．また，ラウドネスの上昇のように，刺激量と感覚量にみられる対数的関係は**フェヒナー（Fechner）の法則**とよばれる．

E マスキング

1　マスキングの起こり方

電車が踏切を通過するときのように，周囲の騒音などによって，聞こえにくくなる現象はよく経験される．騒がしい所で会話をする場合には，大きい声で話さないと聞こえない．このように他の音の存在によって，目的とする音の聴覚閾値が上昇する聴覚心理的現象を**マスキング**という．

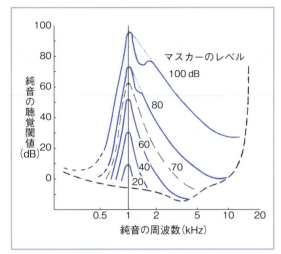

図 2-10 帯域雑音（中心周波数 1 kHz）による純音のマスキング

〔Zwicker E：Psychoakustik. Springer-Verlag, 1982 より改変〕

図 2-10 は，中心周波数 1 kHz の狭帯域雑音を負荷したときに，各周波数の純音の聴覚閾値がどう上昇するかを表す[3]．この図をみると，1 kHz が最も上昇しやすい．すなわち，マスキングする音（**マスカー**という）と同じ周波数帯域の音が最もマスキングされやすいことがわかる．さらに，雑音レベルが 10 dB 増加すると聴覚閾値も 10 dB 上昇しており，両者の上昇量が等しい関係にあることもわかる．

図 2-10 のマスキング下の閾値曲線の形状をみると，左右対称ではなく，1 kHz よりも右側の高い周波数側で勾配が緩やかに伸びている．このことはマスキングする音とされる音の周波数が異なる場合，マスカーより高い周波数の音はマスキングされやすく，低い周波数の音はマスキングされにくいことを示している．この現象が生じるメカニズムについては，蝸牛基底膜の場所と振動パターンによって説明されており，基底膜振動の包絡線が低音域側よりも高音域側により広く及ぶために生じると考えられている．

2 臨界帯域幅，聴覚フィルター

雑音と純音の周波数帯域が同じときにマスキングは最も起こりやすい．純音を効果的にマスキングする雑音は，純音の周波数を中心とした一定の帯域幅さえあれば十分で，それ以上帯域幅を広げてもマスキング効果は変わらないことが知られている．この帯域幅を**臨界帯域（幅）**という．臨界帯域幅は，500 Hz 以下の周波数ではほぼ一定で，それ以上では周波数とともに増加し，各周波数を中心とした 1/3 オクターブの幅に近い値となる．ところで，聴覚器が各周波数の音を分析できるように，蝸牛の上には特定周波数に反応する多数のフィルターが，互いに少しずつオーバーラップしながら連続的に配置されていると仮定されている．この仮想的なフィルターは**聴覚フィルター**とよばれる．理論的には，聴覚フィルターの帯域と形状は臨界帯域と等しいと考えられている．

3 継時マスキング

ここまで説明してきたマスキングは，**同時マスキング**とよばれるもので，マスカーとマスキー（マスキングされる音）が同時に提示されてマスキングが生じる場合である．これに対して，時間的に先行・後行する音が目的音をマスキング（**継時マスキング**）することもある．2 つの音が 0.1 秒以下の短い間隔を置いて，引き続いて提示された場合にもマスキングが起こりうる．このうち，時間的に先行する音が後の音をマスキングすることを**順向性マスキング**（forward masking）とよぶ．興味深いことに，後行音が先行音をマスキングする逆の現象もあり，**逆行性マスキング**（backward masking）とよばれる．

F 音色

音色の定義は難しく，ラウドネス・ピッチ以外の何かの心理的属性であるとは定義できるものの，明確には定めにくい．音色の知覚は，主にその音に含まれる周波数成分に影響されるが，音圧や時間的特性にも影響される．学術的には，ラウドネスとピッチが同じである2音が異なった感じに聞こえたときに，その相違に相応する属性が音色であると説明されている（JIS Z8106：2000）．音の三要素について，ラウドネスの場合は音の大小，ピッチの場合は音の高低という一次元尺度上に配置できるのに対して，音色は，澄んだ，柔らかい，明るい，豊かな，などの多くの形容詞で表現されることからもわかるように，多くの感覚要素からなる多次元的な性質がある．

音色は主にスペクトル構成によって決まるが，音の強さが時間とともに変化する音も多い．例えば，ピアノの音は立ち上がりが急で，その後，徐々に減衰するパターンが特徴である．これを逆向きに再生すると，波形の向きが逆転しているだけでスペクトルは同じであるにもかかわらず，オルガンかアコーディオンのような音色に聞こえる．このように非定常音では，音の始まりや終わりの時間的な変化のパターンも音色を決める重要な要素になっていることがわかる．

G 騒音

1 音の風景と騒音

われわれは音からさまざまな情報を得ることができる一方，騒音によって会話が妨害されたり，住環境のトラブルが生じたりする場合もある．また強すぎる音が聴力障害を引き起こすこともある．このような望ましくない音を**騒音**という．近代産業化以降，世界中の都市部，工業地帯，交通の要所を中心に騒音は増してきた．このような騒音に面した現代社会では，人工的騒音の少ない静かな音環境の重要性が見直されてきた．**サウンドスケープ**とはランドスケープ（景観）に対して作られた「音の風景」を意味する語である．

2 聴覚疲労

強い音を一定時間以上聴取すると，内耳の有毛細胞や神経に疲労が起こり，一次的な機能の低下（**聴覚疲労**）が起こる．強大音聴取のあとに一時的に聴覚閾値の上昇（聴力低下）が生じることを**一過性閾値上昇**（temporary threshold shift：TTS）という．TTSは音刺激終了直後が最も大きく，その後，時間とともに回復する．

一方で音が強すぎると，音が停止したあと，時間が経っても聴覚閾値が回復せず，聴力障害が発生することがある．これを**永久閾値上昇**または**永久閾値変動**（permanent threshold shift：PTS）という．聴覚障害を防止するため，職場の騒音レベルの許容基準値は8時間騒音下で労働する場合は85 dB（A）と定められている（厚生労働省「騒音障害防止のためのガイドライン」）．

H 両耳聴

周囲の音源から発した音波は折り重なって，両耳の鼓膜に到達する．**両耳聴**では2つの耳で受けた音の情報を利用できるため，単耳聴に比べてメリットが多く生じる．

1 頭部による遮蔽効果の軽減

片耳しか聞こえないと，反対側からの音は頭部に遮られるため聞こえにくくなる．高い周波数の

音は回折が起こりにくいため，頭部の陰になったほうの耳に届きにくく，20 dB 以上減衰してしまう．両耳で聞けば，どちらの方向からの音もよく聞こえるようになる．

2 両耳加算

両耳で聞くと片耳で聞くよりも音は大きく聞こえる．同じ強さの小さい音を両耳で聞くと，片耳のときに比べて2倍の強さ（3 dB 強い音に相当する）で聞く効果が生じる．このため両耳聴による聴覚閾値は，片耳による単耳聴で聞いたときよりも約3 dB 改善（下降）する．

3 両耳融合，両耳分離

右耳と左耳に異なる音刺激を与えられて，単一の音像が知覚される現象を**両耳融合聴**という．例えば聴覚実験などで，片耳にローパスフィルター語音（ある周波数以下の帯域のみをもつ語音）を，対側耳にハイパスフィルター語音（ある周波数以上の帯域のみをもつ語音）を提示した場合や，片耳と対側耳に別々のタイミングで無音区間を挿入した語音を提示した場合には，両耳融合が生じる．これに対し，右耳と左耳に同時に異なる語音を提示したときに，どちらか一方の耳の語音あるいは，両方の語音を聴取して報告することを**両耳分離聴**という．

4 音源定位能の改善

音源の方向定位能によって，われわれは定位された方向に音の存在（音像）を感じ，その空間・場所の方向から音が聞こえてくると感じる．音源の方向や距離を知る能力，とりわけ，左右方向（水平面上）の定位能力は両耳聴によって著しく改善される．このメカニズムは，高い周波数の音においては，左右の耳に到達する音圧の**レベル差**（interaural level difference：ILD）を，低い周波数に

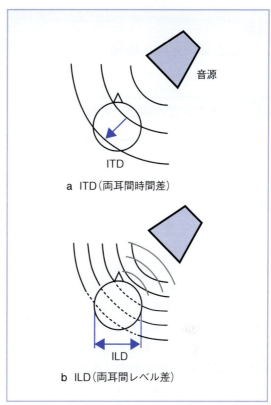

図 2-11 両耳聴における両耳間の時間差とレベル差

おいては，左右の耳に到達する**時間差**（interaural time difference：ITD）を手がかりに利用することによる（図 2-11）．

5 カクテルパーティー効果

多数の音が同時に聞こえる環境では，われわれはさまざまな手がかりを元に，異なる音源から発生する複数の音波を，音の流れに分離・グループ分け（音脈分凝）して，音像を知覚する．カクテルパーティーのような大勢の人の声や騒音の中でも，**選択的注意**を向けた特定の人の声のみを聞き取ることができる．この**カクテルパーティー効果**も，両耳聴によって著明に改善される．感音難聴の場合，雑音下の語音弁別能は低下することが知られている．

I ことばの知覚・認知

1 音声の音響的特徴と知覚

a 母音

　母音は，声帯の振動が音源である．この**喉頭原音**は，基本周波数に複数の倍音が加わった周期性のある音である．**基本周波数**は声帯の振動数と一致し，通常話声においては，成人男声はおよそ100 Hz，成人女声はおよそ200 Hz，子どもはおよそ300 Hzである．倍音は基本周波数の整数倍の周波数をもち，500 Hzより高い周波数では倍音成分のレベルは減衰（-12 dB/オクターブ）していく．歌唱時には声の音程が変化するが，声帯筋の緊張を高めれば（緩めれば），基本周波数を高く（低く）することができ，これに伴って倍音の高さも変化する．声のピッチの知覚は，基本周波数の高さが特に重要な手がかりとなっている．

　喉頭原音は声道を通って口唇から放射されるが，声道の共鳴によって特定の周波数が強められる．この強められる周波数を**フォルマント**とよび，低い周波数から順に，第1フォルマント，第2フォルマント，第3フォルマント…という．音響学的に計算すると，成人の声道の長さを17 cm，音速を340 m/秒として，波長（λ）＝音速（c）/周波数（f）の式から第1共鳴周波数（フォルマント）を算出すると500 Hzとなる．声道のように一方のみ開いた管では奇数倍の共鳴周波数が加わる性質があるため，第2フォルマントは1,500 Hz，第3フォルマントは2,500 Hzとなる．母音の発声時は，主に開口度，舌の狭めの位置によってフォルマントの周波数のパターンが決まる．日本語には5母音があるが，母音の弁別においては特に第1と第2のフォルマントのパターンが，聞き分けるための重要な手がかりとなる．

b 子音

　子音は，肺からの気流（呼気）を，声道の口唇，歯，歯茎，口蓋などのいくつかの部位（構音点）において，呼気を一時的に閉鎖したり狭めること（構音方法）によって発生する阻害音である．子音の持続時間は，母音と比べて短く過渡的であることが多い．声帯の振動を伴うものを有声音，伴わないものを無声音という．子音を聞き分けるためには，それぞれの子音がもつ複数の弁別的特徴（弁別的素性ともいう）の音響的キュー（手がかり）の束を，知覚できることが必要である．難聴や雑音によって，必要な一部の音響的キューが欠けてしまった場合は，似た音への聞き間違いが起こりやすくなる．

c 音声の音響的特徴と知覚

　日常会話などの音声においては，それぞれに異なる音響的特徴をもった種々の音がさまざまな順序で現れるため，特定の傾向をつかむことが難しい．しかし長時間の会話音声を記録して平均化すれば，音声全体における一定の傾向をつかむことができる．話者の口前方1 mの位置で録音した会話音声の平均スペクトル（**音声の長時間平均スペクトル**．long-term average speech spectrum：LTASS）は，成人男声では100～500 Hzまで，成人女声では200～500 Hzまでは平坦な特性となり，500 Hz以上の周波数では男声・女声ともに，周波数が上がると音圧レベルは次第に弱まっていく．音声の男女差については基本周波数にあたる低い周波数成分の他は，平均スペクトルの形に男女差はないとされる．500 Hz以上の周波数帯域での減衰特性について，デジタル補聴器の特性測定用信号の1つであるISTS（International Speech Test Signal）では，おおよそ-5 dB/オクターブで低下する．

　この音声の長時間平均スペクトルは音圧レベル（またはレベル）尺度で表示されるが，これを聴力レベル尺度に変換して純音オージオグラム上に掲

2 聴覚の心理的特性

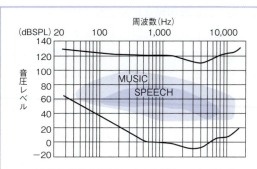

a　楽音と音声を音圧レベルのグラフ上に示した

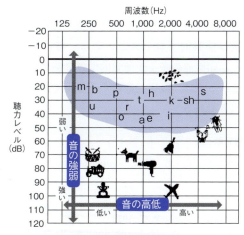

b　オージオグラムの上に，生活音とスピーチバナナを示した

図2-12　楽音・音声の分布と生活音・スピーチバナナの例

〔a：実吉純一：標準電気工学講座12 電気音響工学．p44，コロナ社，1957を参考に筆者作成　/b：Northern JF：Hearing in Children, 6th ed. Plural Pub, 2014を参考に筆者作成〕

載したものは，通称，スピーチバナナとよばれる（図2-12）[4,5]．母音を弁別するための音響的手がかり（フォルマントの周波数）は，おおよそ2,000 Hz以下の周波数帯に分布する．一方で子音を弁別するための音響的手がかりは広範囲に散在するが，一部の子音（/ʃ/ や /s/ など）は，3,000～4,000 Hz付近以上の高周波数帯に音エネルギーが分布する．なお，音声知覚に照らしてその特徴を大まかにいうと，1,000 Hz以上の高音域側には音韻を明瞭に聞き分けるための**音韻（分節）**の知覚にかかわる成分が多く，反対に低音域側にはプロソディ（ア

クセント，イントネーション，リズムなど）をとらえるための**韻律（超分節）**の知覚にかかわる成分が多い．例えば1,000 Hz以上のみの高周波数域において聴力が著しく障害された高音急墜型難聴の場合は，各語音の聞き分けは困難になり受聴明瞭度も低下するが，1,000 Hz以下に残された一部の音韻情報や韻律情報は聴取できることになる．

母音は子音に比べてエネルギーは大きいが，会話音声における各音を弁別的に聞き分けるうえでは，子音成分を正しく聴取できることが重要である．通常，子音と母音は1秒間に3～8回交互に現れ，これに伴って音声の振幅も変動する．口元から1mの位置での通常の会話音声の平均音圧レベルは60～65 dBSPLであり，おおよそ30 dBのレンジ幅（＋12～－18 dB）で変動する．

2　音声知覚・認知

人間の音声は，同じ音韻であっても，人によって，または同じ人でも発話のたびに物理的特性が異なる．しかしわれわれは，誰が発音した「バ」でも，同じ「バ」に聞こえるグループの音として**同定**（identification）できる．耳から入力された音の特徴を分析して，その音の特徴が脳内に記憶された「バ」の心的表象（イメージ）に照合させて合致すれば，「バ」と同定されることになる．日本語話者は「ヴァ［va］」も「バ［ba］」と同じグループの音に同定されやすいが，このように聞こえた音を特定の音表象のグループに照合させる知覚処理は，**カテゴリー知覚**（範疇的知覚）とよばれる．

カテゴリー知覚の例として，両唇破裂音「/p/」と「/b/」をあげる．「/p/」は無声子音，「/b/」は有声子音であるが，これを区別する音響的特徴は有声開始時間（voice onset time：VOT）である．VOTとは，破裂が起こってから声帯振動が始まるまでの時間で定義される．VOTを徐々に変えた合成音声を聴取すると，ある境界のVOT値を超えるまでは「/p/」に聞こえ，超えると急に「/b/」に聞こえ出すという現象が生じる．「/p/」

か「/b/」か判断に迷うのは，境界値付近のみである．このような語音知覚のカテゴリー化は，生後の言語学習によって発達的に形成されるため，育った言語圏が異なるとカテゴリーが変わることも起こりうる．一般に英語話者ならば容易な「/r/」と「/l/」の聞き分けが，日本語話者は困難である．これは，英語話者は「/r/」と「/l/」は異なるカテゴリーに聞き分けているが，日本語話者は同一のカテゴリーの音としてとらえてしまうからである．

ことばの知覚・認知は，ボトムアップとトップダウンとよばれる2つの知覚処理が組み合わさって成り立つと考えられる．耳からの入力情報の分析に従った知覚処理方略は**ボトムアップ処理**とよばれる一方，大脳における日本語の言語知識，意味，場面状況（文脈）による予測を手がかりに利用した方略は**トップダウン処理**とよばれる．例を示すと，大抵の日本語話者には「アリアトウ」は「アリガトウ」に聞こえてしまう．また「ダイ○ン」のように一部が欠けた音声であっても，野菜の話題であれば「大根」に聞こえて，演劇の話題であれば「台本」に聞こえてしまう．この例のようなトップダウン処理による音声の補完現象（**音韻修復**）は，聞きとりにくい状況での会話聴取などでよく体験される知覚現象である．言い換えれば，難聴や雑音のために聴取困難な状況でも，耳からのボトムアップの上行処理に大脳のトップダウンの下行処理が加わることによって，ことばの知覚は強められるといえる．これに加えて，目から入力される口形などの視覚情報が聴取音の同定に影響する場合があり，**マガーク効果**とよばれる．

以上のように，会話音声の知覚・認知においては，聴覚器で音声波を検出・感知すること自体は受動的プロセスではあるものの，それに続く音の各音の特徴を分析してカテゴリーに照合させ，音の意味をトップダウン処理を組み合わせる類推作業は能動的プロセスといえる．特に音声の知覚・認知機能の多くが聴覚的学習経験によって形成される点は，臨床的観点からもよく理解しておくべきである．

引用文献

1) 松平登志正：音と聴覚．藤田郁代（監修）：標準言語聴覚障害学 聴覚障害学，第2版，pp32-44，医学書院，2015
2) Stevens SS, 他（著），結城錦一（監訳）：音と聴覚，タイムライフブックス，1975
3) Zwiker E：Psychoakustik. Springer-Verlag, 1982
4) 実吉純一：標準電気工学講座12 電気音響工学．p44，コロナ社，1957
5) Northern JF：Hearing in Children, 6th ed. Plural Pub, 2014

第 3 章

聴覚と平衡機能の医学

学修の到達目標

- 聴覚器官の発生を説明できる．
- 聴覚器官の構造，機能の概要を説明できる．
- 聴覚障害の原因について概要を説明できる．
- 平衡器官の発生，構造，機能の概要を説明できる．
- 平衡器官障害の概要を説明できる．

1 聴覚の発生

A 聴覚器官の発生

聴器の発生も胎児の一般的な器官形成期に一致して，胎生4週ごろから始まる．この時期より**鰓溝**，**鰓弓**，**鰓囊**が明らかとなり，それぞれ，**外胚葉**，**中胚葉**，**内胚葉**となる（図3-1）．内耳感覚器の形成はほぼ胎生24週で完成する．聴器は大まかに，外耳，中耳，内耳に分かれる．それぞれ，発生由来が異なる複雑な集合器官である．外胚葉から外耳，鼓膜（上皮），内耳膜迷路が，中胚葉から中耳（上半部），鼓膜（固有層），内耳骨迷路が，内胚葉から中耳（下半部），鼓膜（粘膜層），耳管が形成される（表3-1）．内耳感覚器を擁する膜迷路は他の神経系と同様に外胚葉より発生し，耳胞に由来する．さらに耳の発生は顔面（特に下顎骨），頸部を形成する鰓弓と密接に関連しているので，顔貌から難聴を疑うことも可能である（表3-2）．

耳小骨は**第1鰓弓**，**第2鰓弓**からなる複雑な発生をする．第1鰓弓異常であるトリーチャー・コリンズ（Treacher Collins）症候群，ピエール・ロバン（Pierre-Robin）症候群などのように下顎骨の形態異常を認める場合，中耳奇形を合併する伝音難聴を想定してよい．また，同様に第2鰓弓に関係して頸部に瘻孔を有する鰓耳腎症候群（branchio-oto-renal syndrome：BOR）でも中耳奇形を伴う．耳介は第1鰓弓と第2鰓弓からの6つの耳介結節から形成されるが，直接鰓弓とは関連しないので，副耳などの軽度の耳介奇形は難聴を伴わないことが多い．一方，耳介は胎生初期には下顎骨と舌骨の間に発生し，成長とともに高位に移動する．そのため耳介低位は顔面，顎の形成不全の結果でもあるので，中耳奇形の存在が示唆される．一般に，鎖耳，小耳症のような高度の外耳奇

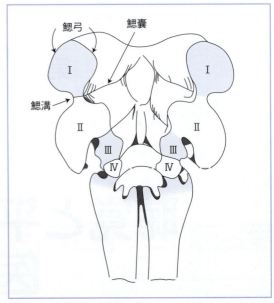

図 3-1　胎生 6 週の鰓弓
鰓溝は外胚葉，鰓囊は内胚葉となる．耳は第1鰓弓，第2鰓弓と関連して形成される．

表 3-1　聴器発生由来

外胚葉	中胚葉	内胚葉
・外耳（耳介，外耳道，皮膚） ・鼓膜（外層） ・膜迷路	・中耳（上半部）（耳小骨，乳様突起） ・鼓膜（固有層） ・骨迷路	・中耳（下半部） ・鼓膜（粘膜層） ・耳管

形は鰓弓，鰓溝の異常であるので当然中耳の固着などの奇形が予想される．しかし，内耳の発生は鰓弓の発達とは関連しない耳胞からの発生となるため，内耳の機能は正常であることが多く，基本的には伝音難聴であることが多いので将来，聴力改善手術の余地が残っている．

表 3-2 鰓弓と耳小骨，各臓器の関係

鰓弓	鰓溝	鰓嚢	骨・軟骨	臓器	筋肉	神経
第1鰓弓（下顎弓）	外耳道	耳管・中耳腔	メッケル軟骨（下顎骨），ツチ骨，キヌタ骨	舌体	咀嚼筋，鼓膜張筋，顎二腹筋前腹，顎舌骨筋，口蓋帆張筋	三叉神経（舌神経）
第2鰓弓（舌骨弓）	消失	扁桃窩	ライヘルト軟骨，アブミ骨，茎状突起，舌骨体上部	中舌，甲状腺原基，扁桃	顔面筋，アブミ骨筋，茎状舌筋，顎二腹筋後腹	顔面神経，鼓索神経
第3鰓弓		下副甲状腺，胸腺	舌骨体下部，舌骨大角	舌根，口峡，喉頭蓋，胸腺，下副甲状腺，頸動脈小体	茎状咽頭筋	舌咽神経
第4鰓弓		上副甲状腺	甲状軟骨，喉頭軟骨	咽頭，喉頭蓋，上副甲状腺	咽頭収縮筋，口蓋帆挙筋，口蓋舌筋，口蓋咽頭筋，輪状甲状筋	迷走神経（上喉頭神経）
第6鰓弓		後鰓嚢体，甲状腺C細胞	輪状軟骨，披裂軟骨	喉頭	喉頭・咽頭収縮筋	迷走神経（下喉頭神経）

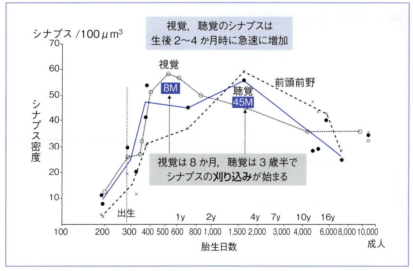

図 3-2 ヒトの視覚，聴覚，前頭前野のシナプス密度と年齢変化
〔Huttenlocher PR：Neural Plasticity：The Effects of Environment on the Development of the Cerebral Cortex. p.57, Harvard University Press, 2002 より〕

B 聴覚野の形成

聴覚の発生を考えるにあたって，末梢の聴覚器の発生と同時に中枢の**聴覚野の発達**についても知る必要がある．ヒトの感覚野（聴覚野，視覚野）の**シナプス形成**過程を**図 3-2** に示した[1]．出生前の胎生 26 週ごろよりすでにシナプス形成が始まり，実際，その時期には音刺激による脳幹反応の記録が可能となる．生後 2 か月から 4 か月の間に聴覚，視覚とも急速にシナプスの数を増やし，視覚野では 8 か月でピークに達する．聴覚野ではその後も，3 歳前半までシナプス密度のなだらかな上昇を示すが，3 歳半以降はシナプス密度は減少する．つまりシナプスの「刈り込み」が起こり，以

降，シナプスは著しく減少し，青年期までにおおよそ半減する．図 3-2 は，脳が 1 歳前後まではどのような環境にも対応できるように感覚のシナプスの数を十分に準備するが，その時期までに十分な感覚刺激がなく，使われなかったシナプスは不要なものとして**刈り込まれて**しまうことを示している．その結果，学童期以降に新規に聞こえの刺激を与えても聴覚回路（シナプス）形成が乏しく，十分な聞き取りに達しないであろうことが容易に想像できる．小児の先天聾に対する人工内耳手術において，生後早い時期の手術は成績がよく，1 歳前後までの手術であれば音声言語のスムーズな学習ができるのに対し，学童期の手術では音声言語獲得に至らない事実がこの図より理解可能である．聴覚学習には**感受期**(sensitive period)，**臨界期**(critical period)があるので難聴の早期診断，早期介入が非常に重要であることを示している．

2 聴覚器官の解剖と生理

A 解剖

聴器は外耳（耳介），外耳道，鼓膜，中耳，内耳，聴神経よりなる（図 3-3）．

1 外耳

耳介は集音と音の方向づけの役割を果たす．また，高い周波数の音は障害物で減衰しやすいため，耳介の前方からの音と後方からの音は耳介という障害物によって周波数分布に差を生じるので方向を知ることができる．

外耳道は約 24 mm の一方が鼓膜で閉じた半管である．そのため，3 kHz 付近が**共鳴**して約 15 dB 増大する．外 1/3 は軟骨部外耳道，奥 2/3 は骨部外耳道とよばれる．軟骨部外耳道には脂腺，耳垢腺，毛嚢があって，異物防御の役割を果たすが骨部外耳道は骨膜と薄い上皮のみである．したがって耳垢は外 1/3 にしか，本来存在しない．耳垢には乾燥したものと湿ったものがあるが，後者は時に耳漏と間違われることがある．湿った耳垢は得てして，耳掃除の際に人為的に深

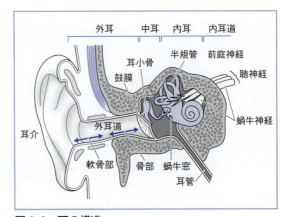

図 3-3　耳の構造

部に押しやられることが多い．また，骨部外耳道の上皮は非常に薄いので，耳掃除などの物理的刺激に弱い．外耳道の知覚は後方が**迷走神経**，前方が三叉神経支配である．人によっては耳掃除の際に，同じ迷走神経支配である喉頭の咳反射が誘発されることがある．

鼓膜は音の振動を受け止める．直径は 8〜10 mm で面積は約 60〜70 mm^2，厚さは 0.1 mm である（図 3-4）．色調は，正常では光沢のある灰白色で，前下方に光錐を見る．外耳道に対して前方で鋭角をなしている．図 3-4 では左上方にキヌタ・アブミ関節が透見できる．鼓膜の大部分は

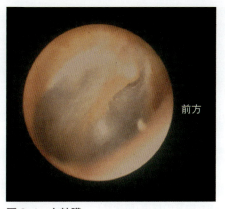

図 3-4　右鼓膜
直径 8〜10 mm，厚さ 0.1 mm で 0.03 mm の動きを感知する．右下に光錐（光の反射），左上にツチ・キヌタ関節が透見される．

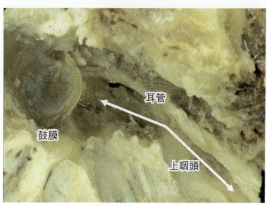

図 3-5　鼓膜・鼓室と耳管
右耳の耳介，顎関節，外耳道を削除して鼓膜を観察．

緊張部という部分からなり，皮膚層，固有層（放射状線維，輪状線維），粘膜層で構成される．ツチ骨上方の短突起を境に固有層を欠く弛緩部とよばれる部分がある．後天性の真珠腫はこの部分の陥凹から病変が始まることが多い．

2　中耳

　鼓室は鼓膜内側の中空の部分であり，前方で**耳管**を通じて上咽頭とつながる（図 3-5）．耳管は普段はその骨・軟骨接合部の中央部が細くなって閉じているが，嚥下運動，あくびなど，軟口蓋を動かす動作で開閉する．それによって，大気圧と中耳腔の圧の平衡を保ち，鼓膜が振動しやすい環境を保つ．圧平衡が崩れるとトンネルの中に入ったような耳閉感をきたす．風邪，アレルギーなどで粘膜の炎症，浮腫があると耳管が開かず，**滲出性中耳炎**などになる．一般に中耳炎は外耳からの感染ではなく，耳管経由（上咽頭）の感染である．

　鼓室は以下のような複雑で重要な構造物で囲まれている．
① 上壁：中頭蓋窩
② 下壁：頸静脈球
③ 外側壁：鼓膜
④ 内側壁：骨迷路壁（鼓室岬，卵円窓，正円窓，顔

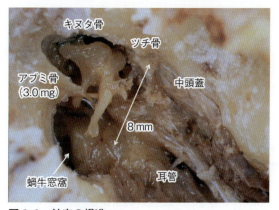

図 3-6　鼓室の構造
鼓膜を除去し，上鼓室を開放して 3 つの耳小骨を見る．アブミ骨が付着する部分が前庭窓（卵円窓）であり，その下方のくぼみに蝸牛窓（正円窓）がほぼ紙面に垂直に隠れて存在する．

　　面神経管など）
⑤ 後壁：顔面神経，鼓索神経，アブミ骨錐体隆起，鼓室洞，乳突洞口
⑥ 前壁：耳管開口部，鼓膜張筋，内頸動脈

　そのため，重篤な感染症では髄膜炎，脳膿瘍，血栓性静脈洞炎，顔面神経麻痺，内耳炎に伴うめまい・難聴などの合併症をきたすことがある．

　これらに囲まれた空間に鼓膜の振動を内耳に伝える耳小骨が存在する（図 3-6）．すなわち，ツチ骨，キヌタ骨，アブミ骨である．鼓膜と耳小骨の

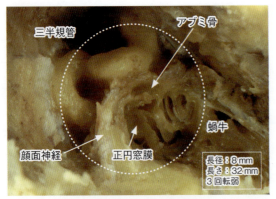

図3-7 内耳の構造(蝸牛，三半規管)
アブミ骨底が卵円窓にあたる．点線の円は1円玉硬貨の大きさ(20mm)を示す．蝸牛軸は45°前方向きである．蝸牛の第2回転直上を顔面神経水平部が走る．人工内耳電極は正円窓膜前方から鼓室階に入り，上方の第2回転部分で顔面神経に最も近づく．

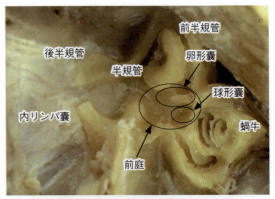

図3-8 内耳の構造(膜迷路)
前庭を中心に後上方が半規管，前方に蝸牛がある．前庭には卵形嚢斑，球形嚢斑の2つの耳石器がある．前庭より，内リンパ管が出て，後半規管の後ろで内リンパ嚢につながる．

役割は音の増幅である．音波は密度の疎なところから密なところへ進むとき，その多くが反射される．つまり，空気の振動を内耳の液に振動として伝えるとき，空気振動の多くはその境界面で反射して液への伝播は約30 dB減弱する．中耳は空気振動を内耳液に振動として効率よく伝えるための**インピーダンスマッチング**装置である．

内耳に付着するアブミ骨の底の大きさは約3 mm^{2}であるので鼓膜の面積が17倍となり，これで25 dB増幅される．また，耳小骨の挺子作用で1.3倍の増強があり2.5 dBの増幅となる．さらに鼓膜が円錐形であることの増強作用もあって，トータルの中耳の機構によって音の内耳液への伝達の損失はほぼ0(ゼロ)となる．さらに外耳道の3,000〜4,000 Hzの増幅を合わせると，空気振動が会話音域において効率よく内耳に伝えることができている．

もしも鼓膜が**全穿孔**で，耳小骨も消失した場合，卵円窓と正円窓(図3-7)の相殺効果12 dBが加わって**40 dB**の損失となる．また，鼓膜は正常で耳小骨離断がある場合，鼓膜はむしろ音を遮る役割を果たすこととなり，60 dBの難聴となる．伝音難聴による最大の閾値上昇は60 dBと考えてよく，それ以上の難聴を示す場合は，感音難聴を合併している．

なお，耳小骨には2つの筋肉が付着して，持続する強大な音から内耳を守っている．ツチ骨には鼓膜張筋(三叉神経支配)が付着して鼓膜の振動を制御する．アブミ骨にはアブミ骨筋(顔面神経支配)がついて内耳への振動が過度にならないよう保護している．鼓膜が正常な場合，外耳からの音響刺激でこれらの筋肉の機能を**耳小骨筋(アブミ骨筋)反射検査**として中耳機能の評価ができる．この反射がみられないときは耳小骨の固着，あるいは離断など中耳伝音系の障害が考えられる．

3 内耳

内耳は中耳内側の側頭骨内にあって硬い内耳骨包に囲まれて文字どおり迷路のようにつながっている．内耳には機能の面からは聴覚と平衡覚の2つの大きな機能がある．後上方に**半規管**系，前下方に**蝸牛**がある(図3-7)．その中間でアブミ骨が付着する部分が**前庭**とよばれる**耳石器**を納める部位である．つまり，解剖学的には骨迷路は蝸牛，前庭，骨半規管の3つの部分からなり，骨迷路の中にさらに細い膜迷路が存在して，膜迷路内には内リンパが，その周囲を外リンパとよばれる液体

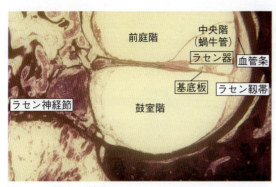

図 3-9　蝸牛の断面
前庭階，中央階(蝸牛管)，鼓室階からなり，中央階にコルチ器が存在する．

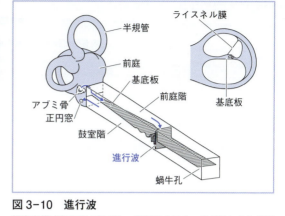

図 3-10　進行波
蝸牛を模式的に引き延ばし，進行波を示す．進行波により基底板が揺れる．基底板の幅は頂回転に向けて広くなる．
〔Zweig G, et al：The cochlear compromise. J Acoust Soc Am 59：975-982, 1976 より改変〕

が満たされている．**膜迷路**には感覚器を納める蝸牛管，球形嚢，卵形嚢，三半規管がある(図3-8)．

蝸牛は管が文字どおりカタツムリ状に約2回転半～2/3巻いており，その長さは約34 mmである．管は上下に外リンパを含む前庭階，鼓室階があってその間に内リンパを含む中央階(蝸牛管)がある(図3-9)．**蝸牛管**は基底板，血管条，ライスネル膜に囲まれ，基底板上にラセン器(コルチ器)という重要な感覚器がのっている．**コルチ器**は一言でいうと音による基底板振動という物理的振動を神経に伝えることのできる電気信号に変換するきわめて精密な器官である．

アブミ骨底の振動が前庭階の外リンパを振動させ，基底板が進行波として揺れる(図3-10)[2]．前庭階と鼓室階は蝸牛頂で蝸牛孔を通じて交通しており，前庭窓からの圧は蝸牛窓(正円窓)の柔らかい膜で緩衝される．また，前庭窓と蝸牛窓は直交した面にあって音が同位相で蝸牛に入力されないようになっている(図3-7)．

基底板はアブミ骨底に近い基底回転で最も幅が狭く，頂回転に向かって広くなる．したがって，基底回転側で高い音，頂回転で低音の進行波のピークを形成して，特定の場所で特定の周波数に感受性(フィルター)を示す．しかし，実際には基底板は音振動による受動的な振動だけではなく，次に述べるコルチ器の外有毛細胞によってその振動様式が大きく修飾され，さらに鋭い振動のピークが形成して，周波数の選択性が高まる．また，音の大きさによっても振動形態が大きく変化する．たとえ単一の周波数の音であっても，大きな入力では基底板全体が揺れるようになる．このときには基底板のあらゆる場所の神経が発火しているはずであるが，音の感覚としては単一の音に聞こえる．これはとりもなおさず，中枢の聴覚処理によると考えられている．

コルチ器はおおよその構成は基底板上の1列の**内有毛細胞**，3列の**外有毛細胞**とそれら有毛細胞の支持細胞，さらに有毛細胞を覆う蓋膜からなる(図3-11)[3]．有毛細胞の興奮を伝える**求心神経**は主に内有毛細胞に分布するが，外有毛細胞にも分布する．有毛細胞を制御する**遠心神経**は内・外有毛細胞に分布するが，外有毛細胞に対してはシナプスが直接細胞体につくのに対し，内有毛細胞では求心神経突起部に接合する(図3-12)．外有毛細胞の不動毛は蓋膜と連結しているのに対し，内有毛細胞の不動毛は蓋膜との付着はなく，自由に動くことができる．結局，これらの構造から見て主たる感覚受容器は内有毛細胞であって，外有

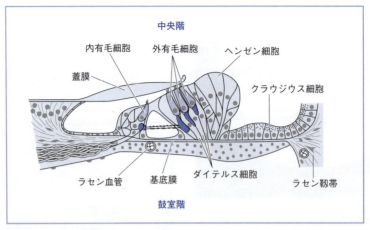

図 3-11　コルチ器
3列の外有毛細胞と1列の内有毛細胞が基底板上にのっている．有毛細胞の上にゼラチン状の蓋膜がある．
〔Raphael Y, et al：Structure and innervation of the cochlea. Brain Res Bull 60：397-422, 2003 より〕

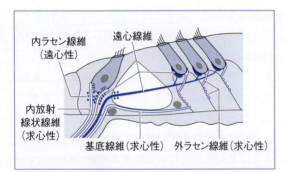

図 3-12　内有毛細胞，外有毛細胞への求心神経と遠心神経
遠心神経は外有毛細胞の動きを制御し，内有毛細胞の感度を調節する．

毛細胞は基底板の動きを制御していると考えられている．つまり，外有毛細胞自体が細胞の伸び縮みをしながら，基底板の動きを増幅・調整（感度の調節）し，その結果として生じる内リンパの流体の変化の中で，内有毛細胞の不動毛が曲げられることになる（図 3-13）[4]．この不動毛の屈曲が内有毛細胞の発火を促し，底部の求心神経から，聴覚路を経て脳に音として伝達される．遠心神経に関してはまだ不明な点が多いが，外有毛細胞の振動を制御して感度や，同調の鋭さの調整をしたり，内有毛細胞の閾値を上昇させて音響外傷からの防護の役割を果たしている．

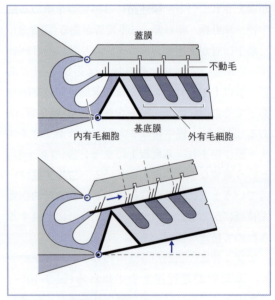

図 3-13　内有毛細胞の不動毛
基底板の動きと蓋膜によって，不動毛が傾く．この不動毛の屈曲が内有毛細胞の発火を促し，底部の求心神経から，聴覚路を経て脳に音として伝達される．
〔Dallos P, Ryan A：Physiology of the inner ear. In Northern JL (ed)：Hearing Disorders, p95, Little Brown, 1976 より〕

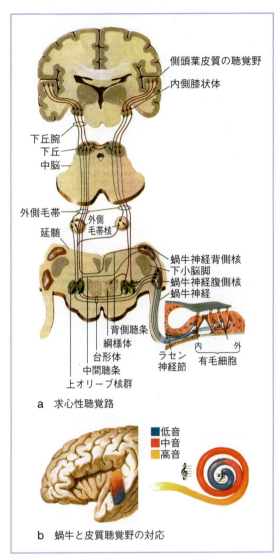

a 求心性聴覚路

b 蝸牛と皮質聴覚野の対応

図 3-14 求心性聴覚路
〔Netter FH：The CIBA Collection of Medical Illustrations. Vol. 1, Nervous system, Part 1 Anatomy and physiology. p177, CIBA Pharmaceutical Company, 1983 より〕

蝸牛管側壁には**血管条**（図 3-9）とよばれる血流に富む組織があって，内リンパの産生，蝸牛内電位の保持の役割を担っている．いわば，コルチ器活動のための電池の役割を果たす．内リンパの吸収は後頭蓋窩の**内リンパ嚢**で行われる．これらのことから，聴覚障害はコルチ器の障害のみならず，血管条に影響を与える血行障害，代謝障害でも起こりうるし，内リンパの吸収障害，過剰産生でも障害をきたすことが理解できる．

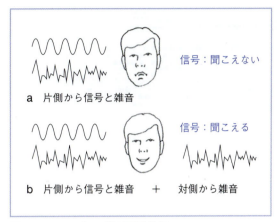

図 3-15 マスキングの両耳効果
〔Moore BCJ：An Introduction to the Psychology of Hearing. p213, London Academic Press, 1989 より〕

4　聴覚路

コルチ器から出た求心神経はその後，ラセン神経節，脳幹の蝸牛神経核，対側上オリーブ核，外側毛帯，中脳の下丘，間脳の内側膝状体を経て，聴放線から大脳の言語中枢である横側頭回に至る（図 3-14）[5]．蝸牛神経核では音の処理，信号の抽出などが行われ，オリーブ核では**両耳間の強度差，時間差**の検出を行っている．これにより，音源の定位がなされる．下丘ではさらに体性感覚情報を聴覚情報と統合，分析して内側膝状体に投射している．最終的に側頭葉の聴皮質で言語が理解される．左利きであっても約 7 割は**言語野**が左脳優位といわれている．いわゆる利き耳は右耳の場合が多い．

聴覚路は内有毛細胞からの求心路のみならず，外有毛細胞への遠心路も重要性である．求心路を逆行性に大脳から下丘，オリーブ核を経由して蝸牛に投射される遠心路の存在が想定されており，対側の蝸牛の外有毛細胞に抑制的に働く．具体的には内側オリーブ蝸牛反射によって静寂下では閾値の上昇が見られる一方，騒音下では騒音に埋もれる聞きたい音のダイナミックレンジを広げて，聴取しやすくしている．これらの一例として一側耳に対しての信号が雑音に埋もれて聞こえない状

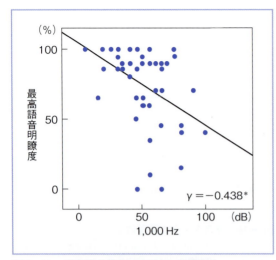

図 3-16 純音聴力検査 1,000 Hz の閾値と最高語音明瞭度

52人の中等度難聴者の1,000 Hzの純音聴力検査閾値(横軸)と最高語音明瞭度(縦軸)を示す．50 dB前後の閾値であっても100%の語音聴取が可能なものから，語音として聴取不能なものまでばらつきがある．

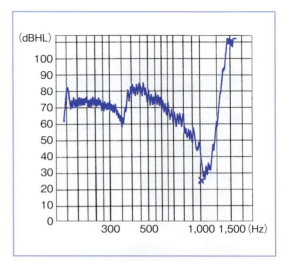

図 3-17 心理学的同調曲線(正常聴力の成人)

正常聴力の成人に1,000 Hz，25 dBHLのプローブ音をマスクする音圧を周波数ごとにプロットした．1,000 Hzでのとがった部分が周波数選択性を表す．

態で対側に同様の雑音を聞かせると，今まで聞こえなかった信号が聴取可能となるという現象(図3-15)[6]が知られており，これは蝸牛への遠心路の働きと考えられる．

B 聴覚生理と語音聴取

一般に純音聴力検査(pure tone audiogram：PTA)の閾値が小さければ，聞こえがよい，とされる．つまり，単にPTAの値から，例えば40〜

> **Note 8. 周波数選択性**
> 複数の周波数の中である1つの周波数を取り出す能力．あるいは聞きたい周波数以外の周波数を遮断できる能力．蝸牛から聴中枢まで関与する．
>
> **Note 9. 時間分解能**
> 繰り返し刺激の頻度を上げたとき，どこまで忠実に追従できるかの能力．蝸牛の基底板の振動の乱れ，聴覚路の同期性の乱れなどが影響する．

70 dBであれば中等度難聴，それ以上であれば高度難聴などと表現される．しかしながら，PTAは純音の聞こえる**最小閾値**を求めるだけであって，一番重要なことばの聞き取りがどうであるかの評価がなされているわけではない．また，難聴とは単にことばが小さく聞こえるという物理的な状態を表すのではなく，音は感じてもことばが明瞭に聞こえないという状況も含まれる．PTAの1,000 Hzの閾値と**語音明瞭度**の関係を図3-16に示すが，同じ50 dB前後の聴力閾値であっても語音明瞭度は100%からほとんど聴取不能例まで大きなばらつきを示す．これはとりもなおさず，PTAは語音聴取能のごく一部の機能を見ているにすぎないことを示している．語音聴取には大きさの指標であるPTA以外に**周波数選択性**(→Note 8)，**時間分解能**(→Note 9)といった基底板の振動様式，内耳有毛細胞の機能，蝸牛神経，聴覚中枢などと関連すると思われる重要な指標もある．

実際の蝸牛の周波数選択性を**心理学的同調曲線**として計測した図3-17を示す．この例は正常聴

力の成人の一側の耳に1,000 Hz, 25 dBの断続音（提示音）を聞かせながら，同時に別のスピーカから持続音を掃引しながらマスキング音として聞かせ，自記オージオグラムに提示音が聞こえる点と聞こえなくなる点をプロットしたものである．この図から聴覚上，1,000 Hz, 25 dBの音を遮蔽するのに必要な音圧は500 Hzで80 dB, 1,500 Hzで110 dBであることがわかる．言い換えれば，提示音をそれより高い周波数の音で遮蔽するためには低い周波数で遮蔽するよりも大きな音圧が必要であり，かつ，その必要量は提示音から少し離れるだけで急速に必要量が増える．別の言い方をすれば，この例ではすぐ近くで500 Hz, 80 dBという大きな音が鳴っていても1,000 Hz, 25 dBの小さな音が聞き分けられるということである．さらに高音部でも同様に1,500 Hz, 110 dBの巨大な音に負けずに1,000 Hz, 25 dBの小さな音を聞き分けられるということになる．

　このようにある特定の周波数の音を妨害音の中から聞き分ける能力が高ければ，周波数選択性が優れていると表現する．この提示音の部位でできる尖りの鋭さで周波数選択性の強さの程度を表す．一般に同調曲線はこの例のように低音部にかけてはゆっくりと尾を引く形となる．とりもなおさず，この急峻な選択性は外有毛細胞の能動的な動きによってなされる．そしてこの先端部は感音難聴者で鈍となる．

　臨床的には周波数選択性が劣化すると語音の明瞭度が下がるとともに，騒音下での聞き取りが悪くなることが考えられ，また，時間分解能が悪くなっても同様に明瞭度が悪化する．例えば図3-18にコルチ器の**有毛細胞の障害**のされ方による周波数選択性の示す同調曲線の変化の模式的に示す[7]．正常では鋭く尖った同調曲線の先端部が0（ゼロ）の閾値を示すが，図3-18bのように内有毛細胞が音響外傷などでずれたような障害を受けた場合，先端の鋭さを保ったまま相似形で閾値上昇を示す．この場合，感音難聴であっても音の大きささえ補われれば（例えば補聴器），ことばの

よい聞き取りが可能である．ところが図3-18eのように外有毛細胞の障害も加わると，とたんに先端の鋭さはなくなり，しかも低音部は過敏となり聞き取りの明瞭度が悪くなる．この2つの例において，PTAの閾値はほぼ40 dBの同じ値を示しているにもかかわらず，その内耳の病態の差によって同調曲線が異なった形をとる．そして，語音聴取能に同じPTA閾値であっても大きな差を生じる．周波数選択性に限っても同じ中等度難聴であってもこのようにいろいろなパターンが考えられ，語音明瞭度に差があることがわかる．

　ただし，実際このような検査を日常的に行うことは容易ではない．結局，聴取能を見るときにPTAだけでことばの聞き取りの能力を推定するのは危険であって，語音聴力検査を合わせて行うべきである．言語聴覚士においては，PTAに準じて自分の発声の大きさのコントロールができて，会話のなかからある程度，語音聴取能を推定できることが望ましい．

　感音難聴者のラウドネスはバランステストにて正常聴力耳に比して，小さな音の変化が大きな変化ととらえられ，急峻な変化を示す．このことを**補充現象**陽性と表現するが，これも同調曲線と関連して説明できる．つまり，鋭い先端部が消失するような感音難聴で外有毛細胞の消失によるものでは基底板の剛性が低下して過敏に揺れること，また，尖りの先端部が消失して幅広くなると閾値上から急激に発火する神経の数が増えてくることが生理学的要因と考えられている．

　次にPTAを見るときに忘れがちなことを2～3つあげる．PTAでは提示音への反応を見ているが，提示音と同じ音を感じているかどうかは不明である．例えば，高度難聴の症例に2,000 Hz, 90 dBの純音を提示して「何か音を感じた」とボタンが押されたとしても，これは必ずしも2,000 Hzの高さの音を聞いているとは限らない．つまり，90 dB程度の大きな音を提示すると蝸牛の**基底板**全体が大きく振動し，実際に2,000 Hzのコルチ器が消失していても別のわずかに機能が残ってい

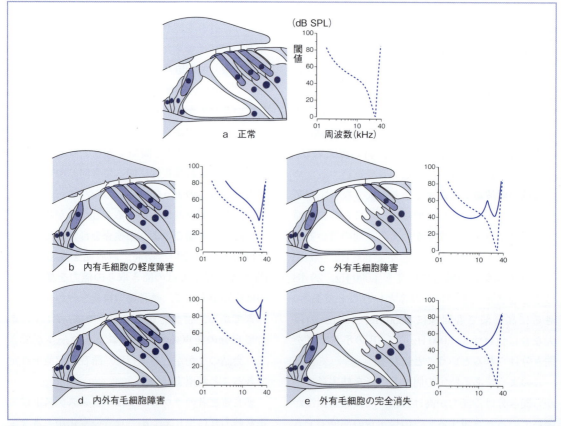

図 3-18　同調曲線の変化（模式図）

同じ聴力閾値の難聴であっても有毛細胞の障害部位・程度によりさまざまな同調曲線が想定される．
- a：内・外有毛細胞が正常であれば，周波数同調曲線は鋭い周波数選択性（tip）を示す．閾値は「0」であるが，以下の障害例では有毛細胞の障害の受け方で，閾値の上昇以外に種々の同調曲線パターンを示す．
- b：音響外傷のような内有毛細胞の毛がずれる障害では，同調曲線のパターンはそのままに閾値が上昇する．
- c：外有毛細胞が選択的に障害される（アミノグリコシド系抗生物質 KM などの投与）と尖りをもったまま，閾値の上昇をみる．低音部は過敏となる．
- d：内有毛細胞が完全に障害されると tip, tail とも極端に閾値が上昇するが，外有毛細胞が機能していれば tip は残るので，100 dB の難聴であっても補聴器が使える．
- e：外有毛細胞の完全消失では完全に尖りが消失し，基底板のしまりがなくなるので，言語明瞭度が低下する（突発性難聴症など）．

〔Liberman MC, Dodds LW : Single-neuron labeling and chronic cochlear pathology. III Stereocilia damage and alterations of threshold tuning curves. Hear Res 16 : 55-74, 1984 より改変〕

る部分（低音部）で音として感じることがある．このような場合には，2音弁別検査などを追加して，ピッチ感覚の差の有無を調べることは有用と思われる．また，オージオグラムを見るとき，各周波数が独立した感覚器であるような錯覚を覚えるが，音が蝸牛の中の進行波として伝わることを思い出すと，低音部での聞き取りは必ず高音部の聴力の影響を受ける．つまり，進行波は高音部から始まり，低音部で終わるからである（図 3-19）．

このことは，高音急墜型感音難聴においていかに精巧な補聴器で望ましい振動を内耳に加えても進行波の開始の入り口での振動が歪むことが想定され，その後の中・低音部での振動も引き続き振動が乱れたままであると推測される．このような状況では音は感じることができても明瞭度の悪いものとなる．補聴器はあくまでも進行波を利用するので，入力音が理論的にPTAをうまく補償するような音であっても，内耳基底板の物性，コル

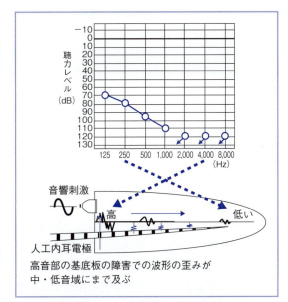

図 3-19　補聴器と人工内耳の蝸牛刺激の違い
補聴器は基底板の進行波によって低音部を刺激するが，人工内耳は直接その部位の聴神経を刺激する．感音難聴に対する補聴器では外有毛細胞の消失などから，基底板の揺れ方は乱れる．

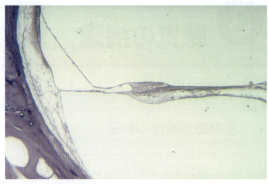

図 3-20　基底板上よりコルチ器の消失
音響刺激による知覚は期待できない．

チ器障害によって進行波が乱れるような感音難聴であれば，その効果は限定的となる．また，基底板の振動の乱れに加えて**コルチ器の消失**（図3-20）による電気変換が不能な部位に関しては，いかなる音響刺激も無意味である．その点，人工内耳はコルチ器の消失した内耳において電気変換器の機能を肩代わりしつつ，進行波を利用せず，直接ラセン神経節を刺激するので，意図した周波数領域の神経の発火を促すことができる点で有利となっている（図3-19）．

C 両耳聴

　両耳聴は静寂下でCOR検査を行うかぎりにおいては，一側聾であっても聴取閾値が変わらないのでその重要性が看過されがちであるが，実際には片耳聴はかなりのハンディキャップとなることを認識すべきである．まず，**音源定位**には両耳聴が必須である．左右の耳に入る音源の時間差と強度の差から，脳幹のオリーブ核より上位(下丘)の聴神経路で情報の処理がなされ，正確な音の方向を知ることができる．ただし，時間(位相)差の検知に関しては1,500 Hz以下の周波数に関して有効とされている．この際，耳介は集音とともに，周波数の変化をとらえて定位に寄与する．また，**両耳加重**によって閾値が3〜6 dB下がる．さらに騒音下にあっては前述のように両耳による騒音の検知から蝸牛遠心路を介して信号抽出のための反射が働き，両耳聴で信号音の検出が特に低音部で改善する．このような両耳聴効果は中枢聴覚路でのプロセスであるため，加齢により，PTAの変化がない状況においてもその機能は劣化する．結局，両耳聴は音源定位，音の方向を探るだけでなく，騒音・集団下でのことばをより大きく明瞭に聞くために役立っているといえる(第2章 ➡ 40頁)．

3 聴覚の病理

A 末梢感覚器官の疾患

すでに述べてきたように，末梢感覚器としての聴覚障害には大きく伝音難聴と感音難聴がある．すなわち，伝音難聴は主に音の伝わり方の異常であり，感音難聴は内耳での音の電気変換，その後の電気信号の伝わり方の異常である．その診断は主に正確な骨導を含む純音聴力検査である．明らかに**気(導)骨導差**があれば，伝音系の異常があると判断してよい．医師はこれによって手術の適応の可能性を考えるので，正確な**マスキング**による気導，骨導の検査が重要である．その他，耳鏡所見，鼓膜の動き（ティンパノグラム），CT，MRIなどで確定診断となる．その代表的疾患を表3-3にまとめた．

1 伝音難聴

a 急性中耳炎

炎症性疾患として最も頻度が高い．急性中耳炎は主に風邪などの上気道感染から，**耳管経由**で中耳に感染が起こり，鼓室内に滲出液や膿を貯留して鼓膜が腫脹する病態である（図3-21）．鼓膜の膨隆が耳痛を誘発し，時に鼓膜穿孔を起こして耳漏をきたす．水泳，入浴の際に外耳道から水が入って中耳炎になるということは，健康な鼓膜，外耳道であるかぎり起こらない．通常1週間程度で軽快するが，その後しばらく滲出性中耳炎の病態で軽度難聴が続くことがある．この鼓膜穿孔は通常炎症が消退すれば自然に閉鎖するが，感染が遷延化して耳漏が続くと鼓膜穿孔も閉じずに慢性中耳炎となる（図3-22）．診断は鼓膜所見で確定する．治療は軽度なものはそのまま経過を見ることもできるが，一般に抗菌薬が数日投与されることが多い．重症例，耳痛の強い例では鼓膜切開が施行されることがある（図4-11b, f ➡ 87頁）．

b 慢性中耳炎

鼓膜穿孔が残り，その後も耳漏などの感染を繰り返す病態である．不良肉芽が鼓室内に残って，穿孔の辺縁が硬化したり，鼓膜の一部が鼓室内の岬角に癒着したりする．最近では小児の頻度は激減している．聴力の悪化と耳漏を繰り返すので**鼓室形成術**（➡ Note 10）が治療法の第1選択肢となる（図4-11b, e, f, h ➡ 87頁）．

表3-3 末梢感覚器の代表的疾患

	伝音難聴	感音難聴
原因	音の物理的伝達路の障害	電気信号への変換，伝達の障害
主な障害部位	外耳道，鼓膜，中耳	蝸牛，聴神経，中枢聴覚路
主な疾患名	外耳道閉鎖，耳垢栓塞，鼓膜穿孔，中耳炎，中耳奇形，耳小骨離断，アブミ骨固着症，耳硬化症	・内耳性難聴＝蝸牛の障害（とくに有毛細胞） 　ストマイ難聴，メニエール病，内耳奇形，内耳炎（ウイルス，化膿性），側頭骨骨折，突発性難聴，老人性難聴 ・後迷路性難聴＝聴神経の障害 　聴神経腫瘍，脳血管障害，代謝性疾患
治療，対処	手術，補聴器	補聴器，人工内耳
補聴器の効果	良好	限定的（補聴器でも歪みを伴うことが多い）

3　聴覚の病理　59

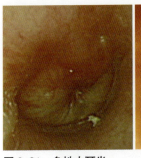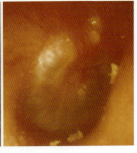

図 3-21　急性中耳炎
鼓膜の膨隆と強度の発赤をみる．

図 3-22　慢性中耳炎
鼓膜の線維化，穿孔縁の硬化をみる．一部は鼓室岬部と癒着する．

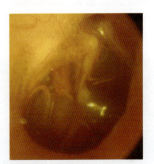

図 3-23　滲出性中耳炎
一部に空気が入り，液面が明らかである．

c　滲出性中耳炎

　この病態は炎症の消退期（カタル期）にも一時的に出現することがあるが，最近はアレルギーに関連すると思われる小児の滲出性中耳炎が多くなっている（図 3-23）．滲出性中耳炎は耳管機能が不安定な小児で遷延化することがある．痛みを訴えることもなく**無症状**で難聴の程度も 20〜30 dB 程度と比較的軽度であるため，気づかれないことが多い．聞き返しが多い幼児においてはこの疾患を念頭におく必要がある．難聴は軽度であることが多いが言語発達期であるので，2〜3 か月以上治癒しない滲出性中耳炎に対しては**鼓膜チューブ留置術**を行い，換気を外耳道経由で行うことで滲出液の消退をはかる．また，遷延化する原因の 1 つとして耳管咽頭口を咽頭扁桃（アデノイド）が閉鎖するように肥大していることがあるので，あわせてアデノイド切除も考慮される．繰り返す滲出性中耳炎は 6〜7 歳ごろには落ち着くことが多いが，口蓋裂などの合併症がある場合，耳管の機能不全があって難治である（図 4-11f ➡ 87 頁）．

> **Note 10.　鼓室形成術**
> 　読んで字のごとく鼓室（鼓膜の内側の空間）をつくり，聴力の改善を目指す顕微鏡下の手術である．良好な鼓室を形成するためには，中耳の炎症，病変の除去を行い，安定した鼓室が保たれるように工夫したうえでの耳小骨の伝音再建，鼓膜形成が必要である．

d　真珠腫性中耳炎

　この疾患は耳管機能不全による中耳腔の陰圧により，鼓膜の弛緩部の陥凹が進行し，その弛緩部に鼓膜の脱落上皮が中耳内に堆積する疾患である．鼓膜は本来，上皮の再生が盛んな部位であってその上皮は常に外耳道孔へ向かって移動して最終的には耳垢となる**自浄作用**を有しているのであるが，いったん陥凹ができるとその移動が阻害されて陥凹部に上皮が徐々に堆積し，周辺の骨組織も破壊するようになる（図 3-24）．真珠腫に感染を伴えば耳痛，耳漏をきたすが，感染のない場合，難聴，あるいは偶然の鼓膜所見で発見されることがある．感染すると難治であり，内耳障害以外に周辺組織の障害（顔面神経麻痺，髄膜炎など）をきたすことがあるので手術が必要となる．手術は病巣の除去と聴力改善が目的であるが，耳管機能そのものの改善はないので，長期経過中に再発をきたすことがあり，術後も継続的な診察が必要

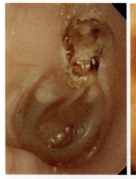
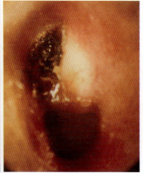

図 3-24　真珠腫性中耳炎
上鼓室に痂皮，あるいは白色の透見腫瘤を見る．

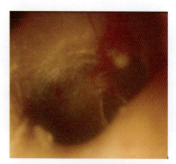

図 3-26　外傷性鼓膜穿孔
平手打ちによる穿孔．自然閉鎖が期待できる．

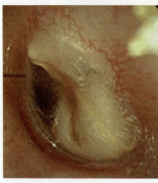
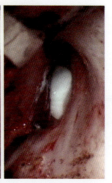

図 3-25　先天性真珠腫
鼓膜は正常で感染を伴わないので，鼓室内の真珠腫は文字どおり真珠のようにみえる（外耳道を後ろより起こして鼓膜の裏面の真珠腫を見る）．

である．その他，真珠腫には中耳の発生途上に上皮成分が鼓室内に迷入・残存して，生後徐々に大きくなる**先天性真珠腫**がある（図3-25）．早期のものは感染がなく無症状であるが，注意深い鼓膜の観察で発見される．術中の真珠腫は文字どおり真珠のように見える．放置すれば種々の合併症をきたすので早期に手術を行う．真珠腫は術後も再発しやすい疾患なので，数年の経過観察が必要である（図4-11a, b, f ➡ 87頁）．

e　外傷性鼓膜穿孔

充血した鼓膜と新鮮な穿孔縁を見る．この症例は平手で耳を叩かれて鼓膜が裂けたものである（図3-26）．たいていの場合，自然閉鎖が期待できる．耳かきなどによる外傷の場合，耳小骨がずれたり，あるいは内耳窓からリンパが漏れたりすることがあり，その際は手術が必要となる（図4-11f ➡ 87頁）．

f　中耳奇形

炎症のない鼓膜正常な伝音難聴として中耳伝音系（耳小骨）の奇形がある．これは大きく，耳小骨の**固着と離断**に大別される．いずれも鼓膜の振動が内耳に伝わりにくくなるための難聴である．離断はキヌタ・アブミ関節付近の欠損が最も多い（図3-27）．このような例では60 dB前後の水平型の伝音難聴を示すが，耳小骨を組み直すことで聴力改善が期待できる（図3-28）．また，固着性病変としてはアブミ骨底の固着の頻度が高く，先天的なアブミ骨固着症のほか，成人の進行性の伝音難聴である**耳硬化症**などが代表的疾患である．一般に術後の聴力改善は良好であるので，中等度難聴では特に**骨導聴力検査**を入念に行って中耳伝音障害の有無を除外することが大切である（図4-11e, i, h ➡ 87頁）．

g　耳硬化症

アブミ骨底が骨病変により進行性に内耳骨包に固着し，アブミ骨の振動が妨げられた病態である．診断は中高年者の進行性難聴で伝音難聴となれば疑う．一般にオージオグラムでは低音部の閾

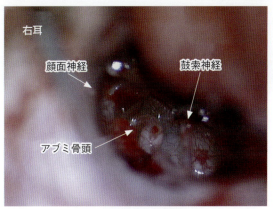

図 3-27　右耳キヌタ骨長脚欠損症例
アブミ骨頭が見えるが，耳小骨とつながらない．

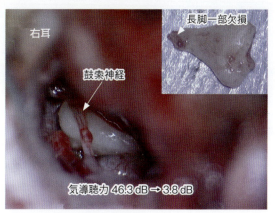

図 3-28　耳小骨連鎖再建例
長脚欠損キヌタ骨を摘出後，向きを変えてアブミ骨頭におき，鼓膜と接するようにする．聴力は正常化した．

値上昇が目立つ右肩上がりの混合難聴となり，骨導の 2 kHz が落ち込む（カーハート・ノッチ）が特徴的である．また，インピーダンスオージオメトリにおいてアブミ骨筋反射が消失する．アブミ骨底に直接小孔を開け，キヌタ骨と連携した人工のピストンを前庭に差し込むことによってアブミ骨を介さずに振動を内耳に伝えて聴力を改善することができる（図 3-29）．**内耳開窓**という細かい操作が必要であるが，聴力改善の効果は大きい（図 4-11e, h ➡ 87 頁）．

h 耳垢栓塞

文字どおり，外耳道が耳垢で栓をされた状態による伝音難聴であるが，高齢者などで軟らかい耳垢の掃除の際にかえって耳垢を奥にため込むことによってきたすことが多い．補聴器装用の希望の際は必ず耳鏡でのチェックが必要である（図 4-11f ➡ 87 頁）．

2 感音難聴

感音難聴は蝸牛の障害である**内耳性難聴**と，蝸牛以降の聴神経から中枢までの障害である**後迷路性難聴**に分けられることが多い．機能から見ると内耳性難聴はコルチ器の障害が大半であり，後迷路性難聴は聴中枢までの神経伝達路の障害である．

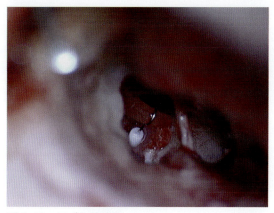

図 3-29　アブミ骨手術
固着したアブミ骨を摘出して，人工のテフロン・ワイヤーピストンをアブミ骨底から前庭にわずかに挿入する．ワイヤーはキヌタ骨にかける．

a 内耳性難聴

1）先天性の内耳形成不全

内耳の発生は前庭系に続いて蝸牛が形成されるので，前庭の奇形より蝸牛の奇形の頻度が高い．内耳の機能はその**膜迷路**に依存するのであるが，現在の画像診断では膜迷路の形態まで描出できないので，奇形の診断は骨迷路の形態で議論される．そのため，奇形の程度から難聴の程度を推定することはできない．内耳奇形（形成不全）には蝸

牛無形成のものから，低形成・回転異常までさまざま存在する．無形成のものは当然聾であり，聴神経も存在しない．低形成・回転異常は内耳奇形として比較的多くみられ，中等度難聴から高度難聴までさまざまな聴力像を呈する．また，蝸牛の形態に大きな異常はないものの前庭の形態異常が難聴の原因となることもある．代表的なものとして**前庭水管拡張症**があるが，これは後頭蓋窩に大きな内リンパ嚢を有し，拡張した前庭水管を通じて頭蓋内圧の変動が内耳に直接伝達し，蝸牛を障害すると考えられる疾患である．頭部を強く打ったりするとめまいを生じ，難聴が進行する．また，蝸牛と前庭が嚢胞状に一体化し，蝸牛と前庭の区別がつかない奇形を生じることがある．このような症例でも人工内耳で音感を得ることができるので，蝸牛神経が嚢胞壁に存在していることがわかる．

一方，蝸牛の骨迷路に大きな異常がないにもかかわらず，内耳道底・蝸牛底の蝸牛神経の通路（蝸牛神経管）が狭小化し，MRIで確認すると**蝸牛神経形成不全**が認められることがある．このような場合，一般に高度難聴を呈するが，純音聴力検査で中等度難聴でありながら，極端に語音明瞭度が悪いようなケースも存在する．

2）感染

ムンプス，麻疹などのウイルス感染によるコルチ器の障害，細菌性の化膿性内耳炎，髄膜炎に伴う内耳炎などによるものがある．乳幼児で**難聴**の発病時期がはっきりしない場合，ウイルス感染によるものかどうかの判断は難しい（図4-11j ➡ 87頁）．最近は**新生児聴覚スクリーニング**が広く行われているので，その結果を参考にして先天性でないことを確認する．

3）薬剤

アミノグリコシド系の抗菌薬，ループ利尿薬（フロセミドなど），抗がん剤（白金製剤，メトトレキサートなど）の耳毒性を有する薬剤によって難聴をきたすことがある．これらは主に血管条に障害を起こし，二次的にコルチ器の障害をきたす（図4-11j ➡ 87頁）．

4）突発性難聴

原因不明の突然の感音難聴であるが，蝸牛のウイルス感染，血行障害などが考えられている．早期の加療で回復が期待できる．

5）メニエール病

内耳の内リンパ水腫が本態と考えられている．聴力は初期には低音部の変動する聴力として観察されるが，最終的に高度難聴に進行するものがある．

6）自己免疫疾患

全身的な自己免疫疾患の一症状として感音難聴が進行することがある．治療はステロイドが基本となる（図4-11e, f, j ➡ 87頁）．

7）老人性難聴

一般に高音部からの閾値上昇が始まり，徐々に中低音部も悪化する．高音部の閾値上昇のため，語音明瞭度が下がり，音は聞こえるが，何をいっているのかわからない，少し騒々しいところでは極端に明瞭度が下がるなどの訴えが多くなる．これらの原因には蝸牛内のコルチ器の障害，聴神経の変性・減少，**血管条**の萎縮，基底板の弾性の低下などの複合的な障害の結果と考えられている．さらに中枢の劣化もあるので，老人性難聴に対しての補聴器の適合の際には語音明瞭度にある程度，限界があることを十分説明し，過度の期待をもたせないことも大切である（図4-11b, c ➡ 87頁）．

8）騒音性難聴

4,000 Hzのいわゆる C5dip から徐々に高音障害，さらには水平型の難聴となる．同じ騒音環境下であっても個人差が大きい．鉄工所，木工所など常時騒音に曝露されるところでは，耳せんをすることが義務づけられている．直接的な有毛細胞

への機械的障害のほか，長期騒音曝露による内耳血流の低下が蝸牛障害原因と考えられている（図4-11d, k ➡ 87頁）．

9）外傷

事故による側頭骨骨折のほか，耳かき棒によるアブミ骨を介した内耳損傷などがある．内耳障害をきたす側頭骨骨折は，外力が後頭部からかかって生じる側頭骨横骨折にみられる．この骨折は比較的頻度は低いものの，いったん生じた内耳障害は回復不能である．また，顔面神経麻痺を伴うこともある．耳かき棒による内耳障害は，アブミ骨が前庭に落ち込んだりずれたりすることによる**外リンパ漏**としての症状となる．軽度であれば自然に軽快することもあるが，大きな偏位があれば手術的な修復が必要である（図4-11i, j ➡ 87頁）．

後迷路性難聴では**小脳橋角部**の腫瘍性病変（聴神経腫瘍，髄膜腫など）が代表的であるが，一般に内耳性か後迷路性かの臨床的診断は容易ではない．一側性の難聴であれば，MRIにて頭蓋内病変の有無を調べるのが通常である．

B 中枢聴覚伝導路の疾患

中枢聴覚伝導路の障害と確定される症例はまれである．聴覚伝導路に関連する部分の腫瘍性病変などが画像で確認できて，その際の聴力検査が特異な結果を示す場合，中枢聴覚伝導路の障害（第8章 ➡ 343頁）によると判断される．代表的なものに小脳橋角部にできる聴神経腫瘍がある．難聴，耳鳴，めまいなどの症状を訴えるが純音聴力が比較的保たれている割に語音明瞭度が悪いという症状を示すことが多い．したがって，**機能性難聴**，心因性難聴との鑑別も必要である（第8章 ➡ 351頁）．

例えば，下丘の障害の報告ではPTA，ABRに大きな異常がなくても，ことばがわからないという．純粋語聾，聴覚失認，皮質聾などは大脳レベルの障害である．最近，OAEの測定が一般臨床の場でも広く使われるようになり，蝸牛の外有毛細胞などの機能は正常（OAEの反応正常）であるが，ABRの反応が得られず，PTAで中等度以上の感音難聴を示し，語音明瞭度も悪いという「auditory neuropathy spectrum disorder（ANSD）」と称される後迷路障害の疾患群の存在が明らかになってきた．蝸牛聴神経からの発火は大半が非交叉であるが，交叉して上行するものもあり，また，中継核の経由の仕方も一定ではない．これらの信号は最終的に同期がとれたうえで上位中枢で統合され，音声の認識に至るのであるが，この疾患においては信号の**同期**がとれないがために，ABRで波形が見られず，また，上位中枢でも音は感じるが語音の認知ができないという状況と考えられている．ABRでは重度難聴の閾値がASSRでは中等度難聴となるような症例もあり，この違いは提示音がクリック音と広い周波数成分をもつChirp音との差であるので，両者の脳幹の処理，同期のあり方が違うことが想定される．補聴器の装用効果も限定的である．また，他の神経疾患を伴うことが多い．人工内耳が有効であったという文献も散見される．

C 遺伝性難聴

出生1,000人に1人程度の割合で高度先天性難聴がみられるが，そのうちの半数が遺伝性疾患と考えられている．難聴の原因には遺伝性のものと環境因子によるものがある．遺伝性のものは**常染色体劣性**遺伝が最も多く（75〜85％）次いで**常染色体優性**（15〜24％），**X連鎖遺伝**（1〜2％），**ミトコンドリア遺伝**がある．環境要因によるものとして先天性の風疹症候群，周産期の感染症（サイトメガロウイルスなど），頭部外傷，脳内出血，低出生体重児などがある（図3-30）[8]．

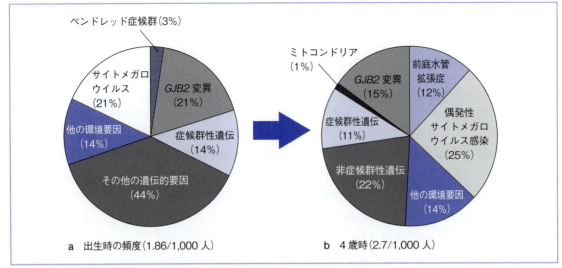

図3-30　米国での出生時および4歳時の難聴の頻度と原因
〔Morton C, et al：Newborn hearing screening：a silent revolution. N Engl J Med 354：2151-2164, 2006 より〕

　遺伝性の難聴は乳幼児難聴の50～60％を占め，遺伝形質から**症候群性**のものと**非症候群性**のものに大別され，90％は非症候性である．難聴以外の奇形などの症状を有する症候群性のものにはAlport, BOR, Jervell & Lange-Nielsen, Norrie, Pendred, Stickler, Treacher Collins, Usher, Waardenburg症候群など300種以上がある．臨床的に難聴以外の症状を伴わない非症候群性難聴では現在までに遺伝子異常として常染色体劣性（DFNB）76，常染色体優性（DFNA）49，X-連鎖5など121の遺伝子異常が解明され，遺伝子座の異常として常染色体優性65，常染色体劣性94，X-連鎖5などと150以上が解明されている．その他，ミトコンドリア遺伝子異常は**母系遺伝**をし，アミノ配糖体の抗生物質で難聴をきたしやすいことで知られている．
　非症候性劣性遺伝性難聴のなかでGJB2遺伝子異常がその半数近くを占め，一般に両側の中等度以上の難聴を示す．Kイオンの輸送経路の構成要素であるコネキシン26蛋白の障害のため，コルチ器の変性による難聴を示す．最近では出生時には聴力が残っていたと考えられる例もあり，人工内耳の成績もよい．聴者においてもヘテロ接合

体として変異を有するものが1～4％存在する．前庭水管拡張症を合併するSLC26A4も比較的よくみられる遺伝子異常であり進行性の難聴を示し，ペンドリン蛋白の異常でヨウ素，塩素の移動に異常をきたし，内リンパの吸収障害によるめまい，甲状腺腫大（ペンドレッド症候群）を起こしたりする．
　現在わが国では19の難聴遺伝子，154の変異の検索が**保険診療**で可能となっているが，個人の遺伝子情報は究極の個人情報であるので，まず実施前に検査の目的，方法，精度，限界，結果の開示方法などについて十分な説明と同意が文書で取られる必要がある．つまり，保因者検索や発症前診断には有用であっても，確定診断には限定的であること，浸透度の低い疾患，表現度の変異の大きな疾患では，遺伝子レベルの異常を指摘できても必ずしも発症の有無，臨床症状の軽重の予測が容易でないことなどの説明が必要である．さらに結果の説明に際して十分なカウンセリングとその後のフォローアップが必要となることがある．
　遺伝カウンセリングとは相談者の臨床情報の収集，正確な診断と遺伝形式や再発リスクの評価，わかりやすい情報提供，心理社会的支援を行う診

療行為となる．出生前に関しては親族に難聴者がいる場合のリスクの相談であり，小児期については診断の告知，家族計画上の情報提供などとなる．成人期については診断の告知とともに健康管理指針，他の血縁者の発症可能性などについて相談にのることとなる．これらの担当者はわが国では臨床遺伝専門医と認定遺伝カウンセラーなど資格をもつことが期待されている．

D 聴力の変動

聴力変動は10 dB程度は被検者の体調，あるいは検査者の要因によって変化しうるので一般に15 dB以上の変化を**有意な変化**ととらえる．以下，聴力変動を骨導の変化を伴うものと気導のみの変化ものに分けて述べる．

1 気導のみの変動

a 急性中耳炎

鼓室内に滲出液，膿が貯留することによって一時的に中等度難聴になる．2週間程度で回復する．

b 滲出性中耳炎

かぜ，中耳炎，アレルギー，アデノイド肥大などが原因で鼓室内に液が貯留して聴力変動をきたす．貯留液が漿液性の場合は比較的治療に反応して短期に軽快するが，粘稠な貯留液の場合は40 dB程度の難聴が数か月以上続くことがあり，鼓膜チューブ留置が必要となることがある．滲出性中耳炎においては液のたまり具合によって軽度難聴が変動する．

2 骨導の変動

a メニエール病

めまいと低音障害型の難聴を繰り返す疾患であるが，進行すると高音部の聴力閾値も上昇し，水平型の聴力損失像を示す．内リンパ水腫が病態と考えられ，ストレスなどが契機になることが多い．症状によっては内リンパ嚢開放術が施行される．

b 低音障害型感音難聴

500 Hz以下の低音部の閾値が軽度上昇し，耳閉感を伴う難聴を訴えるが，変動を繰り返す．原因は不明であるが，メニエール病同様の内リンパ水腫の蝸牛型とも考えられ，自律神経，ストレスなどが関与することが多い．比較的予後良好であるが固定してしまうものもある（図4-11e ➡ 87頁）．

c 外リンパ漏

頻度はまれであるが，外傷を契機にあるいは特発性に内耳の外リンパが中耳腔に漏出し，その際，変動する難聴を示すことがある．外耳道に圧を加えてふらつき（瘻孔症状），眼振があればこの疾患を疑う．手術で瘻孔部を閉鎖するが，ふらつきは軽快しても難聴は戻らないことも多い（図4-11j, l ➡ 87頁）．

d 前庭水管拡張症

常染色体劣性遺伝形式をとる比較的よくみられる先天性疾患で前庭水管が大きく，それに伴い内リンパ嚢も拡大している病態である．内リンパの吸収障害のため，内リンパ嚢が拡大して脳硬膜に接しているので頭部の振盪，脱水などを契機に聴力が変動することがある．

e ステロイド依存性感音難聴

ある種の免疫疾患に関連する難聴と考えられ，ステロイドを中止すると難聴が生じるため，難聴

防止のため，一定の維持量が必要となる．本態は血管炎と推測されている．

聴神経腫瘍

第Ⅷ脳神経（下前庭神経）の神経鞘腫が蝸牛神経を圧迫することによってその初期において変動する感音難聴を示すことがある．2 kHz 近傍の聴力閾値が上昇することが多い（図 4-11g, i, l ➡ 87 頁）．

E 耳鳴

耳鳴とは体外に音源がないにもかかわらず，音を感じる状態をいう．そのため，基本は**自覚的**なものであるが，中には中耳の血管性のグロムス腫瘍での拍動音，耳小骨筋の異常活動によるクリック音など他者にも聞こえる**他覚的**耳鳴もある．特殊な例では耳音響放射の項で述べたような「本人には聞こえないが，他者には高周波の持続音が耳元で聞こえる」という自覚のない他覚的耳鳴もある．一般に耳鳴は蝸牛から大脳の聴覚野に至る経路のいずれの箇所でも起こりうる神経の異常興奮と考えられ，末梢の蝸牛の障害に限らないが，多くは高齢者の難聴に伴うことが多い．つまり，求心路の信号の低下による中枢の興奮亢進が耳鳴の原因ではないかと考えられている．腫瘍性病変で末梢の蝸牛神経を切断しても耳鳴を感じるのは中枢性耳鳴の証左であるが，客観的評価が困難であり，有効な治療法もないのが現状である．

一方，耳鳴の訴えには心理的要因の関与もよく知られている．ヒトの感覚器の感覚はきわめて恣意的である．**注意（attention）**があってはじめて感じることができるし，学習の結果，意味のない感覚と判断されれば高次脳で感覚として認知されなくなる．例えば，脳への最大の栄養血管である内頸動脈は蝸牛骨包前方 2～3 mm ところを走行しており，拍動を含む血管雑音は蝸牛に大きな音として伝わっているはずであるが，健常人はその音を感知することはない．幼小児期からの学習により意味のない音として処理されるようになったためであろう．先の耳音響放射の純音他覚的耳鳴例において自分には聞こえないというのも同様の機序であろう．よって，耳鳴治療，緩和のためには　耳鳴に対する日々の注意を捨て，中枢での感知がなくなることを年単位で期待することを勧めるのが現実的対応としてよいのではないかと考える．

4 平衡器

A 発生と解剖

内耳は前庭器と聴器からなるが，その発生をみると，胎生 4 週に外胚葉が厚くなって耳プラコードを形成し，それが陥凹をつくり，耳窩となり，さらに胎生 5 週に**耳胞**を形成するところから始まる．第 5 週には 3 つの半規管，前庭が形成され，蝸牛が L 字型に伸びる（図 3-31）．蝸牛の回転は 8 週ごろに遅れて完成する．したがって，内耳の奇形は前庭より蝸牛に多くみられる．

平衡器官は 3 つの直交する半規管と前庭の 2 つ鉛直な耳石器からなる（図 3-7, 8 ➡ 50 頁）．半規管の両脚は前庭とつながっており，一方の前庭側に**膨大部**があってその中に角加速度のセンサー

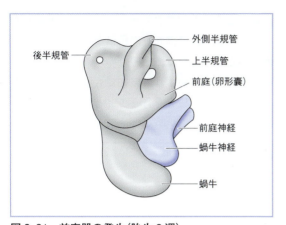

図 3-31　前庭器の発生（胎生 6 週）
三半規管の分化がみられ，前庭から蝸牛が L 字状に伸びる．

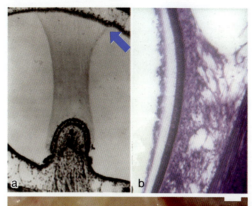

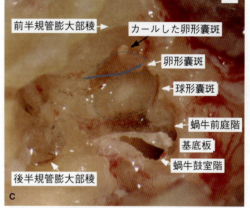

図 3-32　半規管膨大部のクプラと球形嚢斑，卵形嚢斑

a, b：半規管膨大部のクプラ，球形嚢斑の耳石膜．
a：半規管膨大部稜クプラが膨大部の天井に密着（矢印）．
b：球形嚢斑．外側から耳石膜，感覚毛，感覚細胞，基底膜，神経線維が観察される（矢印）．
c：前庭開放し，球形嚢斑，卵形嚢斑をみる．卵形嚢斑は前方から後方に舌状に伸びるが図では一部カールしている．
〔a：Gacek RR：A place principle for vertigo. Auris Nasus Larynx 35：1-10, 2008 より，b：Courtesy of Dr. Sando I より〕

としての膨大部稜を有している．膨大部稜には蝸牛らせん器と同様な有毛細胞が感覚細胞として存在し，ゼラチン様の**クプラ**をのせている．クプラの先端は膨大部の天井に付着して内リンパを隔てており，内リンパ圧変化でクプラが変位し，その変位を有毛細胞が感知する（図 3-32a）[9]．前半規管は矢状面に対して前外側 45° であり，後半規管は錐体骨後頭蓋面と平行に矢状面と 135° の角度をなしている．水平半規管はドイツ水平面と平行な面にある．一方，耳石器では有毛細胞上にはゼラチン層がありその上にカルシウムからなる**耳石**をのせており，耳石の変位をゼラチン層を介して感知している（図 3-32a）．耳石器は**卵形嚢斑**が水平半規管と平行な面として前方から後方へ前庭内に突出して存在し，**球形嚢斑**はその下方で卵形嚢斑とほぼ鉛直に骨に接して位置する（図 3-32b）．いずれの耳石器も平面ではなく，卵形嚢斑は付着部，突出した外側部で上方に折れており，球形嚢斑は骨の球形状の陥凹に接して弧を描いている．

　前庭器の求心路は内耳道深部の前庭神経節（スカルパの神経節）を介して，第Ⅷ脳神経として脳幹の 4 つの**前庭神経核**に入る（図 3-33）．一部の小脳脚から直接**小脳**に入るが，小脳と前庭神経核の間には密接に連携して姿勢制御を行っている．また，前庭神経核からの上行路としては内側縦束から外眼筋，視床に向かうものがあり，**視床**からさらに脳皮質に**体性感覚**，重力などの知覚野への投射がある．また，下行路には**前庭錐体路**があって歩行時の姿勢の制御や頭位の保持を担っている．

B

平衡の生理と機能

　半規管は**角加速度**を検知し，耳石器は**直線加速度**を検知する．そのことによって頭部の空間での

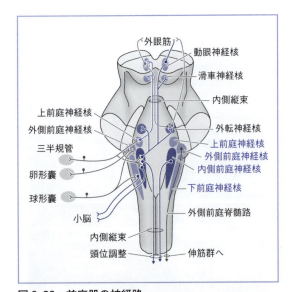

図 3-33　前庭器の神経路
脳幹の前庭神経核から，外眼筋，体幹筋肉への遠心路がある．

位置を把握する．人間は二足歩行という不安定な姿勢でバランスを保つ必要がある．そのためには**前庭器，視器，深部固有知覚**（関節，筋緊張，足底感覚）の協調があって始めて平衡を保つことができる．例えば，歩行時には頭部は上下に不規則な揺れが大きいが，それによって周りの景色が揺れて見づらいわけではない．これは頭部の動きが前庭器で感知されて，眼球の位置，方向を即座に頭の動きに合わせて補正して景色が揺れないようにしているからにほかならない（**前庭眼反射**）．もし，両側の前庭機能が障害された場合には，体動で固視が保てず，外界が常に揺れて見える（jumbling 現象）ため，日常生活に支障をきたす．このように，前庭器と視器は密接に関連しており，前庭器の刺激が眼球運動に反映されるので平衡機能検査では眼球運動をとらえることで前庭器の機能を評価することが多い．

平衡障害の代表的な訴えは「めまいで歩くことができない」ということであるが，安定した立位を保つために，頭部，体幹の空間位置を前庭器の半規管，耳石器の加速度センサー，視覚情報により的確に把握し，頸部，体幹，脚の筋肉に倒れないためのフィードバック（姿勢反射，前庭脊髄路）

を働かせることが必要である．つまり，前述した前庭器，視器，深部知覚の精緻な統合により歩行が可能となっている．そのため，めまいによる歩行障害は 3 者のいずれの障害でも起こりうることを踏まえて機能検査を行うこととなる．

1　三半規管

半規管の機能は角加速度の検知であるが，半規管はその膨大部稜の有毛細胞の極性の配置の差から水平半規管では**向膨大部流**で刺激され，**反膨大部流**で抑制されるのに対し，垂直半規管ではその逆となる（Ewald の第 1 法則）．このことはカロリックテストで温水を外耳道に注入した場合の眼振の向きの説明に合致する．カロリックテストの頭位は仰臥位で 30° 持ち上げた頭位とするが，このとき，水平半規管は地面に対して垂直となり，かつ膨大部は上方に位置している．温水刺激の際には，上向きの対流，つまり向膨大部流が起こるので水平半規管は刺激となり，注入側に眼振を生じる．冷水では逆となる．

2　head impulse test (HIT)

近年，head impulse test（HIT）で左右の個々の半規管の機能を評価する方法が広まりつつあるが，その原理も半規管の向きと膨大部の位置を知ることで反応を予測することができる．座位で頭部を左向きに回転させると内リンパの慣性により左水平半規管に向膨大部流を生じ，左耳が刺激される一方，右耳は反膨大部流によって抑制的となり，左向きの眼振が生じる．この前庭眼反射は元来，頭部を動かしても**固視**を保てるようにするための機能であるが，HIT では急速に小刻みに繰り返して頭部を動かし，固視の乱れを定量的にみることで半規管機能低下を定量的に評価している（図 3-34）[10]．垂直半規管も同様で，例えば右前半規管刺激は頭部を右前に回転させることで刺激となる．このように 6 つの半規管の機能を個別に

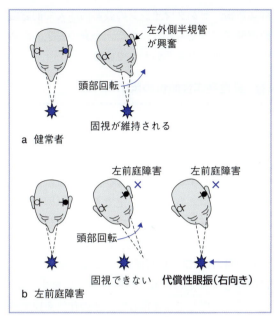

図 3-34　head impulse test(HIT)
常者では頭を早く振っても眼前の固視が保たれる(a)が，左半規管障害があると眼球運動が遅れ，固視ができず，代償として右向きの眼振を生じる(b)．
〔Barraclough K, et al：Vertigo. BMJ 339：b3493, 2009 より改変〕

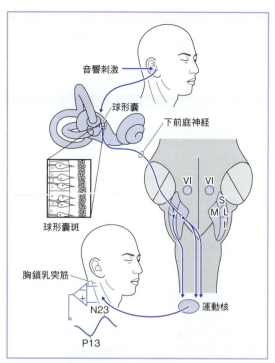

図 3-35　前庭誘発筋電位(VEMP)
強大音で球形嚢斑が刺激を受け，前庭脊髄路を介して，同側の胸鎖乳突筋に抑制的に働くことを筋電図記録する．

評価できるので，今後の臨床応用が期待されている．

3　耳石器

耳石器の機能は**直線加速度**の検知であるが，平衡斑の形態のそのものが複雑であるうえに，その中央付近の分水嶺(striola)を境に感覚細胞の動毛と不動毛の関係が逆に配置されているので，反応の極性が逆になる．結局，2つの耳石器はいろいろな頭部の動きで種々のパターンで興奮しているであろうと推測される．そのおおよその位置関係より，卵形嚢斑は水平面での前後左右の加速度に主として反応し，球形嚢斑は垂直面での上下の動き，回転に反応するのであろうと考えられる．日常生活に当てはめると卵形嚢は電車の動き，球形嚢はエレベーターの動きに主として反応すると考えられる．また，両者とも加速度とは別に頭の傾斜を感知する．結局，2つの耳石器の反応は重なり合う部分が大きいと思われるが，最終的には乳幼児期のヨチヨチ歩き時代からの脳の学習と経験により信号の解析・統合が正確にできるようになる．半規管では頭部の動きから特定の半規管刺激が想定できるが，耳石器ではどちらか一方の耳石器の反応を期待することはできない．

4　前庭誘発筋電位(VEMP)

一方，近年，前庭誘発筋電位(vestibular evoked myogenic potential：VEMP，図 3-35)によって球形嚢，卵形嚢の機能評価ができるようになりつつある．球形嚢に対しては耳に強大音を与えると同側の胸鎖乳突筋の筋電図に変化(**cVEMP**)がみられることで評価する．卵形嚢は耳に強大音と与え，対側の下眼瞼からの筋電図変化(**oVEMP**)をみることで評価が可能とされている．cVEMPは，内側前庭脊髄路を介しての抑制性の前庭頸反

射である．oVEMPは卵形囊斑から上前庭神経を経て前庭神経核から内側縦束，動眼神経核，下斜筋の興奮性の回路である．

C 平衡障害(めまい)疾患

平衡障害，めまいはその系が内耳のみならず，脳幹，小脳，大脳，脊髄に及ぶのでどの部位の病変でも平衡障害をきたす．ここでは大きく末梢前庭と中枢病変に分けて論じる

1 末梢前庭疾患

半規管，耳石器の障害で起こるめまいである．一般に半規管のめまいでは**回転性**のものが多く，耳石器の障害では前後左右，上下の**浮動感**，**不安定感**を訴えることが多い．当然，両者が混在して障害をきたすこともあるので症状もさまざまである．

a メニエール病

末梢性めまいの代表的なものであるが，確実例はめまいと聴覚障害が反復するもの，と定義されるので 初回のめまいでは，めまいを伴う突発性難聴と鑑別が難しい．また，第Ⅷ脳神経以外の神経症状がないことも重要である．一般に数時間以内に軽快する．その本体は**内リンパ水腫**とされているが，これを確かめるためには特殊な MRI 検査のほか，利尿薬の負荷などもあり簡単ではない．内リンパ水腫をきたす機序は明らかでないが，ストレス，自律神経失調などがきっかけとなることも多い．また，片頭痛関連のめまいととらえる向きもある．結局，原因のはっきりしない予後のよい「繰り返すめまい」が除外診断的にメニエール病とされることが多い．治療は対症療法による保存的加療となる．日常生活に支障をきたすようなめまい発作を繰り返すような場合，前庭神経切断術，ゲンタマイシンの鼓室内注入で**前庭機能遮断術**が考えられる．また，心身の安定のための生活改善が有効といわれている．

b 良性発作性頭位めまい

頻度の高い疾患であるが，病名のとおり，特定の頭位でめまい，眼振をきたす良性の半規管障害によるめまいである．どのような頭位でどのような眼振をきたすか(性状，持続時間など)によってある程度，障害半規管を推定できる．原因として卵形囊斑の耳石が半規管内に脱落し，それが体位によって浮遊すること(**半規管結石症**)やクプラに耳石が付着(**クプラ結石症**)することによって重力に関連して特定の位置で回転性めまいを生じる．浮遊結石に関しては連続した一連の体位変換で結石を前庭内に戻すことによって，直後からめまいが改善できることがある．ただ，責任病巣半規管の特定は左右を含めて必ずしも容易でなく，複数の半規管結石であることもあり，治療に難渋することもある．ただ，保存的に経過を見ても 2，3 か月のうちに結石が吸収され，大部分が自然軽快する．

c 前庭神経炎

蝸牛症状を伴わない突発性の眼振を伴う回転性めまいで，眼振は頭位にこだわらず，2～3 日持続する．前庭神経のウイルス感染，あるいは血行障害が想定されている．この疾患もメニエール病と同じようにほかの脳神経疾患がないことをもって診断されるので MRI などの検査は必須である．治療は対症療法となる．末梢の前庭障害は残るがめまい症状は中枢の前庭代償により徐々に改善する．この際，積極的に体を動かすことで代償が促進される．

2 中枢神経性めまい

一般に急激な発症のめまいで体位に依存しないめまいで，ほかの脳神経症状を見るなど，一見し

て重篤な印象を受けるめまいである．また，めまいが固視で抑制されることなく持続することが特徴的である．脳血管障害，腫瘍，変性疾患，先天奇形などが原因となる．**緊急処置が必要なことが多く，診断にMRIが有用である**．

a 椎骨脳底動脈循環不全

高齢者に多く，急激な発症で回転性めまい，嘔吐を伴うが数時間で治まることが多い．視力障害，麻痺，意識障害などがあれば，広汎な梗塞を疑い急を要する．

確定診断は血管造影などによるが，一般に重篤な症状がなければ，一過性脳虚血性発作（TIA）の1つとして経過をみることが多い．予防的に抗血小板薬，抗凝固薬などが投与されることもある．

b 多発性硬化症

ふらつきが一般的にみられ，めまいも初期症状としてみられることがある．めまいの症状は徐々に始まり，数日後にピークに達する．数秒続く頭位眼振がみられることもある．時間，空間をまたぐ，いろいろな症状が出現し，末梢前庭神経障害としての眼振をみることもある．進行性である．

c 小脳出血

急激な回転性めまい，悪心・嘔吐，頭痛が特徴的である．四肢麻痺，意識障害も早期に出現する．注視方向性眼振，滑動性眼運動障害，体幹失調などの小脳症状がでる．

d 中枢性頭位眼振

小脳小節，虫部垂の病変による眼振で梗塞，腫瘍のほか，アーノルド・キアリのような頭蓋底陥入が原因となることがある．良性発作性頭位めまいに対して悪性頭位性めまいともよばれる．

e 聴神経腫瘍

内耳道から小脳橋角部に位置する良性の神経鞘腫で難聴が初期症状であるが，もともと下前庭神経由来の腫瘍であることが多いので平衡障害も現れてくる．増大して脳幹（橋部）を圧迫するようになると病巣側注視時に低頻度の大きな眼振，健側注視で高頻度の小さな眼振という特徴的なブルンス眼振を認めることがある．

引用文献

1) Huttenlocher PR：Neural Plasticity：The Effects of Environment on the Development of the Cerebral Cortex. p57, Harvard University Press, 2002
2) Zweig G, et al：The cochlear compromise. J Acoust Soc Am 59：975-982, 1976
3) Raphael Y, et al：Structure and innervation of the cochlea. Brain Res Bull 60：397-422, 2003
4) Dallos P, et al：Physiology of the inner ear. *In* Northern JL(ed)：Hearing Disorders, p95, Little Brown, 1976
5) Netter FH：The CIBA Collection of Medical Illustrations. Vol. 1, Nervous system, Part 1 Anatomy and physiology. p177, CIBA Pharmaceutical Company, 1983
6) Moore BCJ：An Introduction to the Psychology of Hearing. p213, London Academic Press, 1989
7) Liberman MC, et al：Single-neuron labeling and chronic cochlear pathology.Ⅲ. Stereocilia damage and alterations of threshold tuning curves. Hear Res 16：55-74, 1984
8) Morton C, et al：Newborn hearing screening：a silent revolution. N Engl J Med 354：2151-2164, 2006
9) Gacek RR：A place principle for vertigo. Auris Nasus Larynx 35：1-10, 2008
10) Barraclough K, et al：Vertigo. BMJ 339：b3493, 2009

第 4 章

聴覚・平衡機能検査

学修の到達目標
- 自覚的聴覚検査の種類と検査手法を説明できる.
- 他覚的聴覚検査の種類と検査手法を説明できる.
- 乳幼児聴力検査の種類と検査手法を説明できる(新生児聴覚スクリーニング検査を含む).
- 聴覚障害を聴力型に分類し,その特徴を説明できる.
- 基礎的な平衡機能検査の種類と検査手法を説明できる.

1 聴覚・平衡機能検査の概要

A 聴覚・平衡機能検査と言語聴覚士

　言語聴覚士が聴覚・平衡機能検査を行う意義は，聴覚や平衡機能に関与する疾患の有無や程度および特性を理解し，（リ）ハビリテーション方針の立案・実施および対象者の社会参加支援などに活用することにある．

　医療において聴覚・平衡機能検査を行えるのは，医師，看護師，言語聴覚士，臨床検査技師などである．医学的診断は医師の独占業務であるが，言語聴覚士は診療の補助行為として，医師の指示下で**聴覚・平衡機能検査を実施**する．

　聴覚機能検査は言語聴覚士法の制定時（1997年）より業務規定されていたが，平衡機能検査（眼振電図検査と重心動揺検査）については2018年に追加された．本項では，基本的な聴覚機能検査を中心に記述する．

　ちなみに米国におけるオーディオロジスト（audiologists）は，自らの判断と責任において聴覚機能や平衡機能検査を行い，医療的措置が必要と判断したら医療機関に紹介する．また，補聴器・人工内耳の調整，めまい，リハビリテーション指導・訓練も医師の指示ではなく協働業務として行っている．

　わが国の言語聴覚士の活動範囲は諸外国に比べて制限されている．しかし，聴覚機能検査結果を情報源として自ら聴覚・言語臨床の（リ）ハビリテーション計画を立案し実施することができる．そのため，諸検査の操作・手技習得もさることながら，検査目的，原理，内容，および結果の解釈に関する理解が重要となる．

B 聴覚機能検査の種類

　検査は多数あり，被検者の**応答様式**（自覚的，他覚的），検査音の種類（純音，語音，歪み音，雑音，その他），障害部位（中耳，内耳，中枢，後迷路）などによって分類される．本項では便宜的に，①自覚的聴覚検査あるいは行動学的聴覚検査（behavioral audiometry），②他覚的聴覚検査（physiological hearing testing），③乳幼児聴覚検査（pediatric audiometry）に分類し（表4-1），一般臨床で用いられる基礎的検査について概括する．

(1) 自覚的聴覚検査

　音刺激に対する被検者の**自覚的応答**に基づいて検査が遂行されるもので，刺激音の物理的特性と被検者の聴覚心理的反応の関連性を検査する．自覚的検査は一種の心理検査で，被検者と検者の主観が影響し合う．信頼性のあるデータを収集するには，検査機器の安定性，検者の検査技能，および被検者の協力が欠かせない．

　基礎的な自覚的聴覚検査には，①純音を用いた検査と，②語音を用いた検査があり，それぞれの検査は，閾値検査と閾値上検査に分かれる．

(2) 他覚的聴覚検査

　被検者の意思や意図とは無関係に，特定の聴覚刺激を与えた場合に生起する生体反応から得られる結果に基づいて聴覚機能評価・診断を行うもので，**電気生理学的手法**を用いた聴性誘発反応検査や耳音響放射検査，およびインピーダンスオージオメトリーなどがある．これらの検査は，自覚的応答が困難な乳幼児，機能性難聴，中枢性難聴などの聴覚診断に有用であるが，他覚的聴覚検査にも精度の限界があり，確定診断には自覚的聴覚検査との**クロスチェック**が必要である．

表 4-1 主な聴覚検査の種類

	検査名	検査音の種類	適応	検査耳*	応答方法・判断	主な目的
純音聴力検査（閾値検査）	気導聴力検査	純音	小児～成人		応答ボタン、挙手、他	・難聴の有無・程度・タイプ・聴力型などの診断
	骨導聴力検査					・難聴の有無、程度、タイプなどの診断
	自記オージオメトリー		成人	片耳	応答ボタン	・鑑別診断
閾値上検査	SISI検査	純音				・補充現象の診断
	ABLB検査					・非良聴耳の補充現象の特定
	MCL検査		小児～成人		応答ボタン、挙手・口頭	・快適なラウドネスの特定、ダイナミックレンジの推定
	UCL検査		成人			・不快値の特定、ダイナミックレンジの推定
語音聴力検査	語音了解閾値検査	語音（一桁数字）	小児～成人	片耳、両耳	復唱、書記	・聴力閾値の測定
	語音弁別検査	語音（単音節）				・語音明瞭度、社会適応度の推定、補聴器・人工内耳の適合・装用評価、機能性難聴・機能性難聴の鑑別
	語音了解度検査	語音（単語、文）	成人			
インピーダンスオージオメトリー	ティンパノメトリー	純音（226 Hz）	乳幼児～成人			・中耳機能（鼓膜、耳小骨、耳管）の診断
	音響性耳小骨筋反射検査	純音（例：1,000 Hz, 4,000Hz）				・外耳～脳幹、顔面神経の障害部位診断
耳音響放射検査(OAE)	誘発耳音響放射(EOAE)	クリック音、トーンバースト、トーンピップ、CE-Chirp音など	乳幼児～成人	片耳		・難聴有無の推定、オーディトリー・ニューロパチーの診断 ・難聴の鑑別：新生児聴覚スクリーニング、基底板の振動
	歪成分耳音響放射(DPOAE)					
聴性誘発反応検査	自動ABR(AABR)					・難聴の選別：新生児聴覚スクリーニング、基底板の振動
	蝸電図(ECochG)					・難聴有無・程度、機能性難聴の診断、聴覚伝導路の障害部位判定
	聴性脳幹反応(ABR)					・聴覚伝導路の障害部位の推定（後迷路性難聴、中枢性難聴の診断など）、機能性難聴、詐聴などの診断
	聴性中間潜時反応(MLR)					
	頭頂部緩反応(SVR)					
	聴性定常反応(ASSR)					・聴力レベルの測定（周波数特異性有り）
乳幼児聴覚検査	聴性行動反応聴力検査(BOA)	純音、楽器、遊具、音声、生活用品など	新生児～幼児	両耳	聴性行動観察	・難聴有無の推定
	視覚強化式聴力検査(VRA)	震音、純音	乳幼児	片耳、両耳	定位・探索反応、指差し	・難聴の有無、程度の推定
	条件詮索反応聴力検査(COR)	震音、純音		両耳		
	遊戯聴力検査(play audiometry)	①ピープショウテスト(peep show)	純音／純音	幼児	片耳	応答ボタン、遊具操作	・聴力レベルの測定
		②Barr法遊戯聴力検査	純音				
		③ことばのききとり検査(Speech Audio)	語音（単音節、句、文）	幼児～小児		ポインティング、復唱、書記	・語音受聴明瞭度、社会適応度、補聴器・人工内耳の適合や装用効果の評価
アンケート法	質問紙検査	質問紙		両耳	聴性行動観察	・難聴有無の推定、1歳児健診、3歳児健診
自覚的検査	囁き声検査	囁き声	幼児		ポインティング、復唱	・難聴有無の推定、3歳児健診
選別聴力検査			成人	片耳、両耳	暗唱、復唱、応答ボタンなど	
その他の他覚的検査	遅延側音検査、ロンバールテスト、ステンゲルテスト	語音、純音、雑音				・詐聴の診断

*検査耳：検査方法によって、片耳聴でも両耳聴でも、どちらでもよい場合もある。例えば乳幼児聴力検査ではインサートホン使用によって片耳検査も可能である。

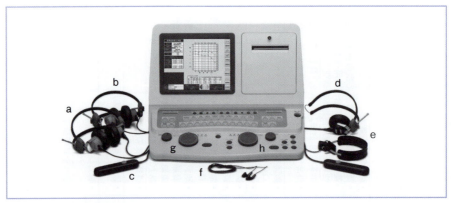

図4-1　オージオメータ
a：気導受話器，b：高出力気導受話器（ブースト），c：応答用押しボタンスイッチ，d：マスキング用受話器，e：骨導受話器，f：語音聴力検査モニター用イヤホン，g：聴力レベルダイアル，h：マスキングレベルダイアル
〔提供：リオン株式会社（AA-H1）〕

(3) 乳幼児聴力検査

まず，対象児の発達に応じた検査を選択する．発達的変化は個人差が大きく，適切な選択が確実性を高める．成人と異なって自主的参加協力が得にくいこともあり，検者には子どもの動機づけを高めるコミュニケーションスキルと検査技能が求められる．診断は，聴性行動観察による検査と他覚的検査の両方の結果から得られた情報をもとに疾患との関連も含めて総合的に行う．

C　検査の心得

被検者にとって聴覚機能検査は負担が大きいことを認識し，迅速かつ正確に行う．検査結果に影響を及ぼす要因として，①検査機器，②検査環境，③検者の技量，④被検者の状態・協力度などがあげられる．検査実施の際はそれらの要因を考慮し，検査結果の矛盾点や問題点を見過ごさないよう注意する．

1　検査機器

検査の基準化は検査結果の信頼性をより確実にする．まず，機器が基準通り作動していることが原則で，聴力検査機器の基準制定についてはISO（International Standard Organization，国際標準化機構）やIEC，ANCIなどに則って製造・販売される．わが国で用いられるオージオメータ（図4-1）は，JIS（Japanese Industrial Standard，日本工業規格）に基づく．なお，わが国の聴覚検査法については日本聴覚医学会が基準を制定している．

オージオメータの状態を正規に保つには定期的に客観的較正を行う（年1回程度）と同時に，日々の主観的な点検が必要となる．客観的較正については，機器の検査音の周波数やレベルなどを物理的に測定し，規格に合致するよう整備するが，作業が複雑かつ専門的なため専門家に依頼する．

日々の点検は検者が事前に行い，オージオメータの付属品である受話器のクッションの状態，コードのねじれ，プラグの錆・接触不良，ヘッド・バンドの破損，応答用シグナルの状態，減衰器や切り替えスイッチのなどの外観や作動状況を点検する．また，受話器を装着して検査音を聞きながら周波数や音圧を変え，出力の正確性，音の歪み，雑音の混入などをチェックする．

受話器の較正は使用するオージオメータとセットでなされており，別のオージオメータで使用すると結果の信頼性が揺らぐ（➡ Note 11）．

2 検査環境

聴覚検査室の環境騒音の最大許容レベルはJIS規格で定められている．原則として外部騒音を遮断した防音室で行うが，諸事情で防音室を確保できない場合は，騒音源の影響を極力避けて検査する．特に1,000 Hz以下の検査は騒音の影響を受けやすく，妨害騒音（背景音）があると正確性を欠くことに留意する．

防音性や遮音性のほかに，聴覚検査室の温度，湿度，換気，部屋の照明，検者と被検者の位置などにも配慮して検査環境を整える．

3 検者

検査を行う際は，**測定条件**を明確に記載しなければならない．単耳聴か両耳聴か，イヤホン使用か音場か，断続音か持続音か，検査機器は何を使用したかなどの測定条件に関する情報は検査記録用紙に明記する．

また，検者の知識や技能は検査の確実性を高める．特に自覚的聴覚検査においては，応答の一致度（安定性）や確実度（信頼性）が重要である．応答の一致度とは，刺激の提示と応答の関係が一致することである．応答の一致度が高いほど検査の確実度は高まり，刺激がないにもかかわらず反応する**偽陽性反応**（false positive）や，閾値上の刺激であるにもかかわらず反応しない**偽陰性反応**（false negative）を避けられる．

検査手順や応答方法に関する教示の曖昧さ，検査音の提示時間や間隔，応答後の刺激音の不適切な処理などは被検者を不安にさせて偽反応を誘発しやすい．被検者が安心して検査できるような環境整備には，検者の知識・技術だけではなく，被検者と適切なラポート形成ができる会話能力も含

まれる．本項で示す検査手順はごく一般的な例であり，原則を遵守しつつ個々の被検者に合わせて適用する．

検査の確実度については，複数の検査結果間で矛盾がないか確認することが大事である．応答の一致度や確実度に確信がもてない場合は，考えられる理由を明記しておく．

被検者は検査途中で体調が急変することもあるため，身体的変化の観察も怠らないよう注意しながら検査を遂行する．

4 被検者

被検者の意欲や注意力，疲労，耳鳴，その他の生理学的な状態の変化，さらに心理的安定度なども検査結果に影響を及ぼす．

被検者の姿勢や検者との位置関係にも留意し，検者の所作が被検者に見えず，かつ検者が被検者の様子を観察できる位置に着席してもらう．検査の疲労度を考慮して楽な姿勢で検査するのが基本であるが，**音場検査**では音圧較正した所定の位置に座すことが求められることもある（➡ Note 12）．何らかの理由で規定と異なる条件で検査する際は，被検者の検査条件を明記する．

> **Note 11. 6 cm³ カプラ**
>
> 聴力検査に用いる気導受話器は，人間の外耳道に近い容積（6 cm³）の音響カプラ（通称：6 cc カプラ，図）を用いて較正する．このカプラの空洞の一端に受話器を当て，空洞内に発する音圧を，サウンドレベルメータ（騒音計）に接続した標準マイクロホンで測定し，気導受話器に発生する音圧が規定どおりか確認する．規定外であれば，適宜調整する．
>
>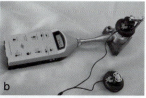
>
> 図　6 cm³ カプラ（a）と受話器の較正（b）

Note 12. 音場検査

音場検査(sound field audiometry, 図a)は，受話器を用いずにスピーカから聞こえる音や語を聴取するもので，補聴器や人工内耳の適合および装用効果の評価などに用いられる[1]．

■ 音場閾値の測定

通常はワーブルトーン(warble tone，震音)を用いて補聴器あるいは人工内耳の装用閾値を測定する．音場閾値測定に純音を用いないのは，純音は壁などの反射を受けて干渉し合い，音のレベルが一定しないためである．

■ 音場語音検査

補聴器あるいは人工内耳のマイク面に入力される音圧を適宜設定して聴取検査を行う．なお，雑音を負荷して検査する場合は，雑音と語音の音源を同一スピーカから提示する方法と，別々のスピーカから提示する方法とがある．いずれにしても，検査前に騒音計を用いて較正し，マイク面にあたる音圧を確認してから検査することが重要である．

音場閾値測定のほかに，スピーカ法を用いて単音節，単語，文の聴取検査も行う．応答形式は復唱法(図b)あるいは書記法を用いる．

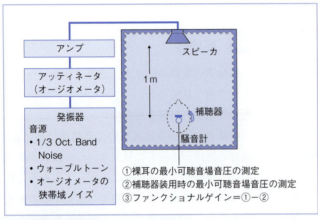

a 音場検査の模式図

b 検査例

図 音場検査の模式図と検査例
〔a：小寺一興(編)：図説耳鼻咽喉科 NEW APPROACH 1 補聴器の選択と評価．p97，メジカルビュー社，1996 より〕

2 自覚的聴覚検査

A 純音による聴覚機能検査

検査音に純音を用いる検査には，閾値検査と閾値上検査がある．

閾値検査は，個人の**聴力閾値**(最小可聴値，聴力レベル)の測定を目的とした検査で，「気導聴力検査」と「骨導聴力検査」からなる．

閾値上検査は，主に内耳機能を調べる目的で行われ，音の大きさ(ラウドネス)や高さ(ピッチ)の変化や感じ方を検査する．

純音を用いた閾値上検査には，主にSISI検査(short increment sensitivity index test)，ABLB検査(alternate binaural loudness balance test)，MCL検査(most comfortable loudness test)，UCL検査(uncomfortable loudness test)，耳鳴検査などがある．

なお，自記オージオメトリー(automatic audiometry, self-recording audiometry)は，検査法

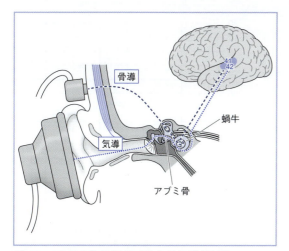

図 4-2　音の空気伝導（気導）と骨伝導（骨導）
気導：気導受話器 → 外耳道 → 鼓膜 → 耳小骨 → 内耳（蝸牛）→
　　　聴覚伝導路
骨導：骨導受話器 → 内耳（蝸牛）→ 聴覚伝導路

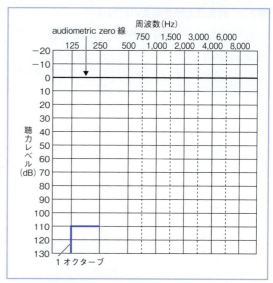

図 4-3　純音オージオグラム

や結果の解釈のしかたで，閾値検査にも閾値上検査にも分類される．

1　純音聴力検査（閾値検査）

a　検査概要

　純音を用いた検査は表 4-1 で示したように数多くあるが，純音聴力検査（気導・骨導）は閾値測定を目的とした検査で，閾値検査の代名詞的に用いられるほど，最も基本的かつ重要な検査である．また，適応年齢も幼児から高齢者までと幅広い．

　しかし気導と骨導の検査は音の伝導経路が異なる．**気導聴力検査**（air conduction）は音が気導受話器から外耳道→鼓膜→耳小骨→内耳に到達するのに対し，**骨導聴力検査**（bone conduction）は音が骨導受話器から頭蓋骨を通して直接内耳に伝導される（図 4-2）．

　気導検査と骨導検査の結果を統合して検討しなければ聴覚障害の診断は不完全なものとなるため，両者は一対の検査と考え実施する．

b　純音オージオグラム

1）形式

　純音聴力検査の測定値は聴力図（純音オージオグラム，pure tone audiogram）に記入する（図 4-3）．オージオグラムの横軸は検査音の周波数を，縦軸のデシベル目盛りは聴力レベル（hearing level：dBHL）を表す．オージオグラムの規格は世界的に同一で，その形式は 1 オクターブの周波数間隔と 20 dB の聴力レベル間隔が等しくなるように作成される．

　聴力レベルの「0（ゼロ）dB の線」は，多数の若年聴力聴耳の平均的な最小可聴値を示し，「正常聴力耳（audiometric zero）」という基準になる．つまり縦軸のマイナス表示は，正常値とされる聴力レベルよりもさらに小さい音が聞こえることを意味する．

2）記録

　オージオグラムには，被検者名，年齢，性などの個人的データや，検査日，検査状況，マスキング量，検査機種，受話器の型番などを記載する．

表 4-2　純音聴力検査結果の記録法

	右耳	左耳	記録
気導聴力閾値	○	×	各周波数の線上に記し、各々の閾値を直線で結ぶ（右耳：実線、左耳：破線）
スケールアウト	○↙	×↙	線で結ばない
骨導聴力閾値 （マスキングあり） （マスキングなし）	[<	] >	各周波数の右横・左横に記し、原則として線で結ばない
スケールアウト	[↙	]↙	線で結ばない

（日本聴覚医学会推奨の表示）

- 規格外の表示になるが、スピーカ法による両耳聴の気導閾値は裸耳聴力を△で、補聴器装用閾値を▲で表し、周波数間の閾値は線で結ばない．
- △や▲は、COR の閾値、補聴器・人工内耳の装用閾値を表示するときに使用する（→124頁）．

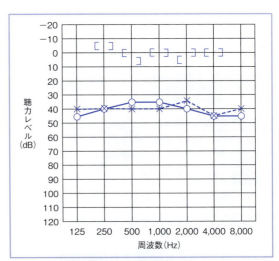

図 4-4　純音聴力検査の記録例

これらの情報は検査の信頼性や妥当性の評価に重要であり、また個人の聴力の経時的変化の把握に有用である．

測定結果の記録方法を表 4-2 に示す．提示音が各周波数における最大出力レベルであるにもかかわらず、被検者の応答が得られない場合はスケールアウト（scale out、和製英語で測定不可を意味する）と判定する．なお検査音の最大出力レベルは、オージオメータの機種、ブースター使用、気導検査と骨導検査、および検査周波数などによっても異なることに注意する．

なお測定結果をオージオグラムに記載する際は、気導閾値と骨導閾値を併記する（図 4-4）．

C　検査準備

1）受話器の装着

気導受話器は世界的な基準で、赤を右側、青を左側にして耳介部に装着する．検者が操作し、受話器の中央部を外耳道入口にして耳介を覆い、頭部のバンドもずれないよう固定する（図 4-5）．

骨導受話器（骨導振動子）は、耳介後部の乳突部に圧定する（図 4-6）もので、反対側はマスキング用受話器になっている．骨導受話器を前額正中部に設置しても音は聞こえるが、マスキング効率は乳突部に設置したほうが高まる．骨導振動子の当て方が不正確だと閾値上昇の原因となるので、骨導端子の振動面が乳突部の圧定面に平行になっているか、圧定が十分か、耳介を塞いでいないか（閉鎖骨導）、などを確認する．また、毛髪が受話器にはさまらないよう、検査中に受話器がずれないよう注意して装着する．

2）検査音の提示

純音聴力検査における検査音は、一般的には「断続音」を用いる．持続音刺激による疲労やマスキング音との誤認を回避するためである．1回の刺激に対して 1〜2 秒間しっかり提示し、聞こえると応答したら1秒ほどきちんと休止して無音の状態にし、ON/OFF を明確にしてから再び検査音を提示する．ただし、リズムが一定だと被検者は検査音の提示間隔を想定して応答することもあるため、応答性に疑問を感じたら、時間間隔を少しずらして提示する．

図4-5　気導受話器の装着
a：正面．前後にズレないように注意する．
b：側面．外耳孔を覆う．

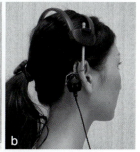

図4-6　骨導受話器の装着方法
a：正面．（右）マスキング用受話器，（左）骨導受話器（測定耳）．
b：骨導受話器（側面）：耳介後部の乳突骨部に圧定する．

3）被検者への教示

　被検者に下記の内容を理解してもらえるよう明確に説明してから検査を始める．不安なまま検査すると応答の不一致が生じて再検査となり，非効率的である．教示が的確であることが肝要で，被検者が説明を理解できたかを検査前に確認する．
　被検者が高度難聴や高齢者の場合は，文字や手話など，本人に通じるコミュニケーション手段で下記について教示する．

- 音が聞こえたときの応答方法（応答ボタンの操作，挙手など）
- 音が聞こえなくなったときの応答方法
- 検査耳の順序
- 検査音，検査周波数の順序
- 検査を中断してほしいとき（例：気分が悪い，受話器のズレ，検査者の提示説明と矛盾した音が提示されたときなど）

4）閾値測定法

　聴力閾値の測定法には，上昇法と下降法があり，純音聴力検査では原則として上昇法を用いるが，被検者の状況によって混合して使用することもある．
　上昇法は，明らかに聞こえないレベルから次第に提示音圧を上げていき，初めて応答を得た音圧を閾値と判定する方法である．応答が得られたら，提示音を10～15 dB程度増強してはっきり聞かせて不安を除く．次に，反応が得られたレベルから10 dB下げて5 dBステップで上昇し，同一周波数で3回中2回の測定値が同一であれば，そのレベルを提示周波数における聴覚閾値（最小可聴値）と判定する．

d 気導聴力検査

1）教示

　通常は応答ボタンを用いる．「どのくらい小さい音がきこえるか調べる検査をします．ピーピー，ブーブーなどの音が聞こえてきます．聞こえたらボタンを押してください．音が聞こえないときは指を離してください」と教示する．ボタン操作が困難な場合は挙手にて応答を求める．

2）検耳

　片耳ずつ検査する．両耳間に聴力差がある場合は交叉聴取の可能性を考慮し，通常は良聴耳から検査を始める．

3）気導受話器の装着

　受話器の装着は検者が行い，受話器の中央部を外耳道入口にして耳介を覆い，頭部のバンドがずれないよう固定する（図4-5）．

4）予備測定

　正確な応答を効率よく得るための手順であり，同時に被検者の教示理解や検査に対する慣れも確

認でき，さらに閾値見当にも役立つ．

1,000 Hz の音で，最初に十分に聞こえる音のレベル（閾値上レベル）を提示する．例えば，初回検査で閾値が不明な場合は聴力ダイアル 40 dB で提示するが，高度難聴以上であることが既知の場合は約 70～80 dB で提示して検査を開始する．刺激音は断続音を用い，反応が得られた値から 10～20 dB ステップの下降法で応答がなくなるまで下げ，その後は上昇法で閾値測定する．

5）本測定

測定周波数は，125 Hz, 250 Hz, 500 Hz, 1,000 Hz, 2,000 Hz, 4,000 Hz, 8,000 Hz の閾値を測定する．検査順序は 1,000 Hz から始め，順次高音域の閾値を測定し，再度 1,000 Hz の閾値を確認したあとで 500 Hz から 125 Hz の順に低音域を検査する．被検者が高度難聴で高周波数帯域の音が聞こえにくいことが既知の場合は，被検者が聞こえる可能性のある低周波数音から始めることもある．

初回の 1,000 Hz の測定は，予備測定で得られた閾値から 10～20 dB 下げたレベルで始め，あとは上述の上昇法で測定する．閾値が得られたら周波数を変えて同じように測定する．その際，直前の隣接した周波数の閾値より 10～20 dB 低いレベルで測定を始めると検査時間が短縮でき，被検者の疲労感も減らせて効率的である．このような繰り返しで 8,000 Hz まで測定したら，1,000 Hz を再測定する．1,000 Hz の閾値が 1 回目と 2 回目で 10 dB 以上異なる場合は再検査する．3 回試行して 2 回一致した聴力レベルを閾値と判断する．2 回目の 1,000 Hz の閾値測定が済んだら 500 Hz, 250 Hz, 125 Hz と進む．

なお 750 Hz, 1,500 Hz, 3,000 Hz, 6,000 Hz などの 1/2 オクターブの閾値測定については，補聴器適合や聴力型が高音急墜型のときなど，必要に応じて行う．

6）記録

閾値測定直後に，規定に従って各周波数と聴力レベルが交叉する線上に，右耳は〇，左耳は×で記録し，角周波数の結果を右耳は実線，左耳は破線で結ぶ（図 4-4）．

近年は，測定後に「閾値ボタン」を押すと自動的にオージオグラムに閾値が記録されるオージオメータが多い．

検査終了後は，次の検査がスムーズに開始できるよう，聴力ダイアルや周波数ボタン，検査機能ボタンなどは初期設定（聴力ダイアル最小値，マスキング OFF，周波数ボタン 1,000 Hz，気導聴力検査，右耳）に戻して終了する．

e 骨導聴力検査

気導聴力検査に準じるが，以下に相違点を述べる．

1）教示

骨導聴力検査時は原則としてマスキングを行うため，マスキング音と検査音を混同して応答しないよう，被検者に説明する必要がある．具体例として，「雑音に対しては応答せず，ピーピーやブーブーのような音が聞こえたときだけボタンを押してください」と教示する．

2）検耳

骨導聴力検査の最初の検査耳については良聴耳から始めることを推奨する．非両耳から始めることもあり，これは，研究者によって見解が異なる．肝心なことは，交叉聴取の可能性を排除して閾値測定することである．

3）骨導受話器の装着

振動子の位置と圧定を確認し，受話器が途中でズレたりしないか検査中もしっかり確認する．

4）測定

バンドノイズで非検査耳をマスキングし（後述），上昇法で閾値測定する．測定順序は気導聴力検査と同様に 1,000 Hz から始めるのが一般的

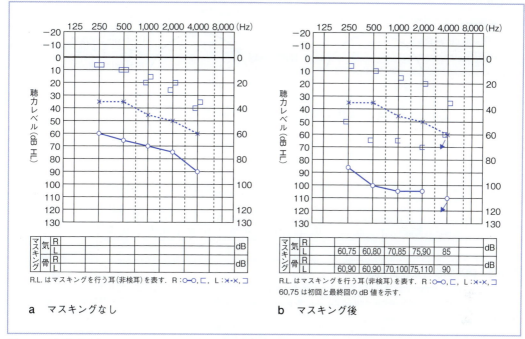

a　マスキングなし　　　b　マスキング後

図 4-7　陰影聴取（シャドーヒアリング），交叉聴取（クロスヒアリング）を示す事例
〔服部浩：図解 実用的マスキングの手引き．改訂第4版増補版，pp12-13，中山書店，2012 より〕

で，測定周波数は 250～4,000 Hz の範囲でよい．

被検者が振動覚と誤認することもあり，応答性が不安定なときは，「音として聞こえるか」「震えて響く感じか」を区別し，応答が不安定な場合は，振動音には応答しなくてよいことを伝える．

低周波数音ほど聴感覚と振動覚との区別が困難で，500 Hz 以下の骨導閾値のみが良好なときは，振動覚の影響で偽陽性にならないよう注意して閾値判定する．ちなみに，振動覚は 250 Hz で約 40 dB，500 Hz で約 60 dB，1,000 Hz で約 70 dB の刺激で生じる．

5）記録

気導閾値を記録したオージオグラムに併記する．気導値と重ならないよう，骨導値は右耳は「[」，左耳は「]」のカギ括弧で表し，周波数線に沿って左横・右横に記録する（図 4-4）．

f　マスキング

1）マスキングの必要性

マスキング（masking）とは「遮蔽」を意味する．両耳間に聴力差がある場合，聴力が悪いほうの検耳（患側）に提示した検査音が，聴力が良いほうの耳（良聴耳）で聴取される可能性があり，あたかも患側の閾値が低いかのように誤判断されることがある．この現象を**陰影聴取**（シャドーヒアリング，shadow hearing），あるいは**交叉聴取**（クロスヒアリング，cross hearing）という（図 4-7）[2]．

音が片耳から入力されると，その音は対側内耳にも伝導される．その際，音エネルギーは減弱するが，この伝導損失は**両耳間移行減衰**（interaural attenuation：IA）とよばれる．両耳間移行減衰量は気導では約 35～60 dB，骨導では約 0～10 dB である（図 4-8）[3]．すなわち骨導では音エネルギーがほとんど減衰しないまま対側耳に伝達されるた

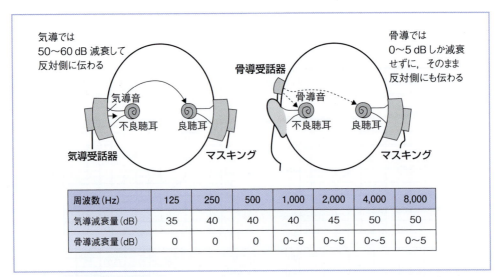

図 4-8　両耳間移行減衰量（IA）
数値が小さいほど反対側への伝導量が大きいことを示す．減衰量は周波数によっても個人によっても異なる．
〔Katz J（ed）：Handbook of Clinical Audiology. 7th ed, p117, Lippincott Williams & Wilkins, 2017 の数値をもとに筆者作成〕

め，マスキングなしで検査すると陰影聴取に気づかないことがある．

2）マスキングの適用基準

(1) 気導検査のマスキング
良聴耳の骨導閾値と非良聴耳の気導閾値の差が気導受話器の両耳間移行減衰量，すなわち 50 dB 以上あるときは，マスキングを検討する．

(2) 骨導検査のマスキング
良聴耳の骨導閾値と非良聴耳の気導閾値との差が 15 dB 以上あるときは，マスキングする．ただし，骨導の IA が 0 dB でも陰影聴取が起こる可能性を考慮し，骨導検査では原則として良聴耳をマスキングする．

(3) 語音検査のマスキング
基本的に，気導検査でマスキングした耳については，語音検査でもマスキングする．

(4) マスキングノイズ（→ Note 13）
マスキングノイズには，狭帯域雑音（バンドノイズ），白色雑音（ホワイトノイズ），加重雑音（ウエイトノイズ），スピーチノイズ，マルチトーカーノイズなどがあり，目的に応じてより効果的

Note 13. マスキングに用いる雑音の種類

■ **バンドノイズ（band pass noise）**
狭い周波数帯域に限られた音（narrow band noise）で，純音聴力検査のマスキングに有用である．各帯域はマスクする純音を中心周波数とする狭帯域雑音からなるため，純音検査では効果的なマスキングができる．

■ **ホワイトノイズ（white noise）**
白色雑音ともいう．あらゆる周波数の成分を広くほぼ同量ずつ含む雑音で，語音検査のマスキングに有用である．

■ **ウエイトノイズ（weighted noise）**
加重雑音ともいう．白色雑音と同様に広周波数帯域の雑音（broad band noise）で，語音検査のマスキングに用いられることもある．

■ **スピーチノイズ（speech noise）**
白色雑音をフィルターを通して会話音の長時間平均スペクトラムに近似するようにしたもので，語音検査のマスキングに用いられる．低周波数帯域では比較的強いエネルギーをもち，高周波数帯域でエネルギーが小さくなる．

■ **マルチトーカーノイズ（multi-talker noise）**
複数の人が同時に同等の大きさで話すと雑音が作製でき，語音検査のマスキングに用いられる．全員男声，全員女声，混声と，マスクされる音に対応して使い分ける．原理はスピーチノイズに類するが，大きさが変動しやすい．

な雑音を選択して使用する．

　純音聴力検査においてはバンドノイズを使用するが，それは検査周波数に近い狭帯域の雑音で遮蔽するほうがマスキング効果は高いという理由による．同様の原理で，語音聴力検査におけるマスキングでは，複雑で広域な音響特性をもつ言語音に類似したホワイトノイズ，スピーチノイズ，マルチトーカーノイズなどを用いるのが効果的である．

3）適正マスキング

　厳密なマスキング量の適正値を求めるのは時間がかかる．両耳間移行減衰量は個々の頭囲，骨密度，各測定周波数，音圧，気導・骨伝導などの違いが複雑に影響し合うためである．

　適正マスキングの方法は古くから研究者間で見解が異なり，いまだに万能な方法はないが，Hood（1980年）によって創案された**プラトー法（plateau method）**は，多くのマスキング法の基本となっている．**プラトー値**とは，マスキングレベルを10 dBから15 dBずつ増やして測定し，閾値上昇が認められなくなった値を検耳の閾値と判断する（**図4-9**）[4]．

　マスキング量が過少で交叉聴取が起こることを**アンダーマスキング（under masking，過少マスキング）**という．逆に真の閾値以上の雑音を負荷し非検耳をマスキングすると，検耳に閾値上昇をもたらす現象である**オーバーマスキング（over masking，過剰マスキング）**が生じる．オーバーマスキングを避けるためには，最大の提示雑音は検耳の骨導閾値＋気導のIA値という限界を守る．

　プラトー法は適性マスキング量を求めるのには適しているが，マスキングレベルを変えて閾値測定を反復するため長時間を要し，語音聴力検査では被検者の負担が大きくなるのが短所である．

　ABC法や簡便法（マスキングレベルを50〜60 dBで固定）を用いる施設もあるが，どの方法を使用するにせよ，両耳間移行減衰量を理解し，

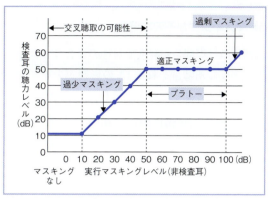

図4-9　マスキングにおけるプラトー法の概念

マスキングなし，あるいはマスキング量が不足だと交叉聴取の可能性があり，マスキング量が過剰だと閾値上昇を起こす．マスキングによって閾値変動が起こらなくなるレベル（plateau）を便宜的に適正マスキング範囲と考えるのがプラトー法である．
〔Gelfand SA : Essentials of Audiology, 4th ed. p302, Thieme, 2014 より改変〕

交叉聴取が起こらないように考慮して閾値測定する．

4）マスキングが困難な場合

（1）伝音障害がある

　非検耳に伝音障害があると，気導値は上昇しても骨導聴力が良好なことから陰影聴取が起こりやすい．一方で，マスキング用受話器で耳を覆うことにより，通常は外耳道閉鎖効果（外耳道を塞ぐと低音域の骨導閾値が約5〜20 dB改善する現象）が生じるが，伝音障害があると減少・消失する．

　さらに，気導の閾値上昇に伴い雑音レベルを上げなければマスキング効果がないという相反する状況が生じることから，伝音障害を伴う場合のマスキング検査は注意を要する．

（2）小児や高齢者

　一般では雑音を負荷して検査することを前もって教示するが，小児や高齢者は教示の内容が十分に理解できず，検査音ではなくマスキング音自体に反応することがある．被検者が検査音とマスキング音の違いを認識したかを確認したうえで実施する．

5) マスキングが不要な場合

両側の気導閾値が軽度で対称の場合はマスキングは不要である．それは IA の影響が少なく気導値は真値と考えられるからである．

g 純音聴力検査結果の解釈

純音聴力検査のオージオグラムから，気導閾値，骨導閾値，両検査の閾値差（air-bone gap, **AB ギャップ**，気導・骨導差，図 4-10），および聴力型（図 4-11）などを読み取る．個人の聴力は，生理的・心理的要因により変動することがあり，永続的であるとはいえない．また検査条件や方法や年齢によっても基準値が異なることに留意する．

1) 聴力障害の程度

純音聴力閾値は難聴の有無，障害の程度，および種類などを診断するのに最も重要なデータとなる．障害の程度については第 1 章の表 1-4（➡ 9 頁）を参照してほしい．

個人の聴力レベルは，気導聴力検査で得られた**平均純音聴力レベル**（pure tone average：**PTA**）で代表される．PTA は 500 Hz, 1,000 Hz, 2,000 Hz の 3 周波数の閾値の平均値で表され，算出法には **3 分法**（500 Hz の閾値＋1,000 Hz 閾値＋2,000 Hz 閾値 /3）や，**4 分法**（500 Hz の閾値＋2×1,000 Hz 閾値＋2,000 Hz 閾値 /4），がある．わが国では通常 4 分法が用いられ，診断・治療の指標となるだけでなく，身体障害者等級認定においても利用する．ただし，職業性難聴（騒音性難聴）の診断には，高周波数域 4,000 Hz の閾値を追加した **6 分法**が用いられる．

身体障害者手帳（聴覚障害）の等級については第 9 章（➡ 383 頁）を参照されたい．

2) 難聴の種類

障害の種類は研究者によって表現が異なり，基本的には伝音難聴，感音難聴，混合難聴に分類される（図 4-10, Carhart, 1945 年）．

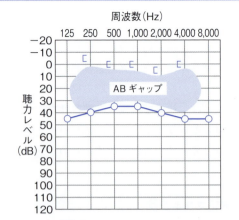
a 伝音難聴

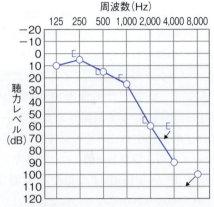
b 感音難聴

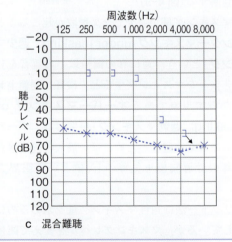
c 混合難聴

図 4-10 伝音難聴，感音難聴，混合難聴のオージオグラム例

a：気導閾値は上昇しているが骨導値は正常で，気（導）骨導差（AB ギャップ）あり．
b：気導閾値，骨導閾値ともに上昇し，AB ギャップなし．
c：低音部の骨導聴力は浮動的だが，高音部の骨導閾値上昇が認められる．

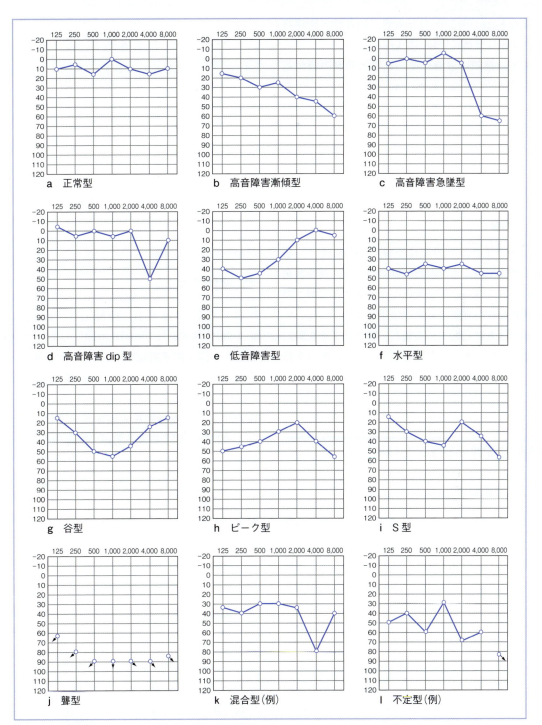

図 4-11 聴力型
〔立木孝:純音聴覚検査. 神崎仁(編):聴覚. CLIENT21 — 21世紀耳鼻咽喉科領域の臨床 6, p133, 中山書店, 2000 より〕

また Katz(1972年)は伝音性，内耳性，後迷路性，中枢性難聴に分類している．

障害の種類の診断には，気導と骨導の閾値差〔気(導)骨導差，air bone gap：AB ギャップ〕の有無が指標となり，全周波数でこの AB ギャップがあると伝音難聴，一般には AB ギャップなしだと感音難聴と診断される．また，混合難聴では，低音域で AB ギャップが不動的だが，高音域では骨導閾値の上昇も認められる．

3) 聴力型

オージオグラムの型は多様で(図 4-11)[5]，病態の変化や聞こえ方の質的側面の判断，補聴器適合の予測，さらに言語発達の受容面と産生面との関連性などの理解に有用な情報となる．

聴力検査は定期的に実施し，聴力低下や変動に適切に対応することが肝要である．特に聴力変動を早期に発見することは，治療の可能性を高め，固定的な聴力低下の予防につながる．

2 自記オージオメトリー

a 検査概要

Bekesy(1947年)の考案によるもので，**ベケシー型オージオメトリー**(Bekesy audiometry)ともよばれる．旧式の検査だが補充現象の有無や感音難聴の鑑別，および聴覚閾値の補足的情報として活用してきた経緯がある．

被検者の応答ボタンの反応に連動して提示音圧が自動的に増減されるもので，この繰り返しによる一連の結果が自動的に記録されるので，自記オージオメトリーともいう．検査結果は検査周波数の閾値を挟んで鋸歯状の形となる(図 4-12)．正常聴力耳の振幅は 5～10 dB である．

波形の振幅が約 2～3 dB で細かいとラウドネスの変化に過敏に反応していることを示し，内耳障害の可能性を疑う．

この自記オージオメトリーの短所は検査に時間

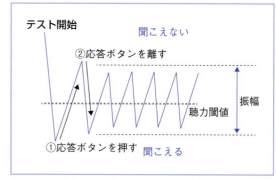

図 4-12 自記オージオメトリー検査原理

がかかることである．

b 検査内容

刺激音には連続音/持続音(C：continuous sounds)と断続音(I：intermittent sounds)の純音を用い，**固定周波数記録**(選択した周波数を一定時間固定して測定する)と，**連続周波数記録**(125～10,000 Hz までの音が連続的に変化する)で検査する．検査時間を短縮するときは 1,000 Hz と 4,000 Hz の固定周波数記録で測定する．

検者に応答ボタンをもたせ，音が聞こえたらボタンを押しつづけ，聞こえなくなったらボタンを離すよう教示する．ボタンを押すと音が小さく，離すと大きくなり，自動的に時間経過で鋸歯状波形が記録される．この自記オージオグラムから，聴力閾値，波形の振幅，断続音と持続音の閾値差の有無や程度，閾値の時間的変化を読み取る．

c 結果の解釈

振幅，断続音記録と持続音記録の閾値の乖離，聴力レベルの時間的推移などに着目し分析する．下記の **Jerger 分類**(1961年)(図 4-13)によって病変部位を鑑別診断する．

I 型(正常耳か伝音難聴)

断続音記録も持続音記録も波形の振幅が約 5～10 dB の範囲で重なり，さらに聴力閾値が気導聴力検査の閾値とほぼ等しい．伝音難聴の診断は難しいことに留意する．

Ⅱ型(内耳性難聴の疑い)

　持続音記録で波形の振幅が縮小し(約3 dB),断続音記録より波形が下にずれて閾値上昇しており,補充現象陽性の可能性がある.

Ⅲ型(後迷路性難聴の疑い)

　持続音記録において,閾値が時間経過に伴い顕著に上昇する**一過性閾値上昇**(**TTS現象**:temporal threshold shift,**TTD現象**:temporal threshold drift)を認める.

Ⅳ型(後迷路性難聴の疑い)

　振幅は正常でTTSも認めないが,持続音閾値と断続音閾値が乖離しており,持続音記録で約15 dBの閾値上昇を認める.

Ⅴ型(機能性難聴の疑い)

　断続音記録が持続音記録に比し閾値上昇しており,**聴耳と逆転**している.このような生理的現象は機能性難聴以外には生じないといわれている.

　検査機器の設定条件や被検者の注意,反応速度によっても結果が異なるため,他検査とクロスチェックのうえ,障害部位の判断は慎重に行う.

3　純音による閾値上検査

a　検査目的

　純音聴力検査は,閾値検査で,音の最小可聴値を測定し難聴程度や障害部位などに関する情報を提供する.しかしながら実際の日常生活内の聴覚刺激の多くは閾値上にあり,聴覚機能を多角的に調べるには,閾値上の音を提示した場合の聞こえ方に関する情報も欠かせない.

　純音を用いた閾値上検査では,音の強さや大きさの弁別,聞こえ方の時間的な変化,および両耳の聞こえ方の相対的な関係などを調べる.代表的な検査として,①SISI検査,②ABLB検査,③MCL検査,UCL検査などがあり,これらは主に内耳の**補充現象**あるいは**リクルートメント現象**(recruitment phenomenon)の診断に用いられる.

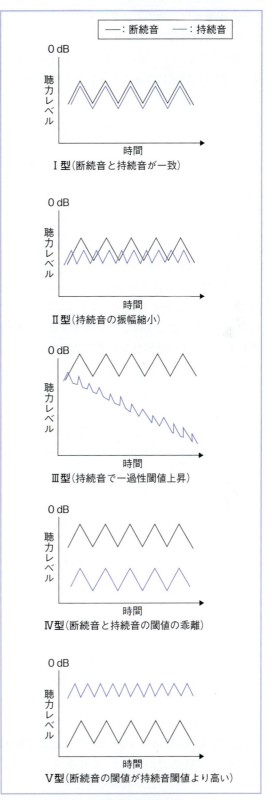

図4-13　Jergerの分類(固定周波数)

補充現象とは，音の大きさに対する感覚の異常現象で，音の物理量（音の強さ）の変化に伴う音の感覚量（ラウドネス：音の大きさ）が正常聴力耳に比べて過度に鋭敏になることをいう．補充現象の原理は十分に解明されていないが，その多くは内耳障害由来といわれている．

なお，補充現象の診断には，自記オージオメトリーのⅡ型も指標となる．

b SISI 検査

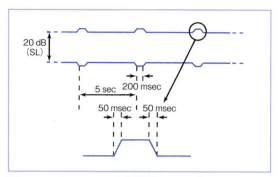

図 4-14 SISI テスト—刺激音
〔村井和夫：閾値上聴力検査．日本聴覚医学会（編）：聴覚検査の実際，改訂 4 版，p75，南山堂，2017 より〕

1）原理

SISI 検査（short increment sensitivity index test）は，DL 検査（difference limen test）の変法の 1 つとして Jerger（1959 年）によって考案され，増音検知能力を測定することで補充現象の有無を判定する．気導受話器を介して閾値上の一定の音が聞こえ，途中で音の強さが一定レベル増加する瞬間の**増音検知度**を調べる．

正常聴力耳では音の大きさの変化に関する感知度は約 3〜5 dB 以上であるが，補充現象がある耳では音の大きさの変化に鋭敏で，1 dB のわずかな大きさの変化を（short increment）検出できるという異常現象が起こり，SISI スコアが高くなる（図 4-14）[6]．

検査が簡単かつ短時間で行えること，内耳障害の検出確率も高いことから，臨床で広く用いられている．

2）検査手順

検査音は，被検者の純音聴力閾値上 20 dB の持続音を用いる．5 秒間隔で 1 dB 増音し，100 秒間に 20 回与える．最初の数回は増音 5 dB で練習したあとに測定が始まるよう，オージオメータに自動設定されている．

周波数は 1,000 Hz と 4,000 Hz で測定して比較するのが一般的だが，被検者の聴力によって 1,000 Hz のみで行うこともある．

被検者には，「聞こえてくる音がわずかでも変化したと感じたら，その瞬間にボタンを押し，すぐに離します．この動作を繰り返しますが，何の変化も感じなければボタンは押さなくて結構です」と教示する．

（1）記録

20 回の増音に対する感知度の割合（SISI スコア）を算出するが，算出式はオージオメータに内蔵・記録され，SISI スコアとして自動的に表示される．

（2）結果の解釈

SISI スコアが高いほど瞬間的な増音の検知度が高いことを示し，内耳障害による補充現象陽性の確率が高いと解釈する．基準値は研究者によって多少異なるが，SISI スコアが **60％以上は補充現象陽性**，20〜55％以下は疑陽性，15％以下は陰性と判定する．

内耳障害がないにもかかわらず，SISI スコアが一過的に 60％以上を示すこともあり，判定は他検査も併用し慎重に行う．

c ABLB 検査

1）原理

ABLB 検査（alternate binaural loudness balance test）は，Fowler（1936 年）の考案によるもので，**両耳バランステスト**とよばれる．正常聴力側と患側に交互に純音を聞かせ，両耳でラウドネス

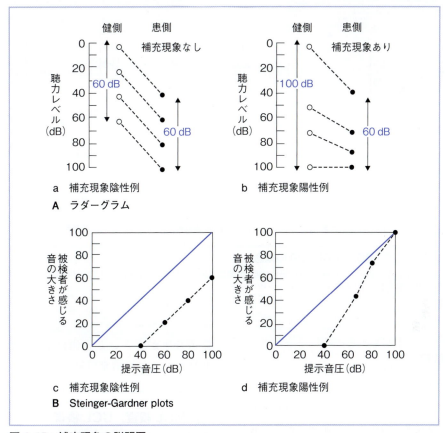

図 4-15　補充現象の説明図
B：Steinger-Gardner plots の 45°線（色線）は正常聴力耳の変化を，黒点は被検者の反応を表す．

のバランスが均一なレベルを求める検査である．

一側性難聴であれば，患側の補充現象の有無を直接的かつ確実に判断できる利点がある．一方，この検査は両側性難聴や高度・重度難聴者には適用されないのが難点である．

2) 検査手順

あらかじめ純音聴力検査で得た閾値に基づき，なるべく両耳間の閾値差が大きい周波数を複数選択する．まず基準耳（reference ear；通常は健側）を決め，被検者に左右の音のいずれが大きいか（あるいは小さいか）を判断するよう教示する．気導受話器を装着して健側と患側に閾値上約 10～20 dB の断続音を交互に約 1 秒程度聞かせ，判断を求める．

持続音提示だと，時間経過とともにラウドネスが減衰する可能性があり判定に影響するため，検査音には必ず断続音を用いる．

3) 記録

以下 2 種類の方法で記載される．

(1) ラダーグラム（梯形図，ladder gram）

オージオグラム上に，被検者が同じ大きさと感じた右耳・左耳（あるいは健側・患側）のレベルを左右に記し，線で結ぶ（図 4-15a, b）．

(2) Steinberg-Gardner plots

縦軸の提示音圧に対する聴力レベルを横軸にプロットし，双方の関係性を調べる．（図 4-15c, d）．

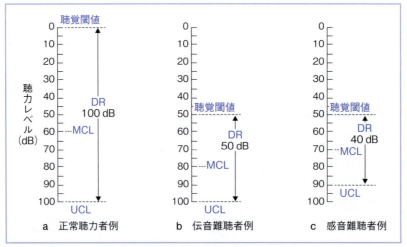

図 4-16　MCL，UCL，DR の概念
ダイナミックレンジ(DR)＝不快閾値(UCL)－聴覚閾値．感音難聴者は概して UCL が低く，特に補充現象があると伝音難聴者に比べ，UCL が低くなるため DR が狭くなる．

4) 結果の解釈

(1) 補充現象陰性

ラダーグラムでは勾配に着目する．補充現象陰性だと，音の大きさの変化量が健側と患側で同じであるため，音圧レベルにかかわらず両耳間の勾配は平行になる(図 4-15a)．

また，Steinberg-Gardner plots では，補充現象陰性だと健側も片側も変化量は変わらず平行を保つ(図 4-15c)．

すなわち，正常聴力耳だと音の物理量に対する音の感覚量は一定の関係となり，物理量が大きくなるに伴い感覚量も大きくなるのである．

(2) 補充現象陽性

ラダーグラムでは，患側のラウドネス変化量が急速に変化し，健側と患側の勾配が不均衡になる．なお両耳間の勾配は音が大きくなるにつれてなだらかになり水平に近づいていく．つまり補充現象があると，視野が狭くなる(図 4-15b)．

Steinberg-Gardner plots では，健耳(青線)では提示音圧の変化量と実際に感じる音の大きさは比例する．しかし，補充現象陽性の耳では，閾値を超えると音の感覚が急速に増加していくため，提示音圧が大きいと患側は 45°線と交わる(図 4-15d)．これは補充現象によりラウドネスの変化に過敏に反応したことを示す．

d　MCL 検査，UCL 検査

1) 原理

個人の音の大きさの変化量に対する主観的な感覚を測定するもので，当初は補充現象の判定に用いるために考案された．しかし，個人差が大きく補充現象との関連性が不確実だとして，現在は主に補聴器適合の際に活用されている．

個人の最小可聴値から徐々に音を大きくしていくと快適に聞こえる大きさがあり，これを**快適レベル**(most comfortable loudness level：MCL)とよぶ．さらに音を強くしていくと聞くに堪えないほどの不快感が生じ，これを**不快レベル**(uncomfortable loudness level：UCL)とよぶ．個人の聴覚閾値(最小可聴値)から不快レベルまでの聴野を**ダイナミックレンジ**(dynamic range：DR，DR＝UCL−聴覚閾値)で，難聴が重度化するほどダイナミックレンジはは狭くなる(図 4-16)．

2) 検査手順

本検査においては確立した手順はないが，被検者には，長時間聞いても疲れないと思われる快適な音の大きさ（MCL），また音がうるさくて不快だと感じる大きさ（UCL）を合図してもらう．

通常は閾値上の検査音を5 dBステップで次第に大きくしてMCLとUCLを求める．検査音の提示時間は1〜2秒とし，1周波数について3回繰り返して検査する．検査音は目的によって純音，バンドノイズ，単語，文章などを用いる．

3) 結果の解釈

聴覚機能が正常な人のMCLは約50〜60 dB，UCLは約90〜100 dBである．また，DRは聴者であれば，1,000 Hzの音で約90〜100 dBある（図4-16）．

MCL，UCL，DRは，個々の最適な補聴レベルを調整する重要な指標となる．難聴が高度化するほどMCLが高い．そのうえ，補充現象が陽性だとUCLが低くDRが狭くなり，補聴器適合が困難になる．

e 耳鳴検査

1) 耳鳴とは

耳鳴は聴覚機構に発生した異常現象である．外界からの音刺激がないにもかかわらず，頭内や耳で音が聞こえるという症状で，耳疾患を伴う場合も伴わない場合もある（第3章 ➡ 66頁）．

原因や発生機序は解明されつつあるが，検査法，治療法も含め未解決な部分もある．疲れやストレスで耳鳴を感じるのは誰にでもあるが，耳鳴がうるさくて眠れない，集中できない，イライラする，苦しいなど，生活に支障をきたすと治療を要する．しかし，苦痛度を客観的に検出する手段が限られており周囲の理解が得られにくく，そのことが耳鳴の治療を難しくしている．

耳鳴患者の表現によると，耳鳴音は，ジー，ゴー，キーン，ピー，シャー，ドックン・ドックン（拍動性耳鳴）など，多様である．表現によって周波数が推測できることもあり，主訴から得られる情報は貴重である．

2) 耳鳴検査の種類

耳鳴検査には，質問票を用いて自分の耳鳴をどのように感じているかを表現させる自覚的な表現検査と，純音聴力検査，ピッチ・マッチ検査，ラウドネス・バランス検査，遮蔽検査，Residual Inhibition（RI）検査などの客観的耳鳴検査がある[7]．

(1) 自覚的な表現検査

耳鳴音のラウドネスやピッチ，音色，持続性，苦痛度などについて自己表現してもらい，重症度を評価する．わが国では日本聴覚医学会が「標準耳鳴検査法1993」としてまとめた，「耳鳴りの自覚的表現の評価」やNewman（1996年）が開発した耳鳴による生活障害度の質問紙（tinnitus handicap inventory：THI）が用いられてきた[8]．

2019年にTHIは妥当性や信頼性が検証され，日本語版tinnitus handicap inventory（THI）新版（表4-3）として改定されている[9]．

(2) 客観的耳鳴検査

・ピッチ・マッチ検査

耳鳴検査装置を用いることもあるが一般のオージオメータでも検査でき，基本的な耳鳴検査として広く用いられている．固定周波数ピッチ・マッチ法は純音，バンドノイズ，ホワイトノイズなどの音源を一定の周波数に固定し，耳鳴のある耳に聞かせ，自身の耳鳴に近似した音を特定してもらうもので，色んな周波数を提示して比較することができる．一方で連続周波数ピッチ・マッチ法は，自記オージオメータを用いて連続的に周波数を変化させ，耳鳴に近似した周波数の音を調べる．

・ラウドネス・バランス検査

ピッチ・マッチ検査で得られた周波数（ピッチ）を用いて，ラウドネスが耳鳴と一致する強さを求める．

表 4-3　日本語版 tinnitus handicap inventory (THI) 新版

	よくある	たまにある	ない
1. 耳鳴のせいで集中するのが難しい.	4	2	0
2. 耳鳴のせいで人の話が聞き取りにくい.	4	2	0
3. 耳鳴のせいで怒りを感じる.	4	2	0
4. 耳鳴のために混乱してしまう.	4	2	0
5. 耳鳴のために絶望的な気持ちになる.	4	2	0
6. 耳鳴について多くの不満を訴えてしまう.	4	2	0
7. 耳鳴が夜間の入眠の妨げになる.	4	2	0
8. 耳鳴から逃げられないかのように感じる.	4	2	0
9. 耳鳴のせいで社会的活動(例えば, 外食をする, 映画を観るなど)を楽しめない.	4	2	0
10. 耳鳴のせいで不満を感じる	4	2	0
11. 耳鳴で自分がひどい病気であるように感じる.	4	2	0
12. 耳鳴のせいで人生を楽しむことができない.	4	2	0
13. 耳鳴が仕事や家事の妨げになる.	4	2	0
14. 耳鳴のせいで怒りっぽくなることが多い.	4	2	0
15. 耳鳴が読書の妨げになる.	4	2	0
16. 耳鳴のために気が動転する.	4	2	0
17. 耳鳴の問題が家族や友人との関係にストレスを及ぼしていると感じる.	4	2	0
18. 耳鳴から意識をそらして, 耳鳴以外のことに意識を向けることは難しい.	4	2	0
19. 耳鳴はどうすることもできないと感じる.	4	2	0
20. 耳鳴のせいで疲労を感じることが多い.	4	2	0
21. 耳鳴のせいで落ち込む.	4	2	0
22. 耳鳴のせいで不安になる.	4	2	0
23. もうこれ以上耳鳴に対処できないと感じる.	4	2	0
24. ストレスがあると耳鳴もひどくなる	4	2	0
25. 耳鳴のせいで自信がもてない.	4	2	0

注)質問 13 と質問 16 については点数の再現性が不安定なことがある.
〔大政遥香, 他:Tinnitus handicap inventory 耳鳴苦痛度質問票改訂版の信頼性と妥当性に関する検討. Audiology Japan 62:607-614, 2019 より〕

• 遮蔽検査

ピッチ・マッチ検査で得られた耳鳴周波数に該当するバンドノイズや純音などを遮蔽音として用い, 耳鳴のある耳に 2, 3 秒間きかせて, 耳鳴が聞こえなくなる遮蔽音の最小レベルを求める.

• residual inhibition (RI) 検査

ピッチ・マッチ検査で得られた耳鳴周波数のバンドノイズや純音を, 遮蔽検査で得られたレベルより 10 dB 大きい音で 60 秒提示する. 提示終了後に, 耳鳴の消失時間と元の大きさに戻った時間

を計測する.

(3) THI (tinnitus handicap inventory)

質問紙法による検査で(表4-3), 耳鳴の日常生活に与える苦痛度を調べ数値化する. 心理的側面を反映させた設問で最大で100点となり, 苦痛度は5段階に分類される(正常：0～16点, 軽症：18～36点, 中等症：38～56点, 重症：58～76点), 最重症：78～100点).

重症・最重症の人はうつ病の可能性も視野に入れた対応が必要で, 精神科や臨床心理士などとの多職種連携も重要である.

(4) 耳鳴の治療法

耳鳴の治療法は確立されておらず, カウンセリングや薬物療法, 音響療法などが用いられるが完治は難しい. 音響療法の1つにTRT(耳鳴順応療法)(➡ Note 14)があり, 近年わが国でも注目されている.

B 語音による聴覚検査

1 語音聴力検査

a 検査概要

語音聴力検査は, 検査素材として単音節や単語や文などの言語音を用いるもので, それらの聞き取り能力や聞き分け能力を検査する. 言語音を検査音に用いることで, 日常生活における会話聴取の不自由度や, 社会生活への適応度などが推測でき, (リ)ハビリテーション方針の立案に重要な情報となる. また補聴器や人工内耳のような聴覚補償機器の適応および補聴効果の判定, ならびに聴覚障害による労働者災害補償保険法や身体障害者福祉法の適用を判定する資料としても利用される. さらに語音弁別能力は聴覚中枢に至るさまざまな情報処理機能が関与することから, 後迷路性難聴や中枢性難聴の鑑別診断にも有用である.

わが国における標準的な語音聴力検査(speech audiometry)は, 現在のところ, ①一桁数字を用いて最小可聴値を求める「語音了解閾値検査(speech recognition threshold test)」と, ②単音節語表を用いて閾値上の語音明瞭度を測定する「語音弁別検査(speech discrimination test)」の2つがある.

b スピーチオージオグラム

語音聴力検査を複数の音圧提示で検査する場合はスピーチオージオグラムに記載するが, 1リストのみ検査する場合は, スピーチオージオグラムに記載する必要はない.

スピーチオージオグラムの縦軸は語音明瞭度(%), 横軸は語音聴力レベル(dB)で, 縦軸の20%間隔と横軸の10dB間隔を等しくする. 通常のスピーチオージオグラムには, あらかじめ正常基準値としての数字および単音節語表による**語音明瞭度曲線**(reference speech recognition curve)が太線で図示されている(図4-17). 太い破線は数字による語音了解閾値検査の正常基準曲線で, 太い実線は単音節による語音弁別検査の正常基準曲線である.

Note 14. TRT(耳鳴順応療法)

TRT(tinnitus retraining therapy)は神経心理学的モデルに基づいた音響療法とカウンセリング手法とを組み合わせた治療法で,「耳鳴の順応療法」や「耳鳴の再訓練法」とよばれる. 耳鳴の消失を治療目的とせず, 耳鳴による苦痛を軽減させることを主目的とする. 音響療法にはサウンドゼネレータ(SG)や補聴器などのツールを用いる方法がある. SGはマスキングノイズや低音量楽音などの外部ノイズを耳鳴にかぶせる手法で, 難聴を伴わない方に用いられる. 一方, 難聴を伴う耳鳴に対しては補聴器による音響療法が用いられ, 補聴器装用で環境音を聞くことにより, 耳鳴対する注意が逸れて苦痛感が軽減されるというものである. また, ツールを用いず, 不快感を起こさない程度の自然環境音, 楽音, ラジオ・CDなどを聞くことで静寂を回避する音響療法もある.

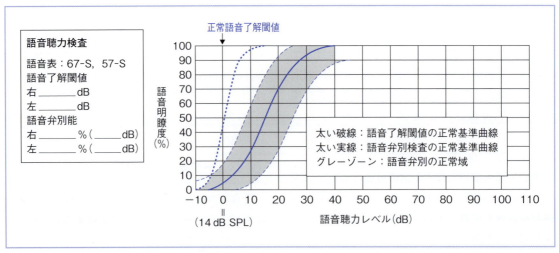

図4-17　スピーチオージオグラム

各音圧の測定結果をスピーチオージオグラムに右耳は○，左耳は×で記し，明瞭度は実線で，語音了解閾値は破線で明瞭度曲線を描く．

c 語音了解閾値検査

語音を用いて検査した場合に受聴できる聴覚閾値を求める検査で，**50％の正答率**が得られる聴力レベルを「**語音了解閾値**(speech recognition threshold：SRT)」とすることがISOで定められている．

検査素材として，わが国では，数字語表を用いる(図4-18)．検査は1桁数字(2[ni]，3[saN]，4[joN]，5[go]，6[roku]，7[nana])の6音を1行とした6行構成の合計36音(各数値が6回出現)で構成されている．

応答方法は検査語の「**復唱法**」と「**書記法**」があり，被検者の年齢や手の運動機能，視機能などで選択する．

被検者には「数字の聞こえ方検査用紙」を示し，数字が聞こえること，音が次第に小さくなること，聞こえなくなったら応答しなくてよいことなどを教示する．

測定の際は，検者はモニター用イヤホンを，被検者には気導受話器を装着し，最初の提示音圧を平均聴力レベル＋15〜30dBで実施する．数字リストの各列の音圧と減圧の間隔は一定にし(5dBか10dB)，1音ごとに減圧しながら提示する(図4-18)．1行目6列目でも正答率が50％以上の場合は最初の提示音圧を弱めるか，減圧幅を10dBにして再検査する．

d 語音弁別検査

閾値上レベルで語音の聞きわけ能力を測定する検査で，日本語では単音節リストが用いられる．検査語表の1リストあたりの単音節は57-S語表では50音，67-S語表では20音構成となっており，いずれも日本語音声で出現頻度の高い音節が選択されている(図4-18)．

音圧レベルをリストごとに変化させ，各々の語音弁別スコア(speech discrimination score, speech recognition score)を求め，正答率が最も高い値を「**最高語音明瞭度**(maximum speech discrimination score, maximum speech recognition score)」とし，個人の語音弁別能と判定する(図4-19〜21)．

検査開始時の提示音圧は，純音に平均聴力レベルに30〜40dB加えたレベルから行う．しかし，難聴が高度な場合や補充現象がある場合はDRが

数字語音表(語音了解閾値測定用)

```
5 2 4 3 7 6
7 4 6 5 2 3
2 7 3 6 5 4
3 5 2 4 6 7
6 3 7 2 4 5
4 6 5 7 3 2
```

単音節の語音表(語音弁別検査用)

1表　ジラホオワエアニトテ
　　　バリカコケルロツヒミ
　　　メドシネクイウスユレ
　　　ソキズセヨガムナタサ
　　　ゴノヤモダフハマデチ

2表　ラヤハサエアカムクチ
　　　ルワオシバジテトダユ
　　　ケメイガゴツソミレウ
　　　ロヒマスヨドネモセズ
　　　タナキフコリニホノデ

3表　ソワフヤイヒクゴヨア
　　　ガマツエノケミチサタ
　　　ニナリキモトルコダユ
　　　ドレジハバラズデムネ
　　　シメカホスセテウロオ

4表　バネマデホワムノニハ
　　　ミウアクコヤフタジオ
　　　ソモキナケダシガレチ
　　　ズユリトカルドヨテセ
　　　メエヒゴスライロツサ

5表　ミヒダヤエソドニバコ
　　　ユモツズワクルスフメ
　　　レナホオトリケセシイ
　　　ヨハアマロタサガキカ
　　　ムチデウテジゴラノネ

a　57-S語表

数字語音表(語音了解閾値測定用)

```
5 2 4 3 7 6
7 4 6 5 2 3
2 7 3 6 5 4
3 5 2 4 6 7
6 3 7 2 4 5
4 6 5 7 3 2
```

単音節の語音表(語音弁別検査用)

1表　アキシタニヨジウクス
　　　ネハリバオテモワトガ

2表　キタヨウスハバテワガ
　　　アシニジクネリオモト

3表　ニアタキシスヨクジウ
　　　オネバハリガテトワモ

4表　テネヨアキジハモシウ
　　　リワタクバトニスオガ

5表　ネアテヨハキモジリシ
　　　ワウバタトクオニガス

6表　ニクリモテアジハトガ
　　　ワネウオバスヨシタキ

7表　ワバスタニトリジアキ
　　　モネウシヨガハオテク

8表　テキワタガアモシトニ
　　　ヨハウバスネジリクオ

b　67-S語表

図 4-18　語音聴力検査語表
リスト内の等価性を保つため，検査に用いられる単音節は各リストで同じであるが，出現順が異なる．

狭いことを考慮して提示音圧を低めにして検査したり，被検者のMCLで測定することもある．

1リストの単音節は全部同じ音圧レベルで聞かせる．提示音圧を変えて，違うリストで同様の手順で検査し，音圧ごとの語音明瞭度を求める(図4-21)．

e 語音聴力検査結果の解釈

1) 語音了解閾値と純音聴力検査の関係

語音了解閾値(SRT)は純音聴力検査の平均聴力レベル(PTA)とほぼ等しい値になるか，10 dB以内に収まる．ただし，この **SRT ≒ PTA** ルールは高音急墜型の聴力では該当しないこともある．

数字の聞こえ方検査用紙（語音了解閾値検査）　67-S 語表用

氏名：	○川△子	検査耳	右耳	検査日：○○ 年 2 月 1 日
年齢：	35 歳		左耳（○）	語音了解閾値：　55　dB

聞こえたとおり書いてください

1 行目	5	2	4	3	7	×
2 行目	7	4	6	~~7~~ 5	×	×
3 行目	2	7	3	~~5~~ 6	×	×
4 行目	3	5	~~1~~ 2	4	6	×
5 行目	6	3	7	~~1~~ 2	~~5~~ 4	×
6 行目	4	6	~~4~~ 5	7	~~8~~ 3	×
提示レベル（dB）	85	75	65	55	45	35
明瞭度（%）	100	100	66	50	33	0

図 4-19　語音了解閾値検査

図 4-20　語音聴力検査結果の例

ことばの聞こえ方検査用紙（語音弁別検査）　67-S 語表用

氏名：○川△子	検査耳	右耳	検査日：○○ 年 2 月 1 日	
年齢；35 歳		左耳（○）	語音弁別能	80 dB にて 75%

聞こえたとおり横に書いてください

第 1 表 提示レベル 90 dB　マスキング ＿ dB　語音明瞭度 65 %

あ	き	~~ち~~ し	た	~~り~~ に	よ	じ	う	~~む~~ く	~~ち~~ す
ね	~~か~~ は	り	ば	お	~~で~~ て	も	わ	~~ど~~ と	が

第 2 表 提示レベル 80 dB　マスキング ＿ dB　語音明瞭度 75 %

き	た	~~ぬ~~ よ	う	~~ち~~ す	は	ば	て	わ	が
あ	~~ち~~ し	う	じ	~~ら~~ く	ね	り	お	も	~~お~~ と

第 3 表 提示レベル 70 dB　マスキング ＿ dB　語音明瞭度 30 %

~~み~~ に	あ		て き			よ	~~ら~~ く	じ	~~い~~ う
お	~~ぬ~~ ね	ば		~~み~~ り	~~だ~~ が		~~ぼ~~ と	わ	

第 4 表 提示 sw レベル 60 dB　マスキング ＿ dB　語音明瞭度 5 %

~~あ~~ て	~~あ~~ ね		あ				~~お~~ も		
	~~あ~~ わ								

図 4-21　語音弁別検査の記録例

純音聴力検査の聴力図が水平型であるにもかかわらず PTA が SRT より 10 dB 以上閾値上昇している場合は，純音聴力検査の結果を疑い再度検査する．反対に SRT が PTA より顕著に悪い場合には，機能性難聴あるいは後迷路性難聴が疑われる．

2）語音明瞭度と純音聴力検査の関係

聴覚機能が正常だと，閾値上 30～40 dB の提示音圧で最高語音明瞭度が 100% となる．これは伝音難聴者でも同様である．一方，感音難聴者の最高明瞭度は提示音圧の大きさと対応せず，障害度が軽度・中等度でも最高明瞭度は 100% に達しないこともある（図 4-22）．また，補充現象が強い感音難聴例では，音圧が大きいと **roll over 現象**が生じ，むしろ語音明瞭度が低下することがある（図 4-20）．

一般的には純音聴力の閾値上昇に伴い語音明瞭度は低下する（図 4-22）．しかし，純音閾値に比し語音明瞭度が悪い場合は，後迷路性難聴や中枢

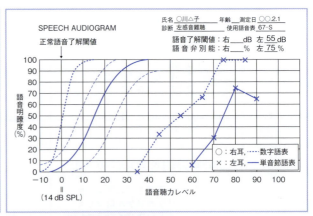

表 4-4　感音難聴症例(149名)の異聴マトリックス

刺激\反応	p	t	k	s	h	b	d	g	dz	m	n	r	w	y	a	i	ω	e	o	―
t	1	62	22	1	6		1	2				1					1	1		3
k		7	88		3															2
s		6	2	75	11					1										3
h		1	16	5	71		1												1	3
b	1	5	0	4	3	40	7	6		1	1	11	9		7				1	3
d		4	0	1		12	33	4			38	2				1				4
g		4	12		1	4	5	63			9									1
dz		7	2	2			7	70			3			1						6
m										52	28	13		1		1			1	3
n										36	44	14	1	2					1	2
r					4	4	2			12	11	55	2	3		1				3
w				1	1	1				3		18	60	13	1					3
y							1	4		8	3			81		1				2
a		9	3		6	1	1				2	1			70				1	4
i			1	1	1					1	5	14				72	1	1		2
ω	1				1					3	3	5		1		3	79		3	2
e		17	3		5	1	1				8							51	5	4
o	1	5	2		13	1		1			1				1		1	2	69	3

57-S 語表(閾値上 30 dB)による語音明瞭度が 52%以上 70%以下の 149 名の異聴マトリックス．無声子音間の異聴，有声破裂音間の異聴，有声破裂音の弾音への異聴，弾音の通鼻音への異聴などが認められる(色数字は異聴の多い子音)． ■：子音の構音様式別，母音．
〔小寺一興：補聴の進歩と社会的応用．p99，診断と治療社，2006 より改変〕

性難聴，あるいは老人性難聴による言語処理速度の低下が推測される．また，聴神経腫瘍の可能性も排除できないため，精密検査が必要となる．

3）異聴分析

語音聴力検査後の語音明瞭度は，異聴マトリックスを作成して各検査語の誤り方の傾向を調べる．例えば，57-S 語表による語音明瞭度(閾値上 30 dB 呈示)が 72～90%，あるいは 52～70%の症例群の異聴傾向(表 4-4)は，無声子音間の異聴(t ↔ k，)，有声破裂音間の異聴(d ↔ b)，有声破裂音から弾音への異聴(d → r)，弾音の通鼻音への異聴(r → m，n)，通鼻音間の異聴(m ↔ n)など，音響特性が類似した音への聞き誤りが認められる[10]．

異聴傾向は聴力レベルや難聴型などによっても異なるが，難聴の程度が重度化するほど異聴が生じやすく，誤り方も多様化して子音だけでなく母音も聞き誤る．個々の異聴傾向の理解は，補聴器や人工内耳の適応・効果の判定および聴覚(リ)ハビリテーション，および本人や家族に対するカウンセリングに有用である．

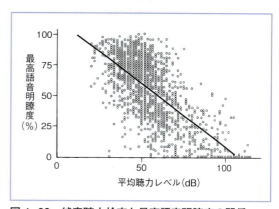

図 4-22　純音聴力検査と最高語音明瞭度の関係
〔赤井貞康，他：感音難聴における聴力閾値と語音明瞭度の関係．Audiology Japan 33：210-214，1990 より〕

引用文献

1) 小寺一興(編):図説耳鼻咽喉科 NEW APPROACH I 補聴器の選択と評価. p97, メジカルビュー社, 1996
2) 服部浩:図解 実用的マスキングの手引き, 改訂第4版増補版. pp12-13, 中山書店, 2012
3) Katz J(ed):Handbook of clinical Audiology, 7th ed. Lippincott Williams & Wilkins, 2017
4) Gelfand SA: Essentials of Audiology, 4th ed, Thieme, 2014
5) 立木孝:聴力検査法, 神崎仁(編):聴覚, CLIENT21—21世紀耳鼻咽喉科領域の臨床6. p133, 中山書店, 2000
6) 村井和夫:閾値上聴力検査. 日本聴覚医学会(編):聴覚検査の実際, 改訂4版. 南山堂, 2017
7) 一般社団法人 日本聴覚医学会(編)耳鳴り診療ガイドライン2019年版.
8) 小川郁:耳鳴検査. 日本聴覚医学会(編):聴覚検査の実際, 4版. 南山堂, 2017
9) 大政遥香, 他:Tinnitus handicap inventory 耳鳴り苦痛度質問票改訂版の信頼性と妥当性に関する検討. Audiology Japan 62:607-614, 2019
10) 小寺一興:補聴の進歩と社会的応用. pp98-101, 診断と治療社, 2006

3 他覚的聴覚検査

他覚的聴覚検査には,中耳機能を測定するインピーダンスオージオメトリーや耳管機能検査,内耳機能を測定する耳音響放射(otoacoustic emission:OAE)があり,それぞれ難聴の種類を判断するうえでは欠かせない検査である.また,電気生理学的検査として,聴性脳幹反応(auditory brainstem response:ABR)と音刺激に対する周波数特異性をもつ聴性定常反応(auditory steady-state response:ASSR)は,新生児聴覚スクリーニング後の難聴診断には必須の検査となっている.その他には蝸電図,聴性中間潜時反応(middle latency response:MLR)などがあり,それぞれの検査の目的に応じて使われている.検査ごとに測定原理は異なるため,留意が必要である.

聞こえの評価では,自覚的聴覚検査により測定することが望ましいと考えられるが,新生児や乳幼児,重度心身障害(児)者においては,意図的に聴力閾値に相当する音に対して反応することは困難である.自覚的な聴覚検査では評価しにくい場合に,他覚的聴覚検査の利用により難聴の有無,種類,程度,原因などを知ることができる.最終的な診断においては,他覚的聴覚検査,自覚的聴覚検査,日常生活での聴性行動の様子を統合することで行われ,その結果として難聴の早期発見,早期介入や支援につながる.

A インピーダンスオージオメトリー

1 検査概要

インピーダンスオージオメトリー(impedance audiometry)は,中耳伝音機構の病態診断に用いられる検査であり,外耳道を閉鎖し音を入れて鼓膜からはね返ってきた音圧を計測する.

外耳道に入力された音響エネルギーに対して中耳伝音機構全体がその音響情報をどの程度妨げているのか,その抵抗する力を**音響インピーダンス**(impedance)という.この対概念は**コンプライアンス**(compliance,振動系の動きやすさ)であり,インピーダンスオージオメトリーを理解するうえで重要な概念といえる.

本検査には,①**ティンパノメトリー**と,②**音響性耳小骨筋反射検査**の2種類がある.

検査前には,外耳道や鼓膜の病変の有無をカルテで確認し,耳鏡を用いて耳漏や耳垢,鼓膜瘻孔の有無などを確認する.外耳道内に検査プローブを差し込むが,外耳道の大きさは個人差があるため,個々に適合するプローブを選択する.

表 4-5　インピーダンスオージオメトリーの本体と付属品

	A 型	Ad 型	As 型	B 型	C 型
ティンパノグラムのタイプ					
ピークの位置・高さ・コンプライアンス値	0 daPa 付近，±100 daPa 以内，コンプライアンス値が 0.6 mL 程度	0 daPa 付近，±100 daPa 以内だが，コンプライアンス値が増大	daPa 付近，±100 daPa 以内だが，コンプライアンス値が減少	平坦でピークなし	−100 daP 以下でコンプライアンス値最大となる
鑑別診断	正常，感音難聴	耳小骨離断	耳硬化症，耳小骨連鎖固着	滲出性中耳炎，癒着性中耳炎，真珠腫	滲出性中耳炎

ティンパノグラムのタイプによって，鑑別診断を行うことができる．純音聴力検査とあわせて判定することが重要となる．
〔神崎仁：インピーダンスオージオメトリー．立木孝(監修)：聴覚検査の実際，第 4 版，pp85-95，南山堂，2017 より改変〕

a　ティンパノメトリー

1) 原理

　ティンパノメトリー(tympanometry)では，外耳道にプローブを挿入し検査音(226 Hz)を聞かせながら，空気圧をポンプで加圧・減圧(±200 mmH$_2$O)する．このときの変化から，中耳のコンプライアンスの変化を測定する．その結果を図示したグラフを**ティンパノグラム**(tympanogram)という．

2) ティンパノグラム

　ティンパノグラムの縦軸は等価空気容量(mL)，横軸は外耳道腔の空気圧(mmH$_2$O：daPa)を示す．プローブで外耳道から鼓膜を押した状態が陽圧，プローブで外耳道から鼓膜を引っ張った状態が陰圧となる．鼓膜には適度なたわみがあり，十分に振動するには適度な揺れ(コンプライアンス)も必要である．鼓膜が最も振動しやすいのは，外耳道に圧力がかかっていない状態にあるときで，コンプライアンスが最大ピークになる(**静的コンプライアンス**，static compliance)．
　中耳伝音機能が正常であれば，外耳道圧が ±100 daPa 以内でコンプライアンスが最大となり，正規分布のようなティンパノグラムが形成される．

3) 検査手順

　耳管の開閉に関係するような，鼻すすり，くしゃみ，あくび，咀嚼などの行為は中耳腔圧を変化させ，ティンパノグラムの波形が乱れる原因となる．検査前には，被検者にこれらの行為を検査中に行わないよう教示する．検査用プローブを外耳道に入れたら検査が開始する自動モードと，スタートボタンを押したあとに加圧・減圧が始まる手動モードの2種類があり，検査者の好みに応じて試行方法を選択する．結果は，画面上のティンパノグラムに表示される．

4) 結果の解釈

　外耳道圧に対するピークの位置(0 daPa からの位置)，コンプライアンスの振幅，波形の勾配などに着目する．コンプライアンスのピークの位置や振幅により，ティンパノグラムは表4-5 のように分類される[1]．中耳機能が正常だとピークは 0 daPa 付近で ±100 daPa(mmH$_2$O)に位置し，A

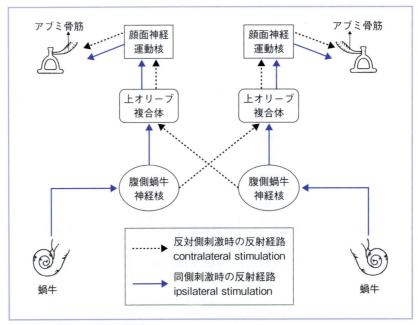

図 4-23　アブミ骨筋の反射弓
アブミ骨筋反射は両側性に誘発されるため，同側および反対側の耳から音刺激を与えて記録することができる．
〔沖津卓二：インピーダンスオージオメトリーによる検査．小林俊光（編）：機能検査，CLIENT21 — 21世紀の耳鼻咽喉科領域 2. p107，中山書店，2000 より〕

型となる．ピークがなく水平型であれば B 型，ピークが $-100\,\text{daPa}(\text{mmH}_2\text{O})$ よりも陰圧側にあると C 型となる．

滲出性中耳炎などでは B 型か C 型，耳小骨離断があって中耳インピーダンスが弱いと Ad 型，耳硬化症でインピーダンスが強いと As 型を示すことが多い．ティンパノメトリーは伝音難聴の原因を調べるうえで有用であるが，聴覚障害の有無や疾患とは対応しないこともあるため，純音聴力検査とあわせて難聴診断は行われる．

b 音響性耳小骨筋反射（アブミ骨筋反射検査）

1）原理

音響性耳小骨筋反射検査（stapedial reflex test：SR 検査）は，音刺激を加えたときに生じるアブミ骨筋の収縮を鼓膜のインピーダンスの変化として記録するものである[2]．

中耳の耳小骨連鎖には鼓膜張筋とアブミ骨筋という 2 つの耳小骨筋があり，アブミ骨筋は強大音が耳に入力されたときに収縮反射し，この筋反射がインピーダンスオージオメトリーとして記録される．アブミ骨の反射弓は下部脳幹にあり，両側性であるために同側および反対側からの音刺激によってアブミ骨筋の反射を誘発することができる（**図 4-23**）[3]．

アブミ骨筋は**顔面神経支配**であるため，この検査は顔面神経麻痺の部位診断や予後の推定，聴神経腫瘍や脳幹障害の診断においても重要な情報を提供する．乳幼児に対しては聴力検査でマスキングを負荷できないため，他検査と併用したうえでの難聴鑑別診断には有用である．

2）検査手順

検査は，①反射を検出する耳と同側耳に音刺激を入力する同側刺激（ipsilateral stimulation）と，

②反射を検出する耳の対側に音刺激を入力する反対側刺激(contralateral stimulation)の2条件で実施される．刺激音周波数は，500, 1,000, 2,000, 4,000 Hzであり，音圧と周波数が自動的に変化して順次測定でき，反射の様子が記録される．

3) 結果の解釈

刺激側の違いによるアブミ骨筋反射の欠如や減衰の有無に着目し，反射閾値(SR値)を求める．反射閾値の範囲は周波数，年齢，刺激方法によって異なるが，多くは70～110 dBの範囲であり個人差も大きい．

25 dB以上の伝音難聴では対側刺激で反射が得られにくい傾向がある．多目的に利用される検査であるが，ティンパノメトリーと同様，本検査だけで聴覚機能障害を特定することはできず，他検査と併用して検査結果を検討することが重要である．

B 耳管機能検査

耳管における通気度を測定する検査である．

検査には，鼻腔にあてたスピーカから雑音を提示し，嚥下したときに外耳道に挿入したマイクロホンで記録されるかどうかを調べる**音響耳管法**，鼻をつまんだまま鼻をかむようにする耳抜きの方法であるバルサルバ法によって鼻咽腔圧が上昇したときの耳管開大状態を測定する**耳管鼓室気流動態法**などがある．

耳管狭窄症の場合には，音響耳管法で嚥下による外耳道音圧が上昇しない，耳管鼓室気流動態法ではバルサルバ法にて外耳道圧が上昇する，などの結果が得られる．耳管開放症の場合には，音響耳管法で嚥下時に耳管開大による外耳道音圧上昇が持続する，耳管鼓室気流動態法ではバルサルバ法にて耳管開放時の鼻腔圧の値が低い，という結果が得られる．しかしながら，聴者でも鼻をすすった際に中耳腔が陰圧化したり，同一人物でも耳管機能には経時的変化が大きいことがあり，耳管機能検査は補助的診断として参考にとどめるべき，との指摘もみられる[4]．

C 耳音響放射(OAE)

1 原理

耳音響放射(otoacoustic emissions：OAE)は蝸牛から能動的に放射される音響現象の総称であり，1987年にKempによって初めて報告された．蝸牛内の**外有毛細胞**は，入力音に応じて収縮・伸長し，その周波数に対応した領域の基底板を振動させる．この振動が中耳，外耳に伝わり，音として放射されるとOAEとして記録されることとなる．蝸牛の病態把握や難聴部位診断，新生児聴覚スクリーニングの1つとして用いられる．

2 検査手順

医師による耳鏡検査ののち，外耳道の大きさに合う耳せんを選んで外耳道内にプローブを挿入する．プローブには，音を出力するためのイヤホンとOAEを記録するための高感度のマイクロホンが内蔵されている．このプローブを外耳道壁に当たらないよう挿入したうえで測定ボタンを押せば自動的に測定が開始され，平均加算されたOAE反応が記録される(図4-24)．

OAEは刺激音の有無や種類により以下の3種類の測定に分類される．

a 誘発耳音響放射(EOAE, TEOAE)

誘発耳音響放射(evoked OAE：EOAE, transient evoked OAE：TEOAE)は，クリック音やトーンバーストなどの短音が提示されたあと，5～15 ms遅延して出現する．250～500回程度の加算を行う．

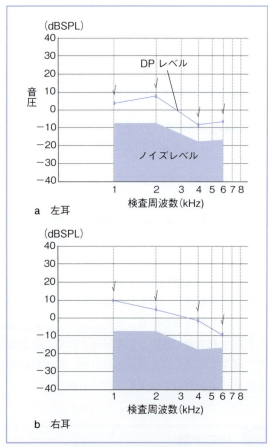

図 4-24 耳音響放射(OAE)の結果例
新生児聴覚スクリーニングで用いられる DP-OAE の例である．検査周波数は機器によって変更可能である．Pass であった場合には，上記の DP レベルの上に「✓」マークが記載される．

b 歪成分耳音響放射(DPOAE)

歪成分耳音響放射(distortion product of OAE：DPOAE)は，周波数の異なる2つの音を同時に提示した際に，別の周波数の音として出現する．2音の周波数を f_1, f_2 とした場合，「$2f_1-f_2$」における周波数の音の振幅が最も大きくなり，DPOAE としての観察対象となる．測定時間も数秒とすぐに測定できるため，新生児聴覚スクリーニングに用いられている．

c 自発耳音響放射(SOAE)

自発耳音響放射(spontaneous OAE：SOAE)は音刺激の提示なしに，蝸牛から自発的に放射される OAE 反応である．

3 結果の解釈

OAE が刺激・消失している場合には，外有毛細胞の機能不全が考えられる．難聴部位診断の1つとして有用であるが，難聴診断には他検査との併用が必要である．また，OAE は正常であるにもかかわらず，ABR にて閾値上昇を示す**オーディトリー・ニューロパチー**の診断において，OAE の測定は欠かすことができない．新生児聴覚スクリーニングで OAE のみを用いる場合には，このような症例を見逃す可能性があるため，AABR と併用する，聴性行動発達に留意するなどが必要となる．

D 電気生理学的検査

1 蝸電図(ECochG)

a 原理

蝸電図(electrocochleogram：ECochG)は，音刺激に対する内耳と蝸牛神経由来の電気的反応を鼓室内または外耳道深部に電極を設置して検出する方法であり，検査音を提示したあと3 ms 以内にみられやすい．

シールド防音室で，被検(児)者を仰臥位もしくは座位にし，鼓室内には**鼓膜穿通用針電極**，鼓室外では小銀電極鼓室表面に電極ペーストを用いて接触させる．最近の測定機器では，針電極を用いず，鼓膜面上に接触させたり，外耳道内に挿入するタイプの電極も使用されている．これらの電極

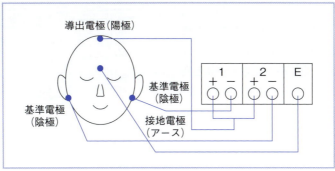

図 4-25　ABR における電極の接地部位
ABR で設置する電極は，頭頂または前頭部の毛髪生え際に 1 か所，左右の耳朶に 1 か所ずつ，接地電極（アース）として鼻根部に 1 か所，装着する．

以外に，皿電極を耳朶，接地電極を鼻根部に設置する．刺激はトーンバースト，トーンピップ，クリック音を 80〜95 dBnHL 程度で提示して 5〜10 dB ステップで音圧を低下させて反応を記録する．測定時には 300 Hz 以下および 3,000 Hz 以上にフィルターをかけ，使用する電極によっても異なるが 1,000〜2,000 回の加算を行う．

各電位の出現の有無，潜時などを確認する．蝸牛有毛細胞による**蝸牛マイクロホン電位**（cochlear microphonics：CM），**加重電位**（summating potential：SP），蝸牛神経による**神経複合活動電位**（compound action potential：CAP）が臨床的には用いられている．なお，CAP は次に示す ABR の I 波と起源が同じである．

2　聴性脳幹反応（ABR）

a　原理

聴性脳幹反応（auditory brainstem response：ABR）は，音刺激に対する内耳神経から内側膝状体の脳幹付近の反応のことを指し，1970 年に Jewette ら[5]，Sohmer[6] らによって報告された．被検（児）者にとって音が聞こえる場合には，聴性脳幹反応がみられることから他覚的な聴力検査の手法として広く用いられるようになった．この検査では，新生児期から高齢者までのあらゆる年齢層に対して実施可能であることや，自覚的な反応が得られにくい重度心身障害（児）者に対しても行えることから聴力推定の手法として用いられてきた．また，睡眠の深さにも影響されないことから，脳死の判定の 1 つとしても用いられている．

b　検査手順

検査は，シールド防音室内で行う．被検（児）者を仰臥位に寝かせ，電極を 4 点接地する．電極には皿電極を用い，導出電極（陽極）として，頭頂または前頭部の毛髪生え際に 1 か所，基準電極（陰極）として，左右の耳朶に 1 か所ずつ，接地電極（アース）として鼻根部に 1 か所，装着する（図 4-25）．

電極を接地する前に，皮膚の表面をアルコール綿で拭き，表面の皮脂を取り除くようにする．さらに，脱脂ペン（プレスクリーン）などで表皮の角質層を擦り，できるだけ除去するようにする[7]．皮膚と電極間の接触抵抗を下げることにつながり，より正確な波形を測定するうえで重要である．なお，接触抵抗は **5 kΩ 以下**にすることが望ましい．

皮膚処理のあと，脳波ペーストを用いて電極を皮膚に固定し，外れにくいよう皮膚にはテープで，毛髪部には乾いた脱脂綿を被せる．最近の測定機器で用いられる電極は，皮膚に接触する部分が使い捨てになっており，脳波ペーストを使用せ

ずに設置可能である．

検査の刺激音は，ABR 波形が立ち上がりの鋭い音刺激により誘発されるという特徴をもつため，含まれる周波数帯域が広く，かつ立ち上がりと立ち下がりが鋭い短音のクリック音で測定されていた．しかしながら，**クリック音**の場合には蝸牛基底板の周波数帯域が時間差で興奮する現象(cochlear delay)がみられ，強い反応振幅を得ることが困難であった[8]．この現象を補償するために工夫された刺激音である **CE-Chirp 音** が開発され，頂回転を最大振幅部位とする低周波成分の位相を早く，基底回転を最大振幅部位とする高周波成分の位相を遅くすることで周波数成分ごとの V 波潜時が等しくなるように調節された．このことにより，クリック音よりも大きな V 波が得られ[9]，実際の聴力閾値に近似するようになった．最近の測定では CE-Chirp 音が主流になりつつある．その他，トーンバーストを用いる場合もあるが，ABR 波形の分離が不鮮明となり，各波形における神経学的病変部位が明確に推定できないことから汎用性は低いが，クリック音と合わせて周波数ごとの聴力推定に用いられている場合もある．

測定においては，心電図や筋電図，まばたきや眼瞼振戦，眼球運動などのアーチファクト(脳波を記録するときに混ざる脳波以外の現象，雑音)の混入を防ぐ必要があるため，被検(児)者に対し目を軽く閉じてリラックスするよう指示する．また，ハムノイズなどのアーチファクトをなくすために，フィルターを設定する．低周波フィルターとしては 100 Hz 前後，高周波数フィルターとしては 3,000 Hz 前後に設定することが望ましいと考えられている．

刺激提示は気導受話器を用いることが一般的である．伝音難聴の早期発見のために骨導受話器を用いた骨導 ABR が行われることもあるが，提示音によってはアーチファクトの混入が問題となり，フィルターの設定などの工夫が必要である．

通常 1 回の音刺激に対する電位変化は微弱であるため，加算を要し，ABR においては 1,000 回

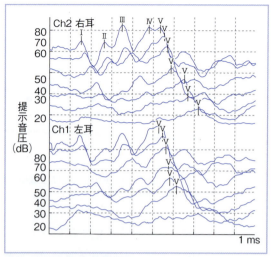

図 4-26　ABR の結果例
聴者のクリック音を使用した ABR 波形例．左右耳ともに，20〜30 dB で V 波が確認できる．

前後の加算が必要と考えられている．測定においては，大きな音から提示し，10〜20 dB ステップの下降法を用いることが多い．

聴性脳幹反応は，通常音刺激直後から 10 ms 以内に認められる成分であるため，通常解析時間は 10 ms に設定することが多い．しかし，脳の成熟が十分でない新生児や，重度心身障害(児)者の場合には，潜時が遅れて出現することもあるため，測定時間を 20 ms に延長して測定する必要がある．

測定においては，信頼性を高めるため，マルチプルトレース機能を用いるなど，2〜3 回の記録で，再現性をみることも重要である．

C 結果の解釈

ABR の結果の一例を図 4-26 に示す．提示された音圧が大きいほど，各波の振幅が大きく，分離もはっきりしている．刺激提示後に初めに出現する陽性波から，I 波，II 波…というように名前がつけられている．これら各波の起源については諸説あるが，一般的には I 波は蝸牛神経を起源とし，II 波は蝸牛神経核(延髄)，III 波は上オリーブ核(橋)，IV 波は外側毛帯(橋)，V 波は下丘(中脳)

と考えられている．

ABRにおいては，音圧が小さくなるほど各波の振幅が小さくなり，かつ潜時が延長する傾向がみられる．潜時については，**神経学的病変部位の診断**においても重要となるため，出現潜時については記録する必要がある．新生児や乳幼児期および高齢者においては潜時が延長する場合があるため留意が必要である．

ところで波の振幅はV波で最大となるため，これが最後まで出現する音圧をABRの閾値（〜dBnHL）としている．CE-Chirp音を検査音としている場合に，ABRの閾値は実際の自覚的聴力検査結果と一致しやすく聴力推定には有効である．

3 聴性中間潜時反応（MLR）

聴性中間潜時反応（auditory middle latency response：MLR）は，**内側膝状体**から**側頭葉由来**の反応であり，検査音が提示されたあと，ABRに続いて50 ms以内にみられやすい．提示される刺激音はトーンバースト，トーンピップ，クリック音などさまざまであり，500〜1,000回の加算を行う．

一般的に音刺激後に脳内で生じる一過性の電位変動は，陰性方向（一般的な波形図で上向き）の振れであるN（negative），陽性方向（一般的な波形図で下向き）の振れであるP（positive）の組み合わせによって示され，出現順に番号もしくは標準的な頂点潜時（ミリ秒単位）がつけられ区別される[10]．MLRにおいては，P0，Na，Pa，Nb，Pbの順に振幅がみられ，内側膝状体から聴覚皮質由来の反応であると考えられている[11]が，ABRのように振幅ごとの発生源については十分にはわかっていない．

4 頭頂部緩反応（SVR）

頭頂部緩反応（slow vertex response：SVR）は，検査音が提示されてから500 ms程度以内に認められ，聴覚皮質を含めた広範囲な部位が関係する反応である．聴覚だけでなく，ほかの感覚刺激によっても類似の反応が確認される．加算回数は，50回程度である．

音刺激後50 ms付近にみられる陽性成分であるP50，100 ms付近にみられる陰性成分であるN100などから構成されている．音刺激に対するN100については，安定してみられ聴覚皮質由来の反応と考えられている．

5 聴性定常反応（ASSR）

聴性定常反応（auditory steady-state response：ASSR）は，ABRとは異なり波の発生起源となる神経解剖学的病変部位の特定は不可能であるが，**周波数ごとの聴力推定**が可能である．新生児聴覚スクリーニング後の精密検査として用いられ，周波数ごとの聴力閾値が推定されることから，補聴器適合の資料としても用いられている．

a 測定方法

測定においては，ABRと同様であり，シールド防音室に被検（児）者を仰臥位に寝かせ，専用の皿電極を装着する．装着箇所は3か所で，導出電極として頭頂部，基準電極を後頸部正中（髪の生え際）に装着し，接地電極（アース）は肩または前額部に装着する．電極の装着方法はABRと同様であり，接触抵抗を5 kΩ以下に下げ，アーチファクトを減少させたうえで測定を行うようにする．なお，最近の測定機器で用いられる電極は，皮膚に接触する部分が使い捨てになっており，脳波ペーストを使用せずに設置可能である．

測定においては，気導受話器による提示とインサートイヤホンによる提示を選択でき，新生児および乳幼児に対してはこのイヤホンによる測定が推奨されている．

検査の刺激音は，これまで**正弦波的振幅変調音**（sinusoidally amplitude modulated tone：SAM音）が用いられてきた．しかし，ABRと同様に**CE-Chirp音**が導入されるようになり，こちらの

検査音で測定される結果のほうが一般化されるようになっている．また，測定においては，提示音圧 80 dB 未満までは左右耳のすべての周波数を同時に測定することができるが，80 dB 以上になると聴力閾値が低い場合の安全性を考慮し，片耳 1 周波数ずつしか計測できない．対象（児）者にあわせて，検査開始音圧や検査終了音圧を決定することになる．

結果の解釈は検査機器によって異なるが，ABR のように加算回数が決まっているわけではない．明確に聴取できる音圧であるほど加算回数が少なくても反応有意度を短時間で判定できる．その一方，閾値付近の音圧では反応有意度の判定には時間を要することも多く，慎重に結果を見極める必要がある．反応が不安定であると判定される場合には，再検査を行い，反応の信頼度を評価する．周波数ごとに，反応が得られた最も小さな音圧を反応閾値（～dBHL）とする．

b 結果の解釈

測定結果より，各周波数の推定聴力が算出される．ASSR の閾値と自覚的聴力検査による実際の聴力を比較すると，ASSR の閾値のほうが平均して約 10 dB 上昇することが多い．また，周波数ごとに比較すると，500 Hz の ASSR の閾値は他の周波数帯域に比べて実際の聴力との差がさらに大きいことが多い．また，重度心身障害（児）者やオーディトリー・ニューロパチーの場合などでは，聴力推定が困難なこともあるため，ASSR の閾値だけでなく，ABR と同様，自覚的聴力検査結果や日常の聴性行動の観察などを合わせて解釈していく必要がある．

引用文献

1） 神崎仁：インピーダンスオージオメトリー．立木孝（監修）：聴覚検査の実際．第 4 版．pp85-95，南山堂，2017
2） 井上泰宏：聴覚検査と聴覚障害．小川郁（編）：よくわかる聴覚障害—難聴と耳鳴のすべて．42-55，永井書店，2010
3） 沖津卓二：インピーダンスオージオメトリーによる検査．小林俊光（編）：機能検査，CLIENT21—21 世紀の耳鼻咽喉科領域 2．p107，中山書店，2000
4） 八木沼裕司，他：耳管狭窄症と耳管開放症．小川郁（編）：よくわかる聴覚障害—難聴と耳鳴のすべて．pp89-97，永井書店，2010
5） Jewett DL, et al: Human auditory evoked potentials: Possible brain stem components detected on the scalp. Science 167：1517-1518, 1970
6） Sohmer H, et al：Cochlear and cortical audiometry, conveniently recorded in the same subject. Israel J Med Sci 6：219-223, 1970
7） 加我君孝：ABR ハンドブック．金原出版，1998
8） 伊藤吏，他：Chirp 音を用いた ABR の有用性．Audiology Japan 57：547-548，2014
9） Fobel O, et al：Searching for the optimal stimulus eliciting auditory brainstem responses in humans. J Acoust Soc Am 116（4）：2213-2222, 2004
10） 入戸野宏，他：心理学研究における事象関連電位（ERP）の利用．広島大学総合科学部紀要Ⅳ理系編 26：15-32，2000
11） 原島恒夫，他：Ear Extinction を示す片側脳損傷者における聴性中間潜時反応．生理心理学と精神生理学 16：1-12，1998

平衡機能検査

A 平衡機能検査とは

われわれの身体の平衡状態は，視覚・前庭覚・体性感覚からの知覚情報を用い，眼球運動，四肢・体幹の運動，自律神経活動を中枢神経系で統合・制御することで保たれている（図 4-27）．このいずれかの経路が障害を受けると，"めまい"や"平衡障害"が引き起こされる．めまいや平衡障害を呈する症例では，目がまわり（眼振の出現），フラフラして身体のバランスがうまくとれない状態

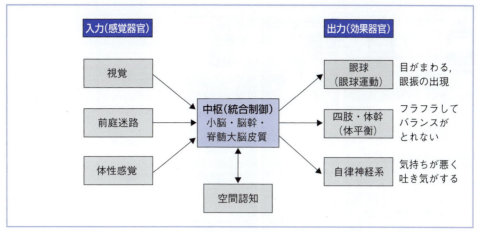

図 4-27　体平衡維持のメカニズム
ヒトの身体の平衡状態は，視覚・前庭覚・体性感覚の情報を中枢神経系で統合・制御することで維持される．
〔室伏利久：めまいの診かた，治しかた．p2，中外医学社，2018より改変〕

（体平衡の異常）を認めることが多く，検査ではこれらが客観的・定量的評価の対象となる．

B 平衡機能検査の種類

平衡機能検査は，体平衡機能検査と眼球運動（眼振）検査の 2 つに大別される．また，迷路刺激を与えない非刺激検査と刺激を与える刺激負荷検査があり，精査部位に応じて検査方法を選択する必要がある．

C 体平衡機能検査（前庭-脊髄反射）

1 静的体平衡機能検査

a 直立検査（体平衡障害の有無と程度の評価）

1) 両脚直立検査

両脚を揃え，自然に直立した姿勢で開眼正面注視 60 秒間，引き続き同じ姿勢で閉眼 60 秒間の揺れ幅を観察する（図 4-28a, b）．身体の明らかな動揺や転倒を異常とする．開眼時に比べ閉眼時の動揺が著しい場合は**ロンベルグ現象陽性**とし，末梢性前庭障害や深部知覚障害を疑う．

2) Mann 検査

両足を前後一直線に置き直立させ動揺の程度を観察する（図 4-28c）．開閉眼いずれも 30 秒以内での転倒を異常とする．

3) 単脚直立検査

単脚にて直立させ，他方の足を軽く挙上させて動揺の程度を観察する．開眼 30 秒以内で挙上脚の接床，閉眼 30 秒間 3 回以上の接床を異常とする．

b 重心動揺検査（身体動揺を定量的に記録）

重心動揺計を用い，直立姿勢の身体動揺を足圧中心の位置変化をとらえ，記録分析する（図 4-28d, e）．検査台に開眼・閉眼で 60 秒間直立し，得られた重心図（身体動揺の軌跡）からパラメータを抽出し定量的な解析を行う．

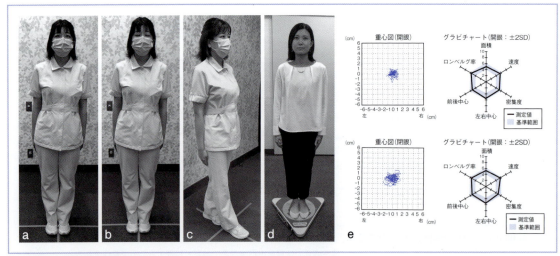

図 4-28　体平衡機能検査
a：両脚直立検査（開眼），b：両脚直立検査（閉眼），c：Mann 検査，d：重心動揺検査（開眼），
e：重心動揺検査結果（28 歳女性健常）：開閉眼の重心図とグラビチャート（基準値との比較評価グラフ）．

図 4-29　足踏み検査

2　動的体平衡機能検査

a　偏倚検査（左右の筋緊張のバランスの変化を評価）

1）足踏み検査

半径 30〜50 cm の円の中心に閉眼で 100 歩足踏みさせる（図 4-29）．回転角度 44°以内，移行距離 1 m 以内を正常範囲とする．

末梢性前庭障害では，患側への偏倚を示す．急性期には偏倚角度や左右への動揺が大きくなる．

2）書字検査

開閉眼で縦書きの文字を書く．末梢性前庭障害例では閉眼にて患側の偏倚がみられ，中枢障害例では，視覚の有無にかかわらず文字が失調様となる．

b　歩行検査

平坦な床に 6 m（10 m）の直線を引き，開眼および閉眼で自由歩行させ評価する．末梢性前庭障害では一定方向への偏倚がみられ，中枢障害例で

は，開眼において身体動揺が認められる．

身体障害者福祉法に基づく平衡機能障害等級診断・認定の際に必要となる情報である．

D 眼振検査（前庭-眼反射）

1 眼振の定義

一側前庭神経が刺激されると，**前庭眼反射**(➡ Note 15)により**対側**への緩徐な共同性の眼球偏倚が起こり(**緩徐相**)，それに続き**同側**に向かう急速な眼球運動(**急速相**)が生じる．この緩徐相と急速相の律動的な眼球運動の反復を眼振(nystagmus)とよぶ．眼振の向きは，急速相の方向と定義される．

健康な人でも冷水や温水を耳に注水したとき，あるいは車窓から外の景色を見ているとき(鉄路性眼振)などは生理的現象としてみられる．病的眼振は，出現部位により内耳や前庭神経が原因の末梢性眼振と小脳や脳幹が原因の中枢性眼振に大別される．

2 眼球運動の観察と計測

肉眼的な観察のほか，観察用器具としてフレンツェル眼鏡，赤外線 CCD フレンツェル，計測用機器として**電気眼振計**(electronystagmography：ENG)（➡ Note 16），ビデオ式眼振計(videonystagmography：VNG)などがある(図 4-30)．後二者の眼振計は客観的・定量的記録として用いられる．

3 眼振の記載法

急速相の向きを眼振方向とし，眼振は矢印の記号で表す(表 4-6)．

4 注視時眼振検査

病的な眼振(➡ Note 17)の検出の際に用いる．

a 自発眼振検査

裸眼ならびに非注視下で正面眼位の眼振を調べる．左右前庭系の不均衡によって認める．

b 注視眼振検査

各方向を注視させ眼振を調べる．脳幹・小脳疾患による注視機能障害で認める(図 4-31a)．

c 異常眼球運動検査

中枢前庭系障害に基づく眼球運動で，病巣診断に役立つことがある．

5 非注視時眼振検査

良性発作性頭位めまい症(benign paroxysmal positional vertigo：BPPV)の診断，末梢・中枢前庭障害による眼振の検出と評価の際に用いる．

a 頭位眼振検査

頭位を変えることで，耳石器に加わる刺激(重力方向)が変化し，顕在化する眼振を検出する．

Note 15. 前庭眼反射
頭が動いたとき，網膜に映る外界の像がブレずに見える反射の一種．前庭器官は頭部の動きを検出している．

Note 16. 電気眼振計
眼球は角膜が(＋)に，網膜が(－)に荷電している．これを角膜-網膜電位とよぶ．眼球が偏位した時の電位変化を眼球運動の記録として用いる．

Note 17. 先天性眼振
先天性眼振は，注視時に側方への眼振や急速相と緩徐相のはっきりしない振子様眼振が先天的に観察される．注視時に認める眼振であるが，病的ではない．眼振が高度でなければ，自覚的にもめまいの訴えはない．

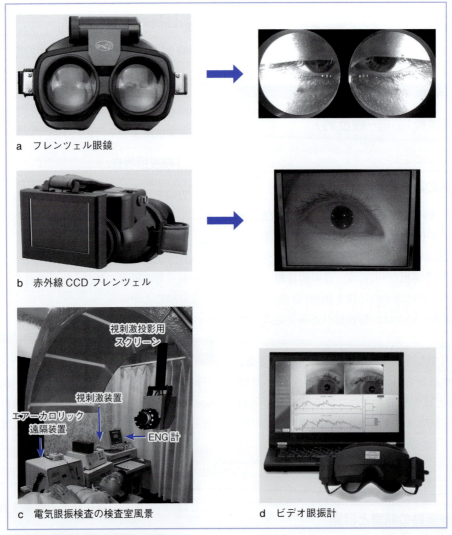

図 4-30 眼球運動の観察と記録

a：15〜20D の凸レンズにより注視を除去し，フレーム内の照明により眼振を観察する．眼球が拡大され非注視下の眼振を観察しやすい．

b：赤外線を光源として，暗所でほぼ完全非固視下の眼振観察が可能となる．潜在的な眼振を高率に検出できる．

d：赤外線光源 CCD カメラが搭載され，ハーフミラーを介し眼球運動を撮影する．眼振図と眼球の映像が同時に記録できる．

表 4-6　眼振の記載法

内容	記号
・眼振なし	○
・眼振存在・方向ともに疑わしい	⊖
・左向き水平性眼振（小打性）	→
・下眼瞼向き垂直眼振	↓
・眼球の上極が左へ動く回旋性眼振	⤴
・左向き水平回旋混合性眼振	⤵

外側半規管型 BPPV の診断に有用である（図 4-31b, c）．

b 頭位変換眼振検査

頭位変換により動的な加速度変化を負荷して，耳石器・半規管を刺激し眼振を検出する．後半規管型 BPPV の診断に有用である（図 4-31d）．

6　視刺激検査

中枢と末梢平衡障害の鑑別の際に用いる．

a 追跡眼球運動検査

移動する視標を注視・追跡させたときの眼の動きを観察（記録）することで，中枢神経機能を評価する．

b 急速眼球運動検査

対象視標をとらえる精度や眼球運動角速度を評価し，小脳・脳幹部の障害を評価する．

c 視運動性眼振検査

視運動性刺激に対する眼球運動を調べ，主に小脳・脳幹部の中枢眼機能を評価する．

a　注視眼振検査

b　頭位眼振検査（仰臥位）

c　頭位眼振検査（座位）

右 Dix-Hallpike 法　　左 Dix-Hallpike 法

Stenger 法

d　頭位変換眼振検査

図 4-31　眼振の記載方法と検査法
〔日本めまい平衡医学会（編）：「イラスト」めまいの検査，改訂第 3 版．診断と治療社，pp12-15，2018 より〕

E 迷路刺激検査

1 温度刺激検査

温度刺激検査（caloric test，カロリックテスト）は，外側半規管と上前庭神経の評価の際に用いる．仰臥位で頭部を30°挙上し，外側半規管が垂直となるようにし，外耳道内に温度刺激を加えると，内リンパ流動が生じ眼振が誘発される．冷刺激または温刺激の送風と注水による刺激（→ Note 18）がある．冷刺激で対側，温刺激で同側向きの眼振が生じる．刺激によって誘発された眼振の持続時間または最大緩徐相速度から半規管機能低下（canal paresis：CP）を求め，外側半規管の機能を評価する．

2 回転刺激検査

前庭眼反射の評価の際に用いる．椅子を回転させて頭部（前庭）に回転刺激を加えると，それに対して視線を保つ方向への眼運動が前庭眼反射を介して生じる．実際の回転刺激と眼運動を比較し前庭眼反射の利得を算出する．

3 前庭誘発筋電位（VEMP）

前庭誘発筋電位（vestibular evoked myogenic potential：VEMP）は，耳石器の評価の際に用いる．強大クリック音や短音により胸鎖乳突筋や眼窩下方で短潜時の誘発反応が現れる．前庭神経切断後に消失し，ろう症例でも観察されるため前庭性の誘発筋電位と考えられ，VEMPとよばれている．球形嚢や卵形嚢の機能検査として用いられる．

4 head impulse test（HIT）

簡便な外側半規管の評価の際に用いる．定性HITは素手で頭部をすばやく回転させ，眼球運動を観察することで外側半規管障害を検出する．機器を使用して眼球運動を計測するものを定量HITとよぶ．

Note 18．カロリックテストの刺激条件

■ エアーカロリックテストの送風条件
冷温交互検査では，26℃以下の冷風または46℃以上の温風を流量6～8L/60秒で60秒間外耳道に送風する．

■ 温度刺激検査の注水条件
わが国で最もよく用いられている少量注水法では，20℃，5mLの冷水を20秒間で刺激する．

---

5 乳幼児聴力検査

A 検査の意義

言語聴覚士が乳幼児の聴力検査に携わる意義は，難聴をできるだけ早期に発見し，治療やハビリテーションの可能性および必要性を保護者に理解してもらったうえで，早期療育・教育につなげ，聴覚障害に起因する言語・コミュニケーションや社会性などの発達や学習の遅れを防ぐことにある．

表4-7 乳幼児聴力検査の種類と適用

検査方法	BOA	VRA	COR	ピープショウテスト	play audiometry	他覚的聴覚検査（電気生理学的検査）
適用年齢	0〜6か月	4〜18か月	4〜24か月	24〜36か月	30〜72か月	全年齢
難聴の有無	○	○	○	○	○	○
難聴の程度		○	○	○	○	○
聴力型		○	○	○	○	○
周波数別閾値		○	○	○	○	○
両耳間差		△	×	×	○	○
気(導)骨導差		×	×	×	○	通常は気導で実施

○可，△：インサートイヤホン使用にて可，×：国内普及機器では不可．
BOA：聴性行動反応聴力検査，VRA：視覚強化式聴力検査，COR：条件詮索反応聴力検査
〔日本言語聴覚士協会学術研究部小児聴覚小委員会：言語聴覚士のための新生児聴覚検査と早期リハビリテーションの手引き．p8,2004より改変〕

B 検査の特殊性と留意点

乳幼児期は身体，運動，言語，精神，社会性などすべての側面で発達途上にあり，かつ発達の個人差が大きい．乳幼児は学童や成人と異なり，検査目的の理解に基づいた自発的，協力的対応を得ることは困難なため，検者が検査技術だけでなく，乳幼児の全般的な発達に熟知し，かつ聴性行動を適切に観察できるスキルが求められる．

乳幼児聴力検査は，通常は定型発達で判断した検査を選択するが，**発達特性**も考慮して実施する（表4-7）[1]．以下に乳幼児聴覚検査に共通する留意点をあげる．
- 検査室は，防音室あるいは40 dBSPL以下の静かな室内で実施する．
- 乳幼児の聴力検査はスピーカ法による音場検査も多く，受話器による閾値検査と異なるため（図4-32），検査音の較正が必要となる．
- 較正は，被検児の頭部の位置で騒音計のC特性を用い表4-8の値で決める[2]．また，便宜的な方法として，正常聴力と確信できる成人数人の検査によって0dBを決定する方法もある．
- 暦年齢に拘泥せず，被検児の認知発達，運動発

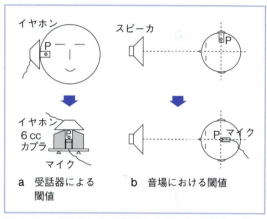

図4-32 受話器による閾値と音場による閾値の違い

達，興味・関心，行動特性を考慮して検査を選択する．
- 検査に入る前に被検児の状態をすばやく観察し，過度な緊張や警戒心をほぐすよう，ラポートを短時間で形成する．
- 安定した反応を得るには，時間帯の選択や検査場面にも配慮する．
- 被検児の身体的なハンディおよび認知・行動面での特異性に合わせ，検査方法を工夫する．
- 保護者から主訴および被検児の日常生活の聞こえに関する情報を収集する．
- スピーカから強大音を提示する必要があるとき

表4-8　スピーカ法における音場音圧較正値

周波数（Hz）	250	500	1,000	2,000	4,000	8,000
聴力レベル（dB）	70	85	100	100	100	85
騒音計による較正値（C特性）	81	91	104	101	95	97

注）暗騒音の影響を少なくするため，比較的大きい聴力レベルで行う．
聴力レベル（dB）ダイヤルでの出力音圧測定値がC特性の値になるように較正する．
上記の数値はISO/DIS226（1984.Draft/Acoustics-Normal equal-loudness contours for pure tones under free-field listening conditions）で指定された正常閾値音場音圧レベルをC特性に換算したものである．
〔内藤泰，他：乳幼児聴力検査．日本聴覚医学会（編）：聴覚検査の実際，改訂4版．p141，南山堂，2017より〕

に備え，同室する保護者や検者の聴器防音用のヘッドホンを用意する．

- 被検児の反応行動を迅速に形成する．また疲労と集中時間を考慮し，短時間で要領よく実施する．
- 1つの聴力検査結果に頼らず，ほかの検査，特にABRやASSRなどの他覚的聴覚検査で**クロスチェック**すると精度に信頼性が増す．また，主訴と検査結果および被検児の行動に矛盾がないかも含めて総合的に判断する．
- 検査結果の信頼性が低いときは，根拠となる理由を明記して「要再検」とする．乳幼児には，さまざまな理由から閾値決定が困難なことがある．再現性のある反応が得られない，あるいは閾値と確定しにくい場合は，反応があった値を「**反応閾値**」として記載し，その理由も必ず残す．
- 過去の閾値にとらわれず，聴力変動を常に意識して検査に臨む．
- 定期的に聴力検査をして経過観察し，結果に応じた対応をとる．

C 乳幼児聴力検査の実際

1 質問紙検査法

わが国には乳幼児の聴覚機能評価用の標準化された質問紙検査法はなく，遠城寺式乳幼児分析的発達検査法や津守・稲毛式発達検査の一部（探索・操作や理解・言語），KIDS乳児発達スケール（kinder infant development scale：KIDS）などの聴覚に関する項目を活用する．あるいは，各機関で独自に作成した問診票や発達チェックリストなどを利用して評価する（表4-9）[3]．

質問紙法の特性上，観察者による主観的評価の違い（例：保護者と言語聴覚士）は避けられない．しかし，子どもの日常場面での聴覚的反応の様子がわかり，聴力検査の選択や実施上の重要な情報源となる．さらに全体的な発達と聴覚との関係性や聴覚障害によって生じるさまざまな課題を理解するうえで有用である．

2 新生児聴覚スクリーニング検査

a 検査内容

聴覚器は胎児約6か月ではほぼ完成するといわれ，出生時には聴覚はしっかり機能している．新生児聴覚スクリーニング（newborn hearing screening：NHS）は，出生当日から約1か月以内に実施される他覚的聴覚検査で，聴覚障害の可能性の有無，つまりパス（pass・反応あり，異常なし），またはリファー（refer，要再検）に選別する．

先天性両側難聴は1,000人に1人，軽度・中等度難聴や片耳難聴は1,000人に6人という割合で存在するといわれ，難聴を見逃すと子どもの発達にさまざまな悪影響を及ぼす．しかし，生後1か

表 4-9　乳児の聴覚発達チェックリスト

0 か月	1) 突然の音にビクッとする． 2) 突然の音にまぶたがギュッと閉じる． 3) 眠っているときに突然大きな音がするとまぶたが開く．
1 か月	4) 突然の音にビクッとして手足を伸ばす． 5) 眠っていて突然の音に目を覚ますか，泣き出す． 6) 目が開いているときに急に大きな音がするとまぶたが閉じる． 7) 泣いているとき，または動いているとき，声をかけると泣きやむか動作を止める． 8) 近くで声をかける（またはガラガラを鳴らす）とゆっくり顔を向けることがある．
2 か月	9) 眠っていて，急に鋭い音がすると，ビクッと手足を動かしたりまばたきをする． 10) 眠っていて，子どものさわぐ声や，くしゃみ，時計の音，掃除機などの音に目を覚ます． 11) 話しかけると，アーとかウーと声を出して喜ぶ（またはニコニコする）．
3 か月	12) 眠っていて突然音がすると，まぶたをビクッとさせたり，指を動かすが，全身がビクッとなることはほとんどない． 13) ラジオの音，テレビのスイッチの音，コマーシャルなどに顔（または眼）を向けることがある． 14) 怒った声や，やさしい声，歌，音楽などに不安そうな表情をしたり，喜んだり，または嫌がったりする．
4 か月	15) 日常のいろいろな音（玩具，テレビの音，楽器音，戸の開閉など）に関心を示す（振り向く）． 16) 名を呼ぶとゆっくりではあるが顔を向ける． 17) 人の声（特に聞き慣れた母の声）に振り向く． 18) 不意の音や聞き慣れない音，珍しい音に，はっきり顔を向ける．
5 か月	19) 耳元に目覚まし時計を近づけると，コチコチという音に振り向く． 20) 父母や人の声，録音された自分の声など，よく聞き分ける． 21) 突然の大きな音や声に，びっくりしてしがみついたり，泣き出したりする．
6 か月	22) 話しかけたり歌をうたってやると，じっと顔を見ている． 23) 声をかけると意図的にサッと振り向く． 24) テレビやラジオの音に敏感に振り向く．
7 か月	25) となりの部屋の物音や，外の動物のなき声などに振り向く． 26) 話しかけたり歌をうたってやると，じっと口元を見つめ，ときに声を出して応える． 27) テレビのコマーシャルや，番組のテーマ音楽の変わり目にパッと振り向く． 28) 叱った声（メッ！コラッ！など）や，近くで鳴る突然の音に驚く（または泣き出す）．
8 か月	29) 動物のなき声をまねるとキャッキャッといって喜ぶ． 30) 機嫌よく声を出しているとき，まねてやると，またそれをまねて声を出す． 31) ダメッ！コラッ！などというと，手を引っ込めたり，泣き出したりする． 32) 耳元に小さな音（時計のコチコチ音など）を近づけると振り向く．
9 か月	33) 外のいろいろな音（車，雨，飛行機の音など）に関心を示す（音のほうに這っていく，または見まわす）． 34) 「オイデ」「バイバイ」などの人のことば（身振りを入れずにことばだけで命じて）に応じて行動する． 35) となりの部屋で物音をたてたり，遠くから名をよぶと這ってくる． 36) 音楽や，歌をうたってやると，手足を動かして喜ぶ． 37) ちょっとした物音や，ちょっとでも変わった音がするとハッと向く．
10 か月	38) 「ママ」「マンマ」または「ネンネ」など，人のことばをまねていう． 39) 気づかれぬようにして，そっと近づいて，ささやき声で名前をよぶと振り向く．
11 か月	40) 音楽のリズムに合わせて身体を動かす． 41) 「…チョウダイ」というと，そのものを手渡す． 42) 「…ドコ」と聞くと，そちらを見る．
12〜15 か月	43) となりの部屋で物音がすると，不思議がって，耳を傾けたり，あるいは合図して教える． 44) 簡単なことばによるいいつけや，要求に応じて行動する． 45) 目，耳，口，その他の身体部位をたずねると，指を差す．

〔田中美郷，他：乳児の聴覚発達検査とその臨床および難聴児早期スクリーニングへの応用．Audiology Japan 21：52-73，1978 より改変〕

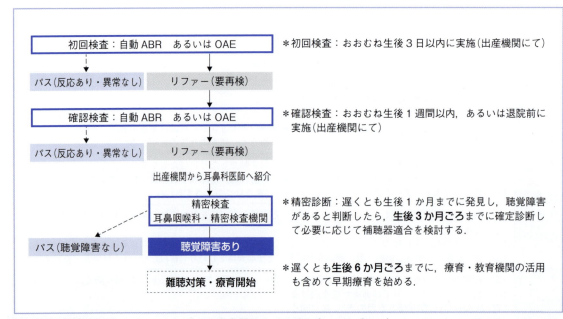

図 4-33　新生児聴覚スクリーニングから療育開始までの流れ (1-3-6 ゴール)
〔日本耳鼻咽喉科学会(編):新生児聴覚スクリーニングマニュアル—産科・小児科・耳鼻咽喉科医師・助産師・看護師の皆様へ. p27, 2016 より〕

月までの早期に難聴を発見し，生後3か月までに確定診断をしたうえで，生後6か月までに補聴器装用したり療育を開始することで(1-3-6 ゴール)，難聴によって起因しやすい言語・コミュニケーションの発達や社会性の発達の遅れを阻止することが可能といわれている[4]．この「1-3-6 ゴール」の動きは米国 JCIH (Joint Committee Infant Hearing) から全州に勧告され，今や「早期発見・早期診断・介入・早期療育(支援)」の世界的な共通概念となり，先進諸国の多くは新生児聴覚スクリーニングを法制化して検査費用を公的に補助している．しかしながら，わが国ではいまだ法制化されておらず，公費補助額は自治体によって異なる．近年は経費の一部を補助する自治体が増加傾向にあり，全国的な受検率は約8割に達しているが，自治体間の格差が生じているのが現状である．

b　検査の流れ

一般的な新生児聴覚スクリーニング検査の流れから療育までの流れを図 4-33 に示す[5]．通常は助産院や産婦人科・新生児科などで生後数日以内に検査する．出生直後は中耳貯留物があって検査結果に影響を及ぼすことから，出生2〜5日の間に実施している施設が多い．しかし，助産師や看護師は聴覚の専門家ではなく施設間の検査手法が一定ではないため，日本耳鼻咽喉科学会では新生児聴覚スクリーニングマニュアルを作成して検査の平準化に取り組んでいる (http://www.jibika.or.jp/members/publish/hearing_screening.html)．

言語聴覚士がこのスクリーニング検査に立ち会うことは通常はないが，検査の原理・手順・結果の解釈に関する知識とスキルは習得しておくと，精密検査時における再検査やその後の聴覚補償およびハビリテーションに有用である．

c　検査の種類と検査手順

検査は脳幹の聴覚伝導路の反応を得る自動聴性脳幹反応検査(自動 ABR, automated auditory brainstem response：AABR)と，内耳の有毛細胞(主に外有毛細胞)の機能を検査する耳音響放射検

表 4-10 新生児聴覚スクリーニング検査に用いられる自動 ABR と OAE の比較

検査法	自動 ABR	耳音響放射検査（OAE）	
		DPOAE	EOAE
対象年齢	在胎約 34 週〜生後 6 か月	新生児〜成人	新生児〜約生後 12 か月
所要時間	数分〜約 10 分	2〜3 分	数秒〜数分
検査環境	ベッドサイド・静かな部屋，自然睡眠下	ベッドサイド・静かな部屋，自然睡眠下（体が動かなければ覚醒下でも可）	
操作	電極（3 個）と両耳イヤカプラの装着	イヤプローブの挿入	
刺激音	クリック音（35 dBnHL）	クリック音あるいは純音（2 kHz 以上の 2 周波数, 65/55 dB）	
反応の起源	脳幹（聴覚伝導路）	蝸牛（外有毛細胞）	
反応結果の指標	脳波	外耳道内で測定される音響反応	
結果の表示	パス（pass）・反応あり・異常なし，あるいはリファー（refer）・要再検		
長所	要再検率は約 1% で ABR との高一致率	操作が簡単で短時間・低価格	
短所	検査機器の価格がやや割高	偽陽性（要再検）が数％とやや高い．外耳・中耳の影響を受けやすい．オーディトリー・ニューロパチーや中枢系の障害は検出できない．	

〔北義子：選別聴力検査．藤田郁代（監修）：標準言語聴覚障害学 聴覚障害学，第 2 版．pp114-122, 医学書院，2015 より〕

査（otoacoustic emission：OAE）の 2 種類がある．自動 ABR は聴性脳幹反応検査に由来し，小さい音をイヤホンを通して聞かせ，脳からの電気的反応を検出する．一方で，OAE は音に反応して内耳から返ってきた反響音（耳音響放射）を検出するもので，蝸牛機能を反映する検査である．OAE には，誘発耳音響放射（EOAE），歪成分耳音響放射（DPOAE），自発耳音響放射（SOAE）があり，新生聴覚スクリーニングには EOAE か DPOAE が用いられている（第 4 章 ➡ 103 頁）．自動 ABR と OAE の利点や課題は表 4-10 に示す通りで，これらの検査機器は国内産・海外産も含めて約 10 種類が使用されている[6)]．自動 ABR も OAE も短時間で検査でき，新生児聴覚スクリーニングに適した検査として世界的に普及している．

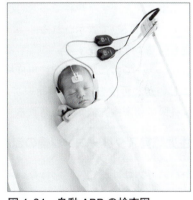

図 4-34 自動 ABR の検査図
〔提供：デマント・ジャパン株式会社ダイアテックカンパニー〕

1）自動 ABR（AABR）の検査手順

①あらかじめ機器の較正や作動確認をしておく．
②赤ちゃんが入眠していることを確認し，電極装着部位の皮膚を清拭する．
③電極を 3 か所（関電極は額，不関電極はうなじ，アースは肩か頬）に装着する（図 4-34）．
④音刺激はクリック音か Chirp/CE-Chirp 音を用いる．
⑤検査開始ボタンを押すと，1〜2 分で，自動的に左右耳の検査結果が，パス（反応あり）か**リファー（要再検）**で表示される．

図4-35 OAEのイヤプローブ図
〔提供：デマント・ジャパン株式会社ダイアテックカンパニー〕

2）耳音響放射検査（OAE）の検査手順

①あらかじめ機器の較正や作動確認をしておく．
②赤ちゃんが入眠またはリラックスしていることを確認し，イヤプローブを外耳道に挿入する（図4-35）．
③検査開始ボタンを押すと数秒でパス（反応あり）かリファー（要再検）で表示される．
④反対側も同じように検査する．

結果がリファーであれば退院前に再度検査するのが望ましいが，再検査後もリファーであれば，耳鼻咽喉科医に精密検査依頼がなされる．

d 新生児聴覚スクリーニング後の流れ

結果がパスであれば聴覚に異常はないと判断される（図4-33）．しかし，偽陰性や**遅発性難聴**ということも生じうる．高度難聴の検出という点では新生児聴覚スクリーニングは優れているが，軽度・中等度難聴や低音障害型難聴は検出されないことに留意し，乳幼児健診の際もしっかりフォローする．また，保護者には発達過程（表4-9 ➡ 117頁）を説明し，子どもの発達に気になることがあれば，健診日を待たずに相談にくるようアドバイスする．

一方で，リファーと告知された保護者の心理的負担は大きい．偽陽性の可能性も否定できないが，不安であることに変わりはない．初回検査でOAEを使用しリファーとなる場合は自動ABRでも確認するという施設もある．また，早期にABRやASSRでクロスチェックできるよう，耳鼻咽喉科と連携体制が整っていることが望ましい．耳鼻咽喉科にて精密検査後に難聴が確定した場合は，速やかに補聴器装用に関する情報や相談機関を保護者に提供する．聴覚補償については保護者によって考え方が異なり，補聴機器の装用は不要として手話を選択することもありうる．いずれの選択でも保護者の権利や文化は尊重し，子どもの発達を総合的に支援する．

3 聴性行動反応聴力検査

a 検査内容

聴性行動反応聴力検査（behavioral observation audiometry：BOA）は，音に対する乳幼児の聴性行動を観察することで聴覚障害の有無や程度，および聴覚的発達を大まかに評価する．BOAでは聴力レベルの確定はできないが，聴覚障害と他障害との鑑別診断や聴覚的ハビリテーションの指針が得られる．またABRやASSRのような他覚的聴覚検査ならびにCOR，VRA，peep show testなどの検査結果の信頼性を担保する資料となるため，対象の年齢を問わずに実施できる．一般的には1歳前の乳児期や重複障害例に適用されることが多い．

b 乳児期の聴性行動反応

乳児期の聴性行動反応は聴覚の活用や運動機能の発達に伴って変化していく（第1章 ➡ 5頁）．

運動発達や聴力に障害のない1か月児（図4-36）と3か月児（図4-37）の聴性行動反応例を示す．生後約3か月までは，聴覚刺激に対してモロー反射，眼瞼反射，瞳孔反射，吸啜反射，呼吸反射などの原始反射が観察される．3か月ごろから定頸が安定してきて次第に**原始反射は抑制さ**

5 乳幼児聴力検査　121

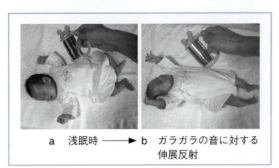

a 浅眠時 ⟶ b ガラガラの音に対する伸展反射

図4-36　生後1か月児の聴性行動反応例（伸展反射）

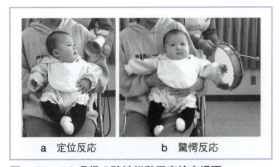

a 定位反応　　b 驚愕反応

図4-37　3か月児の聴性行動反応検査場面
定位反応や驚愕反応とともに，眼瞼反射，手足の伸展・収縮なども同時に起こるため，全身の動きに注意して観察する．

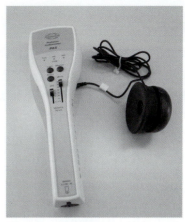

図4-38　新生児用オージオメータ（ネオメータ）

れ，音刺激に対して「泣く，笑う」「覚醒する」「動きが一時停止する」などの**驚愕反応**，**傾聴反応**，**詮索反応**，**定位反応**などがみられるようになる．しかし，反射から反応に変わる3〜4か月児は判断に迷うこともあり，保護者も不安になることがあるので，日常生活上の音に対する反応の視点を保護者に伝えておくとよい．生後6か月前後には左右の音に対しては直線的にすばやく反応できる，下方向の音を探索する，音源に手を伸ばす，日常の生活音やよびかけに対して泣いたりほほえんだりするなど，反応がわかりやすくなる．さらに，9か月ごろには座位も安定してきて上方向の音も探索するようになるが，Northernらは，乳児があらゆる方向の音を敏感に定位できるようになるには約24か月を要すると述べている[7]．このように，行動反応は子どもの運動発達や認知・注意力，社会性の発達が関与するため，全体的な発達を考慮して判断することが肝要である．

C 検査方法

1）音素材

　検査に用いる**音素材(音源)**に規定はない．震音（新生児用オージオメータ，図4-38)，雑音，楽器音（カスタネット・鈴・トライアングル・ラッパ・たいこなど)，玩具音（ガラガラ・オルゴール・人形など)，日常生活用具音（パラフィン紙・ハサミ・ストップウォッチ・カップ＆スプーンなど）を，対象や目的に合わせて選択する．音素材はあらかじめ騒音計やソナグラフによって音圧や周波数成分を調べておくと，被検児の聴覚的様相が理解しやすい．

　乳児期は音素材によっても反応行動の出現頻度や反応様式が異なる．特に生後数か月までは親密性の高さが反応に影響する．また，自閉スペクトラム症や特殊な発達特性をもった児の中には音の好みに顕著な偏りを示すこともあり，音源の選択は反応に影響する．被検児特有の行動反応をすばやく観察し，聴性反応検査音として適切か判断し，必要であれば刺激音を変える．

2）事前準備

検査には静かな部屋を用い，新生児は仰臥位の**浅眠時に**，定頸した乳児は母親の膝上に座る体勢で行うと観察しやすい．1歳前後であれば，座位での落ち着いた遊びの場面を利用できる．被検児の興味が転移しないよう室内を整理し，不要な遊具や検査道具は視野に入れないよう工夫する．

3）検査方法

厳密に規定された方法はなく，場面設定，提示方法，音源に用いる音素材などは，検査目的や被検児の年齢・発達・興味などに合わせて選択する．検査の信頼性が確認できるよう，検査条件や検査素材を明記する．

4）検査手順

下記に生後12か月までの乳児期に実施される一般的なBOAの検査手順例を示す．後方からでは観察できない反応もあるため，音提示者と観察者の2人で実施するか，あるいは反応を録画するのが望ましい．

①原則として音圧の小さい検査具から順に提示する．
②検査器具が被検児に見えない位置（被検児の斜め後ろ20～30 cm）から検査音を数回提示する．
③検査音を，それぞれ左側と右側との両方から与えて行動を観察する．
④被検児が検者の気配を気にする場合は，しばらく静止したあとに音を出す．
⑤検者の動きを気にする場合は，玩具などで引き付けて検者から注意を反らす．
⑥被検児が音源を定位したときは音素材を見せ，しっかり音を聞かせて反応を強化する．
⑦音提示の方向・距離，提示方法（回数・持続時間・音量など）の条件，反応の有無，反応様式，反応の速さなどに関する行動観察結果を記録する．

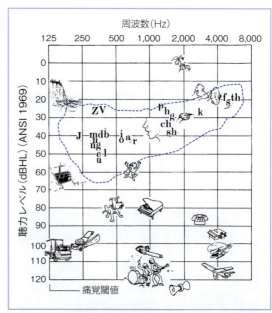

図4-39　日常生活音の大きさ
10 dB：呼気音，20 dB：人の心臓の音・ささやき声，川のせせらぎ，30 dB：新聞をめくる音，40 dB：コオロギの音，30～60 dB：普通の会話音，70～80 dB：大声，赤ちゃんの泣き声，犬の鳴き声，80～90 dB：ピアノ音，電車音，100 dB以上：自動車の警笛（約2 m），飛行機の爆音，銃撃音など．
〔Northern JL, et al：Hearing in Children. p7, Williams & Wilkins, 1991 より改変〕

5）結果の解釈

音刺激に対する反応の有無と，音素材の特徴との関係，提示方法との関係，反応様式や反応の速さ，反応の偏り，などの視点で結果を整理する．これらの情報を，他の聴覚検査や発達検査を参照して，難聴の可能性を慎重に判断する．

図4-39は，言語音や日常生活音の大きさと聴力レベルの関係を示し，大まかな聴力の推定に利用できる[7]．

4　視覚強化式聴力検査(VRA)

a　検査内容

視覚強化式聴力検査（visual reinforcement audiometry：VRA）は，わが国で開発された条件詮

索反応聴力検査(COR)の原理を元に考案された検査である[8]．VRAもCORも被検児が定頸して音源定位できる運動能力を備えていることが前提で，生得的に起こる「音に対する振り向き反応」を光刺激で強化することで条件反応を形成して聴力閾値を測定する検査である．通常，光刺激ボックスの中の電動玩具が光の報酬と同時に動き，反応行動を強化する工夫が施してある．

CORとの違いとして，VRAは音源提示用のスピーカが1台で済み，1方向の音源に対する振り向きで聴力閾値が測定できること，また，気導受話器，骨導受話器を装着して左右耳の閾値を別々に求めることが可能であることがあげられる．さらに，インサートイヤホンなどの使用により，ヘッドホンを装着できない幼児でも片耳ずつの閾値が得られるため，補聴器や人工内耳の適応の判定にも有用な情報を提供してくれる．わが国ではCORほど普及率は高くはないが，諸外国ではVRAのほうが定着している．

b 検査手順

以下はスピーカ利用の場合の手順である．

1）事前準備

スピーカは被検児の**正中位から90°**の位置に，光刺激は被検児の側面に配置する（図4-40）．

2）検査方法

①音刺激を与えたあとに光刺激で強化し，振り向き反応を形成する．被検児は最初は光刺激に誘導され定位するが，繰り返すうちに音刺激で直接的に光刺激を定位するようになる．
②検査は通常2人で実施する．検者Aが子どもの正面で玩具を用いて注意を喚起し，検者Bはオージオメータを操作する．
③検査周波数は1,000 Hzから始め，被検児の閾値上音圧で提示して反応行動の条件付けを行う．音の大きさは不快閾値を超えないよう注意する．上昇法と下降法を使い分けながら（交互

図4-40　VRA検査場面
（インサートイヤホン使用）
インサートイヤホン使用にて片耳ずつの聴力測定が可能である．

法）閾値を判定する．
④高度難聴が予測される場合は，500 Hzあるいは250 Hzの低周波数から開始する．
⑤反応行動を振り向きだけに限定せず，ほかの聴性行動も考慮し閾値判定する．
⑥閾値判定は乳幼児においても，成人同様に3回中2回の同一測定値を原則とする．ただし上昇法ではなく，下降法を用いることもある．

3）結果の解釈

COR閾値に比し，VRAによる閾値は早期から年長児や成人の閾値に近似すると報告されている．インサートイヤホン使用によって片耳ずつの閾値が測定可能というメリットも大きい．

5　条件詮索反応聴力検査（COR）

a 検査内容

条件詮索反応聴力検査（conditioned orientation response audiometry：COR）の原理は，VRAと同様に音に対する振り向き反応を用いて条件づけするが，スピーカは左右2つあり，音源と光源が一体化している（図4-41）．

適応年齢は4～24か月の幅がある．定頸していれば4か月でも可能だが，月齢が小さいと報酬の

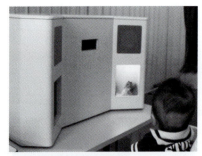

図4-41　COR検査場面

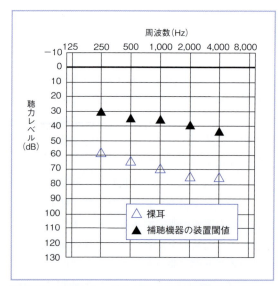

図4-42　CORオージオグラム〔音場閾値（両耳聴）〕

光刺激を怖がることもある．逆に18か月以降は原理が単純過ぎて予測的な反応が増え，飽きも早い．本検査で興味の持続できる月齢は8〜18か月くらいである．裸耳聴力でも補聴器・人工内耳などの補聴機器装用閾値の測定でも，手順は同じである．

b 検査手順

1) 事前準備

被検児の姿勢は月齢から判断するが，保護者の膝上に座す場合でも1人で椅子に座す場合でも，スピーカは被検児の**正中位左右45°**の位置になるように左右の音源の交点に位置させる．

2) 検査方法

① 一方のスピーカから被検児が十分に聞こえると思われる震音を出し，同時または多少遅延して報酬玩具を点灯させて音源定位を促す．次に反対側から音を出し，前回同様に光刺激で定位を促す．この操作を繰り返すと，音刺激に対する定位反応が形成され，条件付けが成立する．
② 検査方法は基本的にはVRAと同様である．機械的に左右交互に音を出していると，タイミングよく音源を振り向くことがあるため音提示のタイミングをずらしたり，注意を正中に注意を向けてから再提示するなどの工夫をする．また，検者や保護者による「うなずき」「目線」「顔の表情」などの無意識のサインに子どもが反応することもあるが，これらの行為は結果に影響するため極力避ける．反応がゆっくりな被検児に対しては，条件付けの段階で音の提示時間を少し長めにし，検査音を十分に聞かせることがポイントとなる．
③ オージオグラムの聴力閾値は両耳聴の結果なので，裸耳の聴力は「△」，補聴器あるいは人工内耳などの補聴機器の装用下の結果は「▲」で表記し，純音気導聴力検査と違って周波数の閾値は線で結ばない（図4-42）．

3) 結果の解釈

一般的には発達年齢に伴って閾値は低くなってくる．発達年齢が低いほど反応閾値は高い傾向にあることや，両耳聴のスピーカ法で検査するため片耳ずつの閾値測定はできず，左右差がある場合は音源定位が定かではないなど，検査としての限界がある．そのため，精査を要する場合は他覚的聴覚検査とのクロスチェックが不可欠である．上記のような課題はあるものの，聴力閾値や聴力変動などを簡便に確認でき，わが国では広く用いられている．

図 4-43　ピープショウテスト場面

図 4-44　遊戯聴力検査場面（電車を用いて）

6　遊戯聴力検査

遊戯聴力検査（play audiometry, behavioral play audiometry, conditioned play audiometry）は，音刺激に対してオペラント条件付け手法を用いて，聴力を測定する検査法である．発達や興味に即した玩具を用いて反応行動を強化することで，自発的な反応や検査に対する集中の持続が維持できる．遊び要素が高く自発性を引き出すことができ，精度の高い閾値測定ができる．遊戯聴力検査には，「ピープショウテスト」と「Barr 法（数遊び法）」とがあり，「遊戯聴力検査」という名を両方の検査の総称として使う場合と，Barr 法のみを指す場合とがある．最近では後者が多いことから，Barr 法の原理に基づいた検査を「遊戯聴力検査」として解説する．

a　ピープショウテスト

1）検査内容

ピープショウテスト（peep show test）は，Dix ら（1947 年）によって完成された方法で，約 1 歳半〜3 歳の発達段階の子どもに適している．

検査装置はピープショウ単独のものと，COR 装置に組み込まれているものがある（図 4-43）．本検査名は，音が聞こえたときに応答ボタンを押すと〔ピープショウボックス〕内が点灯し，「のぞき窓」を通して楽しい光景を見ることができるよう構成された装置の名に由来する．本検査の最も優れた点は，「音が聞こえたときに応答ボタンを押すと点灯するが，聞こえないときに押しても点灯しない」ことである．これにより，音刺激と反応行動との関係性が年少児にも理解できる．この原理を利用した，電車が動く装置や（図 4-44）やビデオ映像が映る装置もある．検査音はスピーカ法では震音を，受話器利用のときは純音を用いるが，これは被検児に合わせて適宜選択する．

2）検査方法

検査装置の前に被検児を位置させ，閾値上の音を聞かせる．被検児から何らかの音反応を確認したら，検者はすかさず「聞こえた！」と表情や身振りなどで示しながら応答ボタンを押し，のぞき窓を一緒に見る．この所作を 2，3 回繰り返し，被検児が自発的に応答ボタンを押すように誘導する．子どもはのぞき窓に興味津々で，音がないときにも反応するが，音がないときにボタンを押してものぞき窓は点灯しないことを確認させると無暗にボタンを押す行動は控えて条件付けが成立する．ただし音が小さくなると，一度成立した条件付けも途中で崩れるときがある．そのときは閾値上の音で条件付けをし直して再検査する．閾値判定は，上昇法，下降法，交互法いずれでも構わないが，幼児には交互法が実際的である．被検児が受話器を装着できれば，左右別の気導聴力閾値も骨導聴力閾値も測定可能となる．

b 遊戯聴力検査（Barr法）

1）検査内容

遊戯聴力検査の原型は，Barr（1954年）が考案した数遊び法にあり，通常のオージオメータを用い，音が聞こえたら数遊び玉を1つ動かすことを被検児に教示し，受話器装用で幼児の聴力閾値を測定する方法である（図4-45）．適応年齢は約3歳以上で，一般的にはピープショウテストの次の段階に位置づけられる．

強化子は繰り返しが可能で，単純かつ興味が持続する遊びを複数用意する（例：サイコロ，ビー玉，ペグさし，シールはり，ピクチュアパズル，はめ板など）．

受話器装用により，片耳ずつの気導および骨導の聴力閾値が測定できる．

2）検査手順

検査手法は純音聴力検査に準じる．それが困難なときはピープショウテストの検査手続きを参考に実施する．注意の持続や疲労が測定結果に影響するので，子どもと上手にコミュニケーションをとりながら，迅速に検査する．低年齢だとマスキングの指示理解が困難で，現実にはマスキングなしで骨導聴力閾値を求めることもあるが，その際は検査条件をオージオグラムに記載する．

3）結果の解釈

純音聴力検査に準じて判断する．ただし，マスキングなしで検査した閾値は交叉聴取の可能性も考慮し，特に一側性難聴には特別な注意を要する．

ピープショウテストに比し，遊戯聴力検査では検者が子どもの誤反応に気づきにくい．また，被検児が検者の音提示に合わせて上手に反応すると検者が誤誘導されて不正確なオージオグラムを作成することもある．これは子どもの無理解や悪意によるものではなく，過剰な協力姿勢によって誘

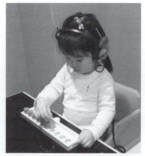

図4-45　遊戯聴力検査場面（Barr法）

導された結果ということもある．反応が期待されていることに敏感な子は過剰反応する傾向があり，検者は自分の行動を子どもに読まれないよう留意する．また子どもの行動観察，検査内の矛盾の検索，情報聴取やほかの検査によるクロスチェックを行い，閾値の信頼度を確認する．

7　ことばの聞きとり検査

被検児の年齢が低いと語音聴力検査の実施が困難なことがある．理由として，検査音が57-S・67-S語表のような無意味単音節では注意の維持が困難なこと，子どもの構音を検者が判定できずに応答の成否が不確実なこと，などが考えられる．そのため，幼児期の語音聴力検査として，子どもにとって親密度の高い単語や文を用いた「ことばの聞き取り検査」が用いられる．わが国には現在のところ標準化された幼児用の語音聴力検査はなく，独自に作成して評価しているのが現状である．表4-11に示すような要因を考慮したうえで作成・適用し，その有効性と限界を理解して解釈する[9]．

a 単音節レベル

子どもの仮名文字書字能力や構音明瞭度をもとに検査の適用を判断する．仮名文字が可能な5〜6歳以上の子どもには適用できるが，仮名書字が未習得である幼児には反応の確認が難しい．応答を復唱法に変えることで検査が可能になるが，こ

表4-11　ことばの聞き取り検査の条件

検査条件	内容
評価レベル	検知，弁別，識別，理解，分節レベル，超分節レベル
言語素材	音素，音節，単語，句，文，文章（素材および語彙の親密度）
刺激方法	肉声，録音教材（CD，DVD など）
話者	男性，女性，話速度，発話明瞭度
反応方法	復唱，ポインティング，記述，その他
入力条件	聴覚，聴覚＋視覚，視覚（読話，指文字，キュードスピーチ，手話など）
聴取条件	裸耳，補聴器，人工内耳，片耳，両耳
試行頻度	繰り返しによる学習効果（特に意味を伴う単語や文は記憶に残りやすい）

〔中村公枝，他：聴覚障害．伊藤元信，他（編）：新編言語治療マニュアル．p187，医歯薬出版，2002 より改変〕

の方法を採用する場合は，被検児の発話を検者が正確に聞き取れることが条件である．

b 単語レベル

単語の聞き取り検査は，絵カード使用のポインティング法を用いることで被検児の協力が得やすいという利点がある．一方で，語彙の親密度の制約がある．さらに絵で表示できる単語を選択せざるを得ないため，音響的要素を考慮した語彙リスト作成には限界がある．

c 文レベル

文レベルの聴取は，語音聴取能力以外に子どもの言語力や記銘力との関係が顕著に影響する．応答方法は，検査文の復唱，文に対応した絵の選択，質問検査などがあり，それぞれから得られる情報は異なる．検査によって何を明確にしたいかを吟味して実施することが大切である．

引用文献

1) 日本言語聴覚士協会学術研究部小児聴覚小委員会：言語聴覚士のための新生児聴覚検査と早期リハビリテーションの手引き．p8，2004
2) 内藤泰，他：乳幼児聴力検査．日本聴覚医学会（編）：聴覚検査の実際，改訂4版．p141，南山堂，2017
3) 田中美郷，他：乳児の聴覚発達とその臨床および難聴早期スクリーニングへの応用．Audiology Japan 21：52-73，1978
4) Yoshinaga-Itano C：新生児難聴の早期発見と療育．小児耳 22：47-58，2001
5) 日本耳鼻咽喉科学会（編）：新生児聴覚スクリーニングマニュアル─産科・小児科・耳鼻咽喉科医師・助産師・看護師の皆様へ．p27，2016
6) 北義子：選別聴力検査．藤田郁代（監修）：標準言語聴覚障害学 聴覚障害学，第2版．pp114-122，医学書院，2015
7) Northern JL, et al：Hearing in Children. Williams & Wilkins, 1991
8) 富澤晃文，他：インサートイアホンを使用したVRAの有効性の検討．Audiology Japan 42：431-432，1999
9) 中村公枝，他：聴覚障害．伊藤元信，他（編）：新編言語治療マニュアル．p187，医歯薬出版，2002

第 5 章

聴覚補償機器

学修の到達目標
- 補聴器の構造と機能を説明できる.
- 補聴器の調整原理と調整法を説明できる.
- 人工聴覚器の種類と適応を説明できる.
- 人工聴覚器の構造と機能を説明できる.
- 人工聴覚器のプログラミングの概要を説明できる.
- 補聴援助システムの種類と特徴を説明できる.

1 補聴器

A 構造と機能

1 補聴器の基本構造

補聴器は，音の増幅によって難聴(児)者の聴覚補償を行う機器である．医療法規では，薬機法(医薬品医療機器等法；旧薬事法にあたる)で管理医療機器(クラスⅡ)に規定されている．20世紀半ば以降の電気音響技術の進歩によって補聴器(**アナログ補聴器**)の小型化・高性能化が進み，さらに2000年代以降になると，デジタル音信号処理(digital signal processing：DSP)のための電子回路を搭載した**デジタル補聴器**が広く使用されるようになった．

a 補聴器の構成

補聴器は本体内部の電気回路によって，音信号の電気音響的な増幅を行う．補聴器の基本構成は，①マイクロホン，②アンプ(増幅回路)，③レシーバ(イヤホン)の3つからなる．①マイクロホンは音波を電気信号に変換し，②アンプで電気信号を増幅する．③レシーバでは増幅後の電気信号を音波に変換して，音に戻して出力する．このようにレシーバから発した増幅音は，外耳道の中に挿入・固定された音の出口を通って，耳の中へ届けられる仕組みである(図5-1)．

補聴器は，電池を電源に用いる．耳かけ型・耳あな型補聴器の専用電池はボタン形をした空気電池(亜鉛電池)であり，電池収納部に入れて作動させる．補聴器用の空気電池には4種類のサイズがあり，機種によって使用電池のサイズが決まっている(図5-2)．使用前の電池には絶縁シールが貼られており，シールをはがして空気(酸素)にふれ

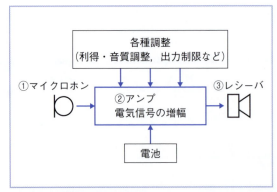

図5-1 補聴器の基本構成
基本構成は同じであるが，マイクロホンが補聴器本体から離れたところにあり，ワイヤレスなどで送られてきた信号を補聴器で受信して増幅する場合がある．また，レシーバはイヤホンではなく骨導受話器の場合がある．

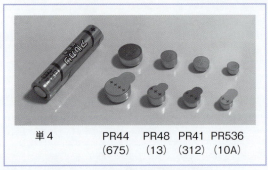

図5-2 補聴器の各種電池
耳かけ型・耳あな型補聴器用の空気亜鉛電池には4種類ある．使用前の電池には，絶縁シールがプラス側に貼られている．シールの色は，PR44(675)は青色，PR48(13)はオレンジ色，PR41(312)は茶色，PR536(10A)は黄色である．電圧は1.4ボルトである．電池の規格，番号，シールの色は国際的に統一されている．ポケット型補聴器は，単三または単四電池を使用する．

ると放電を始める．電圧が低下した空気電池は，新しいものに交換する．近年では，充電池(リチウムイオン電池，銀亜鉛充電池)を利用する機種もある．なお乳幼児用の補聴器は，電池誤飲を防ぐため，電池収納部を子どもが開けられないようにロックする．

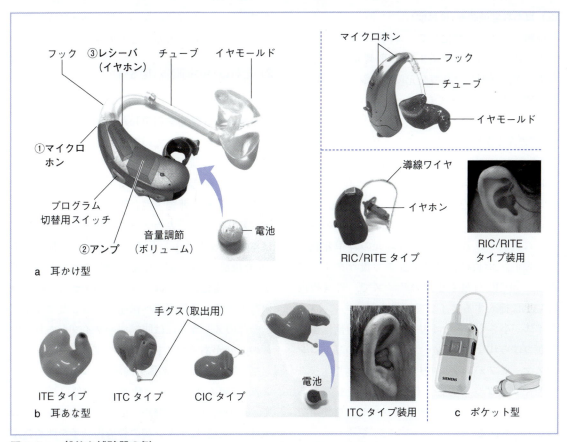

図 5-3 一般的な補聴器の例

b 形状と特徴

補聴器にはさまざまな種類があり，形状や特徴によりいくつかのタイプに分けられる（図 5-3）．現在，最も多く使用されているタイプは耳かけ型補聴器で，国内出荷台数の 60％以上を占める．次いで耳あな型が多く，約 30％を占める．ポケット型は少なくなっており，近年は 3％を下回る（日本補聴器工業会の統計資料，2019 年）．これらのほかにも，特殊な形状の補聴器がある．

1）一般的な補聴器（図 5-3）

(1) 耳かけ型補聴器（Behind-The-Ear：BTE）

補聴器本体を耳介後部にかける形状である．補聴器本体の上部にマイクロホンがあり，本体で増幅された音は，フックとチューブ内の音道を通って，イヤモールド（あるいは耳せん）から外耳道内へ導かれる．機種のレパートリーが最も豊富で，軽度〜重度難聴まで対応できる．カラー（色）のバリエーションも多い．耳あな型よりは扱いやすく，機能も高い．価格帯は幅広い．各種の補聴援助システムとの接続機能も充実している．

なお，最近はレシーバ分離型の小さめの耳かけ型補聴器もあり，RITE（Receiver-In-The-Ear）あるいは RIC（Receiver-In-Canal）とよばれている．これらの補聴器は，本体から音を発生させるレシーバを分離して耳内に設置しており，本体とイヤホンはワイヤーで接続している．補聴器の小型化，ハウリング（➡137 頁）の軽減技術によるもので，鼓膜に近いところで音が出力される．

(2) 耳あな型補聴器（挿耳型）

補聴器本体を小型化して，耳内に挿入して使用する形状である．レディメイド（既製品）のタイプもあるが，採型した耳型を元にイヤシェル（外殻）を作製するオーダーメイドのタイプ（カスタムタイプ）が主流である．一般に，軽度・中等度難聴（一部の高度難聴）まで適用でき，重度難聴には向かない．

耳あな型補聴器はシェル（外殻）のサイズが大きい順に，①ITE（In-The-Ear），②ITC（In-The-Canal），③CIC（Complete-In-The-Canal）の各タイプに区別される．①ITEは耳介の耳甲介腔を広く覆い，②ITCは耳珠付近まで覆うタイプである．③CICは最も小型のサイズで，外耳道内に完全に挿入するタイプで，最も目立ちにくい．サイズが小さくなるとボリューム（音量）調節器などがつけられなくなるが，補聴器専用のリモコンやスマートフォンのアプリを使って，ボリューム調節やプログラム切替えなどを行えるものもある．ワイヤレスによる補聴援助システムを使用できるものもある．

これらの耳あな型補聴器は，マイクロホンの位置が自然の位置に近いという利点があるが，小型のため操作しにくい，価格がやや高い，機能が制限される，マイクロホンとレシーバが近接しているためハウリングが起こりやすい（出力を上げにくい）などの欠点もある．

(3) ポケット型補聴器（箱型）

箱型の補聴器本体とイヤホン（レシーバ）が，コードでつながる形状である．補聴器本体をシャツの胸ポケットに入れて使用できることから，ポケット型とよばれる．軽度〜重度難聴まで適用できる．近年は使用者数は少なくなっているが，スイッチ類や電池が大きい（単三または単四電池）ため，指先が不自由な高齢者には扱いやすい．またマイクロホンとレシーバが離れた位置にあるため，ハウリングが発生しにくい，耳かけ型補聴器に比べて低価格である，という利点がある．一方で，本体がかさばる，コードが邪魔になる，マイクロホンが耳の位置にない，ポケットに入れると衣服の擦れる音が入るなどの欠点もある．

2) それ以外の補聴器（図5-4）

(1) 骨導補聴器

骨導の聴覚経路を利用した補聴器である．骨導聴力が良好に保たれているが，先天性両側外耳道閉鎖症や，耳漏が反復する慢性中耳炎の場合などのように，何らかの理由によって気導補聴器が使用できない伝音難聴・混合難聴の場合に適用される．形状的には，カチューシャ状のヘッドバンドに本体（マイクロホンとアンプ）をつけ，振動子を（耳介後部の）乳突部に圧定させる方式をとるものが多い．補聴器が受けた音は振動子からの振動刺激によって，骨導経路へ伝達されることになる．

一部のメーカーには眼鏡型のタイプもあり，両耳の耳介がある成人に使用できる．フレーム（テンプル部）に補聴器本体を内蔵し，耳介後部（モダン部）に組み込まれた振動子を乳突部に圧定させて，振動刺激を骨導経路へ伝える方式である．側頭部（乳突部）にチタン製の骨導振動子を埋め込んで固定する骨固定型補聴器（第5章 ➡ 162頁）とよばれる方式もある．

(2) 軟骨伝導補聴器

軟骨伝導とは，これまで知られてきた気導・骨導とは異なる，外耳の軟骨部を伝導経路とする新しくみつかった聴覚経路である[1]．聴者が耳垂や耳珠（軟骨部）を指先でまさぐると，ガサガサと大きな音が聞こえるにもかかわらず，周囲の者にはその音が聞こえない．この現象は，その音を本人のみが軟骨伝導で聴取できるために起こる．細井によれば，正常な耳における軟骨伝導による音の経路は，以下の3つがある[1]．①軟骨の振動が頭蓋骨に伝わり骨導として聞こえる軟骨骨導経路，②軟骨部外耳道の振動で外耳道内に音が発生し，経鼓膜的に音が伝わる軟骨気導経路，③振動子の周囲に生じた音が外耳道内に入り通常の気導経路（骨導経路）で聞こえる起源に発生する経路である．

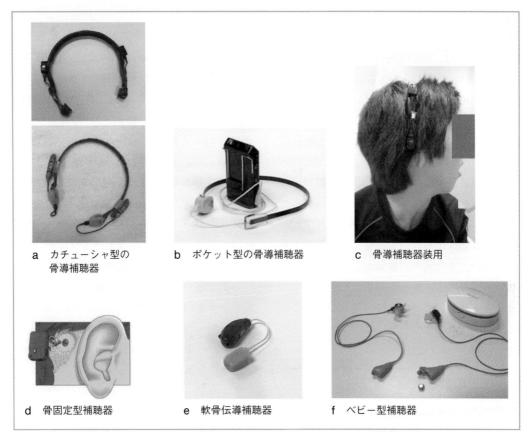

図5-4 特殊な補聴器の例（骨導，軟骨伝導，骨固定型，ベビー型の各補聴器）

　軟骨伝導補聴器は，軟骨伝導聴覚を利用して音刺激を伝達するよう開発された補聴器である．耳かけ型の本体部分は耳介後部にかける．振動端子は，外耳道の入り口部が残っている場合は，耳型採型のうえ，振動端子を埋め込んだイヤチップを外耳道部に挿入・固定する．振動子を耳珠前方や周囲の軟骨部に医療用両面テープで固定して装用する方式もある．骨導値が良好に保たれている伝音難聴・混合難聴の場合に適用できる．

(3) ベビー型補聴器

　0歳半ばごろの乳児の多くは，耳かけ型補聴器を使用する．しかし乳児は寝ている姿勢のことも多く，耳介も柔らかいために耳かけ型補聴器が耳にうまく保持されにくい場合もある．ベビー型補聴器とは，このような場合に用いるわが国独自の装用方式である．耳かけ型補聴器を改造したもので，補聴器本体とポケット型補聴器用イヤホンをコードで接続する．イヤホンを耳につけ，補聴器本体を衣服の肩部分や首元の衣服などに装着する．この装用方式は，幼児以上の年齢においても，運動発達の遅れのために日常的にバギーを使用する重複障害児で，耳がヘッドレストに頻繁にあたってしまう場合などにも使用できる．

(4) CROS補聴器

　聴力の左右差が大きく，患側が補聴困難である場合に使用される．片側性難聴では患側の方向の音が聞こえにくいが，CROS（クロス．contralateral routing of signals）補聴器は，患側の補聴器（補聴器の形状をした送信機）で受けた音信号を，健側の補聴器（受信機）に微弱電波で送信する．

CROS補聴器では，送信機能のみで増幅機能はない．また，健側が軽度難聴で，患側が高度～重度難聴などの場合は，BICROS(バイクロス．Bilateral CROS)補聴器が使用されることがある．両耳間通信機能をもつ補聴器を両耳に装用して，患側の補聴器で受けた音信号を，健側の補聴器に微弱電波で送信する方式である．BICROS補聴器では，送信に加えて増幅の機能が加わる．

これらのシステムでは，健側の音に患側の音がミキシングされて加わって聞こえることになるため，患側からの音の聴取は改善することになる．しかし，両耳聴による音の方向感知覚が改善するわけではない．また元々，健側が正常聴力である場合は，補聴器による聴取改善場面も限定的であることから，試聴にとどまり装用に至らないこともある．

2 補聴器の調整機能

補聴器の音の調整においては，難聴のある個々の耳に対して適度な増幅音を与えて，音の聴取を改善することが目標となる．特に会話音声を不快感なく，快適なラウドネスで，明瞭に聴取できるように，音の調整を設定することが重要となる．

a 基本的な調整機能

補聴器適合においては各種の電気音響的特性を，難聴耳の聞こえ方に合うように調整することが必要となる．基本的な調整機能として，①**利得**，②**周波数特性**，③**最大出力音圧レベル**の3つの調整を行う．①利得（増幅量）の調整によって，弱い音まで感知できるように聞こえる範囲を広げる，すなわち音の可聴性(audibility)を確保することができる．②周波数特性の調整によって，会話音声の明瞭度・了解度(intelligibility)を高められるよう，低音-高音域のバランスと音質を整えることができる．③最大出力音圧レベルの調整によって，強大音による不快感が生じないように出力を制限することができる．

1) 利得

補聴器による音の増幅量のことを，**利得**（ゲイン．gain）という．単位はdBで表す．入力音のレベル＋利得＝出力音のレベルという式関係がある．音圧レベルで，60 dBSPLの音を90 dBSPLまで増幅する補聴器の場合，この補聴器の利得は，90−60の差分から30 dBと計算できる．

中等度難聴の難聴者が利得30 dBの補聴器を装用した場合，その聴取改善の効果はどのように表れるのだろうか（図5-5）．聴覚検査結果と関連付けて説明すると，純音オージオグラムにおいて，裸耳聴力よりも閾値がおおよそ30 dB下降し，より弱いレベルの音が聞こえるようになる．スピーチオージオグラムにおいては，裸耳の語音了解閾値・語音明瞭度曲線が左側におおよそ30 dBシフトし，より弱い音のレベルで語音弁別ができるようになる．

ところで，多くの補聴器にはボリューム（音量）調節器がついており，装用者は自分で操作することができる．このボリューム調節器は，利得を調整をすることになる．

利得の増幅方式には，リニア（線形）増幅とノンリニア（非線形）増幅の2種類がある．リニア増幅は旧来の増幅方式で，入力音のレベルの大小にかかわらず利得の値は一定である．これに対して，ノンリニア増幅は，例えば入力レベルが小さいほど利得が大きくなる圧縮増幅による方式で，入力音のレベルによって利得の値が変わる．ノンリニア増幅は，デジタル補聴器において一般的に使用されるようなった（➡ 141頁）．

2) 周波数特性

周波数特性とは，周波数ごとの出力（または利得）を表す特性のことをいう．純音オージオグラムの聴覚閾値が周波数の高さによって異なれば，補聴器の必要利得も周波数帯域によって異なる値に設定する必要がある．周波数特性は，縦軸に出力音圧レベル（または利得），横軸に周波数をとっ

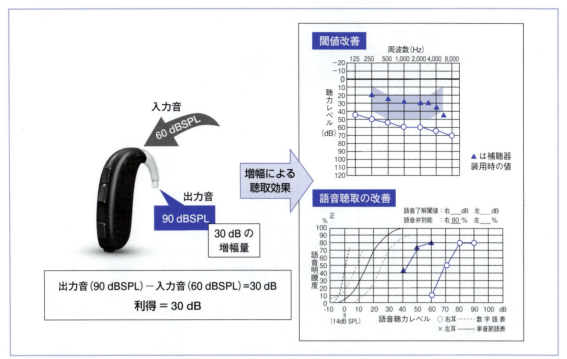

図 5-5　補聴器の増幅による聴取効果
補聴器を装用した際の検査は，ヘッドホンではなく，音場でスピーカから検査音を提示して実施する．

たグラフの出力曲線の形状（周波数特性図）に示される（図 5-6, 7）．

　周波数特性を調整することにより，低音-高音域のバランス（音質調整）を整えることができる．特に補聴器装用下の語音明瞭度は，利得だけでなく周波数特性の影響も受けるため，本人の聞こえ方に適した設定が必要となる．一般的には，高音域をやや強めに設定した周波数特性のほうが，語音明瞭度が上がり，かつ雑音の影響も少ないため好まれる傾向がある．しかし，周波数特性を過度に高音域強調型に設定すると，キンキンした金属的な音質に聞こえやすく，反対に過度に低音域強調型に設定すると，くぐもった不明瞭な音質に聞こえやすい．語音明瞭度と音質の両者のバランスをとった設定が必要となる．

3）最大出力音圧レベル

　最大出力音圧レベルとは，補聴器から出力できる最大のレベル（dBSPL）のことをいう．補聴器から不快レベルを超える強大音が出力されると，装用者がうるさく不快に感じるのみならず，過度な強大音によって聴器に音響外傷を起こしかねないという危険性もある．このため補聴器の最大出力音圧レベルの調整においては，たとえ1周波数であっても不快レベルを超えることがないように，また聴器を強大音から保護できるように，出力制限を適切にかけることが重要となる（図 5-6, 7）．

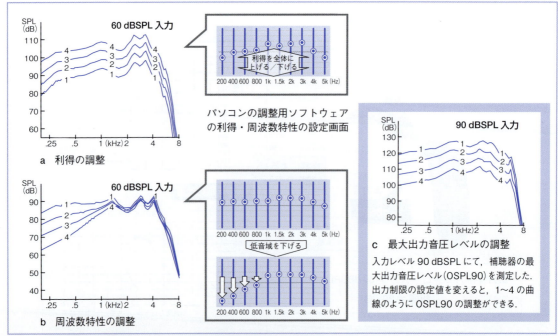

図 5-6　補聴器の調整機能と利得・周波数特性，最大出力音圧レベル
入力レベル 60 dBSPL にて，補聴器の出力レベルを測定した．補聴器と接続したパソコンの調整ソフトウェアで設定値を変えると，1〜4 の曲線のように利得・周波数特性の音の調整ができる．

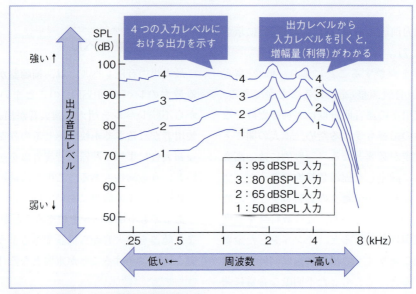

図 5-7　補聴器の周波数特性図の読み方

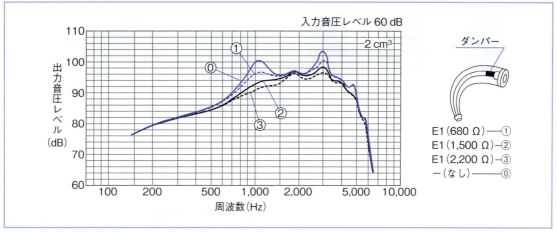

図 5-8　ダンパーの効果
音響抵抗が大きいほど共鳴によるピークが抑制される．
〔前田眞敬：補聴器のベントとダンパーの音響効果．JOHNS 11：1380-1385，1995 より〕

3 補聴器から耳への伝達

a イヤホン

ポケット型補聴器のイヤホン（レシーバ）には，広帯域用や高出力用のものがあり，イヤホン交換によって出力特性を変えることができる．

b ダンパー入りフック

耳かけ型補聴器のレシーバから出力された音は，フック-チューブ-イヤモールド内の音道を通過する．この音道の管（約 7.5 cm）を音波が通過するときには 1/4 波長にあたる周波数で共鳴が起こるため，耳かけ型補聴器の出力特性の 1,000 Hz 付近にピークが生じてしまう．この耳かけ型特有の 1,000 Hz ピークを抑えるために，フック内部に詰める音響抵抗のことをダンパーとよぶ（図 5-8）[2]．ダンパーは音響抵抗の強さによって数種類あり，ピークをどの程度抑えるかによって使い分ける．

c イヤモールドと耳せん

耳かけ型補聴器では，音道の先端部にイヤモールド，あるいはシリコン製の既製の傘型耳せんをつけて，増幅音を外耳道内へと導く．

これらは，補聴器が耳から脱落しないように保持する役割以外に，「ピー」というハウリング（音響フィードバックの発振）の発生を避ける役割を果たす．ハウリングは補聴器から生じる発振音であり，外耳道から漏れた出力音が再度マイクロホンに取り込まれ増幅され発振のループが形成されることで生じる．ハウリングを防止し十分な増幅効果を得るために，耳の形状に合ったイヤモールドや耳せんが必須となる．

イヤモールドは，個人の耳の形状に合わせて作製したアクリル製またはシリコン製の補聴器用耳せんであり，既製の耳せんに比べてハウリングおよび落下を防止して装用を安定させることに役立つ．また，その形状の加工（ホーン，ベント）によって，補聴器の音響特性を変えることができる．

1）ホーン加工

イヤモールドの音道出口をラッパ状に広げる加工を施すことを，ホーン加工という．ホーンの形状に加工することによって，高周波数を強める効果がある．

図 5-9　イヤモールドのベント

平行ベントは，イヤモールド（あるいは耳あな型補聴器）に音道とは別にもう1つの穴をあける．Yベントは，音道から分岐させて穴をあける．溝ベントは，表面の一部を溝状に削って穴をあける．

2）ベント

　イヤモールドや耳あな型のシェルは外耳道を密閉するため，大なり小なり**耳閉感**（耳閉塞感）を伴う．この際，自声が異常にこもって強調されて聞こえる場合がある．この補聴器装用に伴う**自声強聴**は軽度・中等度難聴者でみられやすく，特に低音域の聴力がよい場合に生じやすい．

　ベントとは，イヤモールド，または耳あな型補聴器のシェルに空けた通気孔のことを指す（図5-9）．ベントによって低周波数の音は外耳道から漏れるため，外耳道内の低音域の利得は弱くなり，耳閉感・自声強聴は軽減される．ベントの径を大きくするほど外耳道の密閉性は下がるため，耳閉感・自声強聴はより小さくなる（図 5-10）[3]．ただし，径を大きくしすぎると外耳道内の補聴器の利得は下がってしまい，同時にハウリングも発生しやすくなる．

　耳かけ型補聴器においてイヤモールドでなく，既製の傘型耳せん使用時に自声強聴が生じた場合は，サイズが小さめの緩めの耳せんに変更して外耳道の密閉性を下げれば，症状を軽減できる．耳あな型補聴器では，シェルに平行ベントを空ける場合がある．その際は発注時にあらかじめベント径を指定しておき，ベントが不要な場合はベント用のチップでその穴を埋めることになる．

　ところで，耳せん部に大きな穴があいたオープン耳せんもある．低音の増幅を抑えることができることから，低音域が正常あるいはそれに近い軽度例に主に適用される．オープン耳せんを使用す

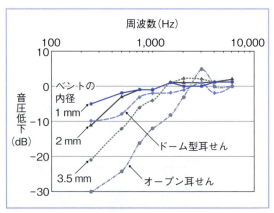

図 5-10　ベントの効果

外耳道を密閉した場合と比較した補聴器の出力音圧の低下量を示す．
〔Dillon H：Hearing Aids, 2nd ed. Boomerang Press, 2012 より改変〕

る場合には，ハウリング抑制を考慮しながらフィッティングを行う必要があるため，**オープンフィッティング**ともよばれている．

4　補聴器の特性測定

a　補聴器特性測定装置

　補聴器のフィッティングにおいては，装用者の聴力のみならず，補聴器の音響特性を測定して知ることが重要となる．補聴器の特性測定の基本原理は，対象となる補聴器に対して，ある音圧レベル（dBSPL）の検査音を**入力信号**として与えて，補聴器からの**出力信号**のレベルを測定することである．補聴器の特性測定は，**補聴器特性測定装置**を使用することにより，誤差の少ない安定した測定結果を得ることができる．補聴器特性測定装置は，検査音提示用スピーカを内蔵した音響測定箱と，測定用コンデンサマイクロホン，測定解析器本体（あるいは測定解析用のパソコン）からなる（図 5-11）．測定時は，音響測定箱の防音用の蓋を閉めて静音下で測定を行う．補聴器のマイクロホンは，測定上の誤差が生じないように規定位置に配置する．

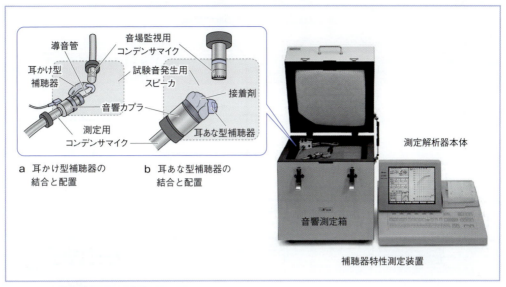

図 5-11　補聴器特性測定装置と音響カプラ

ただし，この測定法は，補聴器の機械的な増幅性能・調整による効果を測定するもので，装用者の実耳に装用したときの増幅性能を測定しているものではない．補聴器の増幅性能の適合評価では，鼓膜面での増幅量を知ることが重要であり，フィッティングにおいては補聴器を実耳に装用したときの測定・検査が，別に必要となることをあらかじめ理解しておく必要がある．また測定用信号には主に純音が用いられてきたが，近年のデジタル補聴器は騒音制御機能をはじめとする種々の信号処理が働くため，入力音の種類によって増幅特性が変化してしまう．このため，近年の補聴器特性測定装置には，測定音源や測定機能のさまざまな改良が加えられている（詳しくは，「さらなる測定機能」の項 ➡ 143 頁を参照）．

b 音響カプラ

補聴器特性測定は，音響測定箱内で補聴器に検査音を入力して，その出力音を測定用コンデンサマイクロホンで計測することによって行われる．測定用マイクロホンには，**音響カプラ**（acoustic coupler）という金属製の筒が結合されており（図 5-11），このカプラの先端に補聴器の音の出力部分をはめ込む．音響カプラは，成人の外耳道の容積を模した空洞をもつ．一方で，測定用マイクロホンの先端の面は鼓膜面に相当する部位である．つまり，補聴器の測定は，外耳道を模した小容積の中で行われることになる．補聴器の音響特性測定用の音響カプラにはいくつかの種類〔擬似耳（イヤシミュレーター，1.2 cc），ツヴィスロッキーカプラなど〕があるが，現行の JIS（日本工業規格）C 5512（2015）では $2\,\mathrm{cm}^3$ の容積をもつ **2 cc カプラ**（2 cc coupler）が規定されており，これが広く用いられている．なお，音響カプラは空洞の容積が小さいほど，高周波数の出力レベルが上がる性質がある．すなわち，音響カプラの種類によって（もちろん実耳でも）測定結果は異なってしまうことになる．したがって補聴器の特性測定においては，どの種類の音響カプラを使用したのかを明記しておく必要がある．

音響カプラへの結合の仕方は，補聴器の形状によって異なる（図 5-12）[4]．耳かけ型補聴器の場合は，フックとチューブの結合部を外して，補聴器のフック部をカプラ先端部のアダプタ（カプラ用チューブがついている）にはめこみ，イヤモールドや耳せんを含めない状態で測定する．耳あな型補

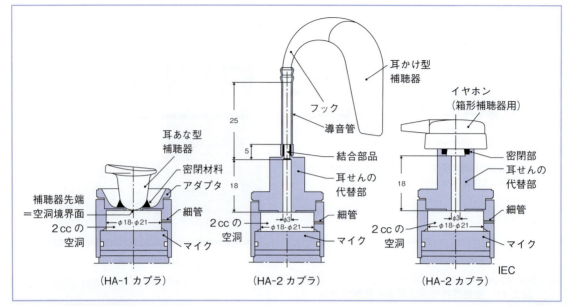

図 5-12 補聴器と音響カプラの結合
耳あな型補聴器は直接カプラ(HA-1 カプラ)に接続する．箱型と耳かけ型補聴器は耳せんをはずし，耳せん(とチューブ)の代替部を取り付けたカプラ(HA-2 カプラ)に接続する．
〔松平登志正：構造と機能．藤田郁代(監修)：標準言語聴覚障害学 聴覚障害学，第2版．pp164-178，医学書院，2015 より〕

聴器の場合は，補聴器の音が出る外耳道部の周囲を粘着剤で覆い，カプラと接する面に隙間がないようにして固定する．補聴器に通気のためのベント孔が空いている場合は，粘着剤で塞ぐ．ポケット型補聴器の場合は，イヤモールド・耳せんを外してイヤホン(レシーバ)をカプラに結合させる．

c 音響利得と周波数レスポンスの測定

補聴器は音響カプラ(または擬似耳)に結合させて，音響測定箱内の所定の位置に設置する．特に補聴器のマイクロホンの設置位置が，所定の位置からずれないように注意する．検査音(測定用の入力信号)には，いくつかの種類があるが，最も基本的なものは純音である．補聴器へ入力する検査音をある一定の入力レベル(例えば，60 dBSPL)に設定して，低い周波数から高い周波数へスイープ(掃引)させると，周波数別の出力レベルの曲線を描くことができる．このようにして得られた**周波数レスポンス**の特性曲線を，**周波数特性図**という(図 5-6, 7)．なお音響カプラ内で測定した利得は，**音響利得**(acoustic gain)とよばれる．音響利得を表す平均値として，1,000 Hz，1,600 Hz，2,500 Hz の3周波数による高周波数平均値(high frequency average：HFA)が用いられる．

補聴器の最大出力音圧レベルの測定は，補聴器に強大音を入力したときの計測を行う必要がある．このため，補聴器特性測定装置で 90 dBSPL(必要に応じて，95，100 dBSPL)の純音を与えて，周波数別に計測を行う．このようにして得られた出力曲線は，その補聴器の最大出力音圧レベルの測定結果を表す(図 5-6c)．最も高い音圧レベルは，ピークレベルともよばれる．

d 補聴器の JIS(日本工業規格)

JIS(日本工業規格)C 5512：2015 補聴器[5]には，(個人用に調整された補聴器の音響特性ではなく)補聴器の規準的な製品としての電気音響的性能の測定方法が規格として定められている．補聴器の出荷時や故障が疑われたときにはこの測定を実施する．

測定に必要となる，**規準の設定(reference test setting of the gain control：RTS)** とは，①の OSPL90 よりも，17 dB（±1.5 dB）低い範囲になる利得調整の範囲のことをいう．測定周波数の範囲は 200〜5,000 Hz である．

① **90dB 入力最大出力音圧レベル(output SPL for 90dB input SPL：OSPL90)**：補聴器の利得調整を最大設定にしたときに，90 dBSPL の入力音圧レベルに対して音響カプラ内に発生した音圧レベルのこと．OSPL90 の周波数レスポンス曲線を測定して，その最大値（ピーク値）を得る．

② **最大音響利得高周波数平均値 (high-frequency average full-on gain：HFA-FOG)**：補聴器の利得を最大設定にしたときの 50 dBSPL の入力音圧レベルに対する音響利得の高周波数平均値(HFA)のこと．

③ **規準利得(reference test gain：RTG)**：利得調整を，規準の設定(RTS)にしたときの 60 dBSPL の入力音圧レベルに対する音響利得の高周波数平均値(HFA)のこと．

JIS 規格には，上記のほかに，周波数レスポンス曲線，帯域幅の下限・上限周波数，電池または供給電圧，電池の電流，**全高調波ひずみ**（補聴器の音のひずみ率），等価入力雑音レベル（内部雑音レベル），試験用ループに対する等価感度，誘導コイル入力の最大感度レベル，自動利得調整器(AGC)の定常状態入出力特性（補聴器の入力-出力曲線），アタックタイム・リリースタイム（入力音圧レベルを 55，90 dBSPL に交互に変化させたときの補聴器の時間的な動的特性）の測定法が記載されている（➡ 143 頁）．

e 増幅方式と入出力特性

1) ノンリニア増幅とリニア増幅

近年のデジタル補聴器において広く使用される**ノンリニア(非線形)増幅**とよばれる増幅方式は，利得の値が一定ではなく，入力信号のレベルの強さによって利得が変わる特性がある（図 5-13, 14）．入力音レベルが弱いときは利得を大きめに，入力音レベルが強いときは利得が小さめになるように圧縮増幅を施すことが多く，感音難聴のリクルートメント（補充現象）の補償のために広く適用される．

図 5-14 の例を参考に，補聴器への入力音圧レベルを低レベル(40 dB)，中レベル(60 dB)，高レベル(80 dB)の 3 つに分けた場合を考える．図のノンリニア(非線形)増幅では，低レベル 40 dBSPL 入力時に出力レベル 80 dBSPL（利得＝40 dB），中レベル 60 dBSPL 入力時に出力レベル 90 dBSPL（利得＝30 dB），高レベル 80 dBSPL 入力時に出力レベル 100 dBSPL（利得＝20 dB）となっており，入力レベルによって利得の値が変化している．これに対して**リニア(線形)増幅**は，旧来のアナログ補聴器の時代からの増幅方式で，入力信号のレベルの強さにかかわらず利得は一定の値となる．同図をみると，入力レベルが 20 dB 上がると出力レベルも 20 dB 上がり（利得＝一定値），入力レベルの差：出力レベルの差＝1：1 というシンプルな比例関係（出力レベル＝入力レベル＋利得）がみられる．

実際の補聴器の調整においては，入力レベルをいくつか設定して（例えば，50，60，70，80，90，100 dBSPL，あるいは 50，65，80，95 dBSPL），複数の周波数レスポンスの出力曲線を測定するとよい．このように複数の入力レベルで測定することによって，リニア補聴器はもちろん，ノンリニア補聴器の利得/周波数特性を入力レベル別に知ることができ，その圧縮特性を把握することができる（図 5-13）．

圧縮特性は，**入出力特性**（横軸：入力音圧レベル，縦軸：出力音圧レベル）の測定によってもわかる（図 5-14）．リニア増幅では，入力レベルの差：出力レベルの差＝1：1 の比（圧縮率＝1）であり，傾きが 45°の直線（線形）状となる．ノンリニア増幅では，入力音圧レベル 40〜80 dB の区間

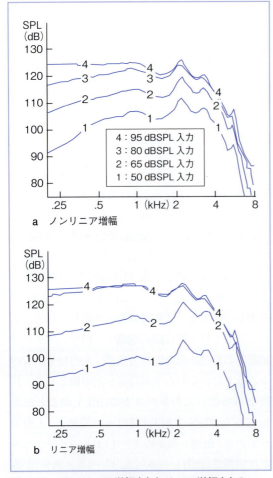

a　ノンリニア増幅

b　リニア増幅

図5-13　ノンリニア増幅(a)とリニア増幅(b)の周波数特性図の比較

両方とも65 dBSPL入力時の出力曲線(2)は近似している．aのノンリニア増幅では，周波数が上がるほど圧縮が強くなるように設定されており，高い周波数ほど曲線間の間隔が狭まっている．
50 dBSPL入力時の出力曲線(1)をみると，500 Hz以上ではノンリニア増幅のほうが，リニア増幅に比べて利得が大きくなっている．80 dBSPL入力時の出力曲線(3)をみると，ノンリニア増幅のほうが利得が小さくなっている．最大出力音圧レベル(4)も，ノンリニア増幅のほうが利得がリニア増幅に比べて弱い．ノンリニア増幅のほうが，より小さな音が聞こえるようになり，かつ大きな音が響きにくい特性であることがわかる．

は，入力レベルの差：出力レベルの差＝2：1の圧縮比（圧縮率＝2）である．図5-14では，入力レベル40 dBで圧縮比が変化しているが，この変化点のことを**ニーポイント**（knee point）という．近年のデジタル補聴器は，複数のニーポイントをも

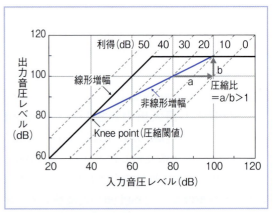

図5-14　入出力特性の例（リニア増幅とノンリニア増幅）

横軸に入力音圧レベル，縦軸に出力音圧レベルをとって，リニア増幅とノンリニア増幅の例を比較した．リニア補聴器は利得が一定値であるため，出力制限装置が働くまで45°の角度で直線状に（線形的に）上昇していく．ノンリニア補聴器は入力レベルによって利得が変わるため，直線状ではなく（非線形的に）上昇していく．ノンリニア補聴器のほうが感音難聴の限られた聴野に，より広い範囲の音を与えることができる．

つ機種が多い．

なお，ごく弱い入力音に対して圧縮率を1.0以下に下げ，圧縮（compression）ではなく，伸展増幅（あるいは伸張増幅，expansion）とよばれる増幅処理を用いる場合がある．補聴器が不要な弱い雑音まで増幅しないようにするための処理で，微弱な音漏れによるハウリング発生を避ける利点もある．

2）動的な特性

ノンリニア増幅では，入力音圧の変化に伴って利得が非線形的に変化するが，入力音の変化が瞬時に変化したときには，通常，時間的な遅れが生じる（図5-15）．入力音のレベルが弱い音から強い音へと急激に変化した瞬間，強い音に対する処理が働き出すまでの時間，利得は上がってしまう．この利得処理に要する時間を**アタックタイム**という．これとは逆に，入力音のレベルが強い音から弱い音へと急激に変化した瞬間，弱い音に対する処理が働き出すまでの時間，利得は下がって

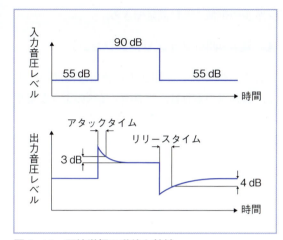

図 5-15　圧縮増幅の動的な特性

しまう．この利得処理に要する時間を**リリースタイム**という．

3) その他の特性

前述のほかに，補聴器の製品カタログには，電池の電流，高調波ひずみ，補聴器の雑音(等価入力雑音)，誘導コイルの性能が表示されている．これらの項目については補聴器の日本工業規格(JIS C 5512：2015 補聴器)において，補聴器特性測定装置を使用した測定法が記載されている．

①電池の電流：補聴器をJISの定める規準の設定にして，1 kHzで 65 dB SPL の音圧レベルの入力を与えて，電流を測定する．許容差は，カタログの公称値 +20％を超えてはならない．

②高調波ひずみ：補聴器が音を出力するときに生じる歪み(ひずみ)の1つで，出力音に含まれる倍音のこと．規定した周波数の全高調波ひずみを測定して，パーセントで表示する．

③等価入力雑音：補聴器自体が発している雑音のことをいう．補聴器を規準の設定にして，50 dBSPL 入力時から入力音源を切り，全出力ノイズの音圧レベルから規準利得を引いた値を算出する方法による．等価入力雑音＝全出力ノイズの音圧レベル−50 dB SPL 入力に対するHFA 利得という式から算出される．

④誘導コイル入力の感度：補聴器の入力をTポジション(テレコイル；誘導コイル)にして，試験用ループに置く．磁場入力(31.6 mA/m)に対してHFA出力音圧レベルを測定する．

⑤誘導コイル入力の最大感度：利得調節を最大に設定して，磁気入力(1 mA/m)に対して最大感度となるように補聴器の位置を合わせ，HFA出力音圧レベルを測定する．

f さらなる測定機能

ところで，近年のデジタル補聴器は，雑音抑制，指向性，ハウリング制御といったさまざまな機能をもつようになった．純音を入力信号に使用する特性測定において，これらの機能が働いてしまうと，本来の増幅性能を測定できない．このためデジタル補聴器では，これらの機能が作動しないようにすべてオフに設定した状態で，純音による特性測定を行う必要がある．一方でデジタル補聴器は，会話音声に対して最も特異的に反応することから，会話音声の音響的特徴を利用した新しい測定用信号を開発するための研究も進められてきた[6]．会話音声の長時間平均スペクトラムの周波数特性を模した**擬似音声雑音**や，6か国語を組み合わせて作成した**国際音声信号**(International Speech Test Signal：ISTS)といった音源が開発されており，これらの音源や実音声(ライブスピーチ)を測定用入力信号に使用できる補聴器特性測定装置もある．

またカプラによる測定ではなく，実耳の鼓膜面レベルでの測定機能をもつ補聴器特性測定装置もある．**実耳測定**(real-ear measurement)では，細いシリコン製のプローブチューブをつけたマイクロホンを鼓膜付近にまで挿入して，外耳道内で測定を行う．裸耳による外耳道共鳴(裸耳利得)と補聴器装用下での鼓膜面レベル(装用利得)の差は，**実耳挿入利得**(real-ear insertion gain：REIG)とよばれる(**図 5-16**)[7]．

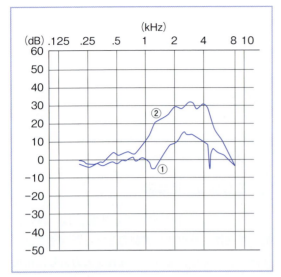

図 5-16　実耳測定例
①は裸耳利得，②は装用利得を示す．両者を差し引いた値が挿入利得となる．
〔小渕千絵：補聴器，伊藤元信，他（編）：言語治療ハンドブック．p161-170，医歯薬出版，2017 より改変〕

5　デジタル補聴器の機能

a　マルチチャンネル処理

　マルチチャンネルとは，増幅する周波数帯域を複数の帯域チャンネル（バンドともいう）に分割して増幅処理を行う方式のことをいう．補聴器の調整作業においては，パソコンの調整ソフトウェア上で，それぞれ分割された周波数帯域ごとに利得を設定する．帯域ごとに利得を設定すれば，周波数特性もあわせて設定されることになる．調整用の帯域の数は，数バンドのものから 20 バンドほどのものまであり，機種によって異なる．分割された帯域の数が多いほど，より細かく周波数特性を調整できることになる．

b　ノンリニア増幅

　前述した**ノンリニア（非線形）増幅**は，補聴器への入力信号のレベルの強さに応じて利得が変化する．ノンリニア補聴器の利得特性も，マルチチャンネルの帯域ごとに設定できる．

c　雑音抑制（ノイズリダクション）

　音声以外の雑音を抑制する音信号処理のことで，自動車の走行音，空調のノイズのような定常的な雑音に対して最もよく作用する．しかし，音声に比べて雑音が強すぎる場合や，多人数の騒しい音環境の場合などでは，単一のマイクロホンからの入力信号のみによって，雑音抑制処理を行うのは困難となる．通常，多くのデジタル補聴器は，指向性マイクロホンと雑音抑制の機能を組み合わせて作動させることによって雑音を低減させる．

d　指向性マイクロホン

　雑音下において，マイクロホンの集音範囲（角度）を狭める処理のことをいう．指向性を狭めることによって，音声が到来する特定の音の方向のみ増幅され，ほかの方向からの雑音は抑えられる．指向性の信号処理には，補聴器本体に搭載された前方・後方用の 2 つ（以上）のマイクロホンを利用する．マイクロホン間で届く音波の時間差から，音の到来方向を把握するしくみである．指向性に対して，全方向からの音を集音する場合を無指向性とよぶ．適応型（アダプティブ）の指向性機能をもち，周囲の音環境の状況に応じて指向性の強度を変化させる機種も多い．ただし，指向性機能作動時には，低周波数の感度が低下してしまう欠点もある．

e　ハウリング抑制

　ハウリングを抑制することを目的とした機能である．ハウリングが発したその周波数周辺の帯域の利得を下げる方式と，ハウリング音（純音）と逆位相の波形を発生させて，波形の振幅をキャンセルさせる方式がある．

f　周波数変換

　高周波数帯域の音を，より低い周波数へ変換し

て増幅する．高音域の可聴性を高めることを目的とした機能であり，本来の利得／周波数特性の調整の方法で補聴困難だったときに使用する．高周波数音の帯域幅を圧縮して低い周波数に移行する（low frequency compression：LFC）方式と，高周波数帯域の音を1オクターブを低くして（帯域幅を圧縮せずに）移行先の音に重ねる（low frequency transition：LFT）方式の2つがある．

g 両耳間通信

両耳装用をした2台の補聴器が微弱電波で通信を行う．片耳の補聴器の音量やプログラムが変更されたときに，対側耳の補聴器も同調して変更される機能がある．高機能機種の中には，両耳の補聴器により総合的に音環境認識による分析を行って，音信号処理の作動状態を決めたり，片耳側からの雑音が強いときに，反対側の入力音をその補聴器に伝送する機能をもつものもある．

この他に，衝撃音抑制（食器などがぶつかるときなどに生じるパルス音を抑制する），データログ（補聴器の装用時間，作動プログラムなどを記録する），風切り音の抑制，電池切れアラーム（電圧の低下を音声やLED点滅によって知らせる），ワイヤレスマイクなどの補聴援助システムやスマートフォンなどとの接続機能もある．

引用文献

1) 細井裕司：軟骨伝導聴覚の基礎と補聴器等への応用. 日耳鼻会報 117：146-147, 2014
2) 前田眞敬：補聴器のベントとダンパーの音響効果. JOHNS 11：1380-1385, 1995
3) Dillon H：Hearing Aids, 2nd ed. Boomerang Press, 2012
4) 松平登志正：構造と機能. 藤田郁代（監修）：標準言語聴覚障害学 聴覚障害学，第2版. pp164-178, 医学書院, 2015
5) JIS：C 5512, 補聴器. 日本規格協会, 2015
6) JIS：C 5516, 音声に近い試験信号による補聴器の信号処理の測定方法. 日本規格協会, 2015
7) 小渕千絵：補聴器. 伊藤元信, 他（編）：言語治療ハンドブック. pp161-170, 医歯薬出版, 2017

B 適合の理論と実際

1 成人の補聴器適合と装用指導

補聴器の適合は，対象者への情報提供と試聴器の初期設定に始まり，主観的にも客観的にも適合と判定されるまで，数週間〜数か月かけて進められる．成人の補聴器適合の過程を時系列に沿って図5-17に示す．本項ではこの流れに沿って，成人の補聴器適合の理論と実際について解説する．

a 補聴器試聴前

1) 補聴器適応の有無

耳鼻咽喉科では通常表5-1に示すような評価を行ったうえで，治療すべき耳疾患がなく，良聴耳におよそ35〜40 dB以上の閾値上昇があり，それが不可逆的であれば，補聴器の適応ありと判断する．片側難聴は装用対象とならない場合が多いが，仕事上の必要などニーズがあれば試聴を行う．

2) 対象者への情報提供

対象者の補聴器に対する意識は，難聴を自覚し補聴器への期待が大きい，難聴の自覚はあるが補聴器の必要性は感じない，難聴の自覚すら乏しい，など多様である．

このため試聴前の情報提供は重要である．最低限説明すべきことを表5-2に示す．情報をわかりやすく確実に伝えるために，イラスト入りのパンフレットを作成し，対象者の理解の状況に応じて複数回に分けたり，繰り返して説明する．対象者はこれらの情報提供を通して，今後の補聴器の調整と試聴，購入，日常生活での使用までの流れを把握することができる．また対象者は，補聴器は家族との会話や仕事，趣味などにおいて，他者とのコミュニケーションを円滑にするための有用な手段であると自覚していく．

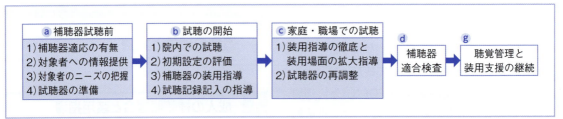

図 5-17　補聴器適合の過程
図中のアルファベットと数字は，本文と一致している．

表 5-1　補聴器の適応判断のための評価

1. 耳鼻咽喉科医による問診 　現病歴，既往歴，生活歴，家族歴など
2. 耳鼻咽喉科医による視診 　中耳炎や耳垢栓塞の有無など
3. 聴覚機能の評価 　純音聴力検査，語音明瞭度検査，耳小骨反射検査，自記オージオメトリー，バランステスト，UCL検査など

表 5-2　試聴前の対象者への情報提供

		説明する内容
聞こえと難聴	耳の解剖図	聞こえの仕組み
	難聴の種類とその特徴	伝音難聴，感音難聴，混合難聴について
	オージオグラム	検査結果の見方と対象者の聞こえの状態
補聴器の種類とその特徴		・箱形，耳かけ型，耳あな型補聴器について ・メーカーや機種は多数あること ・補聴器の役割と限界 ・調整を含めた，試聴の流れ
制度	身体障害者手帳と補装具申請	該当条件と申請方法
	医療費控除	申請方法

3) 対象者のニーズの把握

　言語聴覚士は，情報を提供すると同時に，対話しながら対象者のニーズを把握する．どのような生活を送っているか(例：職業をもっているか，家庭内の生活が中心か)，補聴器をどのような場面で使用したいのか(例：家族との会話，テレビを見るとき，飲み会の席で会話を楽しみたい，大きな講堂で講師の話を聞きたい)など，補聴器へのニーズにかかわる情報は，試聴器の選択や付加的な機能の要否の判断に必須である．対象者は，難聴の性質や補聴器の有効性と限界について説明を受け，補聴器への期待を徐々に現実的なものにしながらニーズを明確化し，過大な期待を抱くことなく試聴に臨むことができる．これは対象者が満足した補聴器装用者になるためにきわめて重要である[1]．

4) 試聴器の準備

(1) 装用耳の決定

- **両耳装用**：左右耳の聴力や明瞭度に差がない場合は両耳に試聴器を用意する．
- **片耳装用**：両側難聴で，左右耳の聴力差が20 dB以上あるいは明瞭度の差が20%以上ある場合は片側で試聴を開始する．その場合は，原則として聴力や明瞭度がよいほうを装用耳とする．

　しかし，左右差がある場合の両耳装用や不良聴耳への補聴が有用な場合もあるので，患者の職業，生活環境などを考慮して装用耳を選択する．聴力に左右差がない例が片耳装用する場合，利き手，聴力型，ダイナミックレンジの広さなどを考慮して装用耳を決める．

(2) 試聴器の選択

　試聴器は一般的な耳せんで装用できる耳かけ型を用いることが多い．機種の選択においては，聴

力レベルや聴力型，生活環境，年齢などを考慮する．

聴力レベルに合わせた選択は最も重要である．例えば，軽度難聴例に高度難聴向けの補聴器を用意すると，音が強すぎてうるさく感じ，耳を傷めてしまう危険もある．反対に，重度難聴例に軽度・中等度難聴向けの補聴器を用意すると，十分な強さが得られず適合不十分となる．**聴力型**に関しては，水平型であれば特性を調整するためのチャンネル数が少ない機種でも適合可能であるが，一部の周波数の閾値が高い例や急墜型では，周波数帯域ごとの調整が細かくできる機種が求められる．

生活環境では，会議や講演への参加，電話の使用が多い場合は，備品を追加して使用できる汎用性の高い機種を選択する．一方，**高齢**で生活圏が家庭内に限られ，補聴器へのニーズが家族との会話やテレビの視聴に限られる，手先が不器用などの場合は，最低限の機能に絞った機種，細かい操作が不要な機種を選ぶ．

なお，補聴器の**価格**についての事前説明も重要で，患者がどの程度の購入費用を想定し，また支出可能かについて情報を得て，選択に活かす．

(3) 試聴器の初期設定（ファーストフィッティング）

補聴器の調整は，**ことばを明瞭に聞き取ること**と**不快な音を入れないこと**を，ともに目指して行う．現在流通している補聴器の多くは**デジタル補聴器**であり，各メーカーの調整用ソフトを用いて，パソコン上で次に示す**音響特性**の調整を行う．

①最大出力音圧レベルの設定

補聴器を装用したときに不快な音が入らないように，また強大音が入って耳を傷めないように，**不快閾値**を考慮して決める．一般に**伝音難聴**では感音難聴に比べ**ダイナミックレンジ**が広いため，より強く設定される．聴力レベル別の最大出力音圧の目安を**表 5-3** に示す[2]．

②目標挿入利得および周波数特性の設定

補聴器を使って，どのくらい音を増幅し強くす

表 5-3 聴力レベル別の最大出力音圧の目安

聴力レベル	最大出力（2 mL カプラでの測定値）
〜40 dB	85〜 95 dBSPL
〜50 dB	95〜105 dBSPL
〜60 dB	100〜110 dBSPL
〜70 dB	105〜115 dBSPL
〜80 dB	115〜125 dBSPL
85 dB〜	120 dBSPL〜

〔小寺一興：補聴器のフィッティングと適用の考え方. p11, 診断と治療社, 2017 より改変〕

るか（音響利得，以下利得），また，音の高さによって増幅の程度をどう変えるか（周波数特性）の設定は，補聴器調整の基本を成し重要である．これらの最初の設定で多く用いられるのが**規定選択法**である．規定選択法では，純音聴力検査で得られた各周波数の聴覚閾値をもとに，処方式を用いて目標値を算出し，それに合わせて利得を設定する．以下に代表的な処方式を示す[3]．

- **ハーフゲイン**：聴力レベルの半分を挿入利得とする処方式．
- **NAL-NL1/NL2**：オーストラリアの国立音響研究所（National Acoustic Laboratory）で開発された処方式．NL は nonlinear（ノンリニア）の略．NAL-NL では，難聴者のラウドネスの正常化は目的としておらず，そのため明瞭度に寄与しないと考えられる周波数帯域は増幅しない場合がある．NAL-NL1 で処方されたラウドネスが想定していたよりも大きかったこと，実際の装用者の評価でもより小さいラウドネスを好むことが確認されたため，2011 年に全体的に利得を下げた NAL-NL2 が発表された．
- **DSL**：Desired Sensation Level の略．カナダの西オンタリオ大学で開発された処方式．音声スペクトラムの全体が難聴者の可聴範囲に入ること，そして音声信号が各周波数帯で正常者と同じラウドネスで聞こえるように増幅することを目指している．DSL は主に小児の補聴器適合に用いられることが多かったが，成人用の処方

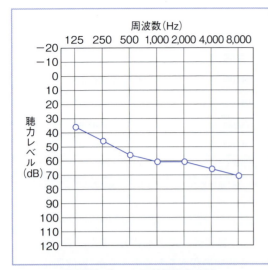

図 5-18　規定選択法による利得設定の例
NAL-NL と DSL は，入力音が弱いとき（50 dBSPL）は大きい利得，強いとき（80 dBSPL）は小さい利得というように，入力音の強さに応じて利得を変化させることができるノンリニア増幅が可能で，聴覚補充現象が陽性であることが多い感音難聴向けの処方式であることがわかる．

式である DSL version 5 では，少し出力を抑えている．

規定選択法で求めた目標挿入利得（ターゲット）はあくまで目標値であり，初めての試聴では大きいと感じられ，音への不快感を訴えることが多い．そこで，試聴開始時はより小さい利得から始め，徐々にターゲットを目指して利得を上げていく．

図 5-18 に中等度難聴例の一側耳のオージオグラムと，この聴力に対し補聴器メーカーの調整ソフトに内蔵されている各処方式が算出した 50 dBSPL 入力と 80 dBSPL 入力時の利得を示す．この数値から，NAL-NL と DSL は，入力音が弱いとき（50 dBSPL）は大きい利得，強いとき（80 dBSPL）は小さい利得，というように，入力音の強さに応じて利得を変化させることができる**ノンリニア増幅**が可能で，**聴覚補充現象**が陽性であることが多い感音難聴向けの処方式であることがわかる．また，聴力が同じでも選択する処方式によって挿入利得が大きく異なることにも注目する必要がある．

どういった患者にどの処方式を使うかに決めら れた方法はない．臨床場面では，ある処方式で利得を決めた複数の補聴器を実際に試聴してみて，どちらがよいかを選び，さらに選択した補聴器の設定を試聴しながら最適なものにしていく．または，1 つの補聴器で異なる処方式で利得を順次設定し，試聴したうえで比較して好みの調整を選択する．このように，さまざまな補聴器あるいはその音響特性の設定について，それぞれの効果を評価して最も適した補聴器あるいは設定を選択する方法を，**比較選択法**という．補聴器適合の過程では，規定選択法，比較選択法の両方が併用されるのが一般的である．

③考慮すべきその他の調整機能

- **ノンリニア増幅**：リニア増幅では入力音圧に比例して出力音圧が上がるため，ダイナミックレンジが狭い**感音難聴**では強い音を不快に感じる．これに対しノンリニア増幅では強い音の利得だけを圧縮することができるので，不快感が軽減する．**圧縮**の始まる入力音のレベルを**ニーポイント**といい，ニーポイントを超えた入力音圧では出力音圧が圧縮される．
- **雑音抑制（ノイズリダクション）**：家庭や職場で

機器や換気扇の作動音など定常雑音に煩わされる環境がある場合，自動的にその周波数帯域の利得を下げ，うるささを軽減する．ただし，同じ周波数帯域にある音声と雑音を完全に分別することは困難である．
- **指向性機能**：複数のマイクロホンによって後方や側方からの入力音を抑制する機能であり，レストランでの対面の食事，にぎやかな街での立ち話など，周囲に騒音のある中で前方の音声を聞きやすくする．
- **オープンフィッティング**：外耳道を耳せんで塞がずに補聴器を装用するため，**耳閉感や自声強聴**が生じない．低音域が正常域，あるいはそれに近い場合は検討すべき選択肢であり，加齢性難聴の初期には活用の可能性が高い．
- **ハウリング抑制**：増幅された音が漏れて再びマイクロホンに入り増幅を繰り返して生じるハウリング（フィードバックともよばれる）は，特にオープンフィッティングや**ベント孔**が大きい場合に起こりやすい．装着時に必ずハウリングの有無を確認し，必要に応じてハウリング抑制を機能させる．
- **周波数変換**：高音域の音が，より低い周波数に変換されて増幅される．高音域に著しい聴力低下のある例において，通常の増幅方法では利得が得られない場合に導入を検討すべき機能である．

これらの調整機能は，患者の難聴の特性や聴力型，家庭・職場などの環境などを考慮して選択し，設定する．最初の貸し出しでは，雑音抑制，指向性機能は調整ソフトに定められたデフォルト値にしておき，家庭・職場などでの試聴状況を評価してから調整を加えるのが一般的である．

b 試聴の開始

1）院内での試聴

初期設定した試聴器を患者に装着し，院内の静かな室内で対面して会話を行う．このとき言語聴覚士は，まずハウリングの有無を確認し，ハウリングがあれば，大きめの耳せんへの変更やハウリング抑制機能を使って対処する．そのうえで，紙の音や拍手，足音，金属を叩く音などを聞かせて反応を観察し，出力が不快閾値を超えないことを大まかに確認する．さらに言語聴覚士は自身の発話の音量を変え，普通の声，小さめの声でことばを聞き取れるかを観察する．患者にも発話を促し，自分の声の違和感（大きさ，こもり感，響く印象など）の有無を確認する．また，音環境の異なる待合室や廊下などでの試聴の様子も，家庭での試聴に向けて有効な情報となる．試聴中，うるささや違和感の強い訴えがあり，それが装用を妨げるほどの状態と判断した場合は，最大出力音圧レベルや利得，周波数特性の調整で対応する．

最初の試聴の目的は"補聴器を通した新しい音の体験"である．初めて増幅された音を聞いた患者の訴えのままに利得を下げてしまっては，補聴効果を十分得ることができない．言語聴覚士は，補聴器が今まで聞こえなかった音を耳に入れるための道具であり，自分の声や周りの音が大きく，また違った印象で聞こえるのは当然であること，毎日装用すれば徐々に慣れていく可能性のあることを説明する．

2）初期設定の評価

周波数別の補聴効果の評価に用いられる検査には，ファンクショナルゲインの測定（図 5-19）と実耳挿入利得（REIG）の測定がある（図 5-20）[4]．院内での試聴結果を受けて必要な再調整を行ったあと，ファンクショナルゲインあるいは実耳挿入利得の測定を行い，適切な利得が得られているかを確認する．

（1）ファンクショナルゲイン

音場において裸耳と補聴時の聴覚閾値を測定し，**裸耳閾値**から**補聴時の閾値**を引くことで得られる（図 5-19）．

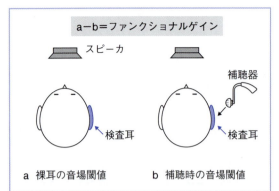

図 5-19 ファンクショナルゲインの測定
〔松平登志正：補聴器の適合評価における実耳挿入利得とファンクショナルゲインの比較．Audiology Japan 52：58-65, 2009 より改変〕

表 5-4 実耳挿入利得の利点と欠点

利点	欠点
・短い検査時間でより多くの周波数の情報が得られる ・ノンリニア増幅の効果が同時に測定できる ・マスキングがいらず患側装用の評価が容易である ・被検者の応答を必要としない ・より精度が高い　　など	・実耳オプションのついた補聴器測定装置が必要 ・チューブ挿入時に患者に痛みを与えることがある ・高出力補聴器ではハウリングの可能性がある 　　　　　　　　　　など

〔松平登志正：補聴器の適合評価における実耳挿入利得とファンクショナルゲインの比較．Audiology Japan 52：58-65, 2009 より〕

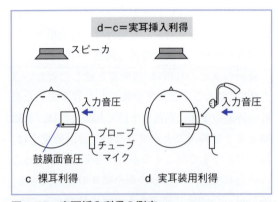

図 5-20 実耳挿入利得の測定
c：裸耳利得（real ear unaided gain：REUG, open ear gain）．耳介の集音作用や外耳道の共鳴効果によって自然に増幅される音圧の量．耳せんや補聴器によって外耳道を密閉すると失われる．
d：実耳装用利得（real ear aided gain：REAG）．補聴器を装用したときの入力音圧の増幅量．「鼓膜面音圧－入力音圧」の計算式で求める．
〔松平登志正：補聴器の適合評価における実耳挿入利得とファンクショナルゲインの比較．Audiology Japan 52：58-65, 2009 より改変〕

ファンクショナルゲインと比較した実耳挿入利得の利点と欠点を**表 5-4** に示す．

3）補聴器の装用指導

家庭での試聴では，対象者が自分で補聴器を操作し，日常生活で装用しなければならない．そのため，着脱，調整，管理まで自身で行えるように，**表 5-5** に示した内容をパンフレットを用いて説明したうえで，実際の操作を練習する．1 回にどの程度説明するかは対象者の理解度を確認しながら判断する．説明は一度だけでなく，必要であれば試聴期間中に何回も繰り返す．

4）試聴記録記入の指導

試聴期間中は**表 5-6** に示す『試聴の記録』のような記録用紙への記入を対象者に依頼する．日常生活で経験すると想定される場面を記録用紙に挙げておくことによって，対象者が意識的に試聴に取り組み，さらにいろいろな場面で試聴を試みようとする**動機づけ**にもなりうる．また試聴後には，患者の**試聴中の状況を具体的にとらえる**ことができるため，音響特性の再調整，装用場面の拡大指導といった対応策も絞りやすい．

（2）実耳挿入利得

実耳測定は，**プローブマイク**という細いマイクを外耳道に挿入して，鼓膜近くの音圧を直接測る方法である．補聴効果を評価するためには，実耳挿入利得（real ear insertion gain：REIG）を求める必要がある．**REIG** は**図 5-20** のように，**実耳装用利得**から**裸耳利得**を引くことで得られる．

表 5-5　補聴器の装用指導

	説明する内容
装用方法	・補聴器の左右は正しいか ・耳せんをしっかり入れられるか ・耳にしっかりかけられているか 　実際に何回か着脱練習を行う.
電源	オンオフの方法，使用しない時間は電源をオフにする.
電池	交換方法，あるいは充電方法.
音量調整	大きくする，あるいは小さくする方法.
プログラム	内容と変更方法(設定がない補聴器，初回には設定しない場合もあり).
保管・管理	使用しないとき，夜間は決められた場所に片づける，乾燥させる.
禁忌事項	水濡れを避ける.

表 5-6　『試聴の記録』

1. 装用耳
　〔　〕右耳　〔　〕左耳　〔　〕両耳
2. 装用時間
　〔　〕毎日ほぼ8時間以上
　〔　〕8時間未満だがほぼ毎日
　〔　〕毎日ではなく必要なときだけ
　〔　〕ほとんど使用しない
3. 装用場面：補聴器を装用してよかったら○，ないほうがよければ×，変わりがないときは△．
　家庭内〔　〕テレビ・ラジオ　〔　〕家族との会話
　　　　〔　〕電話　〔　〕家事　〔　〕来客
　外出時〔　〕職場・学校　〔　〕会議・集まり
　　　　〔　〕散歩　〔　〕買い物　〔　〕病院・銀行
　　　　〔　〕芝居・講演会　〔　〕レストラン・喫茶店
　　　　〔　〕スポーツ
4. 補聴器をつけたときの様子(音をどのように感じるか，我慢できるか否か)
　①うるささ
　　例)食器のぶつかり合う音，新聞をめくる音など紙の音，人ごみの中，道を歩いているときの車の走る音．
　②音の感じ
　　例)響く感じ，キンキンとかん高い感じ，自分の声が自然な感じ，ことばははっきり聞こえる．
　③使い勝手
　　例)補聴器の試聴中にピーピー音がするか，つけはずしができるか，音量調整やプログラム変更ができるか，電池の交換ができるか．

C　家庭・職場などでの試聴とその後の対応

　院内での試聴，初期設定の評価，補聴器の使用方法の指導と練習，試聴記録の記入方法の説明が終了した時点で試聴器を貸与し，家庭や職場などで**1〜2週間の試聴**が開始される．

　試聴後の再診時には，試聴記録を確認しながら患者から報告を受け，装用状況を評価して，必要な再調整や装用指導を実施する．試聴記録をもとにした試聴器の再調整と装用指導の流れを図5-21に示す．

1) 装用指導の徹底と装用場面拡大の指導

　着脱法や電源のオンオフが難しいなどの理由で試聴中の装用時間が短いと判断された場合は，再度装用指導を徹底する．患者が主観的に補聴器の装用が有効と感じる場面と，言語聴覚士が補聴器を装用したほうが患者にも家族にも利益があると考える場面には相違が生じる．会合やテレビ視聴など，限られた場面でのみ装用している場合は，効果が得られそうな新しい場面での装用を提案する．

　はじめのうち，対象者は装用自体に抵抗を感じ，また，流水音やカサカサ，パリパリ聞こえる紙音など，日常的な環境音に**違和感**や**うるささ**を覚える．しかし，言語聴覚士が試聴報告に十分耳を傾け，適宜必要な音響特性の再調整を行ったうえで助言を継続すると，多くの例で**装用時間**が延び，**装用場面**が広がる．補聴器を通した新しい音に慣れ，当初の違和感や抵抗感がなくなったことに患者自身が気づくと，より能動的に試聴に取り組む姿勢がうまれる[1]．

2) 試聴器の音響特性の再調整

　試聴結果をもとに，試聴器の音響特性に必要な再調整を加える．

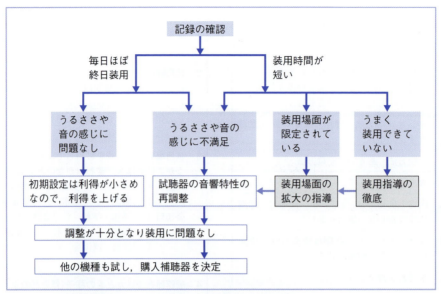

図 5-21 試聴記録をもとにした試聴器の再調整と装用指導

(1) 最大出力音圧レベルの再調整

例えば，ドアがバタンと閉まる音や車のクラクションなど，大きい音がうるさかったとの訴えがあれば，最大出力音圧レベルを下げる．

(2) 利得の再調整

音量が物足りない，声が小さいなどの訴えがあれば，利得の増強を検討する．多くの場合，初期設定の利得は目標より小さめに設定されるため，装用が安定していれば，特に訴えがなくても利得を徐々に上げ，目標利得に達するまで調整を加える．ことばを聞き取るのに十分な音量を得るために，中等度難聴であれば，最終的に装用時の閾値が30〜35 dB 程度になるまで利得を上げる

(3) 周波数特性の再調整

音がこもる・声がくぐもって聞こえる（閉塞感），自声が大きく響く，日常の雑音がうるさいなどの訴えが強い場合は，低音域の利得を下げることを検討する．補聴器自体の音響特性の調整も可能であるが，耳せんやイヤモールドに大きめのベントを開けて低音域の利得を軽減する方法は有効である．

食器を洗うときの音，紙をめくる音，流水音などがうるさいと訴える場合，高音域の利得を抑えると改善することが多い．

(4) その他の調整

補聴器を装用する環境は対象者によって多様である．エアコンや機械の作動音などを抑えるための騒音抑制機能の強化や，**場面に応じたプログラムの使い分け**が有効な場合もある．騒音環境下の語音聴取のための指向性プログラム，周波数特性の加工や騒音抑制機能を緩めた音楽を楽しむためのプログラムなどの設定は，家庭・職場などでの試聴後によく検討される調整である．

3）別機種の試聴

試聴の結果，利得が不十分で再調整が困難な場合や，より高機能あるいは廉価な補聴器を患者が希望する場合などは，試聴器の機種変更を行って試聴を継続する．また，最初の試聴器でよい装用感を得ても，別機種と比較してから自機を選びたいと希望する対象者もある．操作性や音質の異なる複数機種を試聴して自分に合った機種を選択する経験は，補聴器の能動的な活用につながると考えられ，重要である．

表 5-7　補聴器適合検査の指針（2010）の必須検査項目

検査	方法	適合の判定
1）語音明瞭度曲線または語音明瞭度の測定 （補聴器装用時の語音弁別力を裸耳と比較して判定．いずれか1つを行う）	①語音明瞭度曲線 ・検査語音：67-S 語表 ・検査語音の音圧：40，50，60，70，80 dBHL のうち連続した3レベル以上を補聴器装用時と裸耳で測定	・音圧の上昇とともに明瞭度が低下する現象がないことが好ましい ・適合不十分：補聴器装用時の最良の語音明瞭度が裸耳より 15% 以上低下
	②語音明瞭度 ・検査語音：57-S 語表 ・検査語音の音圧： 　裸耳；平均聴力レベル上 30 dB 　補聴時；60 dBHL	補聴器装用時の明瞭度を裸耳の結果と比較 ・適合良好：＋10% を超えてよい ・適合許容：±10% 以内 ・適合不十分：－10% を超えて悪い
2）環境騒音の許容を指標とした適合評価 （環境騒音下で補聴器を装用して，日常会話を聴取するときに環境騒音が会話音聴取の妨げとなって，補聴器を使用できないことがないかを評価）	・検査音：音源用 CD から同時再生する朗読音と環境騒音 ・音源提示：S/N 比＋5～＋15 dB の3段階 ・評価：「補聴器を使用できる」「補聴器を装用するのが困難である」のいずれかの主観的評価	・適合：「補聴器を使用できる」と回答した場合 ・騒音下の会話能力を測定するものではないので，騒音下で朗読音を理解できなくてもよい

〔日本聴覚医学会福祉医療委員会：補聴器適合検査の指針（2010）について．Audiology Japan 53：708-726，2010 を参考に筆者作成〕

4）試聴にかかわる言語聴覚士の役割

試聴期間を通じて，言語聴覚士は効果的な装用のため，試聴器の**音響特性の調整**に尽力する．

一方で，補聴器に対する**対象者の否定的な感情**に対して，**教育的かつカウンセリング的な助言指導**を継続して，装用への**意欲を促す働きかけ**を行う．具体的には，難聴は誰にも起こりうる状態であり，補聴器装用が老化や障害を暗示するというのは誤解であること，補聴によって家族や友人とのコミュニケーション改善が期待できること，そしてそれには，補聴器の金銭的・心理社会的負担を超える大きな価値があることなどを伝えることが焦点となる[1]．

d 補聴器適合検査

適合検査とは，補聴器が適切に調整されているかどうかを評価するための方法である．検査法には種々あるが，比較的評価が定まっており，かつ医療現場で実施可能な検査法を選択し，その実施方法と評価方法について日本聴覚医学会の福祉医療委員会が中心となりまとめたものが，『**補聴器適合検査の指針（2010）**』[5]である．聴力レベルに応じた**十分な利得**，**会話音聴取の可否**，**環境騒音下での装用**の可否が評価の要点である．表 5-7，8 に必須検査項目と参考検査項目を示す．

e 補聴器の最終選択と購入

家庭・職場などでの試聴とその後の再調整を経て，装用時間が延び，補聴効果が自覚され日常における装用が安定すれば，機種や補聴特性の設定は確定し，自機購入の段階に至る．補聴器の**形状**（耳かけ型か耳あな型かなど）や**色**，**付加的な備品**（ワイヤレスマイクロホン，リモコンなど）の選択などが，この段階で求められる．成人の場合，多くは3か月程度の試聴期間を経て購入に至る．したがって，すでにイヤモールドを用いた試聴を経ている場合も少なくないが，この段階でイヤモールドをともに発注する例もある．

なお，自機購入にあたって，あらためて補聴器

表 5-8　補聴器適合検査の指針(2010)の参考検査項目

検査	方法
3)実耳挿入利得の測定 (鼓膜面音圧の測定)	スピーカからの一定の入力音を聴取した状態で，裸耳に対する補聴器装用時の外耳道内鼓膜面付近の音圧レベルの増加(実耳挿入利得)を周波数別に測定する．
4)挿入形イヤホンを用いた音圧レベル(SPL)での聴覚閾値・不快レベルの測定	挿入形イヤホンを用いて測定した聴覚閾値や不快レベルを SPL オージオグラム上に記し，補聴器特性図と比較して評価する．会話音の音圧レベルである 60～70 dBSPL の入力音圧時の出力が聴覚閾値を超えていれば適合と判定する．また，入力音圧 90 dBSPL の出力と不快レベルを比較する．
5)音場での補聴器装用閾値の測定 (ファンクショナルゲインの測定)	補聴器装用時の聴覚閾値，また普通話声をどの程度聞き取ることができるかを評価する．裸耳の聴覚閾値との差から補聴器装用による利得(ファンクショナルゲイン)を測定できる．
6)補聴器特性図とオージオグラムを用いた利得・装用閾値の算出	補聴器特性図上の出力値から換算式を利用して，装用時閾値および最大出力を簡易的に推定，オージオグラム上で補聴器が適合しているかどうかを判断する方法．
7)雑音を負荷したときの語音明瞭度の測定	補聴器を装用した状態で雑音を負荷して語音明瞭度の測定をし，雑音がないときの語音明瞭度が保たれているかどうかを評価する．
8)質問紙による適合評価	補聴による聴取改善効果に対する装用者の主観的な評価を効果的に得るためのもの．日常生活で語音や環境音を聴取する具体的な状況を設定した 10 項目の質問からなり，頻度を指標とした 5 段階の評定尺度で回答を求める．

〔日本聴覚医学会福祉医療委員会：補聴器適合検査の指針(2010)について．Audiology Japan 53：708-726，2010 を参考に筆者作成〕

の**長期的な管理法**について，対象者の自立状況，生活環境を考慮しながら説明し，理解を促すことは特に重要である．

f 装用中止例への対応

装用を中止する対象者は「通院しきれない」「補聴器の効果が実感できなかった」ことなどを理由としてあげる．しかしその言外には「自分はまだ補聴器を使うほど高齢ではない」「まだ自分は補聴器がなくても聞こえ，生活に不便がない」「高いお金を払って購入するほどの効果はなかった」といった**複合的な理由**が含まれていることが想像される．廉価とはいえない購入費用が判断の背景にあることも否定できない．装用を中止した対象者については，聴力管理を主な目的として経過観察を継続し，希望すれば補聴器の装用をいつでも**再開できる環境**を作っておくことが重要である．

g 聴力管理と装用支援の継続

補聴器適合と装用指導は，自機を購入して終わりではない．購入の 3 か月後，6 か月後，その後も半年ごと，1 年ごとなど定期的な再診間隔を決め，**聴力管理**と補聴器の**装用状態の確認**を含む支援を継続する．

再診時には，聴力管理の観点から裸耳の純音聴力検査を行ったうえで，補聴器適合検査，会話時の行動観察，**補聴器の特性測定**を行って，補聴器が適切に機能しているかを評価する．**聴力変動**が認められ，かつ治療の必要がない場合は，利得の増強を含む**音響特性の再調整**を行う．また，家庭における補聴器管理(清掃，乾燥，保管など)が適切かどうかを確認しながら，**イヤモールドの洗浄，チューブの交換**などを行うことも重要である．

日常的に補聴器を活用していれば，適切な管理を行っていても機器としての**経年劣化**を免れることは難しい．頻繁な故障，雑音の混在など，明らかな経年劣化を認めた場合は，**買い替えの検討**を助言する．

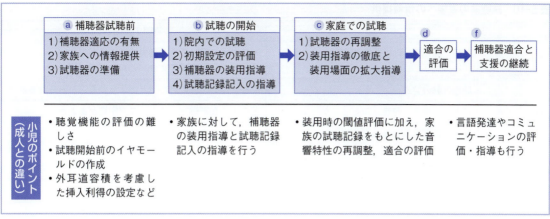

図 5-22　小児の補聴器適合の過程

2　小児の補聴器適合と装用指導

表 5-9　補聴器の適応判断のための評価（小児）

1. 耳鼻咽喉科医による問診
　現病歴，既往歴，成育歴，家族歴など
2. 耳鼻咽喉科医による視診
　中耳炎や耳垢栓塞の有無など
3. 聴覚機能の評価
　・他覚的検査：ABR，ASSR，ティンパノメトリーなど
　・乳幼児聴力検査：BOA，VRA，COR，ピープショウテスト，遊戯聴力検査など

　小児においても補聴器適合過程の大枠は成人と同様である．しかし，小児では家族の協力が不可欠であり，また，補聴器適合が言語やコミュニケーションの育ちを支える基盤となるため，聴覚の評価とともに言語発達を評価し助言・指導しながら装用指導を進める点も成人とは大きく異なる．適切な聴取環境を整えるために，保育所や幼稚園など関連機関との連携も必要となる．

　小児の補聴器適合過程を図 5-22 に示す．本項では，この流れに沿って小児の補聴器適合の理論と実際を解説する．

a　補聴器試聴前

1）補聴器適応の有無

　新生児聴覚スクリーニング検査や健診，家族の心配などを契機に難聴が疑われた小児は，聴力精査を主訴に耳鼻咽喉科を受診する．補聴器の適応判断のために行う評価を表 5-9 にまとめた．耳鼻咽喉科医は問診および視診，他覚的検査を行い，言語聴覚士は発達段階に応じた**乳幼児聴力検査**を実施する．

　小児は**滲出性中耳炎**の罹患率が高く，閾値上昇の要因となりうるため，医師の視診や**ティンパノ**メトリーによる中耳の評価は重要である．

　乳幼児聴力検査では，乳児期からは**インサートイヤホン**を用いて，3歳前後からはヘッドホンを用いて左右別の聴力閾値が得られる．インサートイヤホンがない場合，ヘッドホンによる検査が可能になるまでは，音場でスピーカを用いた両耳聴の評価となる．

　検査日の機嫌や体調，発達段階などによって十分な検査結果を得られない場合がある．例えば，全周波数の検査ができない，検査を行うごとに閾値が変動する，一側耳の検査で集中が途切れる，などである．補聴器適応の有無を判断するためには，間隔をあけずに受診してもらい，**複数回検査**を行う．その際，日によって最初に検査する耳や周波数を変えるなど，注意・集中が切れる前に正確な閾値を得る工夫が有効な場合もある．オージオグラムに閾値とともに，反応様式，集中の度合

表 5-10　試聴前の家族への情報提供

		説明する内容
聴力の評価	ABR，ASSR，乳幼児聴力検査	・これまで受けてきた聴力検査の結果 ・どれくらいの聞こえか，どんな場面で困るか
	聴性行動の発達	成長に伴い，音に対してどのような反応がみられるか．
難聴の影響	ことばの発達，発音，コミュニケーション	どのような影響があるか，なぜ影響があるか．
制度	身体障害者手帳と補装具申請	該当条件と申請方法．
	軽度・中等度難聴児補聴器購入費の助成	
今後の見通し	補聴器適合，言語発達等の評価・指導，聴覚管理，	補聴器の試聴の進め方，継続した通院の必要性について．

い，検査を行った耳や周波数の順などを記録しておくことも重要である．また，乳幼児など聴力検査の結果が不安定な場合，**聴性行動の観察**が重要となる．家族のスマートフォンの振動音，室内の機器の起動音，室外の物音，建物外の車両のサイレンなどに反応を示すか否か，どんな反応かといった聴性行動の評価が判断のヒントとなる．

複数回行った乳幼児聴力検査の結果が安定し，ABRやASSRなどの他覚的検査の結果と乖離なく，30〜35 dB程度の閾値上昇を認め，かつ治療の必要な疾患がないことが確認されれば，補聴器の試聴を開始する．今後の言語獲得への難聴の影響を考慮し，成人より軽い難聴でも試聴を行う．

2）家族への情報提供

表 5-2（→146頁）に示した難聴，補聴器，制度に関する説明に加えて，小児では，表 5-10 に示した内容を家族に説明する．

小児の補聴器適合や言語発達などの評価や指導のための通院のために，家族は生活様式の変更を迫られる．検査や評価の目的，通院間隔や家庭で必要な対応，今後の方針などを家族に説明し，理解を得てから補聴器試聴を始める．補聴器に家族が拒否感を示す例もある．情報の提供とともに，家族の話をよく聞き，疑問に答え不安を軽減していくことが重要である．

3）試聴器の準備

(1) 装用耳の決定

小児は家庭だけでなく集団生活に参加し，さまざまな聴取環境下で生活しながらことばを習得していく．雑音下での聞き取り，多方向からのことばかけなどを考慮すると，基本的には**両耳装用**が望ましい．

(2) 試聴器の選択

最初の補聴器には，電源のオンオフが周囲から見てわかりやすく，イヤモールドの変更で身体的な成長に対応できる**耳かけ型**を選択する．耳あな型では成長に応じたシェル作製の費用負担が大きく，また本体ごと口に入れてしまう危険もある．外耳道閉鎖があるなど，耳かけ型が使用できない場合は**骨導補聴器**を選択する．

機種選択においては，聴力レベルや聴力型に合った機能に加え，年齢も考慮する．身体の大きさや生活環境によって大きさや形，**防塵・防水機能**を検討する．乳幼児では**電池ロック**や**電源フンプ**が必須である．考慮すべき要素の詳細を表5-11に示す．

身体障害者手帳を所持する例および近年多くの市区町村で実施されている**軽度・中等度難聴児**への**補聴器購入費助成事業**の対象に該当する例では，補聴器購入にあたり公的な補助が受けられる．この場合，**障害者総合支援法**に対応する機種

も選択肢に入れる．

小児が補聴器を装用するうえで便利なアイテムとして，落下防止ストラップや汗カバーがある．**落下防止ストラップ**は，補聴器にクリップがついたひもをつけ，そのクリップを洋服に留めておくことで，補聴器が耳から外れたときに床や道路に落下するのを防ぐ機能がある．**汗カバー**は補聴器に直接汗が入り込むことを防ぐもので，さまざまな材質で作られている．吸水するが速乾性のない汗カバーでは，こまめな交換が必要となる．

(3) イヤモールド

小児の場合，ハウリングや補聴器の落下防止のため，試聴時からイヤモールドを用いる．乳児は寝た姿勢でいることが多く，幼児は遊びの最中に頭部を硬いものにぶつける危険があるため，材質は**軟質アクリル**または**シリコン**が安全である．好きな色を選ぶ，ラメやシールを入れるなどで，自分の補聴器に愛着をもつ様子もみられる．また，小児は身体的な成長が速いため，成人と比べ短期間でイヤモールドの作り直しが必要になる．

(4) 試聴器の初期設定（ファーストフィッティング）
① 最大出力音圧レベルの設定

成人と同様に聴力閾値によって最大出力音圧レベルを決めるが，自らうるささを訴えることができない小児では，成人の値よりも小さく設定する．
② 目標挿入利得および周波数特性の設定

乳幼児は**外耳道の容積**が成人と比べ小さい．そのため，成人と同じように挿入利得を設定すると音圧が強くなりすぎてしまうため，実耳と$2\,cm^3$カプラ間の音圧差を考慮し，成人より挿入利得を小さく設定する必要がある．**図5-23**は，$2\,cm^3$カプラを用いて出力を測定した補聴器を乳幼児が装用した場合，鼓膜面上で成人に比べて何dB出力が大きくなるかを示したものである[6]．図から，特に高域の周波数において差が大きいことが読み取れる．各補聴器メーカーの調整用ソフトには**小児用の処方式**が組み込まれているので，それを用いる．

小児の場合，聴力検査で得た閾値が安定してい

表5-11　小児の補聴器選択時に考慮すべき要素

大きさや形	乳幼児は成人に比べて耳が小さく柔らかいため，聴力レベルに適応する範囲で小さめ・軽めの補聴器を選ぶ．また，機種によってカーブの形状が異なるので，耳の形に合った落下しにくいものを選ぶ．
防塵・防水機能	外で遊ぶことが多い，たくさん汗をかくなどの乳幼児の生活環境を考え，その機能が高い補聴器を選択するとよい．防塵・防水機能は国際保護等級として表記される．例えばIP58やIP68などで，左の数字が防塵，右の数字が防水の等級を表す．数字が大きいほどその機能が高い．
電池ロック	乳幼児は保護者が目を離したすきに，補聴器を取って舐めてしまったり，分解してしまうことがある．電池の誤飲を防ぐため，専用の道具を用いないと電池蓋が開かないようにする機能である．
電源ランプ	乳幼児は補聴器の電池が切れていても，自分で電池を交換したり，保護者に伝えることができない．電池切れのままでの装用を避けるため，電源が入っている間はランプが点灯する機能である．

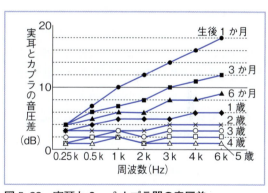

図5-23　実耳と$2\,cm^3$カプラ間の音圧差
縦軸は成人の値を0として換算した小児の値を示す．いずれも数値は平均値である．

ないことが多く，また本人が聞こえの印象を十分に説明できない．また，初めての補聴器装用で急に大きな音が入ってきて驚き，装用を強く拒否してしまう危険もある．そこで，初期設定では目標利得からさらに利得を抑え，試聴記録，聴性行動の観察，装用閾値などの結果を見ながら，徐々に利得を上げていく．

b 試聴の開始

1) 院内での試聴

　試聴器の初期設定が終わりイヤモールドができた時点で，試聴開始となる．開始前にまず，ステゾスコープを用いて家族に補聴器を通した音を聞かせ，子どもがこれからどのような音を聞くのかを体験してもらう．家族からは「思ったよりもきれいな音」「マイクの音を聞いているみたい」などさまざまな反応が得られる．その後，本人に補聴器を装着する．ハウリングがないことを確認したうえで，音の出るおもちゃや楽器を使って，遊びながら**楽しい状況下で対音反応を観察**し，補聴の効果を評価して試聴を開始する．

2) 初期設定の評価

　設定した利得が実際に得られているか，補聴器装用時の評価を行う．評価は成人と同様，**ファンクショナルゲイン**，あるいは**実耳挿入利得**の測定によって行う．小児の場合，音場での装用閾値が安定しない，プローブチューブの挿入を嫌がるなど，どちらの方法によっても測定が容易ではない．しかし，少なくとも不快閾値を超えて強い音が入っていないかを確認することは，安定した装用のために必須である．

3) 補聴器の装用指導

　家庭での試聴に向けて保護者に装用指導を行う．成人の装用指導で表 5-5（→ 151 頁）に示した補聴器の構造，機能，装用方法，禁忌事項に，表 5-12 に示した小児特有の内容を加えて指導する．特に乳幼児の場合，補聴器に不調があっても自ら訴えることがないので，**保護者による適切な管理**は重要である．

4) 試聴記録記入の指導

　小児，特に乳幼児の場合，補聴効果の評価を試みても 1 回の検査で裸耳と補聴時の閾値が得られない，あるいは全周波数の測定に至らないなどの事態がよく起こる．また，不快音や今まで気づかなかった音を聞いても自分から伝えることはできない．そのため，家庭での**聴性行動の観察記録**が試聴結果の評価に重要な役割を果たす．試聴記録用紙の例を図 5-24 に示す．家庭での観察記録がその先の補聴器調整に役立つことを保護者に説明し，日常生活での音に対する反応の変化，補聴器の装用状況を記録してもらう．

　補聴器は，音や家族の声を聞くことが楽しいと感じられる場面でその有用性を発揮する．したがって，試聴はひとり遊びのときではなく，ご飯を食べさせるとき，一緒に遊ぶときなど**保護者との交流がある場面から開始**する．"ママが歌を歌ってくれている""電子レンジの音がすればご飯が出てくる""ガチャッと玄関のほうから音がすればパパが帰ってきて遊んでくれる"など，音と生活場面を結びつけ，親しい人とのかかわりの中で補聴器の装用を促していく．最初は目標より小さめの音が入っているので，家庭で大きな変化が現れにくい．しかし，聴性行動の観察をしながら装用を継続することが大切であると保護者に説明する．

表 5-12　補聴器の装用指導（小児）

	説明する内容
装用方法	子どもは装用時に嫌がることも多いので，すばやくイヤモールドを装着できるようにする．ハウリングしていないか確認する．
電池	口に入れないように，電池ロックを活用する．電池切れのまま使うことがないように，電源ランプ・電池チェッカーを活用する．
イヤモールド	耳垢で閉塞していないか，洗浄後音道やベント孔に水滴がないかを確認する．
保管・管理	補聴器本体を口に入れないように注意する．

	お子さんの様子		
月　日(　) 装用時間　　時間	【例】どんな場面で装用したか，気づいた音，嫌がった音，お子さんの変化(発声が増えた)などを記入してください．	月　日(　) 装用時間　　時間	
月　日(　) 装用時間　　時間		月　日(　) 装用時間　　時間	

図 5-24　補聴器の試聴記録用紙の例

表 5-13　試聴の流れと試聴期間中の言語聴覚士，保護者，集団の場の役割

	言語聴覚士の役割	保護者の役割	集団の場の役割
初期設定	□ 聴力の評価 □ 試聴器の初期設定 □ 装用指導 　・装用場面の設定 　・聴性行動観察の指導	□ 家庭での装用準備	
試聴期間 —家庭内が中心	□ 試聴記録に基づく装用指導 □ 装用時の評価 □ 試聴器の再調整，機種変更 □ 装用指導の継続	□ 家庭での装用 □ 試聴記録の記入 例) ○月○日 ○時間使用 補聴器をつけるとき，最初だけ少し嫌がる．お風呂が沸いたときの音楽に，今までは何も反応していなかったが，補聴器をつけたら音楽が流れているほうを指差して，首を振りながら踊っていた．	
試聴期間 —装用場所の拡大	□ 家庭内での装用がある程度安定したら，装用場面を拡大していく □ 保育所，幼稚園など，装用の場に合わせた装用指導，支援	□ 家庭での装用継続 □ 保育士，幼稚園教諭などとの連絡	□ 保育所，幼稚園などの集団の場での補聴器装用の促進

C　家庭での試聴

1) 試聴器の音響特性の再調整

表 5-13 に試聴の流れと試聴期間中の言語聴覚士と保護者の役割を示す．

試聴開始後は，週1～月2回程度の頻度で受診が必要である．試聴結果に応じた適切で迅速な対応が求められるからである．受診時に言語聴覚士は，**音遊び**や発達に合わせた**やり取り遊び**などを行いながら，補聴効果を確認する．また，試聴記録をもとに家庭での装用状況を保護者から聴取し，装用方法や聴性行動の見方などについて**助言指導**する．

特に裸耳でも生活音への反応がある軽度・中等度難聴の場合，保護者の装用への動機づけは弱くなりがちである．装用時に聴性行動の小さな変化に気づいた保護者の報告に対して，その変化が補

聴効果を示す「すごいことだ！」という評価を十分伝え，装用の継続を励ます．また乳幼児では，装着時に嫌がって泣く，すぐ取ってしまうなど，試聴の初期に保護者を悩ませる状態が続く例も多い．保護者の訴えを受け止めたうえで，**装用を嫌がる**のはよくあることであり，**慣れるまでに時間がかかる**ことを説明し，装用継続を促す．

左右別の聴力閾値が求められない乳幼児が両耳装用をする場合，ABRやASSRなどの他覚的検査と両耳聴の乳幼児聴力検査の結果から，挿入利得を設定する必要がある．その後，左右別の補聴時の閾値検査を行い，軽度・中等度難聴児であれば25～30 dBの装用閾値になるように，徐々に補聴器の利得を上げていく．試聴期間中は，利得の変更と補聴時の閾値検査をセットで行い，利得が大きすぎないことを確認したうえで家庭での試聴を促すという過程を繰り返す．音響特性の再調整とともに，機種変更も試みながら，それぞれの対象児に合った補聴器を選択する．

2）装用指導の徹底と装用場面拡大の指導

家庭内での装用が安定したら，保育所や幼稚園など，装用場面を**集団生活の場**へ拡大する．そのとき，言語聴覚士から補聴器，難聴について担当保育士や教諭に説明し，集団生活で装用するための環境を整えることが必要となる．補聴器の基本的な扱い方，難聴のある子どもへの話しかけ方，子どもが先生の話を聞きやすい位置，室内の雑音の低減方法などを，図も使って説明したパンフレットを渡して協力を求めると理解を得やすい．

d 補聴器の適合状態の評価

語音明瞭度検査や環境騒音の許容を指標とした適合検査を実施できない乳幼児の場合，音場での装用閾値あるいは実耳挿入利得を測定したうえで，家庭や集団の場での装用の安定とその効果を確認することによって，適合を評価する．

保護者が子どもの聴覚機能を評価する質問紙法に，乳児の聴覚発達質問紙とIT-MAIS（Infant-Toddler Meaningful Auditory Integration Scale）などがあり，これらを補聴効果の評価に用いることができる．前者は音への反射，音の検知など0～15か月の乳幼児の聴覚発達を，後者は補聴器装用による環境音や言語音への反応の変化，発話の変化を評価する．信頼性のある結果を得て質問紙法を適合評価に活かすためには，聴力検査や装用指導の場面で，子どもの聴性行動に対する保護者の意識を促す助言を継続することが重要である．

語音明瞭度検査が可能になる前の語音聴取の評価としては，CI-2004に含まれる単語や2語文などの評価を用いることができる．

乳幼児の聴力閾値の判定や補聴効果の評価には時間を要するため，多くの場合，成人と比べて自機の決定に至るまでの期間が長くなる．なお，購入手続き前に公的制度について再度説明し，活用を促すことも重要である．

e 試聴中止例，場面装用例への対応

本人が装用を嫌がる，あるいは保護者が補聴器の装用に踏み切れず試聴が中止になる例がある．保護者が子どもに補聴器を装用させない決断をした場合も，定期的な聴力検査や言語発達の評価は継続する．言語発達の遅れやコミュニケーションの問題の明確化が補聴器試聴再開の契機になりうる．

また常時装用に至らず，保育所や幼稚園でのみ，学校でのみなど場面装用になる例も存在する．この場合は，調整の再評価，装用環境の聞き取りなどによって常時装用を妨げている要因を検討し，常時装用できるように装用指導を長期にわたって継続する．

f 補聴器適合と支援の継続

表5-14に乳児期から幼児期にかけての聴覚機能の評価と，それに伴い言語聴覚士が行う補聴器の調整・評価，言語発達やコミュニケーションの継続支援について示した．乳児期は他覚的検査の結果と両耳聴の結果をもとに補聴器の音響特性を

表 5-14 乳児期から幼児期にかけての聴覚機能の評価，補聴器適合と装用指導など

	聴覚機能の評価	補聴器適合と装用指導	言語発達	コミュニケーション
乳児期	ABR，ASSR ➡他覚的検査の結果 BOA，VRA*，COR ➡両耳聴の値 (*インサートイヤホンがあれば早期に左右別閾値の測定が可能)	補聴器の初期設定 試聴と装用指導	発声の変化	補聴器の装用指導を通し，親子のコミュニケーションを支援
幼児期			始語の出現，語彙の増加，	家庭内での生活から，徐々に子どもの社会が拡大
	2歳を過ぎるころから 　自発的なボタン押しや玉落としによる 　ピープショウテストや遊戯聴力検査が可能 ➡信頼性の高い両耳聴検査の閾値	音響特性の見直しと装用指導	2語文の出現， など，評価と指導を継続	保育所・幼稚園の先生，同年代の子どもとのかかわりで必要なコミュニケーションの支援
	3歳前後から 　多くの子どもがヘッドホンを用いた 　ピープショウテストや遊戯聴力検査が可能 ➡信頼性の高い左右別聴検査の閾値	音響特性の見直しと装用指導		

調整し，試聴を開始する．その後，幼児期に信頼性の高い閾値が得られた時点で，適合状態を再評価し必要な再調整を行う．この期間，言語発達は発声の変化，始語の出現，語彙の増加，2語文の出現と進展し，コミュニケーション相手は保護者から保育所や幼稚園の先生，同年代の友人へと拡大する．言語聴覚士は聴覚機能の評価，補聴器適合と装用指導を行うとともに，言語発達やコミュニケーションの評価・支援も行う．これらの評価・支援が，補聴器適合後にも適切に継続されることが重要である．

小児では，聴力変動が直接言語習得や教科学習に影響する．また，成長に伴い装用状況の変化が生じやすい，年齢によって必要な支援が異なるなどの条件もあるため[7]，成人より短い間隔で聴力と補聴器の管理を継続する．

本項では，新生児聴覚スクリーニング検査を契機に難聴と診断され，補聴器適合を開始した乳幼児への装用指導を中心に述べてきたが，現在でも就学後や中高生になって初めて補聴器の試聴を始める例も少なくない．年齢が上がれば，乳幼児期に補聴器適合を始めるより聴力の評価は的確に行うことができ，また補聴器の調整について自分で意見をいうこともできる．しかしその一方で，友人との関係の中で乳幼児期とは異なる複雑な問題が生じる場合も多い．乳幼児期以上に，対象児の個々の課題に沿った装用指導が求められる．

引用文献

1) Flasher LV：Counseling Skills for Speech-Language Pathologists and Audiologists, 2nd ed. pp313-338, Delmar Cengage Learning, NY, 2011
2) 小寺一興：補聴器フィッティングと適用の考え方. p11, 診断と治療社, 2017
3) 佐野肇：補聴器の進歩と聴覚医学「補聴器の fitting について」. Audiology Japan 60：201-209, 2017
4) 松平登志正：補聴器の適合評価における実耳挿入利得とファンクショナルゲインの比較. Audiology Japan 52：58-65, 2009
5) 日本聴覚医学会福祉医療委員会：補聴器適合検査の指針(2010)について. Audiology Japan 53：708-726, 2010
6) Dillon H(著), 中川雅文(監訳)：補聴器ハンドブック. p398, 医歯薬出版, 2004
7) 井上理絵：軽度中等度難聴児の補聴をめぐる課題. 第44回コミュニケーション障害学会学術講演会, 2018

人工聴覚機器

補聴器を含めた聴覚補償機器のうち，外科的手術によって機器（の一部）を体内に設置するものを人工聴覚機器（auditory implants）と総称する．この分野の変遷は非常に目覚ましく，従来の気導・骨導補聴器ではそもそも装用自体が困難であったり，十分な補聴効果を得られなかった方々に対し，新たな選択肢が示されるようになった．

本項では，2020年4月時点でのわが国における現状を示すが，今後もまた新たな機器が導入され，適応基準も改定されるであろう．言語聴覚士として，その時代ごとにおける正しい情報提供と補聴を行うために，常に最新の情報収集に努める必要がある．一方で，人工聴覚機器も万能ではなく，あくまで音声言語によるコミュニケーション手段の1つにすぎないことも忘れてはならない．人工聴覚機器が導入されはじめた30数年前も今も，難聴者とその周囲の人間が豊かなコミュニケーションを築くにあたっては，機器の進歩だけでは不十分である．聴覚補償機器によって得られる聴取能には個人差があることを認め，個々の聴取特徴を理解し個々のニーズと生活環境に応じた援助を行うこと，それによってQOLの向上をともに目指す視点をもつことが，言語聴覚士には求められている．

種類

人工聴覚機器は多様で原理も構造も異なるが，難聴の種類や原因，聴力レベルにより伝音・混合難聴向けと感音難聴向けがある（図5-25, 26）．

1 伝音難聴，混合難聴向け

第一選択は低侵襲で補聴効果も高い気導・骨導補聴器であるが，これら従来の補聴器が装用困難，もしくは補聴効果を得られない場合に適応を検討する．埋め込み型補聴機器（implantable hearing aid：IHA）とも総称され，障害部位，聴力レベルの違いにより以下のシステムがある．
①骨固定型補聴器
②人工中耳

2 感音難聴向け

こちらも第一選択は気導補聴器であるが，聴力レベルによっては補聴効果に限界もあり，適応を検討する．
①残存聴力活用型人工内耳
②人工内耳
③聴性脳幹インプラント

B 構造と機能，適合の理論と実際

1 骨固定型補聴器

音の振動を，気導経由ではなく骨導経由で内耳（蝸牛）へと伝達し，補聴効果を得る．音を入力し振動（または信号）に変換するプロセッサ部分と，振動を骨伝導させる振動子部分で構成され，振動子の設置場所が異なる2種類が存在する．

2 人工聴覚機器　163

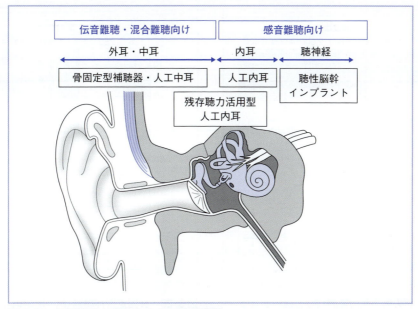

図5-25　原因部位に対応した人工聴覚機器

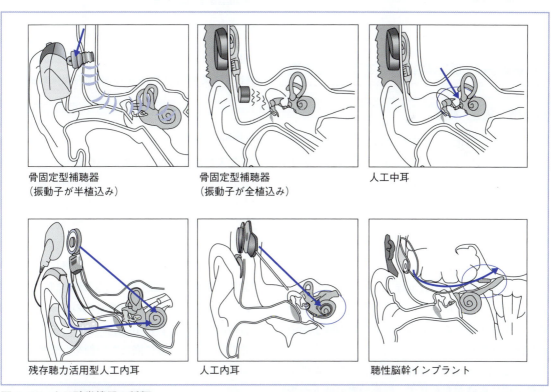

図5-26　人工聴覚機器の種類
〔城間将江：人工聴覚器．藤田郁代（監修）：標準言語聴覚障害学 聴覚障害学．第2版．pp199-227，医学書院，2015 より〕

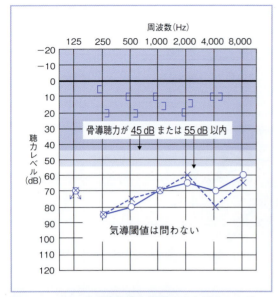

図5-27 Baha®の適応聴力範囲(色)と適応となる聴力図(両側外耳道閉鎖)の例
少なくとも一側耳の骨導閾値が標準型は45 dBHL 以内，高出力型は55 dBHL 以内．

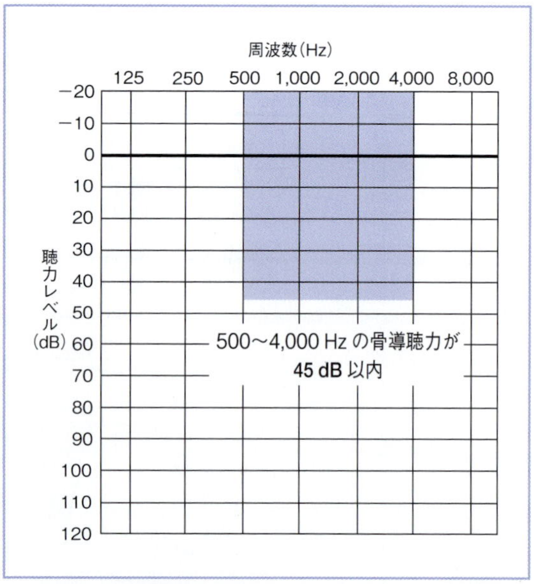

図5-28 骨固定型補聴器(BONEBRIDGE®)の適応聴力範囲
適応聴力範囲を色で示す．500〜4,000 Hz の骨導聴力が45 dBHL 以内の伝音難聴・混合難聴．

a 振動子の一部を体内に設置する半植込み型

1) 原理と構造，機能

　サウンドプロセッサ(音を入力するマイクロホン，音を振動に変換するプロセッサ，電池)とチタン製の経皮骨導端子(台座)，両者を連結するための接合子から構成される．接合子と骨導端子は外科手術で耳介後部の頭蓋骨にねじ止め，頭皮から一部突出した状態とする．ねじ止められた骨導端子は，結合(osseointegration)現象によって骨に強く固定され，この骨導端子と接合子にサウンドプロセッサを接続することで，骨導経由で音情報を蝸牛に伝達するしくみである．**骨導端子周辺の皮膚の衛生**など，装用者本人が日々実施すべきケアが必須であるが，骨導補聴器と異なり振動子と骨の間に皮膚が介在せず，伝達効率の低下が少ない．1977年にスウェーデンのTjellström らが臨床使用を始め，全世界で10万人以上の装用者がいる．わが国では bone anchored hearing aid (Baha®)システムが多施設共同臨床試験を経て2011年に薬事承認され2013年から保険収載された．

2) 適応(図5-27)

　①先天性および後天性外耳道閉鎖症，②外耳・中耳からの持続性耳漏，③適切な耳科手術でも聴力改善が望めないもしくは改善が得られなかった，④反対側が聾あるいは高度難聴のため耳科手術によるリスクを避けたい伝音あるいは混合難聴などで，かつ**既存の気導・骨導・軟骨伝導補聴器が装用困難または補聴不十分な両側難聴**である．原則18歳以上(両側外耳道閉鎖症のみ，本人と保護者の同意が得られた15歳以上)で，植込み部位の骨の厚みが3 mm に満たない例や，骨質が不良な場合は使用できない．

3) 適合の理論と実際

　候補者には，補聴器適合検査などで既存の気導・骨導補聴器，および軟骨伝導補聴器の装用効果

を判定したのち，耳介後部の乳突骨部に圧着して擬似試聴可能なシステムを利用し術前説明を行う．

術後，約12週間で創部の治癒と骨導端子の骨結合が得られる．サウンドプロセッサを装用（接合子に接続）し，伝音難聴に対する従来の補聴器適合と同様の考え方で適合・調整（フィッティング）を行う．目標利得や最大出力の目安は骨導閾値をもとにフィッティングソフト上で自動算出できるが，サウンドプロセッサを介して閾値を測定し（bone conduction direct）算出してもよい．装用効果は補聴器適合検査などで判定するが，サウンドプロセッサの周波数特性は振動であり，補聴器特性測定装置で測定ができない．よって装用効果の判定というだけでなく，出力特性の不具合を確認するためにも，**ファンクショナルゲイン**を求める必要がある．骨導聴力に変化がなければ再フィッティングの頻度は減り，定期的な創部の診察が主となる．

b 振動子をすべて体内に設置する全植込み型（図 5-28）

体外部であるサウンドプロセッサ（音を入力するマイクロホン，音を信号に変換するプロセッサ，体内部へ電磁誘導で信号を送るための送信コイルと装着用磁石，電池）と，体内部であるインプラント（信号を受信するための体内コイル，信号を振動に変換する受信-刺激器，装着用磁石，振動子）で構成される．振動子部分は頭皮下，乳突骨部を削開した凹みにねじで固定され，受信-刺激器は耳後部頭皮下に留置する．サウンドプロセッサと受信-刺激器は皮膚を挟んだ**電磁誘導で接続されて稼働する**ため頭皮から突出する部分は一切なく，皮膚の衛生管理は不要という利点がある一方，磁石が体内に留置されるため**MRI 撮影時に一定の制限が出る**ことへの説明と同意が必須である（➡ Note 19）．

わが国では BONEBRIDGE® システムが 2020 年 3 月末に薬事承認を得ており，今後保険収載される見込みである．

2 人工中耳

a 原理と構造，機能

人工中耳（middle ear implant）は，音を気導（外耳道と鼓膜）経由でも骨導経由でもなく，**耳小骨に振動子を設置して駆動させる，または振動子を正円窓膜にあてて蝸牛を振動させる**ことにより伝導し補聴効果を得る．1984 年にわが国の柳原，鈴木らによって世界で初めて臨床応用されたが薬事承認を取得しておらず，新規植込み手術は行われなかった．現在は欧米で開発が進められたシステムが世界的に実用化されている．

> **Note 19. 人工聴覚機器と MRI 撮影**
>
> 体外部と体内部が皮膚を介した電磁誘導により信号が送受信されるシステムでは体内に磁石が留置されるため，人工内耳導入当初には MRI 撮影は禁忌であった．その後，「撮影時に皮膚切開し一時的に体内部から磁石のみを取り外す（図）」「磁石が留置されたままでも頭皮下で磁石が動きにくい体内部の開発」「本人に影響が及びにくい撮影条件の検討」などの対策がとられるようになり，現在では「条件付きで MRI 撮影は可能」となっている．しかし，撮影部位が頭部の場合はアーチファクトが生じて診断に不適な可能性がある，など一定の制限はあるため，術前に説明と同意が必要である．
>
>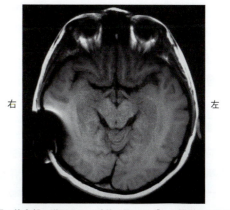
>
> 図　体内部の磁石のみ一時的に取りはずして撮影した頭部 MRI（T1 強調画像）
> 磁石内蔵のままではアーチファクトの範囲がより大きくなる．

体外部であるサウンドプロセッサ（音を入力するマイクロホン，音を信号に変換するプロセッサ，体内部へ電磁誘導で信号を送るための送信コイルと装着用磁石，電池）と，体内部であるインプラント（信号を受信するための体内コイル，信号を振動に変換する受信-刺激器，装着用磁石，振動子）で構成される．振動子が前述の骨固定型補聴器よりも奥に設置されるため，手術の侵襲度も術後の聴力変化の可能性も高くなる．一方で耳小骨または正円窓膜を直接駆動するため，気導・骨導補聴器に比べて音伝導効率がよく，音質もよいと考えられている．

b 適応

わが国では，2012〜14年にVibrant Soundbridge®システムが多施設共同臨床試験を経て2015年に薬事承認を得て，2016年に保険収載された．適応は**術側が伝音難聴または混合難聴を伴う中耳疾患**（中耳奇形を含む）であり，術側の骨導聴力閾値の上限が500 Hzでは45 dBHL，1,000 Hzでは50 dBHL，2,000〜4,000 Hzでは65 dBHLであること（気導聴力の閾値は問わない．図5-29）．また鼓室形成術など既存の治療を行っても改善が困難な難聴があり，気導・骨導補聴器が装用できない明らかな理由があるか，最善の気導・骨導補聴器および軟骨伝導補聴器を選択・調整しても十分な補聴効果が得られない場合に適応となる．術耳に活動性の中耳炎がある場合，術耳の聴力低下が急速に進行する傾向が認められる場合は禁忌である．

c 適合の理論と実際

1）術前

既存の気導・骨導補聴器または軟骨伝導補聴器の試聴と，その装用効果を判定したうえで手術を検討する．また，体内に磁石内蔵のインプラントが留置されるため，**MRI撮影時に一定の制限が出る**ことへの説明と同意が必須である．

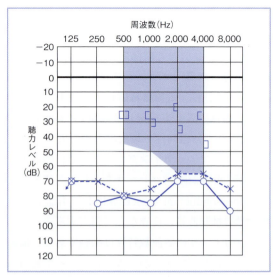

図5-29 人工中耳とその適応聴力の例
適応聴力範囲を色で示す．

2）術後，装用後

設置した振動子が耳小骨または正円窓膜に安定固定されるまで約8週間を要するため，この間はプロセッサの装着および術前使用していた補聴器の装用も控え，適宜聴力検査をして骨導聴力の変動がないか確認する．目標利得や最大出力の目安は骨導閾値から自動算出できるが，フィッティング中にサウンドプロセッサを介して振動子の伝導効率を測定（vibrogram）すると，各周波数における閾値と目標利得が得られて有用である．ただし，得られた目標利得と，実際に装用者が必要とする利得には乖離があったとの報告もあり留意する．Vibrant Soundbridge®システムによって得られる装用閾値は約30〜60 dBHLで，術前の気導補聴器と比べて特に2,000〜4,000 Hzでの改善が特徴的である．また，骨固定型補聴器と同じく実際の音響特性は補聴器特性測定装置で測定できないため，**ファンクショナルゲインによる確認**が必要である．その他，定期的に補聴器適合検査などで語音明瞭度についても評価し，適宜再フィッティングを継続する．

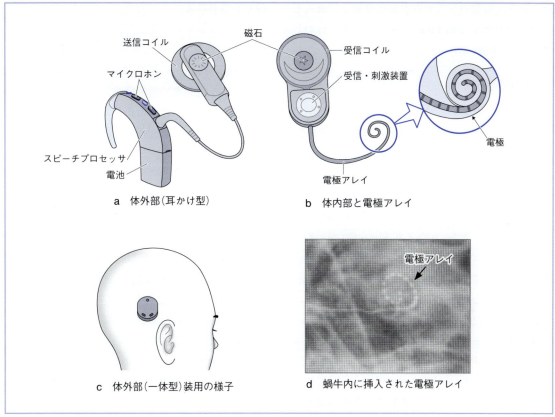

図 5-30 人工内耳の構成

3 人工内耳

a 原理と構造，機能

　人工内耳（cochlear implant：CI）は，機能が低下した，または機能喪失した有毛細胞の代わりに聴神経（蝸牛神経）を電気刺激する機器を蝸牛内に植込み，人工的に音知覚を得る人工臓器である．体外部と体内部から構成され（図5-30），体内部は約3時間の手術によって頭皮下，耳後部と蝸牛内に設置される．

　音は，体外部のサウンドプロセッサに内蔵されたマイクロホンで入力し，瞬時に情報分析処理されて信号となり送信コイルに送られる．送信コイルは磁石によって皮膚を隔てて体内部であるインプラントの受信コイルと接着しており，信号は電磁誘導の無線によって受信-刺激装置に伝えられる．複数の電極が配置された電極アレイは蝸牛の鼓室階に挿入され，信号に従い各電極から電気が流れて**内有毛細胞の発火を代行**する．これにより蝸牛軸近くに存在する蝸牛神経の細胞体（らせん神経節細胞）が人工的に刺激され，脳の聴覚中枢で音として知覚されるしくみである．体内部も体外部も近年小型化が進んでいるが，特に体外部は，すべてが1つの躯体に収められた一体型も存在する．

　わが国では，1980年の単チャンネル人工内耳の臨床応用を経て，1985年に初めて多チャンネル人工内耳の手術が行われた．その後，1987年から多チャンネル人工内耳のNucleusシステムに対する多施設共同臨床試験が5施設で行われ，1991年の薬事承認を経て1994年に保険収載され

た．現在，複数のシステムが使用可能で，成人と小児を合わせて年間1,000件以上の手術が行われている（→ Note 20）．

1）音声処理方式

入力された音響信号情報を分析処理し電気信号へ変換する方法を**音声処理方式（音声コード化法，speech coding strategy）**という．基本は音響分析であり，A/D変換など技術の進歩と人工内耳の発展に伴なって，これまでさまざまな音声処理方式が開発，使用されてきた．音の三要素（高さ：ピッチ，大きさ：ラウドネス，音色）がどのように電気信号に変換されるか，例として，ある音声処理方式によって音声"sa"が信号化される過程をブロック図と波形（図5-31）で示す[1]．

(1) ピッチ

マイクロホンで入力された原音が，バンドパスフィルター（BPF）により周波数帯域分割され（図5-31では4分割＝4チャンネルとなる），最終的に場所ピッチ理論に基づく**蝸牛の周波数特異性**によって，高音は基底回転側の電極に，低音は頂回転側の電極に送られ電気刺激される．また，**刺激頻度（Hz，pps）**によってもピッチ感覚が変わることから，位相固定の理論を利用するシステムもある．

(2) ラウドネス

各チャンネルの音響波形から検出された包絡線の振幅がラウドネスに相当する．A/D変換を経て信号化ののち，二相性パルスの矩形波で蝸牛内電極から一定頻度で電気刺激される．矩形波の振幅とパルス幅の積算が電荷量であり，ラウドネスとして知覚される．

(3) 音色

同じ大きさと高さの音でも異なった楽器の音だと区別できるのは，波長や振幅のバランス，倍音構成比（スペクトラム），時間情報などが複雑に絡み合い，音響波形が微妙に異なる周波数成分（音色）のためである．しかし，人工内耳の音声処理ではそのような微妙な処理をするには限界があり，聴者同様に音色を知覚することは困難である．音響特性の似た楽器音の識別などは人工内耳装用者にとって容易ではない．

各人工内耳システムおよびその機種によって，上記の**チャンネル数**，刺激頻度，電極刺激方法（抽出選択式か否か）が異なり，これがそれぞれの音声処理方式の特徴となっている．理想は，チャンネル数も刺激頻度も可能な限り多いことであり，実現すればヒトの聴覚機能により近づいた"自然な音"や"音色"を蝸牛神経に伝達できると考えられるが，現実的には小型化や消費電力の制限がある．よって，音の特徴を効率的に信号化する

Note 20. 人工内耳の歴史

人工内耳は最も成功した人工臓器の1つであり，唯一実用化された人工感覚器であるといわれる．そもそも「耳に電気を流すと音として感じる」という電気聴覚現象を発見したのは電池を発明したイタリアのVoltaで，1800年に「左右の耳に置いた電極に電流を流すとスープが沸騰したような音を感じた」と記述している．

その後，1934年にAndreefら，1940年にJohnesらが感音難聴者にも電気聴覚現象がみられることを確認し，1957年にはフランスのDjournoとEyriesが，協力を得た聾者に電気刺激装置の植込み手術を行った．1960年代後半には動物実験で蝸牛内電極の長期安全性が確認されてcochlear implant（人工内耳）の開発が進んだ．1972年，米国のHouseが開発した蝸牛内電極が1つだけのシステム（単チャンネル人工内耳）が臨床応用され，聴覚のみの語音聴取は困難なものの，読話併用で了解度が向上することやQOLの改善が認められたことが評価され，1984年に米国食品医薬品局（Food and Drug Administration：FDA）の認可を得た．

一方，オーストラリアのClarkが開発を進めた蝸牛内電極が複数のシステム（多チャンネル人工内耳）は，FDAが1985年に18歳以上の言語獲得後失聴者に対し認可し，1987年に18歳以下の小児にも認可を拡大した．以後は多チャンネル人工内耳の有効性が示されて飛躍的に開発が進み，現在では複数のメーカーで製造され全世界で用いられている．

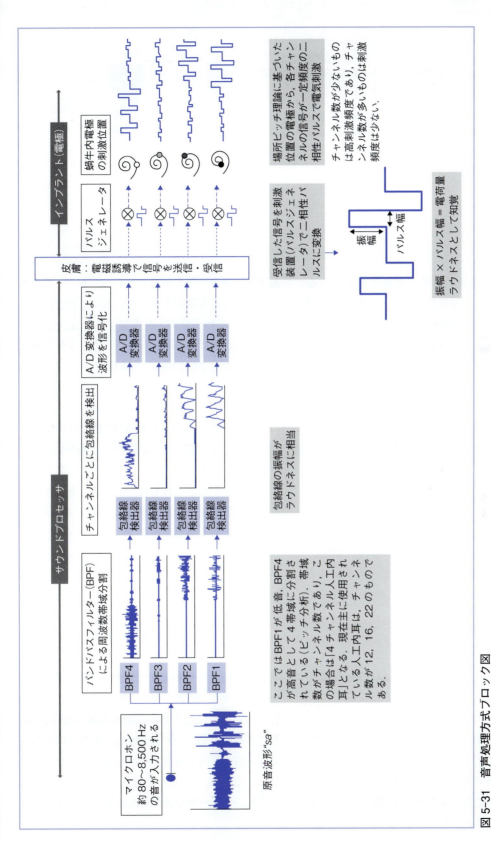

図 5-31 音声処理方式ブロック図
(Loizou PC: Mimicking the human ear. IEEE Signal Processing Magazine 15: 101-130, 1998 より改変)

入力ダイナミックレンジ（IDR）	出力ダイナミックレンジ（DR）
・人工内耳が入力して処理するラウドネスの幅（dB） ・最大入力音圧−最小入力音圧 ・(M)Cレベルの刺激をする音圧−Tレベルの刺激をする音圧 ・人工内耳システムやサウンドプロセッサに依存（40〜80 dB）し，設定変更可 ・装用閾値に関与	・蝸牛を刺激する電気量の幅（μAなど） ・(M)Cレベル−Tレベル ・各装用者の聴神経や感じ方により異なる ・個人差が大きく，聴取成績には基本的に関与しない

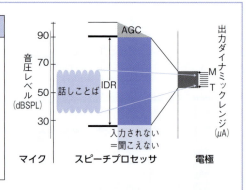

図5-32　ダイナミックレンジ（IDRとDR）

ために，チャンネル数は多いが刺激頻度は少ない，もしくはチャンネル数は少ないが刺激頻度は多い，いずれかの方式が採用されている．現在使用される各システムの音声処理方式において，語音聴取に明らかな優劣はない．

2）ダイナミックレンジ

音の大きさの幅をダイナミックレンジといい，人工内耳には2つのダイナミックレンジが存在する（図5-32）．入力ダイナミックレンジ（input dynamic range：IDR）と出力ダイナミックレンジ（output dynamic range：DR）である．IDRは入力処理可能な音の大きさの幅であり，人工内耳システムやサウンドプロセッサに依存（40〜80 dB）し，装用閾値に影響する．DRは個々人が音知覚を得るために必要な電荷量の幅であり，一定ではない．

3）補聴器との違い

補聴器は音響信号を増幅して振動を鼓膜に伝えているが，人工内耳は外耳・中耳をバイパスし，信号処理に基づく電気刺激が蝸牛神経を刺激するものであり根本的に異なる．

高出力の補聴器を装用しても音知覚を得られないような失聴者であっても，蝸牛神経機能が残存していれば人工内耳の装用効果が期待できる．前述のとおり，人工内耳によって得られる聞こえは基本的に音の特徴を抽出したものであり，明瞭さにも自然さにも限界があるものの，音声言語によるコミュニケーションを希望する中途失聴者にとっての恩恵は計り知れない．一方で手術を伴う人工内耳は侵襲度が高く，補聴器のように試聴を経てから装用することはできず，術後に補聴器装用に戻ることもできない．また，体内に磁石内蔵のインプラントがあるためMRI撮影に一定の制約が出る．インプラントが破損した場合には入れ替えのため再手術が必要で，身体的にも精神的にも負担がかかる．これらの点は術前に本人のみならず，家族やキーパーソンなど関係者に説明し，同意を得ておく必要がある．

b 適応

1991年の薬事承認以来，わが国での適応基準は何度か改定されており，適応基準を表5-15に示す（2020年4月現在）（→Note 21）．成人では長年にわたり「補聴器を装用しても音声言語の聴取が困難な重度難聴者」への「片耳手術」であったが，2017年に「**聴力レベル70 dB以上90 dB未満でも補聴器装用下の最高語音明瞭度が50％以下であれば適応**」と改定された．また，成人も小児も両側人工内耳装用が有用な場合はこれを否定しないと記載されたため聴力レベルが90 dB以内でも，人工内耳を希望する装用者・保護者が増えている．

c 適合の理論と実際

一般的な人工内耳(リ)ハビリテーションの流れおよび役割分担を示す(図5-33)[2]．医師，看護師，臨床心理士，医療ソーシャルワーカーなどの医療専門職に加え，認定補聴器技能者，聴覚障害者団体，就労支援機関，療育・教育機関などとの連携が不可欠である．言語聴覚士は術前～術後を通してかかわる職種でもあり，このような多職種の連携を円滑にするためのキーパーソンまたはコーディネーター的役割も期待される（→Note 22）．

d 術前

1) 医学的適応検査

画像検査〔CT，(3D)MRI〕により，蝸牛が骨化・線維化などで閉塞していないこと（→Note 23），顔面神経の走行などに奇形がないことが確認される．平衡機能検査で前庭や半規管の機能を調べることにより，術後の副作用であるめまいの出現についてある程度予測が可能となる．

2) 情報聴取(難聴の経緯，社会資源活用状況の評価)

成人の場合，難聴の経緯の長さに比例して多様さを示すことが特徴的であり，まずその経緯を聴

表5-15 成人人工内耳適応基準(2017年)

本適応基準は，成人例の難聴患者を対象とする．下記適応条件を満たした上で，本人の意思および家族の意向を確認して手術適応を決定する．
1. 聴力および補聴器の装用効果
   各種聴力検査の上，以下のいずれかに該当する場合
   ⅰ．裸耳での聴力検査で平均聴力レベル(500 Hz, 1,000 Hz, 2,000 Hz)が90 dB以上の重度感音難聴
   ⅱ．平均聴力レベルが70 dB以上，90 dB未満で，なおかつ適切な補聴器装用行なった上で，装用下の最高語音明瞭度が50％以下の高度感音難聴
2. 慎重な適応判断が必要なもの
   A)画像診断で蝸牛に人工内耳を挿入できる部位が確認できない場合
   B)中耳の活動性炎症がある場合
   C)後迷路性病変や中枢性聴覚障害を合併する場合
   D)認知症や精神障害の合併が疑われる場合
   E)言語習得前あるいは言語習得中の失聴例の場合
   F)その他重篤な合併症などがある場合
3. その他考慮すべき事項
   A)両耳聴の実現のため人工内耳の両耳装用が有用な場合にはこれを否定しない
   B)上記以外の場合でも患者の背景を考慮し，適応を総合的に判断することがある
   C)高音障害型感音難聴に関しては別途定める残存聴力活用型人工内耳ガイドライン(日本耳鼻咽喉科学会，2014)を参照とすること
4. 人工内耳医療技術等の進歩により，今後も適応基準の変更がありうる．海外の適応基準も考慮し，3年後に適応基準を見直すことが望ましい．

〔日本耳鼻咽喉科学会福祉医療委員会，2017より〕

Note 21. プロモントリーテスト

細い針電極を鼓膜に通して蝸牛の骨壁(岬角，プロモントリー)に当て，電気刺激を行う検査．音知覚が得られれば蝸牛神経機能が保存されていると判断するもので，人工内耳がわが国に導入された当初は適応検査の1つだった．現在では言語獲得後の中途失聴者であれば蝸牛神経の機能は保存されていると考えられていること，術後に得られる電気的閾値との相関が必ずしも得られるわけではないことなどから，術前の必須検査ではない．ただし髄膜炎後の失聴の場合，蝸牛の骨化・線維化だけでなく聴神経の萎縮や線維化が生じる例があり，人工内耳装用後の効果予測や術側の決定に有用な情報が得られるという報告もある．

Note 22. 人工内耳施設基準

2020年4月現在，全国約120施設で行われているが，厚生労働省の定めた施設基準は次のとおりである．
①内耳または中耳の手術が年間30例以上あること．
②耳鼻咽喉科の常勤医師数が3名以上で，このうち2名以上は耳鼻咽喉科の経験を5年以上有しており，1名は少なくとも1例以上の人工内耳埋込術の経験を有すること．
③聴覚言語療法に専従する職員が2名以上いること．
④届出を行う保険医療機関と密接な連携を有する保険医療機関で人工内耳埋込術を実施したリハビリテーションを行う場合は，リハビリテーションを実施する施設に常勤の耳鼻咽喉科医師と聴覚言語療法に専従する職員が2名以上いれば差し支えない．

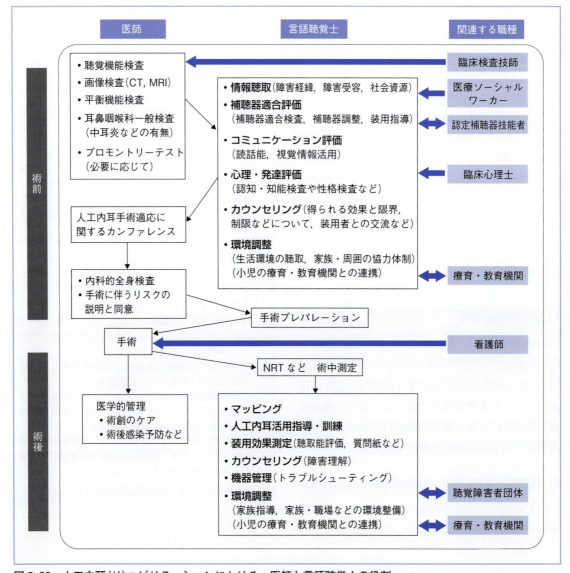

図 5-33　人工内耳(リ)ハビリテーションにおける，医師と言語聴覚士の役割
〔熊谷文愛，他：人工内耳診療とメディカルスタッフ―人工内耳医療における言語聴覚士の役割．JOHNS32：455-459，2016 より〕

> **Note 23. 蝸牛の骨化・線維化**
> 髄膜炎による失聴の場合，蝸牛基底回転部の内耳腔に高率に骨化・線維化が認められ，電極挿入が困難になることがある．また蝸牛性耳硬化症では海綿状変化が蝸牛軸に及んで神経線維やらせん神経節の退行変性が生じて蝸牛周囲の骨吸収(内耳骨包の海綿状変化)が観察され，電極挿入が困難となることがある．また海綿状変化のため，術後，人工内耳の電気刺激により顔面神経刺激が誘発されやすいとされる．

取して推測される問題点や対応策を検討することからかかわりが始まる．聴覚障害は情報障害でもあるため情報収集能力には非常に個人差があり，社会資源に関する情報を知らず活用できていない場合はまずその点から整備を検討する．

3) 補聴器適合状態の確認とコミュニケーションレベルの評価

補聴器周波数特性測定を含む補聴器適合検査を

行い，最適にフィッティングされた状態で補聴器が活用できているかを評価する．必要であれば補聴器の再フィッティングも適宜行う．前述のとおり70 dB以上90 dB未満の高度難聴者も適応となったため，言語聴覚士はこれまで以上に補聴器フィッティングに関する知識と技術をもったうえで，補聴器活用状況を慎重に評価する必要がある．また，純粋な聴取能力の評価ではないため他装用者との比較としては使用できないが，聴覚（Auditory：A）条件のみでなく，視覚（Visual：V）条件，聴覚視覚併用（A＋V）条件での評価を組み合わせることで，本人の日常的なコミュニケーションレベルを確認できる．特に難聴・失聴期間が長い例では，術後の人工内耳装用効果との比較を行う点でも，術前のV条件またはA＋V条件による評価が欠かせない．さらに，実際の日常生活場面での音声言語によるコミュニケーションスキルは，個人の語彙力，構文力および照合・類推能力にも非常に関係する．よって単音節検査だけでなく単語や文の了解度検査も導入し，術後の改善度の指標とするとよい．

その他，術前評価の注意点として，下記があげられる．

- 日本語は特に英語に比べて母音の占める率が多いという特徴があり，単音節と文レベルの評価結果には乖離が大きいため各評価を目的別に用いる必要がある．
- 聴力が左右同等の場合，過去から現在までの補聴器活用レベル，画像診断，平衡機能検査の結果を総合してまず1耳目の術側を検討・決定する．
- **難聴遺伝子診断の情報が有意な決定要因となる**こともある．
- 最終的な適応判断は，聴力レベルだけでなく，個々の社会的立場や生活環境なども考慮し総合的に行われるべきである．

4）障害の理解と人工内耳の理解

言語習得後の中途失聴・難聴者では，本人や周囲が難聴という障害をどのように理解・認識しているかを評価することが重要である．なぜなら人工内耳は「**音声言語によるコミュニケーションの再確立**」を目的とする補聴機器にすぎず，難聴に起因する疎外感，孤立感，人間関係，就職の制限などが人工内耳装用後すぐに解決・改善するとは限らないからである．なぜ人工内耳手術を受けるのか，人工内耳装用により可能になることとならないことは何か．本人だけでなく周囲の人々が，人工内耳の長所だけでなく短所も含めて実態を理解し，**人工内耳への期待を現実的なものとする**一助となる支援が必要である．また，手術やリハビリテーションの過程で生じるであろうさまざまなストレス場面に対する反応を評価するため，心理・性格検査なども参考にする．

人工内耳によって得られる聴取能は個人差が非常に大きいため，術前に正確に効果を予測することは困難である．装用初日からA（聴覚）条件のみで簡単な会話が成立する装用者もいれば，数年にわたる装用期間を過ぎても困難な装用者もいる．個人差の原因は難聴・失聴期間，失聴原因，挿入電極の状態などさまざまな要素が複合的に関係するが，情報聴取から得た対象者の経歴から推測・期待できる装用効果とその限界について多職種カンファレンスで検討し，対象者に正しく情報提供する．その他，体内に人工臓器を埋め込むことによるさまざまな制限や，生涯にわたって医学的管理などの通院が継続すること，それによって生じる負担についても説明と同意が必要である．

5）家族など縁者や社会環境の評価

本人の意欲だけでなく，家庭生活，対人関係，家族の協力度の確認をしておく．特に術後に高齢化に伴う機器管理能力の低下を補うには，家族をはじめとする**周囲のサポートが不可欠**であることを，本人と家族に十分に説明しておく必要がある．

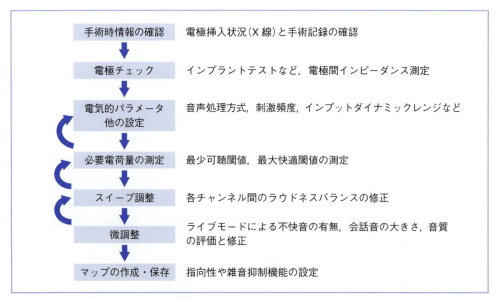

図 5-34　人工内耳のマッピング手順

表 5-16　術後(リ)ハビリテーションの内容

1. 補聴
   - マッピング(人工内耳の適合と調整)，装用・操作訓練，機器の管理，トラブルシューティング
2. 聴取評価，聴覚学習(訓練)，聴覚活用
   - 音の再学習(新しい音像の受け入れ)
   - "慣れる"→"わかる"→"使いこなす"
   - 集団学習(訓練)，交流
3. コミュニケーション訓練
   - 環境整備・理解，視覚情報の利用
   - 効果的な聞き返しと，聞きとった内容の確認
   - コミュニケーション相手への依頼
4. カウンセリング

e 入院中

手術中，蝸牛内に挿入した電極を電気刺激することで発生する蝸牛神経のらせん神経節細胞の活動電位を蝸電図や EABR によって測定し，装用時に必要となる電荷量の推定に用いることがある．各人工内耳メーカーも術中短時間で測定可能な独自の**神経反応テレメトリーシステム**(neural response telemetry：NRT など)をそれぞれ提供しており，術中測定は言語聴覚士が担うことが多い．術後，退院するまでの期間は各病院の方針により 7〜10 日程度と異なるが，装用に向けての準備期間と位置づけ，術後(リ)ハビリテーションとしてスピーチプロセッサなど体外機器の取扱説明書に従い機器の操作やトラブル時の対処方法，マッピング手順などを説明する．

f 術後

術後の(リ)ハビリテーション内容を表 5-16 に示す．人工内耳に限らずすべての人工聴覚機器に応用可能である．

1) 補聴

人工内耳の適合・調整を**マッピング**(mapping)といい，初回マッピングを「音入れ」という．音入れ当日，装用者は「人工内耳の音を聞く」という未知の事柄への対処で精一杯となる可能性が高い．次回来院日までの日常生活中に適切な自己管理ができるよう，可能であれば入院中など，音入れ前に装用指導を開始しておくとよい．また，事前に**ほかの装用者のリハビリの様子を見学し交流の機会をもつ**など，音入れ後の自分をイメージできるような援助がなされれば理想的である．創部が癒

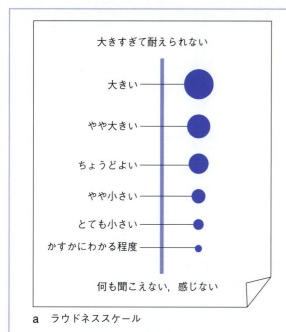

図5-35 ラウドネススケールの例とマッピングの様子

えたのち，入院中または退院後に音入れを行う．
(1) マッピング手順（図5-34）
①手術時情報の確認・電極チェック
　事前に必ずX線写真によって，電極挿入状態を確認する．また人工内耳の機種によって異なるが，インプラントや電極の不具合を確認できる**テレメトリー検査（インプラントテスト，インピーダンステストなど）**は毎回必ず実施する．
②電気的パラメータ他の設定
　機種ごとに初期設定値があり，多くの場合必ずしも設定を変える必要はない．初期設定値で対応困難となる可能性があるのは，髄膜炎後失聴や蝸牛性耳硬化症による失聴など，蝸牛内の変性で神経線維への影響が予想される場合や，内耳奇形がある場合，術側に聴神経腫瘍がある場合などである．
③必要電荷量の測定
　各電極の最小可聴閾値(threshold level：Tレベル)と最大快適閾値〔(most)comfortable level：Mレベル，MCレベル，Cレベル〕となる電荷量の測定がマッピングの基本であり，それをもとに「不快でないラウドネスで音声言語が聴取できる，有効で快適な」**マップ**（人工内耳で音を聞くためのデータ）を作成する．マッピング時に使用するラウドネススケールの例とマッピングの様子を図5-35に示す．

　必要となる電荷量は個々人で全く異なり，また音入れ時はどの程度の電荷量で音知覚が得られるかの情報がない．よって，最小刺激レベルから徐々に強くしていき，どの程度で聞こえ始めるか，どの程度で大きい・強いと感じるか，ラウドネススケールで示すよう教示する．補聴器装用における聴力検査やフィッティングの作業とも似ており，閾値やラウドネスを自己申告できる成人の中途失聴者であればさほど難しいものではない．しかしながら人工内耳による音知覚はこれまでに聞いていた気導経由の音とは全く性質の異なる知覚であり，本人にしか聞こえず，しかも補聴器のように言語聴覚士が聞いて確認することはできない．**ラウドネス感覚**も個々人でとらえ方は異な

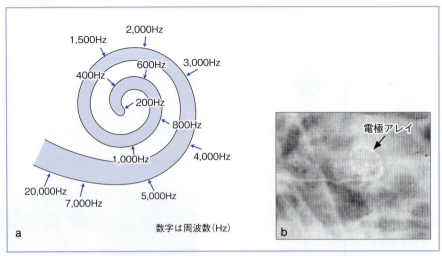

図 5-36　蝸牛の周波数特異性(a)と蝸牛内に挿入された電極アレイ(b)
人間の正常蝸牛の長さは約 32〜35 mm で，位置によって周波数特異性があり，可聴周波数帯域は約 20〜20,000 Hz といわれる(a)．蝸牛内に挿入される電極アレイ長は機種によって異なるが約 20〜30 mm のため蝸牛全体を刺激できるわけではなく，基底回転部から 1〜1 回転半程度の挿入深度となることが多い．人工内耳に入力される周波数帯域は，話声域を重視して約 80〜8,000 Hz であるが，それが基底回転部から 1〜1 回転半程度にあたる位置で電気刺激され音知覚が生じる．そのため，通常聴者が聴いているよりも全体的に高音にずれて感じるようである．音入れ直後は特に，「ことばとして理解できるが，声質は『宇宙人のよう』『アニメの声』」といった感想をもつ装用者が多い．

り，例えば最小可聴閾値である T レベルも，「神経を集中した状態でなんとかギリギリ聞こえるかすかな音」と解釈するか，「はっきり聞こえる小さな音」と解釈するかで反応値は異なる．最大快適閾値（C レベルなど）も，「大きい」と認識する感覚は個々の解釈で全く異なるため，教示には工夫が必要である．特に先天性の中等度難聴から高度難聴を経て人工内耳に移行した例では，そもそも「ちょうどよい」「大きい」というラウドネス感覚を経験したことがなかったり，重度用補聴器によるラウドネス感覚と同様の強さを求めたり，といった傾向もあり最大快適閾値の設定には注意が必要である．

また，人工内耳の電極アレイは蝸牛の基底回転部から約 20〜30 mm の挿入であり（図 5-36），これまで経験したことのない**ピッチ感覚**が誘発されることになる．ピッチの不快さを訴える装用者の表出をラウドネスの不快さと解釈してしまうと，特に高音部の最大快適閾値が適正に得られないこともあるので留意する．

④スイープ調整

必要電荷量の測定が終了したら，各電極間のラウドネスバランスを調整し，不快な刺激と知覚する電極がないか確認する．前述のとおりラウドネスとピッチを混同する装用者も多いため注意が必要である．

⑤微調整

ライブモードにて，装用者は初めて人工内耳を介した音声，環境音を聴く．感じ方は個々で異なるが，音入れ初日は「アニメの声のように甲高い」「男声も女声も同じ」などの表出が多い．日常会話レベルの音声（スピーチバナナの範囲）が「快適に」入力されることを目標とする．音声以外は，手を叩く音，コップなどを机に置く音，電話の呼び出し音，紙を丸める音など言語聴覚室内で可能な日常生活音を聞かせ，不快でないかを確認する．

特に高度難聴の期間が長い例では，「声以外の音が常に聴こえることが不快」と訴えることも少なくない．人工内耳はシステムにもよるが適切に必要電荷量が設定できていれば術前の残存聴力や

補聴器活用状況にかかわらず**約20〜35 dBの水平型装用閾値**が得られる．"ささやき声"レベルの音入力が高音域まで補償されることになるため，術前補聴器では入力不可能であった周囲の環境音が聞こえる状態こそが，人工内耳の聞こえであると装用者に説明する必要がある．

⑥マップ作成・保存

微調整後，作成したマップを装用者のサウンドプロセッサに保存する．どの人工内耳システムでも3〜5つのマップ保存が可能であるため，装用者のニーズに応じてマップ選択・保存を行う．デジタル補聴器と同じく，サウンドプロセッサには雑音抑制や指向性マイクロホンなどの機能があり，同じマップでもそれらの機能を採用するか否かで装用者の聴取感覚は変わるため，静寂下での会話用，駅中など環境雑音の多い場所用など，装用者の生活・使用環境に応じて対応する．

以上の手順を繰り返し継続していくことになるが，**調整の手がかりは装用者本人の訴えのみ**であり，どのような音を知覚しているか，装用者と言語聴覚士が同じイメージをもち，いわば**共同作業でマッピングするためのかかわり**が必要不可欠となる．一般的に中途失聴の成人人工内耳装用者の聴取が安定するには3〜6か月を要するといわれるが，これは装用者自身の新しい音への順応や適応にかかる期間だけでなく，マッピングを担当する言語聴覚士が装用者の反応や訴えを推し量りマップ調整に生かせるようになるまでの期間でもある．また，マッピング手順の習熟や順応の経緯には非常に個人差があり，特に難聴や失聴の経緯によっては新たな聴覚刺激を自分の音として受容するのにかなりの時間を要することも珍しくなく，長期的な支援が必要である．

(2) トラブルシューティング

人工内耳を装用する限り，**長期的なフォローは生涯にわたる**．術後しばらく経過し安定装用となったのちは，一般的に半年〜1年ごとの診察，(リ)ハビリテーション継続が多いと思われる．

表5-17 人工内耳評価のための語音聴取評価検査「CI-2004(試案)」の構成

1. 幼児用
  ①クローズドセット(選択肢あり)
   1) 持続時間のパターン検査
   2) 2音節単語検査
   3) 3音節単語検査
   4) 2語文検査：復唱／事物選択
   5) 3語文検査：復唱／事物選択
  ②オープンセット(選択肢なし)
   1) 単語検査
   2) 文検査
2. 学童用
  日常生活文検査
3. 成人用
  1) 子音検査 (3リスト)
  2) 単音節検査 (3リスト)
  3) 単語検査 (8リスト，静寂下／雑音負荷)
  4) 日常生活文検査 (8リスト，静寂下／雑音負荷)

①機器の問題

■体内部

受信―刺激装置の故障，電極が一部故障し著しい聴取能の低下などがあった場合は，再手術の検討が必要である．

■体外部

個々の使用状態によっても頻度は異なるが，補聴器同様に汗や水分による故障が多いため，来院時の**機器管理，清拭指導**などは言語聴覚士として非常に重要な対応項目である．

②医学的問題

特に蝸牛性耳硬化症など，蝸牛内の変性により人工内耳刺激が顔面神経刺激を誘発することがあるため，注意が必要である．高年齢化に伴う髪の減少や頭皮の菲薄化などから，送信コイル内の磁石強度が強くなりすぎると皮膚が圧迫され血行不良を起こし褥瘡のような症状を示すことがある．高齢者は特に，来院時に毎回確認が必要である．

2) 聴取評価，装用効果の判定

定量的な評価としては，人工内耳装用閾値，装用下の語音弁別検査，人工内耳評価のための語音聴取評価検査「**CI-2004(試案)**」(表5-17)などが

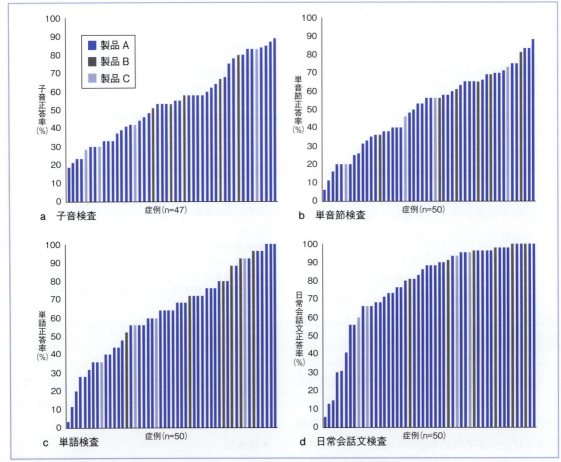

図 5-37 子音検査,単音節検査,単語検査,日常会話文検査における症例別聴取成績
成績不良例から順に記載している.
〔射場恵,他:語音聴取評価検査「CI-2004(試案)」を用いた人工内耳装用者の聴取能. Audiology Japan 54:277-284, 2011 より改変〕

用いられている.いずれも評価時期は特に定められておらず各施設の方針によるが,音入れ後半年,1年,2年といった節目で行われることが多い.前述のとおり人工内耳は約20〜35 dBの装用閾値が得られるものの,それがそのまま語音聴取に反映されるわけではなく**個人差が非常に大きく**(図5-37),雑音負荷による影響も大きい(図5-38)[3].さらにその**聴取特徴も個々で異なる**ため,各特徴に応じた指導,聴覚学習・聴覚訓練課題の設定,支援の内容を検討する必要がある.

また,補聴器装用者の場合であれば,個々の聴力レベルにより得られる装用閾値が異なることから,語音明瞭度検査を実施する際は40 dBHLから80 dBHLの間で連続する3音圧以上での実施が推奨されている.一方,人工内耳装用者の場合,適切なマッピングがなされていれば装用閾値は個人差なく良好に維持されるため,提示音圧を変化させても正答率に有意差がなかったという報告がある(図5-39)[4].補聴器と異なる点であり評価時の提示音圧設定には注意が必要である.

3)聴覚学習(訓練),聴覚活用,コミュニケーション訓練

言語獲得後の中途失聴者の人工内耳の場合,い

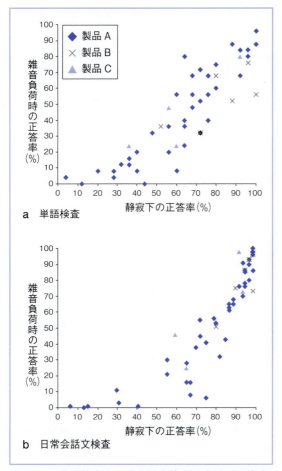

図 5-38 単語検査と日常会話文検査の症例別正答率（n=50）

〔射場恵，他：語音聴取評価検査「CI-2004（試案）」を用いた人工内耳装用者の聴取能．Audiology Japan 54：277-284，2011 より改変〕

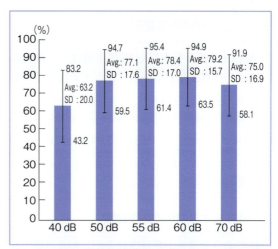

図 5-39 提示音圧別正答率の比較（n=19），67-S 語表

〔松田悠佑，他：人工内耳装用例における単音節課題での語音明瞭度評価法の比較—CI2004 単音節リストと 67-S 語表の成績比較．Audiology Japan 62：211-217，2019 より〕

わゆる訓練的・要素的な聴能訓練を行うことはあまりない．人工内耳による新たな音刺激を自分の耳として受け入れるには，慣れる，わかる，使いこなす，という過程を経る必要があり，人工内耳の可能性と限界を受け入れて最大限に活用するための支援を個々に応じて行ってゆく．

4）カウンセリング

人工内耳により聴覚を取り戻したとはいえ，コミュニケーション上の問題や不全感がすべて解消されるわけではない．**聴取のよさと満足度は必ずしも一致せず**，期待と現実のコントロールは困難

である．聴力レベルは重度難聴から中～軽度難聴へ変わったが，重度難聴者として抱えていた問題が中～軽度難聴者としての問題に変わっただけととらえるべきである．

装用者を取り巻く環境はさまざまであり，生活圏の違いという視点でみても，就労者であれば「電話ができないと困る」「会議は困難」「職場の理解がない」，子育て中の親であれば「夜間，非装用のときに泣き声に気づけない」「PTA の話し合いが困難」「音楽教室は難しい」，一人住まいであれば「話し相手の確保が困難」「活用場所が限られる」，高齢者は「機器管理が困難」「通院が困難」など，実生活上での困り感は多岐にわたる．

また，人工内耳の装用は一生継続することから，青年期，中年期，高年期と年齢を重ねていくごとに問題点やニーズは変化してゆき，支援の方向性や内容が変わる．言語聴覚士は，聴覚という狭義だけでなく広義の視点をもち，**受容的なコミュニケーションパートナー**として装用者の不安や葛藤を受け止め支える役割を長期にわたって担うこととなる．

g 人工内耳の両耳装用

人工内耳が導入された30数年前は，一側のみの手術で一側装用が主であった．近年は人工内耳と対側の補聴器を併用する(bimodal hearing)など，両耳に補聴し両耳聴効果をはかることが一般的であり，これに伴い**両側人工内耳**(bilateral cochlear implant：BiCI)も適応基準が拡大されたことで装用者が増加している．

1) BiCIにより期待できる効果

次のような効果が期待されるが，両耳の聞こえが等しいことが前提となる．BiCIであっても，左右の聴取に著しい差があると効果は低くなる．

(1) 聴取閾値の改善(音が大きく聴こえる)

両耳加重現象(binaural summation)により，1つの耳より2つの耳で聴くほうが音の加重により大きく聞こえる．耳への負担や聴覚疲労を軽減できる効果がある．

(2) 語音弁別能の改善(ことばが聞きとりやすい)

語音と雑音が異なる方向から聞こえるときにSN比が改善される頭部陰影効果(head shadow effect)，2つ以上の音情報が混在していても一方を選択的に聞き分けられる性質(カクテルパーティー効果)は，両耳のほうが有利である．

(3) 音の方向感の改善(音のする方向がわかりやすい)

1.5 kHz以下の低音は両耳に入る音の時間差(両耳間時間差，interaural time difference：ITD)が，高い音は両耳に入る音の強度差(両耳間強度差，interaural intensity difference：IID)や頭部遮蔽効果(反対側からの音が頭を乗り越えて耳に伝わるため小さくなる効果)が影響し，音の方向感が改善する．

2) 両側人工内耳手術の時期

人工内耳の装用効果を予測する際の基本的な考え方では，失聴期間は短いほうがよいとされる．このため1側目の人工内耳手術(1stインプラント)から2側目の手術(2ndインプラント)までの期間も短いほうがよいと考えられており，特に小児例では1stインプラントから1年以内の時期に2ndインプラントを検討することが多いようである．一方で乳幼児に対し，短期間に全身麻酔による手術を2回も実施することへの懸念から，両側の人工内耳植込み術を同時に希望する保護者もいる．一方で成人については，蝸牛の骨化で将来人工内耳挿入が困難になる可能性がある髄膜炎後失聴でなければ，両側同時手術はあまり検討されない．

3) 両耳装用の適応とその判断

成人の場合，術前に両側人工内耳装用を強く希望していても，片側人工内耳での聴取に満足し対側への手術を希望しなくなる例も多い．また，両側手術を希望するのは片側での聴取に不全感がある場合がほとんどであるが，両側人工内耳により前述のような両耳聴効果を得ても，聴者の得ている両耳聴効果には及ばず，まして聴者に戻るわけでもない．よって，結局は片側装用の場合と同様に，「人工内耳は補聴機器にすぎず，難聴に起因する疎外感，孤立感，人間関係，就職の制限などがすぐに解決・改善するとは限らない」という点をよく話し合い，両側人工内耳の目的を設定しておく必要がある．

また，術前の平衡機能検査で左右の前庭機能に差があり，前庭機能が残存していた側を温存し対側に1stインプラントした例では，2ndインプラントを前庭機能が残存している側に行うこととなって術後に平衡機能障害を生じる可能性がある．特に高齢者ではQOLが著しく低下するため，慎重な判断が必要となる．

さらに，副作用として味覚障害が生じる可能性があり，2ndインプラントの前には味覚検査の実施も検討されるべきである．

4) 両側人工内耳のマッピング時の注意点

補聴器の場合と同じく両耳加重現象を考慮し，両耳間のラウドネスバランスを調整する．一般的

に片耳装用時の音量のままで両耳装用すると大きすぎると訴える傾向がある．

h 一側聾への人工内耳

　近年，ヨーロッパを中心に強い耳鳴を伴う一側聾（single side deafness：SSD）への人工内耳埋め込み術が行われており，耳鳴の改善とともに雑音下での語音聴取能と音源定位の改善がみられたとの報告がある．わが国でも 4 施設による共同臨床研究が実施され，同様に耳鳴の軽減効果，雑音下での聴取と方向感の改善が得られて自覚的な評価も良好との報告があり，今後の動向が注視される．

　SSD に人工内耳適応を検討する場合，より侵襲性の少ない CROS 補聴器の情報提供と試聴が不可欠である．CROS 補聴器は難聴耳側からの音を良聴耳側で聴取可能であり，方向感の改善は期待できないものの，対象者の生活環境によっては一定の装用効果は得られるものと思われる．

4　残存聴力活用型人工内耳

a 原理と構造，機能

　従来，人工内耳手術で蝸牛内に電極アレイが挿入されるとコルチ器の機能が障害され，残存聴力は失われると考えられていた．よって高音域の聴力が重度に低下していても，低音域に残存聴力があり補聴器装用効果が期待できる場合は人工内耳の適応とされなかった．しかし，1999 年に von Ilberg らが低音域に残存聴力がある高音急墜型聴力の患者に対し，低侵襲の手術を行えば**残存聴力の温存**（hearing preservation）が可能であり，低音域は補聴器で音響刺激（acoustic stimulation：AS）を，高音域は人工内耳で電気刺激（electric stimulation：ES）を行う残存聴力活用型人工内耳（electric acoustic stimulation system，hybrid implant system）の概念を報告した．

　以後，低音域（頂回転側）のコルチ器の機能を損なわないよう，電極アレイの挿入をあえて浅くし

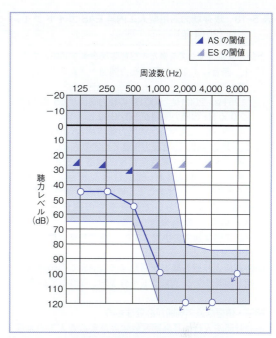

図 5-40　残存聴力活用型人工内耳の適応聴力，期待できる装用閾値の例

適応聴力範囲を色で示す．このオージオグラムの例では，125～500 Hz を AS が担当し，1,000 Hz より高音を ES が担当している．

たり，そもそも通常の人工内耳より短い電極アレイを用いたり，電極アレイ先端部分を細くしなやかにしたり，といった改良開発が進んだ．手術手技においては，従来の方法ではなく正円窓からの電極アレイ挿入のほうがより低侵襲であるとされ，また，電極アレイ挿入に伴ない遅発性の聴力低下が認められることが報告されて，これを抑制するために術中～術後にステロイドホルモン剤の投与が行われるようになった．

　体外部と体内部から構成されるが，体内部は電極アレイが少し短いことを除けば人工内耳と全く同じ（電極数も同じ）で，体外部は人工内耳のスピーチプロセッサと同じ躯体内に補聴器回路が内蔵されており，イヤフックにチューブと耳せん（イヤモールド）を接続し使用する（図 5-40）．各人工内耳メーカーが開発をすすめ，2009～14 年にかけて欧米で臨床使用が開始された．

表 5-18　残存聴力活用型人工内耳 EAS ガイドライン（2014 年）

下記の 4 条件すべてを満たす感音難聴患者を適応とする．
1)-1，純音による左右気導聴力閾値が下記のすべてを満たす．
　　125 Hz，250 Hz，500 Hz の聴力閾値が 65 dB 以下
　　2,000 Hz の聴力閾値が 80 dB 以上
　　4,000 Hz，8,000 Hz の聴力閾値が 85 dB 以上
1)-2，聴力検査，語音聴力検査で判定できない場合は，聴性行動反応や聴性定常反応検査（ASSR）等の 2 種類以上の検査において，1)-1 に相当する低音域の残音聴力を有することが確認できた場合に限る．
2)補聴器装用下において静寂下での語音弁別能が 65 dBSPL で 60% 未満である．
3)適応年齢は通常の小児人工内耳適応基準と同じ生後 12 か月以上とする．
4)手術により残音聴力が悪化する（EAS での補聴器装用が困難になる）可能性を十分理解し受容している．

禁忌・慎重な適応判断が必要なもの
一般社団法人日本耳鼻咽喉科学会が定めた人工内耳適応基準および小児人工内耳適応基準 2014 の「禁忌」「慎重な適応診断」に準ずる．さらに，禁忌事項に急速に進行する難聴を加える．

〔日本耳鼻咽喉科学会：新医療機器使用要件等基準策定事業（残存聴力活用型人工内耳）報告書．2014 より改変〕

b 適応

わが国では，electric acoustic stimulation（EAS）システムが欧州での多施設共同臨床試験と日本国内での先進医療の結果により 2013 年に薬事承認を取得し，2014 年に保険収載された．適応基準は日本耳鼻咽喉科学会よりガイドラインが示されている（表 5-18)[5]．対象となる高音急墜型難聴は進行性である場合も多いため，難聴進行の経緯を詳しく聴取することが重要である．また，一部の難聴遺伝子変異による高音急墜型難聴の場合，継時的に難聴の進行が予想されるため，EAS と人工内耳のいずれの適応とするか，慎重な判断が求められる．

c 適合の理論と実際

基本的な考え方は人工内耳と同様であり，前項を参考にされたい．ここでは EAS に特化した部分について重点的に述べる．

1) 術前

補聴器適合検査で評価するが，裸耳聴力が 500 Hz までの低音域が 65 dBHL 以下，2 kHz より高音域が 80 dBHL 以上，という高音急墜型聴力であるため，補聴器を装用しても**高音域の装用閾値改善は困難**であり，単音節語音の了解度にも限界がある．一方で臨床経験的には，低音域にかなりの残存聴力がある感音難聴者が，裸耳単独あるいは補聴器装用で日常会話レベルの文章聴取が可能なことに少なからず遭遇する．また低音域の聴力がごく軽度（10～20 dBHL）の場合，補聴器装用効果を実感できず（低音域は増幅がなくとも聞こえる一方，高音域は出力最大でも聞こえないまたは不快さしか感じない），**補聴器非装用で裸耳のまま経過し EAS の術前検査に至る例**もある．以上のことから，装用閾値測定や単音節語音を用いた語音弁別検査だけでは日常生活上の聴取特徴や問題点を反映できない可能性があることに注意が必要である．人工内耳装用者の語音聴取評価検査として開発された CI-2004（試案）など，単語や単文を用いての術前評価を検討する．

2) 術後

術前使用していた補聴器のイヤモールドをそのまま EAS にも活用できるが，術後に外耳道の形状が変化する可能性もあり慎重に判断する．また，補聴器の機種によってイヤモールドが EAS に活用できない形状であるなどの場合は，術前または術後に耳型を採取し EAS 用イヤモールド（形状やベント経は残存聴力の程度により検討）を作製，準備しておく．EAS の初回マッピング前に聴力検査を行い，低音域の聴力変動がないか確認が必要である．プログラミング用ソフトウェアとインターフェイスは人工内耳と同一である．

(1) マッピング手順（図 5-41）
① **AS 部分の調整**

通常のデジタル補聴器同様にソフトウェアにオージオグラムを入力すると，内蔵処方式から目

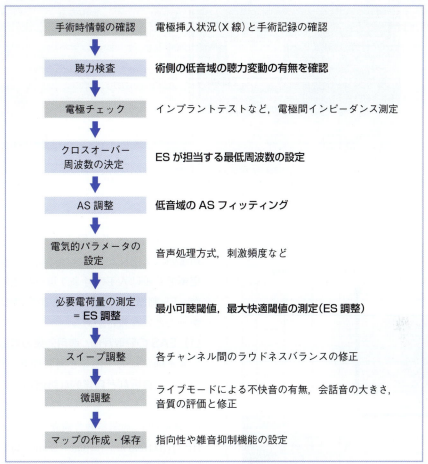

図 5-41　EAS のマッピング手順
太字部分が EAS では必要.

標とする最大出力音圧，利得，周波数特性が自動的に得られ，これを参考に調整を行う．術後の聴力変化が少なければ術前に装用していた補聴器の出力特性を参考にするとよい．ソフトウェア上に示される出力特性と，実際の出力特性に誤差がないか確認するため，必ず補聴器特性測定装置を用いて定期的に測定を行う（図 5-42）．

② ES 部分の調整

前述のオージオグラム入力により，ES 刺激の下限となる周波数（**クロスオーバー周波数**）の値が自動計算され初期入力される．現 EAS システムにおけるクロスオーバー周波数の推奨値は聴力閾値が 65 dBHL であるときの周波数と設定されて

いる．図 5-43 のオージオグラムの場合は，611 Hz がクロスオーバー周波数としてソフトウェア上に自動的に初期入力される．あとの手順は人工内耳のマッピングと同一である．

③ EAS としての調整

AS と ES をそれぞれ調整したのち，双方を同時に稼働して EAS としての音を聞かせ，微調整を行う．高音急墜型聴力の難聴者は高周波の音を聞いていない経験が長く，特に音入れ当初は「AS は自然だが ES（または EAS）が不自然で不快」と訴える傾向がよくある．また，難聴の経緯や術前の補聴器活用状況にもよるが，ES と AS の二重声（音）に違和感を訴え，**ES を「不要な音」「邪魔**

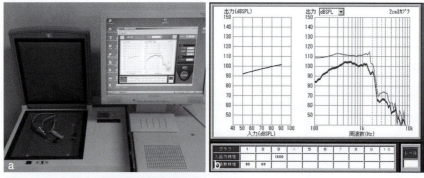

図5-42　AS部分の周波数特性測定の例

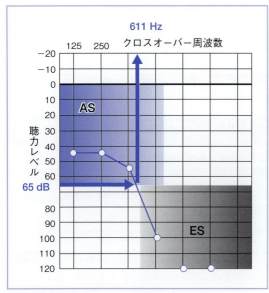

図5-43　クロスオーバー周波数
ESの下限周波数：気導閾値65 dBにあたる周波数

周波数を設定せず全周波数帯をESに割り当て，通常の人工内耳としてマッピングする．蝸牛内の電極アレイは人工内耳より短い状態のままであるが，ES刺激のみとなっても語音聴取は低下しなかったという報告がある．

(1) EASの聴取評価，装用効果の判定

基本的には人工内耳と同じ検査が用いられる．加えて，**音質など自覚的な評価**のために質問紙法が用いられることも多い．「きこえの評価—補聴前・補聴後」(補聴器適合検査の指針，2010年)や，HISQUI(Hearing Implant Sound Quality Index．「音質」に関する主観的評価のための質問紙)，SSQ(Speech Spatial Qualities．会話の聞き取り，空間，音質に関する評定)などが使われている．

な音」と訴えることも多い．ESの効果を，本人の納得を得ながら，時間をかけて融合させていくかかわりが必要となる．

3) 装用後

術後，**温存された残存聴力は継続的に低下する可能性**も報告されているため，定期的に聴力検査を行い聴力変動があれば，そのつどクロスオーバー周波数の値を変更する．最終的にAS効果が得られない聴力となった場合にはクロスオーバー

5　聴性脳幹インプラント

a　原理と構造

人工内耳の電極が蝸牛の鼓室階に挿入されるのに対し，聴性脳幹インプラント(auditory brainstem implant：ABI)の電極はさらに中枢の脳幹延髄の蝸牛神経核の表面に置かれる．蝸牛と同様に蝸牛神経核内でも神経細胞は周波数に従い配列されており，これを利用して音情報を伝えるしくみである(図5-44)．ABIは左右いずれの蝸牛神経核上に設置されても伝導路は交叉し，両側側頭葉に信号が送られるため言語優位半球は考慮せずと

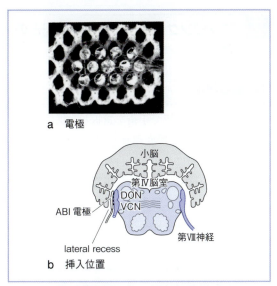

a 電極

b 挿入位置

図5-44 聴性脳幹インプラント（ABI）の電極とその挿入位置

もよい．受信-刺激装置，スピーチプロセッサ，フィッティングシステムは人工内耳と共通だが，電極はアレイではなく平面状の部分に設置されている．人工内耳を開発した米国のHouseと同じ施設にいた脳神経外科医Hitselbergerによって考案され，人工内耳と同時期の1979年に初めて手術が行われた．

b 適応

両側聴神経腫瘍による重度難聴が対象のため，そのほとんどが**神経線維腫症2型**（neurofibromatosis type 2；NF2 ➡ Note 24）である．その他，両側内耳の骨化や無形成，髄膜炎失聴後の人工内耳で装用効果が得られなかった場合などにも実施されている．わが国では薬事承認を得ていないた

め，各施設の倫理委員会の承認を経たうえで医師の個人輸入手続きにより実施される状況である．患者本人の身体的金銭的負担の大きさに比して装用効果は人工内耳に及ばないことも多く，わが国での実施は少ない．そのため両側聴神経腫瘍による重度難聴に対する補聴としては，聴神経腫瘍の大きさや進行速度と顔面神経麻痺など症状出現の程度にもよるが，**ABIの前にまず人工内耳を選択**する方針を取ることが一般的である．

c 適合の理論と実際

ABIに特化した部分を以下重点的に述べる．得られる音知覚は非常に限定的で，A（聴覚）条件のみの語音聴取は困難なことが多く，基本的には読話併用でのコミュニケーション改善が装用目標となる．

音入れは通常，術後4〜8週間目に行われる．蝸牛神経核に電気刺激を行うことにより，音知覚以外の症状が術側全身に出現する副作用の懸念がある．よって**音入れは心電図および脈拍をモニターしつつ実施**し，念のため酸素吸入器および自動体外式除細動器も準備しておく．必要電荷量の測定時に装用者へ提示するスケールはラウドネスだけでなく副作用項目も含める．蝸牛神経核の表面における神経細胞は蝸牛ほど明確な周波数特異性をもっていないため，各電極のピッチ順を決定する（ピッチランキング）作業が必須であり，これを経て任意に周波数の割り振りを行う．

また，蝸牛神経核では部位のみならず深度における周波数配列も存在するといわれ，必要電荷量が高い場合はより深くまで刺激がおよび，ラウドネスの増大に従い同一電極でもピッチが変化する可能性が考えられる．この不均衡さを考慮しつつピッチランキングで整合性を取るのに難渋する．必要電荷量は短期間で頻繁に大きな変動が起こることもあるため注意が必要である．

> **Note 24. 神経線維腫症2型（NF2）**
> 常染色体優性遺伝，染色体22番の遺伝子異常に基づく疾患．4万人に1人の割合で発生，男女差なく，若年発症し，両側聴神経ばかりでなく，脊髄などにも腫瘍が多発し，難聴のほか多彩な症状が出る．聴神経腫瘍は放置すれば増大し，いずれは顔面神経や脳を圧迫する．

引用文献

1) Loizou PC：Mimicking the human ear. IEEE Signal Processing Magazine 15：101-130, 1998
2) 熊谷文愛, 他：人工内耳診療とメディカルスタッフ―人工内耳医療における言語聴覚士の役割. JOHNS 32：455-459, 2016
3) 射場恵, 他：語音聴取評価検査「CI-2004(試案)」を用いた人工内耳装用者の聴取能. Audiology Japan 54：277-284, 2011
4) 松田悠佑, 他：人工内耳装用例における単音節課題での語音明瞭度評価法の比較 CI-2004 単音節リストと67-S 語表の成績比較. Audiology Japan 62：211-217, 2019
5) 日本耳鼻咽喉科学会：新医療機器使用要件等基準策定事業(残存聴力活用型人工内耳)報告書. 2014

C 幼児期の人工内耳マッピング

通常，小学校就学前後にはラウドネスの理解・表現が可能で，成人に近い状況で人工内耳サウンドプロセッサの調整ができる．本項では幼児期のマッピング(プログラミング)を中心に記述する．

1 小児人工内耳の適応基準

人工聴覚器の**適応ガイドライン**は，手術後の効果や世界の情勢を科学的に分析したうえで改定が繰り返されている．現在適用している小児人工内耳のガイドラインは 2014 年に改訂[1)]されたものである(表 5-19)．

このガイドラインは人工内耳の適応となる基準を示したもので，年齢が生後 12 か月以上，体重が 8 kg 以上，平均聴力レベル 90 dB 以上の両側高度難聴，補聴器装用効果が期待できない小児が対象となる．また，療育機関との連携，家族の継続的支援，手術を判断する際の家族・医師・療育担当者との意見交換・合意の必要性などについても明記されている．

2 マッピングにおける成人と小児との違い

a 意思決定

成人は自らの意思で手術を選択し，機器や装用効果についてある程度理解してマッピングに臨む．一方，幼児にとっては自らの意思にかかわりなく，手術・検査・機器の装用など，負荷のかかることが続く．特に**音入れ**(初回マッピング)の日は親の期待や不安をいち早く察知するようで，通常は認められない行動(入室拒否，サウンドプロセッサ装用拒否など)を伴うことがある．保護者も子どもも不安な状態でマッピングに臨んでいるということを言語聴覚士は理解し，信頼関係の構築に努める．

b 部屋環境・強化子

幼児のマッピングは，低年齢であるほど遊びの一部として行う．乳幼児聴力検査と同様に部屋環境を整え，子どもの発達段階や興味に合わせて玩具・強化子を複数用意する．おもしろすぎて音に注意しなくなる玩具は避ける．しかし，興味のない玩具では協力が得られないため，予備を用意して調整する．マッピング時に電荷量を測定している状況では動きのあるおもちゃ(例：ころころ・くるくるスパイラル)にして興味を持続させ，LIVE モードで音声入力を確認したい場合は，絵本やお絵かきなど静かな遊びに変える．

聴性行動観察は 2 名で行ったほうが反応の見落としが少ない(表 5-20)．1 人では子どもの表情が確認できる位置に座ってパソコン操作，もう 1 人は玩具を選択し強化子をコントロールし子どもの注意をパソコン操作から逸らす．近年は**ワイヤレスマッピング**のシステムがあり(図 5-45a)，ケーブルフリーで作業できるので子どもの協力が得やすい．子どもが不安な様子あるいは不機嫌なときは母親の膝上でよい(図 5-45b)．言語聴覚士との信頼関係が構築されてくると，かかわりの

表5-19 小児人工内耳適応基準(2014年)

本適応基準では，言語習得前期および言語習得期の聴覚障害児を対象とする．

Ⅰ．人工内耳適応条件
　小児の人工内耳では，手術前から術後の療育に至るまで，家族および医療施設内外の専門職種との一貫した協力体制がとれていることを前提条件とする．
　1. 医療機関における必要事項
　　A)乳幼児の聴覚障害について熟知し，その聴力検査，補聴器適合について熟練していること．
　　B)地域における療育の状況，特にコミュニケーション指導法などについて把握していること．
　　C)言語発達全般および難聴との鑑別に必要な他疾患に関する知識を有していること．
　2. 療育機関に関する必要事項
　　聴覚を主体として療育を行う機関との連携が確保されていること．
　3. 家族からの支援
　　幼児期からの人工内耳の装用には長期にわたる支援が必要であり，継続的な家族の協力が見込まれること．
　4. 適応に関する見解
　　Ⅱに示す医学的条件を満たし，人工内耳実施の判断について当事者(家族および本人)，医師，療育担当者の意見が一致していること．

Ⅱ．医学的条件
　1. 手術年齢
　　A)適応年齢は原則1歳以上(体重8kg以上)とする．上記適応条件を満たしたうえで，症例によって適切な手術時期を決定する．
　　B)言語習得期以後の失聴例では，補聴器の効果が十分でない高度難聴であることが確認されたあとには，獲得した言語を保持し失わないために早期に人工内耳を検討することが望ましい．
　2. 聴力，補聴効果と療育
　　A)各種の聴力検査のうえ，以下のいずれかに該当する場合．
　　　ⅰ．裸耳での聴力検査で平均聴力レベル90 dB以上．
　　　ⅱ．上記の条件が確認できない場合，6か月以上の最適な補聴器装用を行ったうえで，装用下の平均聴力レベルが45 dBよりも改善しない場合．
　　　ⅲ．上記の条件が確認できない場合，6か月以上の最適な補聴器装用を行ったうえで，装用下の最高語音明瞭度が50％よりも改善しない場合．
　　B)音声を用いてさまざまな学習を行う小児に対する補聴の基本は両耳聴であり，両耳聴の実現のために人工内耳の両耳装用が有用な場合には，これを否定しない．
　3. 例外的適応条件
　　A)手術年齢
　　　ⅰ．髄膜炎後の蝸牛骨化の進行が想定される場合
　　B)聴力，補聴効果と療育
　　　ⅰ．既知の，高度難聴をきたしうる難聴遺伝子変異を有しており，かつABRなどの聴性誘発反応および聴性行動反応検査にて音に対する反応が認められない場合．
　　　ⅱ．低音部に残聴があるが，1～2 kHz以上が聴取不能であるように子音の構音獲得に困難が予想される場合．
　4. 禁忌
　　中耳炎などの感染症の活動期
　5. 慎重な適応判断が必要なもの
　　A)画像診断で蝸牛に人工内耳が挿入できる部位が確認できない場合．
　　B)反復性の急性中耳炎が存在する場合．
　　C)制御困難な髄液の噴出が見込まれる場合など，高度な内耳奇形を伴う場合．
　　D)重複障害および中枢性聴覚障害では慎重な判断が求められ，人工内耳による聴覚補償が有効であるとする予測がなければならない．

〔日本耳鼻咽喉科学会：福祉医療委員会，2014より〕

表 5-20　幼児マッピング時の聴性行動観察ポイント

1. 反応様式
   - 表情：顔のこわばり，瞬きの増加，眼瞼・眉・額・口角が動く，突然泣く・驚く，笑う
   - 身体の動き：音源探索，手足の動き，全身の膠着，活動の中止，保護者にしがみつく，保護者を頻回に見る
   - 発声量：声を出す，音声表現が増える

   ＜留意点＞
   Tレベルが低すぎると反応は認められず，Cレベルが高すぎると顔や身体の動きに変化がみられる．単に音入力に驚いて保護者にしがみついているのか，不快レベルなのかの見極めが必要である．Cレベルに達していないにもかかわらず，眼瞼や口角にぴくつきが認められる場合は医師やメーカに相談する．

2. 反応の再現性
   - 安定性

   ＜留意点＞
   年齢が低いほど注意の持続時間が短く，安定した反応は期待できないので，聴性行動が偶発的か刺激に対する慣れによるものかを見極める．

3. 反応時間・応答の一致度
   - 瞬時反応：刺激に対応して即座に反応する
   - 遅延反応：刺激後しばらくしてから反応，あるいは刺激停止時に反応する

   ＜留意点＞
   反応時間は，マッピングに対する慣れや強化子によっても異なる．

図 5-45　ワイヤレスマッピング
a：ワイヤレスマッピングの場面．
b：マッピング時の驚愕反応．
〔a：株式会社日本コクレア，b：メドエルジャパン株式会社より提供〕

対象が母親から言語聴覚士に変わり，音刺激があったことを母親ではなく言語聴覚士に教えてくれる，などの行動変容が認められる．

C　T-レベル・C-レベルの判断

成人は**ラウドネススケール**による本人の判断を参考に微調整を加え，T/Cレベルを設定してマップを作成する．また，本人が納得しない場合は複数のマップを作成しマップ間の違いを表現してもらいながら適切なマップに仕上げていく．しかし，幼児前期は音の大きさの概念が未習熟なため，本人の反応がどの程度の大きさなのかは不明で，検者の言語指示や身振りやジェスチャーも通じない．また，時間をかけるほど反応が曖昧になる可能性があり，短時間で判断しなければならない．電荷量が過剰だと子どもが送信コイルを払いのけてマッピング作業が遂行できず，逆に不足だと聞こえないというジレンマが生じる．

幼児マッピングにおけるT/Cレベルの設定には，聴性行動観察による方法と，蝸牛神経の活動電位を他覚的に計測して電荷量の参考値とする方法（後述するNRT，ARTなど）がある．

1）聴性行動観察によるマッピング

子どもが示す反応をTレベルとすべきかCレベルとすべきか見当がつかないことがある．
子どもの反応様式，反応時間，応答の同期性，再現性などに留意しながら聴性行動を観察して

T/Cレベルを判断する．音入れ時は，電極を数本選択して反応値をCレベルと仮設定し，DRを確保しながらTレベルを設定して補完する．さらに高周波数域の電荷量を抑え気味に設定してマップを作成し，ライブモードで音声や楽器音，ビニール袋や紙が擦れる音など，音圧と周波数特性を考慮しながら刺激音に対する反応を観察しT/Cレベルを微調整する．音入れ日は音に対する反応が数回安定して観察できることを目標とし，短時間で済ませる．2回目以降のマッピングでは刺激電極を変え，高周波数音で不快感を示さなければ蝸牛底付近の電極のT/Cレベルを上げる．また，子どもの協力を得られるよう信頼関係を構築して作業時間も少し延長し，マップの精度を上げる．

この方法は言語聴覚士の知識と経験で任意設定せざるをえず，主観的ではあるが，子どもの聴性行動を注意深く観察しながらマッピングできる利点がある．

2）他覚的マッピング（蝸牛神経複合活動電位の計測値の活用）

人工内耳電極で聴神経または蝸牛神経を刺激し，電気的に誘発された**蝸牛神経複合活動電位**（electrically evoked compound action potential：ECAP）の測定値を参考にしてT/Cレベルを設定する方法である．メーカーによって，**神経反応テレメトリー**（neural response telemetry：NRT），neural response imaging（NRI），auditory nerve response telemetry（ART）と名称が違い，手法も統一されていないが，いずれも聴神経・らせん神経節の活動性の確認を目的としている．

これらのNRT，NRI，ARTの測定値と行動学的マッピングとの関連性については，研究者によって見解が異なり，Tレベルに該当する，Cレベルに該当する，電極によって偏りが異なるなどさまざまである．そのため，これらの測定値をT/Cレベルの中間値と考えてマップ作成するのが一般的である．

(1) 手術中の神経テレメトリー計測

体外装置（送信コイル，送信ケーブル，サウンドプロセッサ）を滅菌ビニール袋に入れ，送信コイルを側頭骨に埋め込んだ受信コイルとリンクさせてインピーダンスを測定したのち，選択した電極数極の活動電位を測定する．所要時間は数分で，医師・看護師・言語聴覚士あるいは臨床検査技師が行う．麻酔時に実施できるのは利点であるが，皮弁の厚さや気泡などの影響で計測不可となったり，手術後の測定値と一致しなかったりという事態を想定して使用する[2]．

(2) マッピング直前のテレメトリー計測

音入れ時には創部は治癒しているので，術中計測と違って滅菌対応は不要である．送信コイルが受信コイルとリンクした状態であれば，子どもが遊んでいる間に済ませることができる．**インピーダンス測定**して電極の作動性を確認したあと，選択した電極の活動電位を測定する．自動計測なので簡便である．

(3) 神経テレメトリー測定値活用における注意

- NRI，NRI，ARTの測定値は聴性行動観察による**電荷量**と相関があるとされるが，T/Cダイナミックレンジの約50～90％と差が大きく，Tレベルに近似するかCレベルに近似するかの判断が難しい[2]．
- 術中の測定値と術後の測定値で再現性が高いとはいえず，個人差も大きい．
- 術中測定が無反応だったとしても，音入れ時に反応が認められることもあり，NRI，NRI，ARTの測定値だけで聞こえを判断するのは避ける．
- 同メーカーの製品間でも測定値の再現性は曖昧である．
- メーカーによって測定値の基準が異なり，比較できない．

結論としては，神経テレメトリー測定値の活用は音入れ時に短時間でマップ作成できる点で有用だが，信頼性には疑問が残るため，聴性行動観察によるマッピングと併用するのがよい．

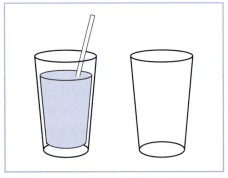

図 5-46　「あった，ない！」遊び

図 5-47　たいこ遊び（音の大きさの概念）
大きなたいこ，ドーン，ドーン（声も所作もやや大げさに），
小さなたいこ，トントントン（声を潜め，所作も小さく）．

3　ラウドネス表現の段階性

　最初は不完全なマップでも，回数を重ねるごとに子どもの応答性は安定してマップが精緻化し，音に対する反応も，検知から識別，さらに理解へと変わっていく．マッピングを効率よく進めるには子どもの協力が不可欠で，音の大きさの概念形成ができているか否かはマッピング作業に影響する．そこで，音刺激の有無を明確に理解・表現できることを目的にした遊びを人工内耳手術前後の（リ）ハビリテーションに取り入れる．

a　音の検出遊び（「いないいないばあっ！」，「あった，ない！」）

　音刺激の**検出**を認識させることを目的として遊ぶ．世界中の1歳前後の子どもたちが「いないいないばあっ！」の遊びを好む．人の顔が隠れて見えないことに対する不安と，笑顔が現れることに対する期待・驚き・喜びが自然に引き出せるユニバーサルな「かかわり遊び」である．声の強弱や長さ・トーンを変えることで，「何かを期待して待つ」ことの学習にもつながり，関係性の構築のみならず，マッピングにも有用である．この遊びに関する絵本も数多く，家庭でも取り入れやすい．
　「あった，ない！」遊び（図 5-46）も刺激の存在確認で，視覚活用と触覚・振動覚活用がある．日常の飲食場面，部屋の照明のオンオフ，おもちゃ探しの遊び，掌に小さなおもちゃを隠し「ある・ない」を確認する遊びなどは視覚的にわかりやすい．振動覚にはたいこの振動や聴力検査用の骨導端子を利用する．特に，低周波数音の振動覚は感覚的に理解しやすい．
　刺激を提示するときは，「いた・あった！」，と表情豊かに音声を添え，非刺激時は「いない・ない」と首を横に振るしぐさをつけると，理解と表出が統合されやすい．

b　音の大小（たいこ遊び）

　音の大小の概念の理解に，たいこ遊びは有用である．例えば，「大きなたいこ」の歌（小林純一：作詞，中田喜直：作曲）などはリズムと合わせて楽しむことができる（図 5-47）．たいこを叩くときの所作と一緒に音声の大小，たいこ音の大小を合わせることで，ラウドネス感覚の学習につなげる．大小の振動の違いもあり，一層理解がしやすい．「大きなたいこ」の呼びかけに対して子どもはたいこを大きく叩く所作をし，「小さなたいこ」というとバチを小さく振る所作がみられるようになると，大小の概念形成・表出ができたと判断する．「音があった・ない」「大きい・小さい」が表現で

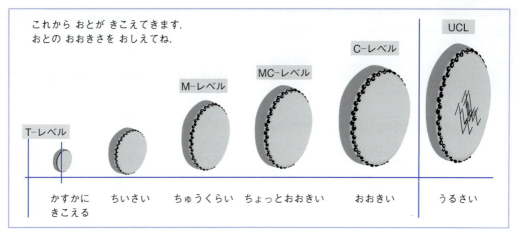

図 5-48　教示用ラウドネス表
ラウドネス表は発達に応じて段階を増減する．

きるようになると，次は大きさの段階性の概念形成が課題となる．3歳ごろには小さくも大きくもない「中くらい」の概念が育ち（図 5-48），聴覚刺激と視覚提示されたラウドネスの図版との統合が可能となる．図版は，本人の好きなキャラクターを用いると興味が持続しやすい．就学前後には，ラウドネスの段階性が細かくなり，徐々に成人同様のマッピングができる．

C　刺激回数（数遊び）

音刺激の回数が数えられると T/C レベルの設定に役立つ．特に小さい音の数を数えて T レベルを設定することを counting threshold といい，音の検知が曖昧な子どものマッピングに有用である．2～3歳の子どもは数に興味を示し，1～5の数を表現し，提示された事物の数を一致させたり聴覚的な音刺激の回数を数えたりするなどの数遊びができる．手を叩く回数に合わせて，おはじきを積む，何か事物を並べ，最後には積んだものをバラバラにする楽しみを取り入れながら遊ぶ．教え込もうとすると拒否反応を示すので，日常生活で触れる物や見る物を通して，遊びながら大きさや数を子ども自身が表現できるよう誘導する．物や動物の大小，**数概念**を取り入れた絵本は安価で入手でき，家庭でも遊びに取り入れやすい．

4　両側人工内耳マッピングの留意点

幼児に対する両側人工内耳は**両耳聴効果**を高めるとして，2010年ごろから1歳前後の子どもに対しても行われるようになった．わが国では2014年の小児人工内耳ガイドラインの改訂以降に両側人工内耳（bilateral cochlear implant）が保険適用になり急増している．同日もしくは数か月以内に両側施術することを同時手術（simultaneous bilateral cochlear implant）といい，近年増加傾向にある．一方で，初回人工内耳手術から数年のインターバル後に反対側にも手術することを逐次手術（sequential bilateral cochlear implant）といい，この層も増えている．

両側人工内耳のマッピング時は，両耳加重現象を考慮してラウドネスを抑え気味にすることや両耳間のバランス調整などが重要だといわれている．左右耳別々にマッピングすることもあれば，2つのプログラミング用の機器に接続し，同画面で同時にマッピングすることもある（図 5-49）．ただし，これは両側とも同メーカーのサウンドプロセッサ使用時に限り，左右耳が別メーカーだと**同時マッピング**はできない．また，両側の手術時期が近いとマッピングは比較的容易だが，数年以上間隔が空いた場合，特に最初の手術が幼少期で

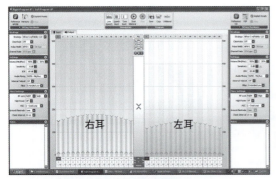

図 5-49　両側同時マッピング画面
〔株式会社日本バイオニクスより提供〕

反対側の手術が青年期の場合は，初回より慣れるのに時間を要し，両耳間の音圧や音質バランスの調整に難渋することもある．

片側人工内耳に比べて両側装用のほうが両耳聴効果(第3章 ➡ 57頁)の恩恵にあずかる可能性は高く，特に雑音時の語音識別や音源定位は顕著に改善する．しかしながら，聴者の両耳聴による音声情報処理能力と人工内耳装用では質的にも量的にも異なるという研究報告もあり，保護者には現実的な情報提供をすべきである．

5　保護者へのアドバイス

a 音入れ前後

最初のマッピングは保護者も期待と不安が交錯し過剰反応することがあるため，あらかじめ，マッピング時に起こりうる子どもの行動を伝え(例：突然の音刺激に驚いて泣く，送信コイルを払いのける，サウンドプロセッサを投げつける，ケーブルを噛むなど)，優しく受け止めるよう依頼する．その他，以下のような内容については手術前から繰り返し伝える．

- 音入れ時のマップは最適とはいえず，徐々に精緻化する．
- 音入れ当初はサウンドプロセッサ装用を嫌がることがあるが，諦めずに装用させる．慣れるのに数日かかる．1～2週間経過しても嫌がる場合は音が大きすぎる可能性があるので再調整する．
- 過敏に反応する音があれば(例：トイレの水洗音など)再調整するので，日誌をつけて言語聴覚士に伝える．日誌はマッピングに限らず**トラブルシューティング**にも役立つ．
- 発話の明瞭性，円滑な音声コミュニケーションの前提条件として聴覚フィードバック(auditory feedback)の確立が不可欠である．
- 聴覚的理解が発話に先行する．
- 構音獲得には順序性があり，難聴児も聴児と同じような段階を経る．
- 人工内耳の装用閾値はマイクロホンの周波数特性を反映させるもので，日常生活の聴取能力を保証するわけではない．

b マッピング後の人工内耳の活用

1) 人工内耳の音を意味づけしてくれる大人の存在が必要

聴覚活用を促進させる条件の1つに，人との**相互作用**と言語環境があげられる．聴者は無自覚に母語を習得するが，それは上記の条件が自然に与えられていたからである．人工内耳装用児にとって，日本語を獲得するのは外国語を習得する過程に似ている．音を無意識に聞くだけでは外国語は単なる雑音でしかない．しかし，意識的に聴覚活用して音韻情報と語彙や意味，語用の情報を統合させることで言語として習得される．人工内耳は精巧に音声を再生する手段を提供してくれる機械であるが，自然な音ではない．大人は自らこの不自然な音を状況や文脈に合うように有意味化し**言語化**していく．一方で幼児にとっては，人工内耳で入力された音を意味づけしてくれる大人の存在が不可欠で，その役割の主な担い手は保護者である．

2）聴覚は継続的に活用することで鋭敏になる

人工的な音でも意味化して聴き続けることで定着していく．最初は無意味に思えた音の連続が音素，形態素，語，句，文の単位になるが，それらは大人の**継続的介入**によって無数に広がって母語獲得という結果をもたらす．人工内耳は継続して使えば音声言語の獲得ツールとなり，使わなければ単なる雑音製造機と化す．子どもが嫌がるから機嫌のよいときだけ装用させるという保護者がたまにいるが，機器の故障や特殊な理由がない限り常時装用に努め，音を有意味化する橋渡し・足場かけを生活のすべてを通して行う．

3）聴覚活用は文脈を伴った活動で促進される

前述のように，音が聞こえる（検知）だけでは不十分で，音声が聴こえる（識別）ようになるには，音声とその場の状況を統合させる人とかかわりが重要である．子どもの名前をむやみに連呼して「聞こえた？」と確認する保護者が多いが，脈絡なく呼びっぱなしだと子どもはいずれ無視するようになる．単音や単語のオウム返しを子どもに求めるのも同様で，子どもにとって無意味な状況では能動的な聴き取りや発話は期待できない．幼児期の聴覚活用は，本人が楽しい・嬉しいなどの情動的感覚を伴う日常生活の場面における人とのかかわりによって促進される．

6　マップの適切性の判断

a　装用閾値

マッピング後の入力レベルについては楽器音や話声で大まかに確認できる．また，スピーカ法で**装用閾値**を測定できれば信頼性が高まる．人工内耳装用閾値は，術前の裸耳聴力が重度であっても，電荷量の測定が適切であれば約 20～35 dB の水平型となり，生活音や話声域の音声入力が補償されることが人工内耳の特徴である（図 5-50）．

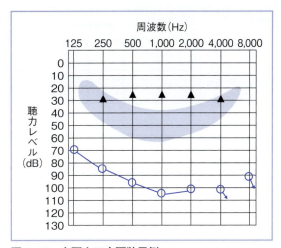

図 5-50　右耳人工内耳装用例
術前裸耳閾値（○），術後の装用閾値（▲）．

これらの閾値が得られない場合は，T レベルの設定が低い可能性がある．聞こえが悪いから電荷量が不足しているのではないかと C レベルを上げることがあるが，不快感を誘発する可能性もあるので慎重に行い，電荷量のダイナミックレンジ（DR）が広い場合は先に T レベルを上げて音場閾値を測定し，それでも閾値が高い場合は不快レベル（UCL）に注意して C レベルを上げる．

b　Ling 6 sounds（リング 6 音）の活用

Ling（1975 年）の発案による **Ling 6 sounds** は世界的に用いられている音の検出確認方法である[3]．ahh[a]，eee[i]，ooo[u]，sss[s]，sh[ʃ]，mmm[m]の 6 音を用いて，主要な話声域（約 150～6,000 Hz，約 30～60 dB）の音声検知・弁別・識別状況が確認できる．発案当初は[m]を除く 5 音を用いたが，現在は低周波数域の子音である[m]音を加えて Ling 6 音として普及している．

Ling は，「人は聞いたように話す．聴覚活用指導の際は対象（児）者に話し声が届く距離から話しかけること，補聴器や人工内耳の装用閾値が話声域に入るように調整することが大切である」と主張し，話声域の周波数の観点から，これらの 6 音で簡便に音の聞こえを評価する方法を考案した[4]．

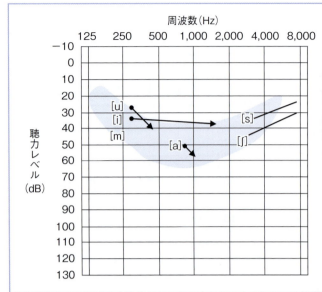

マッピング後，音の検知の有無を確認：スピーカ用の布を刺繍ワッカに張って使用（音圧・音質の変化を防ぐため）．検知確認のほかに，検査音を模倣させて識別能力を確認する方法もある．

図中の矢印は母音の第1～2フォルマント周波数を示し，子音に関しては音響エネルギーの中心周波数帯域を指す．

図 5-51　Ling 6 音の適用
〔Ling 6 sounds screen. http://www.Hearing Journey.com を参考に筆者作成〕

実施方法は至って簡単で，対象児の約1～2 m離れた位置から発声し，聞こえたら手を上げるか（検知），復唱（音の弁別・識別）してもらう．子どもの背面から刺激提示するが，側面・正面に座している場合は，視覚情報の影響を排除するため口元を隠す．その際，手や本で口を覆うと，音圧が下がったり音が歪んで音質が変化したりするので，小さいハンカチサイズの布を口元から約10 cm 話して刺激音を提示する．

前述のように，人工内耳の装用閾値は水平型の約30 dB となるため，[a], [i], [u], [s], [ʃ], [m] の6音で電荷量が適切か，周波数による偏りがないかを確認でき，マッピングの適切性の判断にも有用である（図 5-51）．なお，Ling 6 sounds の適用法は音声付きで Web サイトに広く紹介されている．

C 語音の聴き取り評価

語音の聞き取りはオージオメータを用いた客観的評価が望ましいが，年齢が低いほど標準化された検査を適用するのは困難で，1～2歳児に対しては質問紙による評価を用いて保護者や言語聴覚士が評価する．2～4歳では単語の理解語彙が増え，絵画や事物を用いることができる．また，3～5歳では音声模倣ができ，スピーカ法を用いた**音場語音検査**も可能になる．しかし，この時期の構音発達は個人差が大きいため，検査者が子どもの応答を正確に聞き取れないこともあることに留意する．就学前後には文字の読み書きができる子どももいて，応答法を音声ではなく，書字法に変えて検査でき，客観性が高まる．

1）質問紙による評価

人工内耳装用児を対象とした**質問紙検査**はわが国にはなく，遠城寺式乳幼児分析的発達検査法，津守・稲毛式乳幼児精神発達診断法などの一部を用いている．しかし，これらは発達全体を評価する検査であるため，下記の外国版検査の日本語訳を使用しているのが現状である．

(1) IT-MAIS, MAIS, MUSS

乳幼児期の高度難聴児の意味性を伴う聴覚活用や発話を5段階尺度で評価し，経時的変化を観察する質問紙法で，Robbins ら[5]や Zimmerman-Phillips[6] らによって作成され，Advanced Bionics

表5-21 人工内耳評価のための語音聴取評価検査CI-2004(試案):小児用

幼児用(適応年齢:2~6歳)
① 持続時間の単語パターン弁別検査(1/9選択,4リスト)
② 単語検査
 • closed-set(1/9選択,2音節単語検査2リスト,3音節単語検査2リスト)
 • open-set(25語の単語,5リスト)
③ 短文検査
 • closed-set(2語文検査:8リスト,各8文,3語文検査:8リスト,各8文)
 • open-set(幼児用日常生活文:8リスト,10文)

学童用(適応年齢:6~10歳)
 日常会話文(オープンセット,10リスト,各15文)

社を通して[7],多くの言語に訳されている.IT-MAIS(infant-toddler meaningful auditory integration scale)は前言語期の乳幼児に,MAIS(meaningful auditory integration scale)は幼児の聴覚活用度を評価する.なお,発話の発達を評価するMUSS(meaningful use of speech scale)もある.これらの検査は10項目の設問で構成され,0~4の5段階で評定する.0＝全くない(約0％),1＝まれにある(約25％),2＝時々ある(約50％),3＝頻回にある(約70％),4＝常にある(約100％),で総計40点満点となる.保護者自身に評定させると評価点が高くなる傾向があるため,可能であれば言語聴覚士や療育・教育に携わる専門家が,構造的面接法で間接的な質問をしながら評価するのが望ましい.わが国では保護者に渡して簡便に施行している例が多いが,本来は質問例や採点例が細かく記され,検査に基づいて施行し客観性と信頼性を高める工夫がなされている.

(2) LEAQ

LEAQ(LittlEARS；LittleEARS Auditory Questionnaire)は,メドエル社によって作成された質問紙法で[8],ドイツ語圏を中心に使用されていたが,現在は多くの言語に訳されている.40の設問に対してYES/NOで応答するもので,人工内耳装用時点を聞こえ年齢0歳として縦断的に追跡し,その過程を発達曲線で描けるのが特徴である.

2) CI-2004(試案)人工内耳評価法(小児用)[9]

小児用は,2~6歳までの幼児用検査と6歳以降~10歳までの学童用検査があり(表5-21),個々の発達年齢に応じて適宜検査を採択できるようになっている.

幼児はclosed-set(クローズドセット,選択肢あり)の単語および文リストやopen-set(オープンセット,ヒントなし)の単語や文リストがある.closed-setは2語文,3語文レベルで事物を操作して実施できるので(図5-52),幼児前期の子どもにも適用される.学童用は就学前後から小学校3~4年生までの年齢を想定した日常会話文しかなく,単音節,単語リストは成人用を用いる(第5章➡177頁).なお,雑音負荷時の評価も可能なように加重不規則雑音CDも用意されている.

7 人工内耳装用効果に影響を及ぼす要因

人工内耳の効果的使用においてマッピングはきわめて重要だが,その他にもさまざまな要因が関与している(表5-22).最近の一般的な見解は以下のとおりである.

• 手術年齢が低いほど言語獲得が早い.特に**両側人工内耳**装用は音源定位や雑音下での聴取を改善させる[10].
• 1側目と2側目の手術の間隔は数年以内が望ましい[10,11].

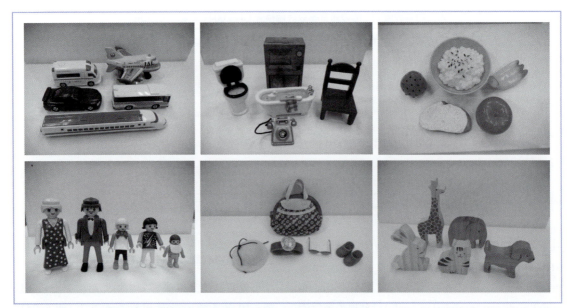

図 5-52　CI-2004(試案)幼児用短文検査(closed-set)に使用される事物
2語文例：お父さんが走るよ．（正解：父の人形を選択）
3語文例：ウサギさんが新幹線に乗るよ．（正解：ウサギと新幹線を選択）
事物の入手が困難なため，現在は「はめ板」を使う．

表 5-22　幼児の人工内耳装用効果に影響を及ぼす要因

1. 科学技術
   - 人工内耳関連テクノロジーの進歩
     機器(電極，サウンドプロセッサ)，音声コード化法，マッピングソフトウェア
   - 医療技術
     低侵襲の電極挿入，手術に伴う副作用の予測・管理
2. 個体要因
   - 生理・病理・解剖学的要因
     (原因疾患，蝸牛の形態異常の有無・程度，残存する蝸牛神経細胞の質・量，聴覚伝導路の発達など)
   - 難聴発症年齢
   - 補聴器装用経験
   - 手術時の年齢
   - 発達要因(重複障害の種類と重症度，言語・コミュニケーション能力，知的・認知能力)
3. 言語・聴覚活用環境
   - 家庭環境：保護者の関与・協力度
   - 療育環境：療育施設や病院のリハビリテーションの質(マッピング技量を含む)
   - 言語モダリティー
   - 継続的な人工内耳の活用
   - 補聴補助機器の活用
4. 両耳聴
   - 人工内耳と補聴器の併用
   - 両側人工内耳装用

- 音声言語獲得には，聴覚口話法やオーディトリー・バーバルセラピー(auditory verbal therapy)のような聴覚活用を主軸としたモダリティが有効である[10, 12]．
- 保護者，特に母親の関与が言語・コミュニケーションの獲得に影響する．
- 知的障害や重複障害があると予後が厳しい[12]．

8　遠隔マッピング

　近年は情報通信技術(ICT)や人工知能(AI)関連の進歩が目覚ましく，医療分野でもさまざまなITが導入されている．欧米ではオンラインによるマッピングが2010年ごろから導入され，リモートマッピング(remote mapping, remote programming)として定着している．わが国でも北海道では成人の人工内耳装用者を対象に**遠隔マッピング**が行われ，地方の患者のアクセシビリティが改善し，患者の満足度も高いと報告されている[13]．接続先の環境が整えば，今後は小児も対象になると考えられる．

引用文献

1) 日本耳鼻咽喉科学会：福祉医療委員会(2014).
2) 諏訪圭子：術中評価とマッピング　NRTと装用時のマッピングの関係は？　JOHNS 32：1734-1735, 2016
3) Martin D, et al：Using the Ling 6-sounds Test Everyday. Audiology online, 2004
4) Ling D：Speech and the Hearing-Impaired Child：Theory and Practice. Alex Graham Bell Assn for Deaf, 2002
5) Robbins AM, et al：Evaluating meaningful auditory integrating hearing impaired children. Am J Otol 2：144-150, 1991
6) Zimmerman-Phillips S, et al：Assessment of auditory skills in children two years of age or younger. Presented at the 5th International Cochlear Implant Conference, New York, May1-3, 1997
7) Zimmerman-Phillips S, et al：IT-MAIS. Advanced Bionics, 2013
https://advancedbionics.com/content/dam/advancedbionics/Documents/Regional/BR/AB_IT-MAIS_Resource.pdf
8) LEAQ：LittlEars. Med-El
https://s3.medel.com/downloadmanager/downloads/bridge_2013/littleears_diary/en-GB/20225.pdf
9) 日本人工内耳研究会（編）：人工内耳評価のための語音聴取評価検査 CI-2004（試案）．2004
10) 神田幸彦，他：人工内耳術後リハビリテーションと介入．音声言語医 60：105-112，2019
11) Easwar V, et al：Simultaneous bilateral cochlear implants：Developmental advances do not yet achieve normal cortical processing. Brain Behav 7(4)：e00638, 2017
12) Ching T, et al：Learning form the Longitudinal Outcomes of Children with Hearing Impairment (LOCHI) study：summary of 5-year findings and implications. Int J Audiol 57：S105-S111, 2018
13) 高野賢一：耳鼻咽喉科における遠隔医療の可能性．日耳鼻 122：1481-1484，2019

3　補聴援助システム

A　音響環境と音響知覚

　人はさまざまな音に囲まれて生活している．難聴（児）者は小さな音が聞こえにくいだけではなく，周波数弁別能や時間分解能などの低下がみられることが多い．このため，聴者が意識しない騒音や反響音，音源からの距離に影響を受けやすく，音声聴取が困難となりがちである．

1　距離

　通常，話し声は話者から離れた位置で聴取するほど聞き取りにくくなる．話者の音声の音圧レベルは，距離が離れるにつれ逆2乗則により減衰する．つまり，距離が2倍になると6dB低下し，4倍では12dB低下する．すなわち，話者と聞き手の距離が1mの位置で70 dBSPLであれば，2mになると64 dBSPL，4mでは58 dBSPLになる

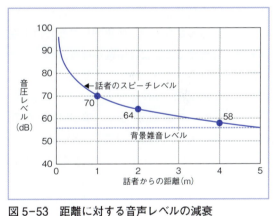

図 5-53　距離に対する音声レベルの減衰
話者の音声の音圧レベルは，距離が離れるにつれ逆2乗則により減衰する．

（図5-53）．実際の室内では，話者からより離れた後方の位置では，音声は壁や天井に反射して残響音が優勢になるため，音圧レベルはあまり減衰しない[1]．

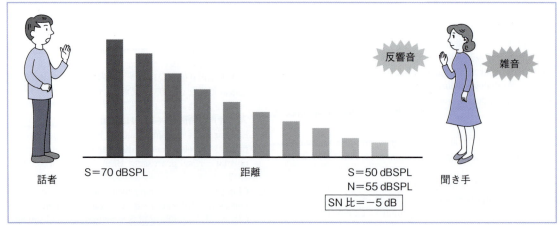

図 5-54　話者と聞き手の距離が離れているとき
話者の音声信号は聞き手が離れると減衰する．仮に，70 dBSPL の音声信号は聞き手が離れてしまい 50 dBSPL になった場合，雑音は 55 dBSPL のままなので，SN 比は－5 dB となり聞きにくくなる．

2　騒音

　生活環境は，屋外の騒音(自動車の走行音，風の音など)や室内の騒音(電気製品のモータ音やアラーム音，音響機器，話し声など)に満たされている．これらの雑音下で，難聴(児)者が音声を聞き分け，理解することには困難が伴う．

　騒音は，音声信号(Signal：S)と雑音(Noise：N)の音圧レベルの差，SN 比で表される．例えば，話者と聞き手の距離が近く，音声信号が 70 dBSPL，雑音が 55 dBSPL の場合，SN 比は＋15 dB となる．しかし，話者との距離が離れると音声信号は減衰するため，仮に 50 dBSPL になった場合では，雑音は 55 dBSPL のままなので SN 比は－5 dB となり，音声信号は雑音に埋もれて聞こえにくいことになる(図 5-54)．

　学校の教室の音環境の条件は，雑音レベル 35 dB(A)以下[2]である．さらに，難聴児に対しては，＋15～20 dB の SN 比が得られれば，より聞き取りの向上がみられる(図 5-55)[3]．

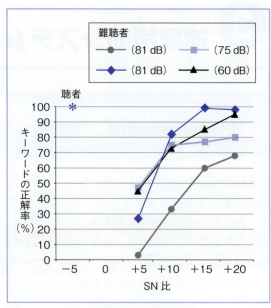

図 5-55　SN 比と語音聴取成績の関係
重度難聴成人 4 名の雑音下での文章了解度検査の正答率の変化．
(　)：被検者の平均聴力レベル
＊：聴者 10 名の平均正答率(100％が得られた SN 比：－5 dB)
〔大沼直紀：人工内耳が活かされるための教育環境．音声言語医 37：372-377，1996 より〕

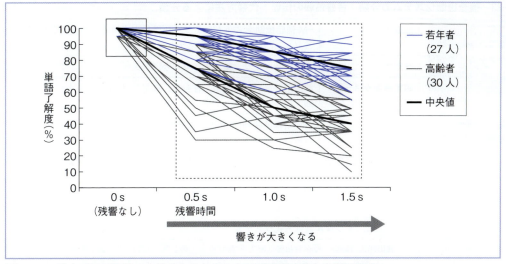

図 5-56 聴力がほぼ正常の高齢者と若年者における残響時間と単語了解度
色は若年者，黒色は高齢者．太線は中央値を示す．黒い実線で囲まれた枠の残響なしのときは若年者も高齢者も高い単語了解度を示すが，残響時間が長くなるにつれ，単語了解度が低下している．高齢者ではその低下のばらつきが大きい．
〔白石君男：高齢者のための補聴システム．MB ENT 211：23-31，2017 より〕

3 残響

残響とは，音が直接音として耳に届いたあと，しばらくの間，聞こえる連続的な反射音である．残響の程度は，音の静止後，室内の音のエネルギーが 60 dB 減衰するまでの時間（残響時間）で表される．会話や講演を行う部屋（居間，会議室，講義室など）では 0.5〜1.0 秒程度，音楽を鑑賞するホールでは 1.5〜2.0 秒程度[1]であるが，学校の教室では 0.6 秒程度が推奨されている[2]．

残響時間が長くなると，先に発話された音声が次の音声に覆いかぶさり，オーバーラップしてマスキングするため，聴者でも音声が聞き取りにくくなる．残響が追加されていない環境において正常聴力の高齢者の単語了解度は，90％以上と若年者と変わらないが，0.5 秒以上の残響時間があると，単語了解度が低下する高齢者がいる一方で，低下しない高齢者もあり，個人差が大きいことが示されている（図 5-56）[1]．

B 補聴援助システムとは何か

補聴援助システム（assistive listening devices）は，補聴器や人工内耳からの音声をより聞きやすくするための装置，または聞こえにくさを代替するシステムのことである．これによって，距離や周囲の雑音の影響を受けにくくなり（SN 比の向上），残響の影響が少ない音声を聞くことができる．また，聞こえにくい環境音については，視覚や触覚（振動）などの感覚でとらえる方法もある．主な補聴援助システムを伝達・代替方法により分類し，表 5-23 に示した[5]．

これらは，授業（運動会の練習なども含む），校外学習，講演，会議などで話者から離れたところ，騒がしいところ，音の反響があるところでの音声聴取に活用されている．また，電話，テレビ，オーディオ機器などの聞こえを，さらに向上させることも可能となっている．

補聴援助システムを目的やニーズに合わせて有

表 5-23 補聴援助システムの分類：音響情報の伝達・代替方法による分類

1. 補聴機器が必要な補聴援助システム	①無線式	FM 補聴援助システム，デジタル無線方式補聴援助システム（Bluetooth® 含む），赤外線補聴援助システムなど．
	②有線式	外部延長マイク，集音マイクなど．
	③磁気誘導システム（ループシステム）	集団用ループ：常設型，移動型，簡易型（携帯型，卓上型） 個人用ループ：ヘッドホン型，首かけ型，耳かけ型，パッド型
2. 補聴機器が不要な補聴援助システム	①増幅式補聴システム	音場増幅装置（拡声装置：指向性スピーカ，携帯用スピーカ） 音量増幅装置（電話関連，集音装置など）
	②感覚代行機器（日常生活用具を含む）	振動またはフラッシュライトで知らせる火災報知器，電話着信，玄関チャイム，赤ちゃんの泣き声，起床時刻など． 嗅覚で知らせる火災報知器など． 手話，筆談，ファクシミリやメール，字幕放送，音声認識ソフトなど．
3. 拡声システム		FM システム，デジタル無線方式システム

〔中村雅子：補聴援助システム．藤田郁代（監修）：標準言語聴覚障害学 聴覚障害，第2版．p229-235．医学書院．2015 より改変〕

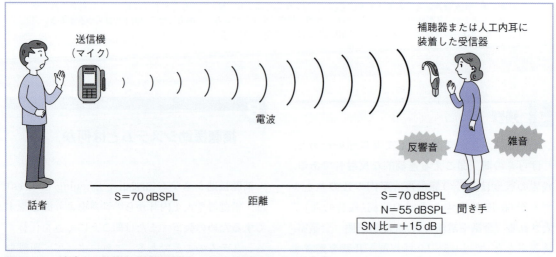

図 5-57 デジタル無線方式補聴援助システムを活用しているとき
話者の音声をマイクで集音し，受信機に送信するので，離れていても声がはっきり聞こえる．話者の音声信号は 70 dBSPL のまま補聴器や人工内耳に伝送され，雑音は 55 dBSPL のままなので SN 比は＋15 dB となり聞き取れる．

効に活用し，難聴者が社会参画することが期待されている．

聴覚を活用した補聴援助システム

難聴（児）者の聴覚を活用した補聴援助システムにはさまざまなものがあるが，代表的なデジタル無線方式補聴援助システム，磁気誘導補聴援助システム，FM 補聴援助システムなどを説明する．

1）デジタル無線方式補聴援助システム（図 5-57）

2.4 GHz 帯のデジタル無線方式を用いた補聴援助システムであり，2013 年に登場した．

話者の口元にマイクロホン付きの送信機を装着し，集音した音声を聞き手の補聴器や人工内耳に装着した受信機に伝送するものである．これに

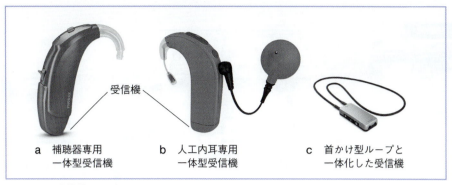

a 補聴器専用　　b 人工内耳専用　　c 首かけ型ループと
　一体型受信機　　　 一体型受信機　　　一体化した受信機

図 5-58　受信機のいろいろ
〔ソノヴァ・ジャパン株式会社より提供 (http://www.phonakpro.com/)〕

よって，話者の音声を**電波干渉**(ノイズ混入，他者の音声の混入)がない状態で聞くことができる．また，口元からマイクロホンまでの距離が近く，口元と同じ音圧で聞き手に音声が届くため，SN比を改善させることができる．

基本構造として，送信機はマイクロホンと送信機能が一体となるものが主流で，タッチスクリーン型，ペン型，複数の指向性マイク機能付きの機種などがある．受信機は，補聴器や人工内耳の各機器に結合して用いるが，補聴器や人工内耳に内蔵されている一体型の機種が増えている(図 5-58a, b)．また，耳あな型のように外部入力端子が付属されていない場合でも，磁気誘導コイル(T入力)が搭載されていれば，利用が可能である．つまり，首かけ型ループと一体化した受信機(図 5-58c)を首にかけることで，受信機で受けた音声は首かけ型ループをとおして補聴器や人工内耳に伝送することができる．

2) 磁気誘導補聴援助システム

話者のマイクロホンに入力された音声を，磁気誘導アンプに通し，床などに敷設されたループ(多芯ケーブル)に電気信号として送る．そして，このループ線の周りに誘導磁界を発生させ，補聴器や人工内耳に付属されている磁気誘導コイル(T入力)で聴取するものである．これによって，話者との距離，周囲の雑音に影響されずに聞きとれる．

種類としては集団用と個人用があり，集団用は大講堂やホールの座席，会議室など一部に設置されている(図 5-59)．一方で個人用には，首かけ型，耳かけ型などがあり，テレビやスマートフォンなどオーディオ機器のイヤホン出力端子に接続して使用することが可能である．

簡便で利用しやすいが，問題点としては，①誘導磁界と磁気誘導コイルの位置関係によって誘導磁界の感度が不安定になること，②誘導磁界は上下階を含む隣室に混信させること，③強磁界の場所や電磁波を発生する電化製品からノイズが混入することなどがある[1]．

海外では空港や公共施設などに設置されている場合，市民にわかりやすく周知されている[1]．しかし，わが国では難聴(児)者にとっても設置場所などの情報提供が十分ではなく，普及率は低い．

3) FM 補聴援助システム

デジタル無線方式補聴援助システムの登場以前に主流であった無線方式の補聴援助システムである．ラジオマイク用帯域のFM電波を用い，原理はデジタル無線方式補聴援助システムと同じものである．FM電波の伝送距離は約30 m程度であり，他の周波数帯域(チャンネル)を使ったFMシステムと電波干渉が起こりやすく，チャンネルの管理が必要になる．

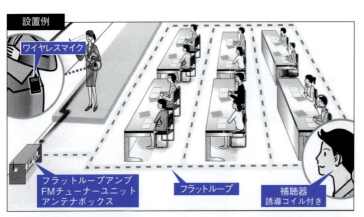

磁気誘導補聴システムの設置している場所に提示してあるマーク

図 5-59　集団用磁気誘導補聴援助システム（フラットループ方式）
コンサートホールや講堂・体育館などの床や運動場に磁気ループを敷設して音声を伝えるシステムで工事・設置調整が必要である．
〔リオン株式会社のカタログより〕

4）補聴援助システムのいろいろ

受信機には，音を増幅せずデジタル無線を受信するだけのものもある．軽度難聴，一側難聴，聴覚処理障害など，音声を聞きとりやすくしたい場合に用いられる．また，音環境を改善し，話者の音声を聞きやすくするために，送信機から教室内の専用の線音源スピーカに伝送する装置（指向性の高いスピーカ）もある．

また，近距離のデジタル機器間をワイヤレスでデータ送受信するシステム（Bluetooth）が補聴器や人工内耳でも活用されつつある．1対1のペアリングを行うため，音声が聞こえやすい．Bluetooth機能に対応しているPC，携帯電話，音楽プレーヤーなどのデジタル機器が多くあるため，活用の範囲は広い．

D　感覚代行機器として便利な日常生活用具

日常生活のさまざまな音情報が聞きとりにくい難聴（児）者は，その不便さを補うために日常生活用具を使用する場合がある．この日常生活用具では，市町村の助成制度が利用できる[4]．

1）聴覚障害者用屋内信号装置（図 5-60）

玄関チャイムや電話・FAXなどの着信音，赤ちゃんの泣き声，火災報知器の音，起床時刻の音などをフラッシュ光，振動，アラーム音などで知らせる装置である．通信距離は，電波や障害物の有無など周囲の状況にもよるが，送信器から受信器まで約150～200 mである．また，設定した起床時刻に強力な振動で通知する腕時計タイプの振動式目覚まし時計もある．

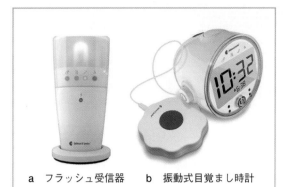

図 5-60　さまざまな日常生活用具

a：フラッシュ受信機．ドアホン，電話，赤ちゃんの泣き声，火災警報器などの音を受信し，フラッシュ光や振動で知らせる．

b：振動式目覚まし時計．設定した起床時間になると枕の下に設置したベッドシェーカが振動で知らせる．

〔自立コム（株）カタログより〕

2）聴覚障害者用通信装置

家庭の固定電話に接続し，音声の代わりに文字，図，イラストなどの視覚情報を送受信できる機器である．FAX などがこれに当たる．

3）聴覚障害者用情報受信装置

文字放送サービスを利用するためには，アナログ放送時代は特別な字幕デコーダーを必要とした．2000 年のデジタル放送開始以来，この機能が内蔵されたテレビ受信機が市販されている．字幕デコーダーは，字幕および手話通訳付きの難聴（児）者用番組（CS 放送），テレビ番組に字幕および手話通訳の映像を合成した画面などを出力するための装置である．かつ，災害時に難聴（児）者向けの緊急信号を受信できる．字幕放送の普及は，放送を通じて情報を取得するために重要な課題となっている．

引用文献

1) 白石君男：高齢者のための補聴支援システム．MB ENT 211：23-31，2017
2) 白石君男：聴覚に関わる社会医学的諸問題 学校教育における音響環境と聴覚補償．Audiology Japan 55：207-217，2012
3) 大沼直紀：人工内耳が生かされるための教育環境．音声言語医学 37：372-377，1996
4) 藤岡秀樹：聴覚障害者の生活を支援する福祉用具．綜合臨牀 52：2445-2446，2003
5) 中村雅子：補聴援助システム．藤田郁代（監修）：標準言語聴覚障害学 聴覚障害，第 2 版，p229-235．医学書院，2015

第 6 章

成人難聴のリハビリテーション

学修の到達目標

- 成人聴覚障害の評価の観点と内容を説明できる．
- 成人聴覚障害の心理・社会的課題について説明できる．
- 対象者の障害特性に応じたリハビリテーションの長期・短期目標を設定し，心身機能，活動，参加の観点から訓練・指導計画を立案できる．
- 指導・訓練・支援の効果測定や判定方法について説明できる．
- 指導・訓練・支援のサマリーを作成できる．

成人難聴のリハビリテーションの概要

　成人難聴のリハビリテーションは,「聞こえにくい,あるいは聞こえない耳をもつ方が,十分に自らを活かし,快適な社会生活を送ることを可能にするための専門的な支援」と広く定義することができる.このような観点でリハビリテーションをとらえると,成人期の聴覚障害の領域で活かせる言語聴覚士の専門性は幅広く,多面的である.成人の聴覚障害に対して,言語聴覚士が何を支援するかを明らかにし,評価や指導・支援の方法を具体的に示すのが,本章の目指すところである.

A 成人期の聴覚障害の特徴

　適切なリハビリテーションのためには,まず成人期の聴覚障害がどのような特性をもつかを知る必要がある.

1 障害の多様性

　成人期の聴覚障害の特徴は,第1にその多様性にある.難聴が言語獲得前に発症したか否か,難聴の重症度や疾患の特性,いま人生のどの段階にいるかなど,さまざまな条件が当面する問題を左右する.

難聴の発症時期による課題の違い

　難聴の発症時期とライフステージからみたリハビリテーションの課題を表6-1に示した.ここで,難聴の発症時期別の課題を,より具体的に考えてみよう.

1) 言語獲得前

　言語を獲得する前に発症した難聴は,青年期を含む成人後の早期から社会適応上の問題を生じさせることがある.学業や就労上の不適応,心理的な抑うつなどで精神科診療の対象になる例も報告されている[1].聴力レベル,聴力の変動,障害が検出された年齢,ハビリテーション・教育の方法,家庭環境等の条件によって,成人後の日本語の言語力,可能なコミュニケーション方法,交友関係などが大きく異なることも若年期に発症した聴覚障害の重要な特徴である.これらの違いによって成人期に現れる障害の様相は大きく異なるため,これらの背景を考慮した対応が要求される.

2) 成人期

　成人期,いわば人生の最も活動的な時期に,急激な聴力低下が起こることがある.幼少時から音やことばを聴いて育ち,言語を身につけ,仕事に就き,家庭を営み暮らしてきた人が,急に聴力を失うという事態である.これまで聞こえることを前提に成り立ってきた社会生活,家庭生活のさまざまな側面に支障が生じ,物理的にも精神的にも困難な状況に陥ることは想像にかたくない.人生の最初から享受してきた大量で多様な聴覚情報の多くを失うことで,大きな衝撃を受け,強い喪失感を感じることも必至といえる.

　補聴機器の適合だけでなく,心理面の支援,読話,手話の導入,同障者との交流の場への誘導など,幅広い支援が必要となる.

3) 高齢期

　高齢期に初めて診断される難聴の多くは,加齢に伴う生理的な変化によるものである.図6-1は,耳疾患や騒音曝露,薬剤など,聴覚に影響を与える既往のない成人を対象に純音閾値を調べ,年齢別に平均値をオージオグラム上に示したものである[2].個人により程度の差はあるが,**加齢変**

表6-1 難聴の発症時期とライフステージからみたリハビリテーションの課題

発症時期＼現在の年齢	幼年～青年期 （0～25歳前後）	成人期 （25歳前後～64歳）	高齢期 （65歳～）
言語獲得前	適切な補聴，言語習得のためのハビリテーション，障害の理解促進，進路の選択	社会適応，就労・日常生活上の支援	ライフステージの変化への適応
成人期		中途失聴後の心理過程への支援，適切な補聴，コミュニケーションストラテジーの習得，読話・手話の導入，同障者との交流，就労・日常生活の維持	ライフステージの変化への適応，所属集団の維持・開発
高齢期			本人と家族の障害理解促進，補聴器・周辺機器の導入と定着，コミュニケーションストラテジーの習得，所属集団の維持・開発

成人の臨床においては，難聴がいつ生じたか（発症時期），および現在の年齢，すなわち人生のどの段階にあるか（ライフステージ）によって聴覚障害の様相は異なり，リハビリテーションの課題が変わることに留意する．

化は高音域から始まり，**高音漸傾型，左右耳同程度**の感音難聴として現れる．進行が緩やかで，しかも低音域は聴力が保たれることが多いため，聞こえにくさを自覚しにくい．家族の指摘やコミュニケーション上の失敗を経て，ようやく本人の問題として認識されることも多い．

注意すべきは，加齢性の聴力低下以外の難聴要因をあわせもつ例の存在である．中耳炎の後遺症，慢性中耳炎，滲出性中耳炎，**耳垢栓塞**などが関与する例があり，これらの場合は，医学的な治療や管理の継続が必須となる．また，突発性難聴や騒音性難聴，メニエール病などの既往にも注意が必要である．重症度も聴力型もさまざまな高齢者がいることを認識し，耳鼻咽喉科医との十分な連携のうえで適切な評価を行うことが求められる．

高齢者において，加えて考慮に入れるべきは，脳血管障害の後遺症や糖尿病，慢性リウマチ，視力低下など難聴以外の種々の疾患をあわせもつ率が若年者より高いことである．受診例の高齢化を反映して，**認知症**との合併も少なくない．個々の身体的，精神的条件に配慮した対応が必須である．

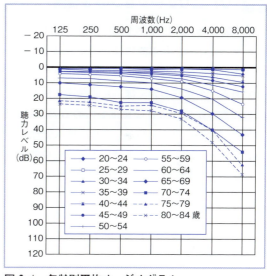

図6-1 年齢別平均オージオグラム
〔立木孝，他：日本人聴力の加齢変化の研究．Audiology Japan 45：241-250，2002 より〕

b 難聴重症度による違い

難聴重症度の影響は，すでに言語獲得済みの成人においても，さまざまな形で表れる．補聴器装用を迷うほどの軽度例と，裸耳ではまったく音が入らない重度例の「聴覚障害」を巡る悩みは大きく

異なる．オージオグラム上，両側スケールアウトの重度例であっても，出生時から重度難聴があった例と成長途上に重症度を増した例とでは，言語やコミュニケーションへの影響や，対応すべき課題も異なるであろう．

また，補聴器や人工内耳の進歩，教育環境の変化が小児のハビリテーションに与えた変化も，成人後のコミュニケーション手段や障害認識，帰属集団の差異を生んでいる．さまざまな難聴重症度とその変化，そして多様な成育環境，教育環境で生きてきた成人のリハビリテーションにあたっては，現症ばかりでなく，その背景にある成育歴について情報を得て，その影響を踏まえて対応を検討することが重要である．

2 リハビリテーションの3要素

成人期の聴覚障害の大きな特徴は，言語未習得の小児と異なり，基本的には言語が習得済みであることを前提にリハビリテーションが進められる点である．小児においては，言語発達を促進するための働きかけが大きな比重を占めるのに対し，言語聴覚士が専門性を活かして担う成人難聴のリハビリテーションは，①補聴による聴覚機能の改善を主軸として，②障害認識の促進，すなわち自身の聞こえにくさについての理解を促し，③難聴に由来するコミュニケーション障害の改善をはかることを目指すものである．これら3つの要素のいずれに対しても，言語聴覚士は，評価と介入にかかわる専門知識と技術をもって臨み，ニーズに応じて，それぞれに適切な重みづけをしながら対応することが求められる．

B 言語聴覚士の専門性と成人難聴のリハビリテーション

このように多様な特性をもつ成人期の聴覚障害に対して，言語聴覚士が専門性を活かして果たす役割はどのようなものか，表6-2にその概要を示した．以下，順に解説する．

表6-2 言語聴覚士の専門性を活かしたリハビリテーションの3要素

3つの要素	主な内容
聴覚機能	・聴覚検査 ・補聴器，人工聴覚器の適合 ・補聴周辺機器の導入支援（ワイヤレス集音システム，電話との連携，手元スピーカなど）
障害認識	【本人および家族に】 ・聞こえ方，聞こえにくさの現状について洞察を促す ・難聴から派生する問題の正しい認識を促す 【本人に】 ・周囲の適切な支援を得ながら自己実現をはかるアサーティブな姿勢を促す
コミュニケーション	・補聴機器の限界を補うコミュニケーション上の工夫（コミュニケーションストラテジー）を促す ・家族，介護者，職場の関係者などに対して適切な対応を助言・指導し，環境を整える ・読話，手話などの導入支援 ・情報保障のための助言や環境調整

1 聴覚機能にかかわる側面

第1は，聴覚機能にかかわる側面である．

言語聴覚士は，**聴覚検査**を通じて聴覚機能を評価する技術をもつ．聴性行動反応の発達的変化に関する知識は，成人の評価においても重要で，認知症や知的障害を合併する症例における検査法の選択や閾値判定に活かされる．

さらに言語聴覚士は，医師の指示を受け，聴覚検査の結果をもとに**補聴器**や**人工内耳**などの調整にあたり，適切で十分な聴覚刺激の入力を確保する．耳元に装着する個人補聴器や人工内耳だけでは聞きとれない騒音下の音声聴取や多人数の会話など，条件の悪い環境に対応して，適宜，ワイヤレス集音システムの活用や電話との連携，手元ス

ピーカの設置など，**補聴周辺機器**の導入を検討することも重要な仕事である．

2 障害認識にかかわる側面

第2は，聴覚障害についての正しい理解や認識を促す側面である．

歩けない，目が見えないといった障害と異なり，聞こえにくさは形に表れにくく，外から見えない．発話せずに黙っていれば，あるいは後天性の場合はことばを発したとしても，周囲の人が難聴のあることに気付くことはほとんどない．そのため，「都合のよいことだけ聞いているのではないか？」「本当に聞こえないのか？」と疑われ，会話時や仕事中に配慮を得られず困惑する事態が生じてしまう．先天的に難聴があり，年少時から補聴機器を活用してきた場合であっても，自らの聞こえにくさがどの程度であるかを十分理解しないまま成長し，社会に出てから聴者の多い環境の中で不適応を起こすことがある．自分が何を聞き，何を聞いてないかを，自力で知ることは難しい．周囲の者にとってはもとより，当事者にとっても，聴覚障害は見えない障害なのである．そして，それを見ないままでコミュニケーション障害の改善をはかることは難しい．

したがって，当事者が自らの障害を客観的な視点で理解できるように促す働きかけは，リハビリテーションの欠かせない要素となる．これは，言語獲得前から難聴があった場合でも，中途失聴で急激な聴力低下に直面している場合でも，また徐々に進行した加齢性難聴を周囲から指摘されてとまどっているような場合でも，等しく重要な課題である．補聴やコミュニケーション指導も，正しい障害認識を促す働きかけを欠いては効果を上げにくく，補聴の中断や社会的不適応が生じることさえ懸念されるからである．

難聴とその影響についての知識をもち，さらに言語やコミュニケーションに関して専門性をもつ言語聴覚士は，本人や周囲の人々に聴覚障害について正しい理解を促すために，最も期待される職種であろう．

3 コミュニケーションにかかわる側面

第3は，コミュニケーション障害にかかわる側面である．

聴力が低下すると音声言語の入力が制限され，日常のコミュニケーションや情報収集に不自由が生じる．補聴器や人工内耳によって適切な聴覚補償がなされたとしても，病前とまったく同様の聴力を取り戻せるわけではない．聴覚障害をもつ当事者本人が補聴機器の限界を理解し，それを補うさまざまな工夫，すなわち**コミュニケーションストラテジー**を活用することが重要である．加えて，日ごろ周囲にいる家族，介護者，職場の関係者などが，適切な接し方ができるように**環境を整える**ことも，言語聴覚士に求められる重要な役割である．

言語獲得前発症例の場合は，さらに，読み書きや構音，聴者とのコミュニケーション方法など，**言語能力**にかかわる評価と介入の視点が求められる．

2 成人難聴の評価

A 評価の方法と内容

　言語聴覚士は，補聴器や人工内耳の適合を契機に成人難聴のリハビリテーションかかわることが多い．しかし，成人期の聴覚障害の多様性を反映し，構音や読み書き，コミュニケーション上の不適応に関する相談も少なくない．成人難聴のリハビリテーションにおける評価の方法と内容を表6-3に示した．なお質問紙は種々あると想定されるが，ここでは『きこえについての質問紙2002』（表6-4）[3]を取り上げ，その評価項目を表6-3の質問紙の列に配した．

　評価方法のうち，検査は対象の状態をデータで示す客観評価であるのに対し，言語聴覚士による面接・観察，および難聴当事者が回答する質問紙は，ともに主観評価である．リハビリテーションにおいて，検査でとらえた聴力や言語力は基礎資料として必須であるが，その影響がどう行動に表れ，また当事者がどう認識しているかは欠かせない情報であり，主観評価の結果も重要な資料となる．

　なお，コミュニケーションにかかわる評価において，発症時期が言語獲得前の例では，表6-3に示した言語力に関連する項目が加わる点に注意が必要である．

B 聴覚機能にかかわる評価

1 聴取能力の評価

a リハビリテーションのための情報収集

　聴覚機能の評価において基本的な情報は，聴力レベル，聴力型，気(導)骨導差，語音弁別能などの聴覚検査結果と医師の診断である．心身機能・身体構造に関連するこれらの情報を得たうえで，言語聴覚士はリハビリテーションに向けて，有意味語や文，会話といった活動や参加に密接にかかわる音声言語の聴取能力を，語音了解度検査や面接時の観察によって評価する．このうち，語音了解度検査は有意味な単語や短文を用いる点で，実用的な聴取能力の評価法として期待されるが，語表の等価性確保の難しさや練習効果によるバイアスも危惧される．そこで重視されるのが，面接時の行動観察である．

b 面接時の評価

　リハビリテーションにおける面接は，情報収集にとどまらず，行動観察の貴重な機会である．言語聴覚士は，まず当事者の訴えに十分耳を傾けて基本的な信頼関係を形成したうえで，状況や会話文脈からは内容を推察できない話題やことばを取り混ぜながら，対話を進める．面接の早い段階で観察すべきは，どの程度の音量，発話速度で伝わるか，口形や文字を加える必要があるかなどである．通常の話し方で容易に会話が成立する場合は，口元を隠す，小さめの声やささやき声で話すなど，聴取しにくい状況を意図的につくって，音声言語での疎通性の限界を探る場合もある．これ

表 6-3 成人難聴のリハビリテーションにおける評価の方法と内容

	質問紙 『きこえについての質問紙 2002』	面接・観察	検査
基本情報	属性情報 ・難聴自覚年齢，補聴経験 ・同居家族，職業，趣味 ・電話や会議の必要性		聴覚検査 ・純音閾値：聴力レベル，聴力型，気(導)骨導差 ・閾値上検査：語音弁別能，補充現象
聴覚機能	聞こえにくさ 10 項目 ・良条件下の語音 ・環境音 ・悪条件下の語音	音声言語の疎通性 ・会話の理解 ・音声以外の手段の必要性	語音了解度検査 ・67 語表：単語，短文 ・TY89：単語，日常生活文 ・CI-2004(試案)：単語，日常会話文 Ling 6 音テスト 補聴器適合検査の指針 2010
障害認識	補聴器のニーズに関する情報 改善を最も望む場面・望む場面 聞こえにくさに直接関連した行動(2 項目) ・話しかけるのをやめる ・1 人でいたほうが楽 聞こえにくさによる情緒反応(3 項目) ・繰り返してもらうのは気が重い ・自身の性格への影響 ・人との関係への影響	聞こえについての自己認識	
コミュニケーション	コミュニケーションストラテジー(8 項目) 自助型，要請型，その他	主たるコミュニケーション手段 発信：音声，手話，他 受信：音声，手話，他 コミュニケーションの基本的態度 ・一方的な発信 ・受け身的 ・アサーティブ コミュニケーションストラテジーの活用	≪言語獲得前発症例の場合≫ ・母語の言語体系：日本語，日本手話 ・活用する感覚モダリティー：視覚，聴覚 ・書記言語能力

らはいわば，会話における実用的な聴取能力を評価する作業であり，難聴の重症度や聴覚補償の状況，つまり補聴器や人工内耳などが適切に調整されているかを，大まかに把握するためにも重要である．

C 補聴効果の評価

『補聴器適合検査の指針(2010)』[4]は「調整された補聴器が難聴者に有効であるかどうかを評価するための方法」を示した指針であり，必須検査として 2 項目，参考検査として 6 項目があげられ，それぞれの実施法や適合判定基準が示されている

表6-4 『きこえについての質問紙2002』の質問項目

下位尺度		質問項目		回答肢
聞こえにくさ	比較的よい条件下の語音聴取	1	静かなところで，家族や友人と1対1で向かいあって会話するとき，聞き取れる	a
		2	家の外のあまりうるさくないところで会話するとき，聞き取れる	
		3	買い物やレストランで店の人と話すとき，聞き取れる	
	環境音の聴取	4	うしろから近づいてくる車の音が，聞こえる	b
		5	電子レンジの「チン」という音など，小さな電子音が聞こえる	
	比較的悪い条件下の語音聴取	6	うしろから呼びかけられたとき，聞こえる	b
		7	人ごみの中での会話が聞き取れる	a
		8	4, 5人の集まりで，話が聞き取れる	
		9	小声で話されたとき，聞き取れる	
		10	テレビのドラマを，周りの人々にちょうどよい大きさで聞いているとき，聞き取れる	
心理・社会的影響	直接関連した行動	11	聞こえにくいために，家族や友人に話しかけるのをやめる	c
		12	聞こえにくいために，1人でいたほうが楽だと思う	d
		13	話が聞き取れなかったときに，もう一度くり返してもらうのは気が重い	e
	情緒反応	14	聞こえにくいことが，あなたの性格になんらかの影響を与えていると思う	d
		15	聞こえにくいことが，あなたの家族や友人との関係になんらかの影響を及ぼしていると思う	
コミュニケーションストラテジー		16	話が聞き取りにくいときは，話している人に近づく	f
		17	会話中は，相手の口元を見る	
		18	うるさくて会話が聞こえないときは，静かなところに移る	
		19	話が聞き取れなかったときは，近くの人に尋ねる	
		20	話が聞き取れなかったときは，もう一度くり返してくれるよう頼む	
		21	小声や早口の相手には，ゆっくりはっきり話してくれるよう頼む	
		22	相手のことばを聞こえた通りにくり返す	
		23	自分の耳が聞こえにくいことを，会話の相手に伝える	

回答肢　a：いつも聞き取れる　聞き取れることが多い　半々ぐらい　聞き取れないことが多い　いつも聞き取れない
　　　　b：いつも聞こえる　　聞こえることが多い　　半々ぐらい　聞こえないことが多い　　いつも聞こえない
　　　　f：いつもそうする　　そうすることが多い　　半々ぐらい　そうしないことが多い　　まったくそうしない

素点の配点　　1　　　　　　　　2　　　　　　　　3　　　　　　　　4　　　　　　　　5

　　　　c：いつもやめる　　　やめることが多い　　　半々ぐらい　話しかけることが多い　いつも話しかける
　　　　d：いつもそう思う　　思うことが多い　　　　半々ぐらい　思わないことが多い　　まったく思わない
　　　　e：いつもそうだ　　　そういうことが多い　　半々ぐらい　そうでないことが多い　　まったくそうでない

素点の配点　　5　　　　　　　　4　　　　　　　　3　　　　　　　　2　　　　　　　　1

注：質問項目11～15では，素点の配点を左から5, 4, 3, 2, 1と逆転させる

〔鈴木恵子：聴覚リハビリテーション施行後の評価法．JOHNS 24：1277-1281, 2008 より〕

表6-5 補聴器適合検査の指針(2010)に示された検査

必須検査項目
①語音明瞭度曲線または語音明瞭度の測定
②環境騒音の許容を指標とした適合評価

参考検査項目
③実耳挿入利得の測定(鼓膜面音圧の測定)
④挿入形イヤホンを用いた音圧レベル(SPL)での聴覚閾値・不快レベルの測定
⑤音場での補聴器装用閾値の測定(ファンクショナルゲインの測定)
⑥補聴器特性図とオージオグラムを用いた利得・装用閾値の算出
⑦雑音を負荷したときの語音明瞭度の測定
⑧質問紙による適合評価

(表6-5).補聴器による音の増幅は十分か,補聴器を装用すれば通常の会話で最高語音明瞭度と同等の聴取が可能か,騒音環境下でも装用可能かを評価して,適合か不適合かが判断される(第5章➡145頁).

Ling 6音テスト(第5章➡193頁)は,補聴器ないし人工内耳の装用閾値が話声域をカバーしているかを,音響特性の異なる6つの語音[a, i, u, s, ʃ, m]を用いて,検査者の肉声で確認する簡便な方法である.音源や音圧を厳密に統制する検査とは異なり,これのみで適合,不適合の判断はできないが,日常的な適合状態の確認には有用である.

2 聞こえについての自己評価

『きこえについての質問紙2002』(表6-4)の「**聞こえにくさ**」10項目は,「比較的よい条件下の語音聴取」(3項目),「環境音の聴取」(2項目),「比較的悪い条件下の語音聴取」(5項目)から構成される.これらは,難聴例394例の分析によって聴力を直接反映する尺度であることが示され,また補聴群が未補聴群と比べて低スコア,すなわち,よく聞こえると回答したことも報告されていて,『補聴器適合検査の指針2010』の唯一の主観評価項目に採用されている.

しかしながら,ライフステージや生活環境によって聞きたい音声やそれを阻害する雑音は異なり,また難聴進行の緩急も影響するため,聞こえにくさの主観的な認識には個人差がある.難聴があっても受診に至らない群では,受診群と比べ,質問紙における「聞こえにくさ」の評価が軽く,難聴の自覚的な認識が乏しいことがわかっている.10項目から得られた回答を,聴覚検査で得られた客観データと比較して,当事者の障害認識の程度を推測することも重要な視点といえる.

C 障害認識にかかわる評価

1 質問紙による評価

『きこえについての質問紙2002』(表6-4)の23項目のうち,「**聞こえにくさに直接関連した行動**」(以下,関連行動)2項目と「**聞こえにくさによる情緒反応**」(以下,情緒反応)3項目は,聞こえにくさ自体ではなく,その影響を問うものである.「関連行動」は聞こえにくさゆえの対人行動の抑制を,「情緒反応」は聞こえにくさの対人関係や性格への影響を,それぞれ当事者が主観評価する尺度であり,いずれも難聴による否定的な影響に焦点を当てている.これまでの臨床データによれば,これら2尺度の回答は,聴力と明らかな関連を示さない.補聴による聴覚機能の改善だけでは軽減しにくい心理・社会的影響を評価する尺度として,リハビリテーションの計画策定にあたり重要である.

『きこえについての質問紙2002』には,表6-4に示した23項目以外に,心理・社会的背景などにかかわる付加的な質問項目がある(表6-6).補聴器装用前に実施する質問紙では,補聴器のニーズに関する項目〔(補聴器で)改善を望む場面;選択肢から選ぶ〕および属性情報を尋ねる項目(難聴自覚年齢,補聴経験,同居家族,職業,趣味,電話・会議の必要性など)が含まれ,日常生活や社会的

表 6-6　付加的質問項目

共通	年齢，性別，難聴自覚年齢，同居家族，職業，趣味.	
補聴器のニーズに関する情報（装用前）	装用経験	なし　あり
	改善を望む場面	家族・知人との1対1の会話，家族・知人との数人の会話，会合や集会，テレビ，電話，外出時，職場での会話，その他
	電話を使う必要はありますか	1 よくある　2 ときどきある　3 ほとんどない　4 まったくない
	どんな電話機を使っていますか	1 特別な電話機は使ってない　2 音量調節ができる電話機
	会合や会議に出る必要はありますか	1 よくある　2 ときどきある　3 ほとんどない　4 まったくない
	講習会や講演会に出て話を聞く必要はありますか	1 よくある　2 ときどきある　3 ほとんどない　4 まったくない
補聴器の装用実態に関する情報（装用後）	装用年数	（　）年（　）か月
	全体としての満足度	非常に満足を100点，全く不満を0点としたら，（　）点ぐらい．
	装用時間	毎日ほぼ8時間以上，8時間未満だがほぼ毎日，毎日ではなく必要なときだけ，ほとんど使用していない
	装用場面（複数回答）	家族・知人との1対1の会話，家族・知人との数人の会話，会合や集会，テレビ，電話，外出時，職場での会話，その他
	電話を使うことはありますか	1 よく使う　2 ときどき使う　3 ほとんど使わない　4 まったく使わない
	電話はどちらの耳で使いますか	1 補聴器をつけた耳で　2 つけない耳で　3 補聴器をはずして，その耳で　4 特に決めてない
	どんな電話機を使っていますか	1 特別な電話機は使ってない　2 音量調節ができる電話機　3 補聴器使用者用　4 ハウリング防止受話器つき

〔鈴木恵子：聴覚リハビリテーション施行後の評価法．JOHNS 24：1277-1281, 2008 より改変〕

背景，補聴器に何を期待しているかについて情報を得ることができる．これらの情報は，補聴を望む主訴の背景にある真のニーズを把握するために，欠かせない基礎資料となる．質問紙で情報を得たうえで初回の面接に臨むことが望ましい．

2　面接による評価

面接では，質問紙で得た情報も活用しながら，聞こえにくさの自覚や補聴による改善を期待する場面を，より具体的に聞き出していく．この過程で，当事者が自分の難聴をどう認識し，またどの程度，正面から向き合っているかが徐々に明らかにされる．例えば，会話も難しいほどの聴力低下がありながら，会議など限定された場面だけで補聴器を希望する例では，自らの難聴の実態を認識できていない，あるいは自覚はあっても認めたくない気持ちが強いことが推測され，補聴による聴覚機能改善を促す際に考慮して取り組むべき課題となる．

また，面接では，聞き取れない状況が生じたときの反応から，障害認識を推察することができる．「聞き取れなかったまま次の話題に移る」，「曖昧な表情で聞き流す」などが頻繁にみられる場合は，不十分な障害認識が推定され，補聴器の適合を進めながら，自らの聞こえについて理解を深めるための働きかけを積極的に行う配慮が必要となる．

表 6-7 聴覚障害にかかわるさまざまなコミュニケーション手段

読話	・話し手の口の動き，表情，身振り，会話場面の状況を視覚的に読み取ることに加え，前後の文脈，話し手との関係などをヒントに推測して，話の内容を理解する方法 ・話し手の話し方，場の明るさ，2人の距離，話題，読話者の言語力などが，読話の難易度を左右する
手話	・手の動きを中心として，顔や目，身体の動きなどで概念や意思を表現し，それを視覚で読み取って理解して，コミュニケーションする方法 ・日本語対応手話（同時法的手話）：音声言語（日本語）の単語と1対1で対応させて手指で表現する方法 ・日本手話（伝統的手話）：音声言語（日本語）とは異なる独自の文法をもつ別の言語であり，聾者同士のコミュニケーションに用いられてきた．音声との併用は基本的には行わない 　　手の形，位置，動き，掌の向きなどが形態素として働き，同時に示されることで結合して意味を伝える． 　　目，眉，口元，首の動きなど，手指とは別の信号が統語にかかわる． 　　豊かな写像性や音声言語にはない同時性が特徴としてあげられる．
指文字	・手指の決まった形が，仮名文字（日本語の音節）の1つひとつを表す ・促音や濁音は動きが加わることで表現される ・固有名詞（人名など）や目新しいことば，外来語などの語音を正確に伝えたいときに使われる ・手話と併用されることが多い
筆記	・書くことを活用してコミュニケーションする（筆談） ・日本語の読み書き能力をもつ成人が聴力を失いながら手話や読話を未習得の場合に，情報を得るための最も重要な手段となる ・手話や指文字を知らない聴者と聾者がコミュニケーションを取るときにも，必須の手段である ・講演や授業を理解するための要約筆記やノートテイクも，情報入力のために筆記を活用している

D コミュニケーションにかかわる評価

1 コミュニケーション手段

a 音声言語コミュニケーションを視覚的に補う手段

聴覚障害に関連するコミュニケーション手段を表 6-7 に示した．このうちの多くは，音声による日本語のコミュニケーションを視覚的に補う手段である．

読話（speech reading）は，補聴機器を活用しても聴覚情報が限られる条件下で，視覚を中心とした情報を駆使して音声言語コミュニケーションをはかる方法をいう．唇，舌，顎の動きで構成された口形を読む読唇（lip reading）は，その大きな一部である．しかし読話では，顔の表情や動作をともに情報として積極的に得て，さらには，事前に聴取しやすい環境を整えたり，前後の文脈から聴取できなかった部分を推測したりすることも不可欠の工夫とされ，より広い概念といえる．

手話のうち**日本語対応手話**は，日本語の単語を手指のサインで表して意味の理解を助ける手段であり，**指文字**（図 6-2）は，個々の語音に対応した手指の構えによって，日本語の音韻の識別を助ける手段である．いずれも，後天的に聴力を失った日本語話者にとって重要なコミュニケーション手段となる．

指文字と類似の機能をはたす手段に**キューサイン**がある．子音の構音動作を模した手指の動きと母音の口形をともに見せる発話（キュードスピーチ）で音韻認識を促すことを目指し，聾教育の中で用いられた．

b 日本手話

これらと大きく異なるのが，手話の欄（表 6-7）に示した日本手話である．日本手話は，ろう者のコミュニティーで育まれてきた**サイン言語**であ

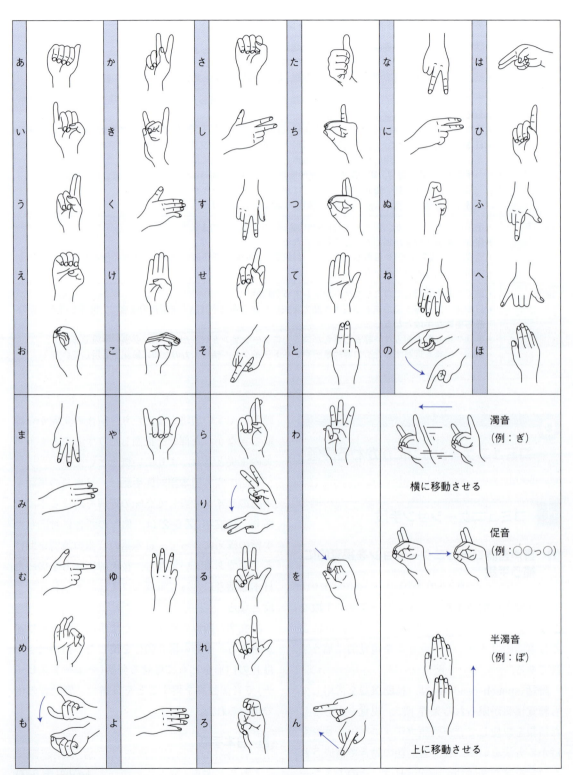

図 6-2 指文字
相手に向けて右手を使用する.
〔障害者福祉研究会(編):障害者のための福祉 2004. p223, 中央法規出版, 2004 より〕

り，音声言語を基盤とする日本語とは異なる別の言語ととらえることが必要である．手の形とともに，その位置，動き，掌の向きなどが形態素として同時に働き意味を伝えること，目や眉，表情など手指以外の身体の動きが統語にかかわることなどが，重要な特徴である．語音を1つずつ順に並べて意味を伝える音声言語と異なり，複数の情報を1つの手話で一瞬で伝える同時性や，状況を見て取れるように表現する写像性を備えている．

c 筆記

筆記は，音声，聴覚を介さずに日本語の意味を伝える手段として有用である．特に，聴力低下後まもない中途難聴例において，**要約筆記**や**ノートテイク**などの筆記による情報保障（第9章1 ➡ 380頁）は欠かせない．日本手話の使い手も，日本語の筆記を，聴者とのコミュニケーション，情報伝達の手段として活用する．

d コミュニケーション手段の多様性

発症時期，難聴の重症度とその変化，成育環境や教育環境の違いなどによって，成人の用いるコミュニケーション手段は大きく異なり，多様である．聾学校で育った言語獲得前発症の重度例の多くが，日本手話を使う．一方，難聴が重度でも補聴機器を活用して聴者の中で育ち，手話をまったく知らない例もある．また，成人期発症例の多くは，補聴器や読話の活用による音声言語コミュニケーションの回復を強く望むが，難聴の重症度によっては日本語対応手話の導入を検討する必要が生じる．

成人の評価において重要なのは，当事者の用いる主たる言語が日本語か日本手話か，日本語であれば，音声以外の視覚的手段をどの程度必要とするか，日本手話であれば，日本語の読み書きをコミュニケーションにどの程度活用できるかについて，面接や行動観察を通じて評価し，言語聴覚士が当事者と十分に意思疎通する方法を早めに見出すことである．

2 コミュニケーションの基本的態度

コミュニケーションは通常，情報の発信者と受信者が，相互に役割を交替しながら継続される．しかし，いずれかの担い手が情報を受け取りにくい，あるいは発しにくい状態にあると，この役割交替が滞る．

難聴によって聞くことが困難な場合，ある人は，相手の話がわかってもわからなくても適当に聞き流すといった受け身的な態度に陥り，ある人は，相手の話を聞かずに一方的に自分のことばかりを話すといった防衛的とも攻撃的ともいえる態度で，会話場面を乗り切ろうとする．どちらも，難聴に由来するコミュニケーション上の困難を切り抜けるための対処法を，徐々に習慣化して形成された態度ととらえることができる．

リハビリテーションで習得を目指すコミュニケーションの基本的態度は，受け身的でも攻撃的でもなく，聞き取れなかったときはそれを率直に表明し，必要な支援を遠慮せずに相手に求める**アサーティブな態度**である．聴覚障害への対応に迷う周囲の人は，当事者のアサーティブな態度に接して，初めて適切な支援や対応の方法を知る．アサーティブネスの理解とそれをコミュニケーションに活かす態度の形成は，補聴と並行して促すべき大切なリハビリテーションの課題といえる．初期の面接で，基本的態度の現状を把握し，対応の方向性を見通すことが重要である．

3 コミュニケーションストラテジー

コミュニケーションストラテジーは，**コミュニケーション上の戦略，方略**と訳すことができる．難聴によって生じるコミュニケーション上の困難は多様であり，また，いろいろな場面で起こりうる．この困難をどう切り抜けるかを，さまざま工夫する方策である．コミュニケーションストラテジーの評価は，質問紙ないし面接時の行動観察によって行うことができる．

a 質問紙による評価

『きこえについての質問紙2002』（表6-4）では，「コミュニケーションストラテジー」8項目が評価に用いられる．項目にあげたコミュニケーション上の工夫を，日常どのくらいの頻度で行っているかを尋ねる質問である．臨床データを用いた因子分析によって，項目16，17，18が**自助型ストラテジー**（自身で行うことのできる工夫），項目20，21，23が**要請型ストラテジー**（相手に頼んで対応してもらう工夫）として抽出され，前者を若年者が，後者を高齢者が高頻度に用いる傾向が明らかにされている[5]．この結果から，コミュニケーションストラテジーの活用が，ライフステージによって異なる傾向を示すことが示唆されるが，実際には，同世代でも回答の個人差が大きい．障害認識や職種，周囲の人との関係などが，コミュニケーションストラテジーの活用状況に反映する可能性が想定される．

b 面接による評価

面接では，言語聴覚士が自身の発話や聴取環境を意図的に操作してコミュニケーション場面に負荷をかけ，つまり聞き取りにくい状況を作って，当事者の反応を観察する．話し手としての負荷は，声量を下げる，口元を隠す，早口で話す，急に話題を変えることなどが可能である．環境に関しては，手元の紙で雑音を加えつつ話す，遠ざかって話すことなどが設定しやすい．これらの負荷が加わって聞き取りが難しかったときの反応から，コミュニケーションストラテジーの活用状況を評価する．

観察のポイントは，第1に，聞き取れなかったにもかかわらず，わかったようにふるまうか（聞き流す，反応を示さない，曖昧に笑うなど），わからなかったことを何らかの形で表すかである．第2は，わからなかったことの表し方，いわば問い返し方である．けげんな表情や「え？」と聞き返すだけか，「もう一度いって」「もう少し大きい声で」などと話し手に頼むか．さらには，聞こえた部分を口に出して繰り返し，聞き取れなかった部分を問い返す方法もありうる．わかったふりで聞き流すのは，その場をやり過ごす消極的なコミュニケーションストラテジーといえる．わからなかったと表明するのが望ましいが，話し手の適切な反応を得るためには，さらに具体的にどうしてほしいかを伝える，どの部分がわからなかったかを明確にして尋ね返すなど，より積極的なストラテジーが求められる．このほか，話し手に近づく，補聴機器の音量を変えるなども，観察すべき重要なストラテジーである．

E 評価のまとめ

『きこえについての質問紙2002』の23項目の結果は，回答（素点）を6つの尺度ごとに集計して評価点に変換し，プロフィールを描いて記録される．評価点は，回答された素点が難聴者集団の中で相対的にどの位置にあるかを示す指標であり，難聴にかかわる異なる側面を評価した6つの尺度の回答を，共通の物差しで比較することを可能にする[6]．プロフィールの特徴を概括的にとらえ，尺度間で評価点を比較することによって，個々の対象のリハビリテーションを進めるにあたって留意すべき課題が，明確になると期待できる．

補聴前と補聴後の質問紙の回答をプロフィールにまとめた2例を図6-3に示した．2例とも，補聴前（○で表記）と比べ補聴後（●で表記）で，聞こえにくさの10項目，すなわち「比較的よい条件下の語音聴取」「環境音の聴取」「比較的悪い条件下の語音聴取」の3尺度に顕著な改善を認めた．これに対し，聞こえにくさ以外の尺度では2例の間で異なる傾向が示された．

図6-3の症例Aは，聞こえにくさにかかわる情緒反応が補聴前から強くはなく，補聴後は，関連行動とコミュニケーションストラテジーに改善

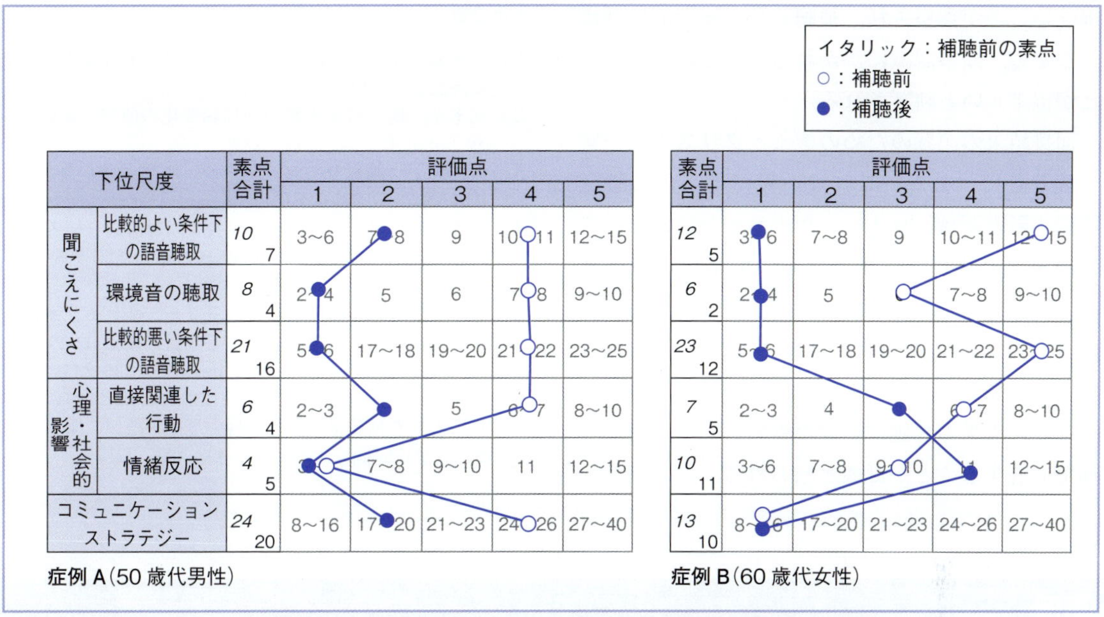

2 成人難聴の評価

図6-3 『きこえについての質問紙2002』結果のまとめ（2症例の補聴前後のプロフィール）

凡例：イタリック：補聴前の素点　○：補聴前　●：補聴後

症例A（50歳代男性）

下位尺度		素点合計	評価点 1	2	3	4	5
聞こえにくさ	比較的よい条件下の語音聴取	10 / 7	3〜6	7〜8	9	10 ○11	12〜15
	環境音の聴取	8 / 4	2〜4	5	6	7〜8	9〜10
	比較的悪い条件下の語音聴取	21 / 16	5〜6	17〜18	19〜20	21○22	23〜25
心理・社会的影響	直接関連した行動	6 / 4	2〜3		5	6○7	8〜10
	情緒反応	4 / 5	3	7〜8	9〜10	11	12〜15
コミュニケーションストラテジー		24 / 20	8〜16	17〜20	21〜23	24○26	27〜40

症例B（60歳代女性）

素点合計	評価点 1	2	3	4	5
12 / 5	3〜6	7〜8	9	10〜11	12○15
6 / 2	2〜4	5	○	7〜8	9〜10
23 / 12	5〜6	17〜18	19〜20	21〜22	23○25
7 / 5	2〜3	4		6○7	8〜10
10 / 11	3〜6	7〜8	9○10	11	12〜15
13 / 10	8〜16	17〜20	21〜23	24〜26	27〜40

症例A：補聴後、直接関連した行動、コミュニケーションストラテジーの活用にも改善を認めた．
症例B：補聴後、心理・社会的影響の改善は小さかった．障害の自覚が明確で、コミュニケーションストラテジーの積極活用が補聴前から認められた．

表6-8 面接時の行動観察による評価（各項の選択肢から選んで○を記す）

音声言語の疎通性
1. 会話の理解 （理解できる条件は何か）
   声量：小さめの声 / ふつうの声で / 大きめの声で
   反復：不要 / 2, 3回繰り返すと
   発話速度：早口で / ふつうの話し方で / ゆっくり話して
   話題：文脈情報あり / 文脈情報なし
2. 音声以外の手段の必要性（会話理解において）
   不要 / 口形 / 書字 / 指文字 / 手話
3. 発話の状態・発信手段（当事者の発話を評価する）
   発話に問題なし
   発話の問題：
   子音の歪み / 母音の歪み / 共鳴の異常 / 声の異常
   音声以外の手段：書字 / 指文字 / 手話

コミュニケーションの基本的態度
a. 一方的に話す（応答＜自分の話題）
b. 聞き取れないまま曖昧に応じる（受け身的な態度）
c. 必要に応じて対応を要請する（アサーティブな態度）
d. その他（　　　　　　　　　　　　　　）

コミュニケーションストラテジー（聞こえなかったとき）
a. 聞き流す（反応を示さない、曖昧に笑うなど）
b. 体を近づける / 耳介の後ろに手をあてる
c. 「え？」と応じる / けげんな表情を示す
d. 相手に頼む．もう一度 / 少し大きく / 違う言い方でなど
e. 聞こえた通りに繰り返し、曖昧な部分を明示して尋ねる
f. 補聴機器の音量調整、プログラム切替を試みる
g. その他（　　　　　　　　　　　　　　　　　　）

聞こえについての自己認識
a. 聞こえなかったことに気づかない / 対応しない
b. 聞こえなかったことに気づくが、対応が不十分
c. 聞こえなかったことに気づき、わかるまで対応する
d. 自分の聞こえにくさ・ストラテジーについて説明できる

自由記載欄

を認めた．これらは、リハビリテーションの観点からは積極的に評価できる変化である．これに対し図6-3の症例Bでは、補聴前からコミュニケーションストラテジーの積極活用が認められ、補聴後も心理・社会的影響（関連行動、情緒反応）は軽減しなかった．難聴に対する否定的な認識が

根強いことが推察され，補聴効果を積極的に評価しながら，障害認識にかかわる支援を継続することが望ましいと判断される．

面接結果の記録のためのチェックリストの一案を表6-8に示した．これは面接で得られる聴覚機能，障害認識，コミュニケーションにかかわる情報をまとめた一覧表である．面接による結果は，診療録に記述して記録することもできるが，表6-8のように決まったスタイルで記録を残すことで，聴覚リハビリテーションの目標設定，およびその成果の評価に必要な資料として，医療者間で共有することが可能と思われる．

引用文献
1) 村瀬嘉代子，他（編著）：聴覚障害者の心理臨床2．日本評論社，2008
2) 立木孝，他：日本人聴力の加齢変化の研究．Audiology Japan 45：241-250，2002
3) 鈴木恵子：聴覚リハビリテーション施行後の評価法．JOHNS 24：1277-1281，2008
4) 日本聴覚医学会福祉医療委員会：補聴器適合検査の指針（2010）について．Audiology Japan 53：708-726，2010
5) 鈴木恵子，他：難聴者におけるコミュニケーションストラテジー——『きこえについての質問紙2002』の回答に表れた傾向—．Audiology Japan 56：226-233，2013
6) 鈴木恵子，他：『きこえについての質問紙2002』の評価点に表れた補聴後の変化—軽中等度難聴例に関する検討—．Audiology Japan 60：492-499，2017

事例

事例1　成人難聴　評価サマリー

【対象者】70歳代，男性．
【主訴】最近，テレビの音が聞こえにくい．家族からもテレビの音が大きいといわれ，聞こえないと指摘される．友人が補聴器で聞こえるようになっているようなので，自分も試してみたい．
【診断名】加齢による中等度の感音難聴（加齢性難聴）．
【診断経過】4〜5年前に聴力低下の指摘を受けたが，難聴の自覚なく対処していなかった．この数か月で難聴を自覚し，補聴器装用目的で耳鼻咽喉科を受診．医師の診察により補聴器装用適応となり，補聴器外来受診となった．
【既往歴】狭心症（手術歴あり），アルコールと薬物による肝機能障害．
【補聴経歴】今回が初めての補聴器装用となる．

評価

【純音聴力検査】平均聴力レベルが右耳57 dBHL，左耳47 dBHLで，気（導）骨導差は認められず，両側とも高音漸傾型の感音難聴であった（図6-4）．

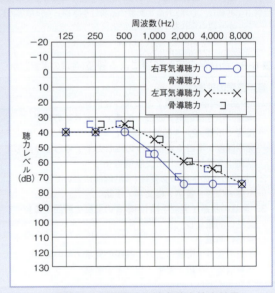

図6-4　補聴器外来受診時の純音聴力検査結果

【語音了解閾値検査】右耳60 dBHL，左耳50 dBHL．
【語音弁別検査】最高語音明瞭度は，右耳55%（80 dB），左耳50%（70 dB）であった．
【SISI検査】1,000 Hz刺激で右耳100%（75 dB），左耳75%（65 dB）で両側ともに補充現象陽性であった．
【コミュニケーション行動】医師および言語聴覚士

との問診の際は口元に注視する様子がみられ，会話音声は明らかに大きかった．また，ご家族の後ろからの声かけには聞き返しが何度かあった．
【補聴器試用】補充現象陽性なため，出力制限をかけて最大出力レベルを調整し，語音明瞭度が高い右耳に補聴器(BTE)の試聴を行った結果，声が小さくなり，ご家族からの声かけへの反応も改善された印象を受けた．

評価のまとめ

　純音聴力検査と語音聴力検査の乖離がなく，医師は典型的な中等度の加齢性難聴と診断した．本人の希望により補聴器試用まで行ったが，今後は下記に示すとおり補充現象に留意しながら補聴器適合し，補聴器装用指導とコミュニケーション指導を行う．

指導目標と指導内容

【短期目標】補聴器適合
【指導内容】家庭での試聴結果に応じた補聴特性の再調整，および補聴の効果と限界，基本的なコミュニケーション方略についての助言を行い，安定装用まで導く．
【長期目標】補聴器装用の継続，および障害理解とコミュニケーション方略活用の促進．
【指導内容】補聴器装用継続のために，聴覚管理と補聴器調整を定期的に行う．
補聴器装用後の障害理解やコミュニケーション方略活用の状態を評価し，家族も含めて必要な助言を行う．

3 成人難聴の指導・支援

指導・支援の観点

　言語聴覚士にとって，成人難聴のリハビリテーションの軸ともいえる業務は，補聴器や人工内耳などの適合を主とした聴覚機能への介入である．これは，言語聴覚士の支援を求める多くの人が，補聴による聞こえにくさの改善を期待しているからというだけでなく，たとえ主訴が構音や言語，コミュニケーション，社会適応などであっても，多くの場合，それらの問題に聞こえにくさが要因としてかかわるからである．
　では，評価の項で述べたリハビリテーションのほかの2つの要素，障害認識とコミュニケーションは，この聴覚機能への介入とどのような関係にあるのであろうか．

 補聴と障害認識の相互関係

　障害認識が，補聴による聴覚機能の改善と相互に影響し合う密接な関係にあるという理解は，成人難聴のリハビリテーションにおいて重要である．
　補聴機器は，失われた聴覚を工学的に補償する有用な道具であり，医学的治療が難しいと判断された場合，次の重要な選択肢となる．しかし，補聴によって正常聴力を取り戻せるわけではなく，場面や状況によっては聞こえにくさが残存し，音の違和感やうるささを訴え続ける例も多い．そのため，補聴機器の特性を物理的に調整するだけで適合を達成することは難しく，当事者が自分の聞こえにくさに向き合い，限界も理解したうえで機器を受け入れる能動的な姿勢をもって，初めて装用が安定する．
　ここで注目すべきは，補聴機器の試聴体験が聞こえにくさの認識を進めるきっかけとなる可能性

である．特に進行が緩徐な加齢性難聴では，半信半疑で試聴した補聴器で初めて自分の聴力低下を実感する例が少なくない．補聴による聞こえ方の変化が障害の自己認識を促進し，次には，その新たな認識が補聴への能動的な姿勢につながるという相乗的な関係を意識して，補聴機器の適合に臨みたい．

2 補聴からコミュニケーション障害の改善へ

対人コミュニケーションが難聴によって阻害されることは明らかで，当事者が補聴による聴覚機能改善を期待する背景には，多くの場合，職場や家庭，交友の場におけるコミュニケーション上の困難がある．補聴機器は，ただ音の物理的な入力を確保すればよいのではなく，コミュニケーションの場で活用されて初めてその機能を果たすのである．

補聴をこのようにとらえると，聴覚機能の評価結果に応じて機器の特性を調整し，検査室で適合状態を測定して適合が完了したと判断するのでは不十分であることが理解できる．言語聴覚士は，聴覚，言語，コミュニケーションにかかわる専門性を活かして支援を続け，当事者が補聴機器をコミュニケーション障害の改善につなげるまでを見届ける重要な役割を担う．

補聴機器の適合による聴覚機能の改善と障害認識の関係，さらにそれらが情報遮断やコミュニケーション障害の改善につながる流れを，概念的に図6-5に示す．

3 補聴器とその他の人工聴覚器

成人難聴の指導・支援を詳述するにあたり，検討しておくべき重要な課題がある．それは，本章でここまで「補聴機器」とまとめて言及してきた補聴器とその他の人工内耳に代表される人工聴覚器とを，どのように扱うのが適切かという問題である．

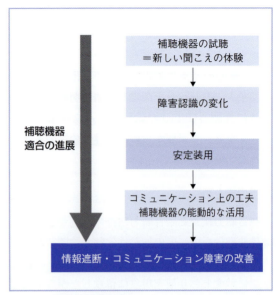

図6-5　補聴と障害認識

ともに聴覚を補償してコミュニケーション障害の改善に寄与する機器であり，基本的なリハビリテーションの観点は共通している．しかし両者の適応は異なり，人工聴覚器は，補聴器を用いても聴覚機能の改善が難しいことが判明した症例に，手術を施して導入される．したがって，医師による医学的判断に加えて，当事者の明確な障害認識があって初めて導入が検討される補聴機器といえる．これに対して補聴器の適応例では，急激な聴力低下を経ている場合は障害認識が明確で期待も大きいが，難聴の自覚が曖昧で「（補聴器は）なくても聞こえる」と主張するなど，装用を避けたい気持ちを表明する例もあるのが実態である．

このように機器の侵襲性，適応例の難聴重症度の違いが，機器の導入に対する当事者の心構えの違いを生じさせることは必至であり，補聴器とその他の人工聴覚器との間で，リハビリテーションの出発点は異なると考えるのが妥当であろう．

そこで本項では，成人難聴のリハビリテーションの基本を成し，また人口的にも多くのニーズがある中途難聴に対する補聴器の適合を中心に据え，その進展と関連させながら，障害認識，コ

ミュニケーションへの介入について解説を行う．

4 超高齢社会における難聴への対応

　もう1つ，成人難聴の指導・支援を進めるにあたり重要なことは，臨床を取り巻く社会情勢についての理解である．

　近年，**認知症**の危険因子の重要な1つが難聴であることが複数の研究で検証され[1,2]，超高齢社会の緊急課題ともいえる**健康寿命延伸**の観点から，高齢期難聴への介入の必要性が広く認識されるようになった．しかし一方で，難聴を自覚しても補聴器を装用しない例が多くあることが報告され，なかでもわが国の補聴器装用率は欧米諸国と比べて低いことが問題視されている[3,4]．

　このような情勢を考慮すれば，聴覚障害領域の臨床に日常的に携わる言語聴覚士にとってはもちろんのこと，言語障害や嚥下障害の臨床に携わる言語聴覚士にとっても，高齢者の中に潜在して医療につながりにくい難聴の検出や，適切な補聴への誘導が，専門職として担うべき重要な責務であることが理解される．具体的な介入法の検討は，現時点でまだ十分とはいえないが，臨床のヒントになる方策を後述する．

B 中途難聴における補聴の課題

1 中途難聴における障害認識

　聴者として育ち，音声言語コミュニケーションを駆使して社会に関与して生きてきた成人にとって，聴力低下は生活のさまざまな側面に影響を与え不都合を生じさせる，はずである．しかし，その不都合な状況を当事者自身が認識できるかといえば，短期間に大幅な聴力低下が生じた場合を除けば，多くの例で明確に自覚することは難しい．例えば，聴力低下が一部の周波数域にとどまれば，小鳥のさえずり，高音の楽器音，お知らせ用電子音などの聞こえ方の変化について，仕事や生活で必須であったり，従来から関心が高いなどの条件がなければ，他者の指摘を受けて難聴と診断されてから，ようやく認識する例が多い．難聴の進行が緩やかであれば，聞こえなくなった音に気付かずに，数年が過ぎることさえある．

　音声言語が幅広い周波数帯域にわたる複合音の連なりであり，難聴があっても音声の一部は耳に入る場合が多いこと，また個々の語音が聞き取れなくても超分節的要素や文脈が理解を助ける可能性があることが，「普通の会話は問題ない」と本人が認識する状態が長く続く要因といえる．

2 補聴器に対する社会の認識

　医療管理機器でありながら，補聴器は医療と連携しない店頭販売もあるなど入手は容易である．あたかも老眼鏡のように，装用すれば十分な音声が明瞭に聞こえてくると期待する人々も多い．このため，不十分な適合状態で使い始め，補聴器への不満，不信を募らすことになる．しかも補聴器は廉価とはいえず，購入における公的補助も一部に限られる．これらを背景に，一般の人々の補聴器に対する評価は，「うるさい」「役立たず」「高価」など，かなり辛辣で厳しいのが実態である．

　もう一点，臨床に関する本論に入る前に，**スティグマ**という概念について理解しておきたい．これは西欧の文化的背景から生じたとされ，聴覚領域では，難聴や補聴器を加齢による衰えや障害の烙印と否定的にとらえる認識をいう[5]．補聴にかかわる欧米文献で頻繁に言及される用語である．身近な例でいえば，老眼鏡の装用をなるべく先に延ばしたい気持ちの根底にある認識と類似している．いまだ装用者の少ない補聴器は，多くの人が使っている老眼鏡以上に，導入への心理的抵抗感が強いと推測される．

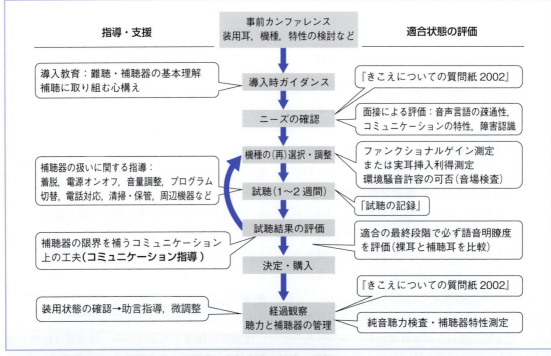

図6-6　補聴器適合の各段階に応じた指導・支援と適合状態の評価

C 補聴器適合の進展と障害認識の変容

1 補聴器適合の臨床の流れ

　前項で述べた中途難聴をめぐる一般的な課題を踏まえたうえで，対象の聴覚機能，障害認識，コミュニケーション障害の評価結果をもとに，言語聴覚士は指導・支援を開始する．

　臨床の軸となる聴覚機能改善のための補聴器適合の過程を，適合の段階ごとの指導・支援，および適合状態の評価法とともに図6-6に示した．また補聴器適合の臨床チームの成員とその役割分担について1例を示した（図6-7）．言語聴覚士が補聴器適合の臨床においてどのような実務を担うかは，施設の特性によって異なることも想定されるが，図6-6に示した指導・支援，適合評価は，専門性を活かして力を注ぎたい業務といえる．

2 補聴における導入教育

　聴覚機能にかかわる指導・支援は，まず難聴や補聴器に関する知識の供与，すなわち**導入教育**から始まる．難聴歴が長い場合でも，初めての補聴でこの過程は欠かせない．聞こえにくさは自覚しても**聴力図（オージオグラム）**で自分の難聴を客観視する機会はまれであり，また，補聴器について適正な情報を得てない場合も多いからである．

　提供する情報の詳細は補聴器適合の項（第5章 ➡ 145頁）に譲るが，難聴に関しては，オージオグラムの読み方，自分のオージオグラムと語音との関係，補充現象を含む**感音難聴**の聞こえの特徴に理解を得ることは必須である．さらに補聴器に関しては，基本的な構造や種類，価格の目安のほか，「電気的なエネルギーで音を強くする機械であり聞きたい音声以外の音も大きくなること」「聴力に合わせて調整した補聴器も試聴結果を見ながら微調整を繰り返す必要があり，適合まで複

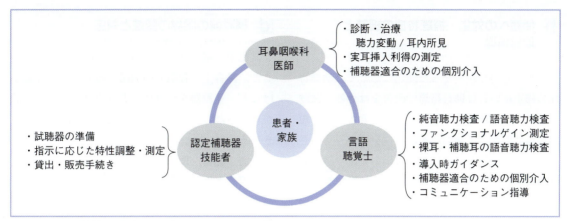

図6-7　補聴器適合の臨床におけるチーム成員と役割（例）

数回の通院を要すこと」「装用当初は必ず違和感があり，その音に慣れる努力が求められること」などは，必ず伝えたい情報である．

導入教育によって，補聴器への過大な期待，あるいは不信感や不安感が軽減し，当事者が，言語聴覚士を始めとする専門職の指導・支援を受けながら，能動的に補聴に取り組もうという姿勢が生まれることが望ましい．

3 補聴に関するニーズの確認

補聴器適合の開始時，当事者の**主訴**は多様である．すなわち補聴への期待，補聴で改善したい場面などは個々で異なり，中には，自身は補聴を不要と考えているが勧められて仕方なくという発言さえみられる．

言語聴覚士は，検査結果と診療録から聴覚機能に関する情報を得たうえで，『きこえについての質問紙2002』（➡212頁）などの質問紙や面接を通して，個々の生活状況や障害認識，コミュニケーション行動に関する情報を得て，**専門的な視点からのニーズ**を明らかにする．例えば，本人はテレビの音量が大きすぎると指摘されることだけを改善したいというのに対して，家族や友人との会話場面での補聴も必要と判断するなどである．

ここで明確にされたニーズが，リハビリテーションの**短期目標**となる．いうまでもなく，当事者の主訴は第1に重視すべきである．それを十分受け止め，応えたうえで，専門的見地から見定めたニーズを満たすことを目指し，補聴器適合を開始する．

4 補聴器の試聴

a 試聴後の評価

試聴は，聴力に合わせて特性を設定した補聴器が，実生活でどの程度有効かを試す機会であり，その結果は，よりよい適合状態に向けて重要な資料となる．試聴後の面接時には，例えば「試聴の記録」（➡151頁）のような質問紙の記録をもとに，解決すべき問題を本人の訴えの様子から探り当て明確にする．

試聴後評価の要点は次のとおりである．
①**装用時間**：短い場合，阻害要因は何か．
②**装用場面**と**補聴効果**：聴力，生活状況から推定される補聴が必要な場面で使ったか，効果はどうか．
③**うるささ**，**音質**など：我慢できない不満は何か．
④**操作性**：本人あるいは同居家族が扱える機器か．
⑤**全体としての満足度**：補聴器を概してどう評価したか．

b 問題への対応─補聴特性の調整と助言指導

　試聴して明らかになった問題に応じて，補聴特性の修正ないしは助言指導で改善をはかる．試聴初期には，補聴特性の修正を多く必要とする．短い装用時間から不適切な補聴特性を疑い，うるささ，音質の評価をもとに，最大出力音圧や騒音抑制の強化，周波数特性の修正を試みるなどである．特性の調整の詳細は第5章（➡ 134頁）を参照されたい．

　補聴特性の修正を尽くしても，「シャカシャカうるさい」「足音が耳障り」「音が機械的」など，否定的な訴えが続く場合，助言指導が重要となる．聞こえなかった音を耳に届けるのが補聴器であり，聞こえ方が変化するのは当然であること，今はまだ補聴器を通して入る多くの聴覚情報を脳で処理しきれない状態であること，自分にとって大切な音声に耳を傾ければ，徐々に雑音は気にならなくなることを説明し，装用を続けるよう励ます．訴えを即座に退けることなく受け止め，**共感**を示したうえで，わかりやすく理由と見通しを説明し，支援を続ける姿勢を示すことが重要である．

c 試聴体験と障害認識

　試聴は，当事者からみれば，補聴器を介した新しい聞こえの体験といえる．補聴器から入る多くの音に接して，自分に難聴のあることを強く認識しショックを受ける人がいれば，補聴器の有用性を実感して自分の聞こえに自信を取り戻す人もいる．試聴が，障害の自己認識を変えるのである．

　言語聴覚士は，試聴を体験した当事者が自身の聞こえについて報告する内容に耳を傾け，障害認識の変化とそれに伴う気持ちの動きを推測し，共感を示しながら，補聴に向かう能動的な姿勢を促し励ます助言を行う．

d 補聴器の限界の認識と対応

　試聴中，補聴効果が認識され装用時間が長くなると，騒音下，複数人の会話，後方からの言葉かけなど，補聴器をつけても聞き取れなかった体験が報告されるようになる．補聴器の限界への気づきである．

　距離，**騒音**，**反響**が，補聴器の機能を妨げる大きな要素となる．距離が遠ければ補聴器による音の増幅は不足し，より近接した音の存在も聴取を妨げる．補聴器の騒音抑制機能や指向性機能（第5章 ➡ 152頁）をもってしても騒音を制御できない環境があり，また，音が多方向から時間差をもって耳に届く反響の強い環境は，語音の識別を阻害する．これらの要素を反映した聴取困難な場面を，個々の生活状況に応じて具体的に把握し，補聴器の限界に対する当事者の認識を明確にすることは，長期の安定した装用を目指す観点から重要である．

　私たち言語聴覚士は，当事者の限界への気づきを受けとめ，理由を説明して納得を得たうえで，限界を補う対応法を提案し，必要な指導を行う役割を負う．対応法の有力な候補の1つは，**補聴周辺機器**の導入である．聴取の難しい条件下におけるS/N比の改善，すなわち騒音の音量を下げ目的の語音を聞きやすくするために，音源から直接，補聴器や手元に音声が運ばれるワイヤレスマイク，手元スピーカ，電話通話におけるスマートフォンの活用などの提案を行う（第6章 ➡ 208頁）．もう1つ重要な方策は，コミュニケーション上の工夫の提案である．方策の具体的な内容は後述する（➡ 229頁）．

D 語音聴取改善のための聴取訓練

　補聴器が適合基準に達しても「音は聞こえるが，ことばは聞き取れない」という訴えがすべて解消

されることはない．難聴自体に伴う語音聴取の困難さは，補聴器で音が増強されても残るからである．これは人工内耳においても同様である．言語聴覚士には，「ことばの聞き取り」すなわち語音聴取を改善するための聴取訓練に関する専門知識を備え，その適応を判断し実践する役割が求められる．

表6-9 語音聴取の難易度に関与する要素

	容易な条件	困難な条件
距離	近い	遠い
騒音	なし	あり
発話速度	ゆっくりめ，区切って	速い
反復	する	しない
音響的強調	する ・抑揚，リズムの強調 ・キーワードの強調 ・助詞，助動詞の強調	しない
口形	見せる	見せない
言語形式	単純	複雑
話題	親近性ある話題 状況文脈あり 現前事態	新奇な話題 状況文脈なし 現前にない事態
談話場面	1対1	集団
選択肢	あり（closed-set）	なし（open-set）
素材の類似性	低い	高い（モーラ数，抑揚・アクセント，母音などを考慮）

これらの要素に配慮して聴取課題を設定し，徐々に難易度を上げていく．

1 語音聴取の難易度を左右する条件

語音の聴取には，聴取素材の音響特性とその組み合わせ，言語構造の複雑さ，聴取環境の条件などが関与する．聴取の難易度にかかわる要素を表6-9に示した．

言語聴覚士は，示された条件のそれぞれがもつ特性を十分理解したうえで，それらを操作して，聴取しやすいものから難しいものまで，段階的に課題を組む技術を備える必要がある．臨床の場で面接する際に自らの発話を制御するためにも，重要な知識，技術といえよう．

2 要素的訓練

個々の語音の聴取情報の違いに注目して，分析的・要素的に学習を進め，聴き取りに活かすように促す方法が要素的訓練である．前項で示した聴取条件を操作して，難易度が徐々に上がる課題を設定し，系統的，段階的に学習を進める方法も，要素的訓練といえる．

要素的訓練は，従来とは異なる道筋で聴覚刺激が入力される人工聴覚器の装用初期に特に重要で，類似した語音の細部を聞き分け，従来の音の記憶と照合しながら，意味の理解につなげる過程を助ける訓練となる．この場合には，ことばの聴覚情報に特化した識別能力の向上を目指す点で，聴能訓練とよぶのが適切かもしれない．

3 総合的訓練

これに対し，個々の語音の聴き取りに拘泥せず，前後の文脈や話のテーマから語・文の意味を推測するなど，総合的な理解に重点を置く方法が，総合的ないし包括的といわれる訓練である．

中途難聴の成人の場合，日本語の知識や社会経験が豊富で，多くの情報が脳に蓄積されている．また日常のコミュニケーションにおいては，さまざまな環境のもと予測しにくい情報をのせたことばが飛び交うのが通常である．これらを考慮すると，中途難聴例のリハビリテーションにおいては，総合的訓練の観点が重要である．「評価」の項で学んだ「読話」の概念が，これに重なる（➡215頁）．

次項で，語音聴取と視覚情報との関係について知識を整理しよう．

	口形	母音の口形	小開き → 母音の口形		閉唇→母音の口形
大開きの母音	ア	あかはらが	さたなやざだ きゃしゃちゃにゃひゃりゃぎゃじゃ	わ ふぁ	まばぱ みゃびゃぴゃ
	エ	えけへれげ	せてねぜで		めべぺ
	オ	おこほろご	そとのよぞど きょしょちょにょひょりょぎょじょ		もぼぽ みょびょぴょ
小開きの母音	ウ	うくふるぐ	すつぬゆずづ きゅしゅちゅにゅひゅりゅぎゅじゅ	オ／ウ列音のあとの「っ」「ん」 ＊ただし閉唇音の前を除く	むぶぷ みゅびゅぴゅ
	イ	いきひりぎ　しちに　じぢ		ア／エ／イ列音のあとの「っ」「ん」 ＊ただし閉唇音の前を除く	みびぴ

促音「っ」・撥音「ん」：前後の音により変化 ----- 閉唇音の前の「っ」「ん」は閉唇

図6-8　日本語の語音の口形分類
〔坂本幸：中途失聴者のための読唇プログラム学習法について．東北大学教育学部研究年報 38：185-213，1990 より〕

E 語音聴取における視覚情報の活用

1 日本語語音の口形分類

日本語の語音の口形分類を図6-8に示した[6]．**口形形素**は，音素と比べ著しく種類が少なく，日本語の場合，10数種に限られる．「母音の5種の口形」「両唇音の口唇閉鎖あるいは丸め」「歯音・歯茎硬口蓋音の下顎の狭め」「弾音の舌先の弾き」などが，口形を見て視覚的に日本語の語音を識別するための限られた要素である．一方，語音のうち，母音と軟口蓋音・声門音，通鼻音と非通鼻音，有声音と無声音，破裂音と摩擦音・破擦音，撥音と促音などの弁別は，口形情報のみではまったく不可能である．

2 聴覚情報と口形情報の併用効果

このような口形情報の特性を反映して，同じ口形で意味の異なる語，すなわち**同口形異義語**が多数生じる．「たばこ」と「たまご」がその代表例である．口形を手がかりにしたことばの理解は，単語から，句，文と発話単位が長くなるにつれ，語音と語音が接続して生じる口形変化が次々加わるため，さらに困難を増すことになる．

これと対照的なのが聴覚情報による語音識別である．中途難聴の成人であれば，習熟した日本語の知識が**トップダウン情報処理**によって不完全な聴取情報を補い，意味の理解を容易にする．このため聴覚情報では，音節単独よりもモーラ数の多い単語，句，文のほうが，むしろ語音が識別しやすく了解度が高いといった傾向が示される．

語音識別において聴覚と視覚（口形）を併用する意義については，それぞれ単独より視覚聴覚併用時の了解度が良好であること，および併用時には，単音節より多音節単語，短文と冗長度が高くなるにつれ了解度が上がり，併用効果が相乗的であることが報告されている（図6-9）[7]．後天性の軽度・中等度難聴例においても，口形情報が聴覚による語音識別を改善する効果があることが明らかにされている[8]．口形から得られる語音に関する情報は限定的ではあるが，聴覚情報と併用することで，コミュニケーションにおける実用的な効果が期待できるといえる．

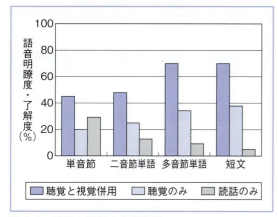

図6-9　聴覚と視覚の併用効果
〔城間将江：人工内耳手術後の聴取評価に関する研究．東京大学大学院医学系研究科博士論文，2000 より〕

表6-10　コミュニケーションの3つの構成要素

要素	内容
発信者 （話し手，speaker）	声質，声の大きさ，構音・口形の明瞭さ，表情や動作，発話速度，言語構造の複雑さ，話題
環境 （environment）	騒音や反響の有無や程度，発信者と受信者の距離・位置関係，部屋の明るさや光源の位置，発信者の人数
受信者 （聞き手，listener）	聴力，視力，補聴機器・眼鏡などの適合状態，言語力，知覚した情報の統合能力，困難な場面に当面した際の問題解決能力，話し手との関係，一般的な知識・体験の量・質

F　コミュニケーションにかかわる支援

　難聴に由来するコミュニケーション障害は，補聴によって十分な音声入力が確保されることで，大きく改善する．しかし先述のとおり，補聴機器が良好な適合状態に至ったとしてもなお補聴効果には限界があり，それを補う方策を，難聴当事者が理解し実践できるようになるまでの支援が，言語聴覚士に期待される．

1　コミュニケーションの成否を左右する要素

　コミュニケーション場面の3つの構成要素である発信者（話し手）と受信者（聞き手），そしてその間に存在する環境について，コミュニケーションの成否を左右しうるそれぞれの要素を表6-10 に示した．これらのいずれかに不適切な状態があったとき，聞き手である難聴当事者にとって困難なコミュニケーション事態が生じると想定される．とすれば，これらの要素について，当事者が基本的な知識をもち，事前に，あるいはコミュニケーションに難渋した現場で自らそれらに対応できれば，良好なコミュニケーションを保つ可能性が広がると考えられる．場に応じてコミュニケーションの成否にかかわる要素を制御し，円滑なコミュニケーションをはかる方策を，コミュニケーションストラテジーととらえることができる．

2　コミュニケーションストラテジーの概要

a　環境にかかわるコミュニケーションストラテジー

　環境要因がコミュニケーションに与える影響は聴覚障害で特に大きいため，よい条件を最初に整えることが肝要である．この場合，**環境を物理的に整える配慮**がコミュニケーションストラテジーの要点であり，対応は明確かつシンプルである．「騒音がなく反響の少ない明るい部屋を選ぶ」「話し手の顔が暗がりにならないよう光源を背負う席に座る」「相手に近づく」など，補聴機器が苦手とする騒音，反響，距離の悪条件を減らし，さらに視覚情報を十分得るための光の活用にも配慮した工夫である．

b 話し手にかかわるコミュニケーションストラテジー

話し手側に求められる第1のコミュニケーションストラテジーは，大きな声のことばかけを避ける配慮である．補聴機器を装用した聞き手に大声は不要であり，むしろ内容が伝わりにくい．補充現象のある内耳性難聴であればなおのこと，大声は禁忌である．

話し手による第2のコミュニケーションストラテジーは，口形や表情，動作が聞き手に見えるように，面と向かって話す配慮である．補聴機器が機能しても，かつての聴力は回復できず聞こえにくさが継続することを念頭に，視覚情報を最大限活用することを目指す方策といえる．

声の大きさ，話す向きに配慮したうえで，第3に話し手が配慮すべきコミュニケーションストラテジーが，わかりやすい話し方である．具体的には，日本語固有のリズムや抑揚を崩さない範囲でゆっくり，はっきり，適宜，文節や句単位で区切って話す配慮が重要である．リズムや抑揚といった超分節的な情報が，語音明瞭度の低下した聞き手の理解を助け，かつ，文節や区単位で区切ったゆっくりした発話は，不完全な聴覚情報を脳内の知識と照合し意味を解読する時間を与えてくれる．はっきりした口の動きは，構音を明瞭にして聴取しやすくするとともに，聴取を助ける口形情報を豊かにする．

c 聞き手にかかわるコミュニケーションストラテジー

これらに対し，聞き手側の条件は，人為的な改善の難しい個人の能力にかかわるものが多いと感じられるかもしれない．しかし，相手の音声や周囲の状況に応じて補聴機器の音量変更やプログラム選択を行う対応は，聞き手としてできる重要な方策である．

また，「話題を予想して事前に知識を得ておく」「演劇などはシナリオを読んでから臨む」「会議では，司会者や話題をリードする人に近い席を選ぶ」なども，聞き手として事前に準備できる有効な対策といえる．さらに会話中，聞き取れなかったときの聞き返し方もいろいろ工夫の可能性がある．聞き手として当事者が対応すべき方策は数多く，また重要である．

3 コミュニケーションストラテジーの指導

a 目的と対象

指導対象の主体は難聴の当事者である．コミュニケーション障害の改善において，家族や周囲の人の理解は重要であり，可能な限り指導に同伴いただくことが望ましい．しかし，実際に同伴が実現する例は限られ，また1人暮らしも多いのが実情である．

そこで，聞き手たる難聴当事者が，話し手の配慮を受け身で待つのではなく，自ら能動的に周囲に働きかける姿勢を身につけることを，指導の目的とする．

b 指導時期

補聴機器を装用しても生じる聞こえにくさを補うのがコミュニケーションストラテジーということができる．したがって，その指導の時期は，「当事者が補聴機器の有用性を認識し，装用を継続する見通しが立ったころ」が目安となる．指導効果の評価も必要なため，1～2週ごとに通院する試聴期間中に指導を行うことが望ましい．

c 指導項目

習得を要すコミュニケーションストラテジーは，当事者の難聴重症度，補聴の状況，生活状況等によって少しずつ異なる．補聴器適合の臨床で多く出会う軽度～中等度の中途難聴例を対象に習得を促したいコミュニケーションストラテジーの一覧を表6-11に示す．項目を5つに絞り，心が

表6-11 習得を促したいコミュニケーションストラテジー

1. 補聴器の限界への対応	騒音，距離，反響に弱い補聴器 →騒音を避ける，話し手に近づく，話し手・場面に応じた音量調整をする．	
2. 目で見る情報の活用	読話の基礎・基本口形(5母音，閉唇，小開き，促音・撥音)を学ぶ． 口元を見る・正面から話す，光を背負って座る，メモ用品を携帯する．	
3. わかりやすい話し方の要請	わかりやすい話し方を話し手に要請する〈要請のストラテジー〉 ゆっくり，はっきり，分節・句で区切って，大きすぎない声で，面と向かって．	
4. ことばを繰り返す習慣	確実な情報交換のために話し手のことばを繰り返す〈確認のストラテジー〉 わかったふりを極力避ける，安易にわかったつもりにならない．	
5. 話題をとらえる姿勢	〈トップダウン情報処理の意識化〉 何が話題かをまず知る，前後から推量する．	

けるべき行動を簡潔に示した．人工内耳においても有効な項目といえる．

この表で注目すべきは，いずれの項目も，また各項目に含まれる具体的な行動もすべて，当事者自身が実践するコミュニケーションストラテジーを示していることである．例えば，わかりやすい話し方は話し手が配慮すべき行動であるが，ここでは，当事者が話し手に改善を要請するという形で項目にあげた．あくまで学びの主体，実践の主体は当事者である．

d 指導内容

表6-11の各項に示した当事者が習得すべき行動，すなわち具体的なコミュニケーションストラテジーを，項目ごとに解説する．

1) 補聴機器の限界への対応

騒音，反響，距離の悪条件に補聴機器は概して弱く，特性の調整では対応しきれず，装用者自身の工夫と対応が必須であるということを，まず理解する．そのうえで，騒音を避ける(消す，離れる)，話し手に近づく，話し手の声の大きさや周囲の騒音環境に応じて，補聴機器の音量を増減することなどで対応する．

2) 目で見る情報の活用

日本語の基本口形(図6-8．5つの母音，閉唇→母音，小開き→母音，促音・撥音)を学び，口元に言語理解のための情報があることを理解する．そのうえで，話し手の口元を見る，後方や側方からの会話を避け，面と向かって話す，自分が光を後方に背負って座ることを心がけ，視覚情報を十分活用する．書字は確実な情報交換のための重要な視覚情報であることを理解し，メモ用品の携帯を習慣づける．

3) わかりやすい話し方の要請

話し手の配慮不足が聴き取りにくさの要因と感じられたとき，わかりやすい話し方を当事者から話し手に要請する．この際，難聴があることを話し手に表明して配慮を頼むだけでは不十分であり，どのように配慮してほしいかを具体的に要請することが肝要である．一般の聴者は，難聴をもつ聞き手に情報をわかりやすく伝える方法を学んだことはなく，適切な対応法を知らないからである．「聞こえにくい人には大きな声で話すしかない」と思っている人も多い．どうしてほしいかを具体的に伝えて初めて，話し手の適切な対応が期待できるのである．

当事者が話し手に対して「口元を見たいので正面から話してください」「ゆっくりはっきり話してもらえばわかります」「もう少しゆっくりお願いします」「書いてください」などの表現で配慮を要請することが有効と考えられる．

4) ことばを繰り返す習慣

話し手のことばが聞き取れなかったとき，聞こえた部分をそのまま反復して話し手に返す習慣を身につけたい．話し手は，返された発話を聞いて，聞き手に何が伝わり，何が伝わらなかったかを知る．そして，聞き落とされた部分を補い，誤って聞きとられた部分を修正する．つまり，聞き手にとってヒントになる反応を返してくることが期待できる．会話中に話し手のことばを聞いてはそれを繰り返し，相槌のように話し手に返す習慣は，確実な情報交換のために活用すべき重要なコミュニケーションストラテジーといえる．

補聴前は聞こえずに「わかったふり」で切り抜けることもあった会話場面が，補聴後は楽になったと感じられる．しかし，話し手のことばを「わかったつもり」で誤解するリスクがないとはいえない．「聞こえた，わかった」と思っても，話し手のことばを繰り返すよう心がけることで，聞き手，話し手ともに情報が正しく伝わったとわかり，安心できるのである．

5) 話題をとらえる姿勢

前項に示したような確実な情報交換を心がける一方で，聞き取れなかった個々の単語にとらわれず，前後の情報から内容を推量し，話の流れに乗って会話を進めるという姿勢も重要である．話題が何かをまずとらえ，脳に蓄積された知識から情報を得て，不完全な聴覚情報を補い理解に至るという**トップダウン情報処理**を意識化し，積極的に活用するよう誘導する．

話題がわかり選択肢が狭まると，聴取したことばの意味がすぐわかることを実感できる実習を行うと，納得を得やすい．

e 指導方法

コミュニケーションストラテジーの指導は，個別でも集団でも実施可能である．個別に実施するとすれば，補聴機器の試聴期間中に，試聴中の実体験に関連させながら適宜指導を組み込む方法が効率的である．適合の進展状況，障害認識の変化，コミュニケーション障害への意識などを評価しながら，指導の導入時期や重点項目を流動的に設定できるのが利点である．

一方，集団指導の利点も大きい．コミュニケーションストラテジーの多くが話し手とのかかわりで配慮すべき方策であることを考慮すれば，その効用を実感できる実習やロールプレイを指導に組み込むことが有用である．実習は，言語聴覚士と1対1でも十分可能であるが，数人の集団であれば，ほかの当事者と言語聴覚士のやりとりを観察して学ぶ機会もつくることができ，効率的である．ほかの当事者や家族の体験を聞き，補聴機器への過大な期待を修正する，コミュニケーションストラテジーへの意欲を高めるなどの可能性もある．同じ悩みをもつ当事者，家族の存在を知り，励ましを得ることも期待される．

G 中途難聴の聴覚リハビリテーションが目指すもの

ここまで，中途難聴に対する補聴器適合の流れを軸に，成人難聴のリハビリテーションにおける指導・支援について述べてきた．本章の最初に述べたように，成人難聴のリハビリテーションを「聞こえにくい，あるいは聞こえない耳をもつ方が，十分に自らを活かし，快適な社会生活を送ることを可能にするための専門的な支援」と定義したとき，私たちが専門家として責任を果たしたといえる達成目標は，何であろうか．どこまでを支援することが，言語聴覚士に求められ，また可能なのであろうか．

中途難聴の**聴覚リハビリテーション**の全体像を俯瞰するために，補聴器適合の進展と，それに伴い難聴当事者に起こりうる変化，および専門的支援の要点を図6-10に示した．先に図6-5（→222頁）で示した内容を含むが，リハビリテーション

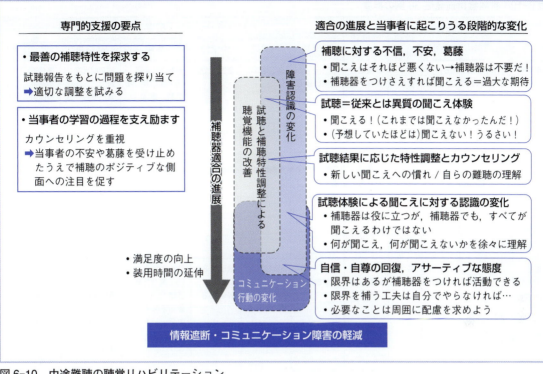

図6-10 中途難聴の聴覚リハビリテーション

の観点から，より包括的かつ詳細に変化を記した．なお，ここで用いた聴覚リハビリテーションという表現は，手話の導入などを含む，より広義のリハビリテーションとの違いを踏まえ，補聴による聴覚機能改善を主軸としたリハビリテーションであることを明示したものである．

図6-10の最下部に示した「**情報遮断・コミュニケーション障害の軽減**」は，聴覚リハビリテーションが目指す重要な達成目標である．これを実現するために補聴による聴覚機能の改善があり，専門的な介入があるといってもよい．しかし，ここで注目すべきは，図の右側に示した当事者に起こりうる内面や行動上の変化である．

補聴器の導入にあたって当事者の気持ちは揺れ動く．「補聴器で聞こえが元通りになる」といった過大な期待，「聞こえるのになぜ」「本当に役立つのか」などの疑問や不安，「必要かもしれない，でも抵抗がある」という心の葛藤が，誰の中にも生じうる．導入教育がこの時期の当事者を支え，試聴が開始される．試聴による新しい聞こえの体験を通して障害認識の変化が生じ，適合の進展に反映する可能性についてはすでに述べた．言語聴覚士は当事者の試聴報告に耳を傾け，補聴器の効用や限界への気づきに共感を伝え，必要に報じて特性を調整し，限界を補う対応法を提案する．コミュニケーションストラテジーの指導もここに含まれる．これらの過程を経て，当事者が「補聴器は役に立つ」「補聴器を使えばがんばれる」といった自信や自尊の気持ちを回復し，「補聴器の限界は自分で工夫して補おう」「必要な支援は積極的に求めよう」といった能動的でアサーティブなコミュニケーション態度を形成するまでを励まし支えることができれば，聴覚リハビリテーションにおける言語聴覚士の役割を果たせたといえるのではないだろうか．

表6-12 言語獲得前発症38例の概要

	初診年齢	現在の年齢	性別	補聴器	ハビリテーション・教育					職業	
					就学前	小学校	中学校	高校	高卒後		
中等度 (n=10 ~69 dB)	5y6m ±31m	26y ±4.3y	男5 女5	非装用2 片耳6 両耳2	ST 5 定期観察5	全例地域校	全例地域校	全例公私立高 (うち生活科,商業科,農業科,各1)	四年制大学2 短大3 専門学校3 高卒2	事務職 0 製造業 1 技能職 0 サービス業 4 有資格職 3 学生 1 主婦 1	
高度 (n=11 70 dB~)	3y2m ±19m	24y ±1.7y	男5 女6	片耳7 両耳4	ST 7 聾学校3 難聴通園1	全例地域校	地域校10 私立中1	公私立高10 (うち農業科1) 聾高等部1	四年制大学5 短大1 専門学校4 高卒1	事務職 3 製造業 2 技能職 2 サービス業 0 有資格職 1 学生 3 主婦 0	
重度 (n=17 90 dB~)	3y2m ±32m	27y ±5.5y	男6 女11	非装用2 片耳6 両耳9	ST 6 聾学校11	地域校11 (うち小5で聾へ移籍1) 聾学校6	地域校8 私立中1 聾学校8	公私立高9 (うち高3で聾へ移籍1) 聾高等部7 中卒1	四年制大学2 短大3 専門学校3 聾専攻科1 職業訓練校1 高卒4 中卒1	事務職 5 製造業 2 技能職 5 サービス業 1 有資格職 0 学生 0 主婦 3 無職 1	

〔質問紙調査（2006年実施）の結果から〕

H 難聴発症時期別の対応

指導・支援について，ここまで中途難聴の聴覚リハビリテーションを主軸に述べてきた．そこで本項では，言語獲得前，成人期，高齢期と発症時期ごとに，それぞれの特性を踏まえた指導・支援について解説する．

1 言語獲得前発症例の指導・支援

a 教育歴，音声言語コミュニケーション，読書力などの多様性

1974～86年に難聴と診断され，その後の経過を追うことができた言語獲得前発症の成人117例中，質問紙調査に回答の得られた38例の教育歴，職業などを表6-12に示した．対象は男性16例，女性22例であり，調査時の年齢は21～40歳である．重症度は最終検査時の分類であり，高度1例，重度6例に初診時から20 dB以上の聴力低下が認められた．

この時代，難聴の検出時期は遅く人工内耳もなかったが，重度の6例以外は普通級の教育を経験し，また多数が高卒後進学し，調査時点の職業は多様であった．このうち21例に実施した面接法調査の結果，中等度・高度例は発話明瞭だが，会話理解では口形提示などの配慮を要す例があった．重度例の発話は明瞭度が低く聴者とのコミュニケーションで書字使用が必須と推察され，また重度例で読書力の低い例が半数を占めた．障害認識は重症度で異なり，中等度では高卒後の勉学・就業の場で初めて問題を認識する例が，高度では自他ともに障害認識が不十分で軋轢を生じる例が，重度では手話を通じて同障者と出会い転機を得た例が認められた[9]．

b 日本語の言語力

　言語獲得前発症例が成人して出会う困難に関連する2つの要因がある．1つは，日本語の言語力である．音声言語コミュニケーションが難しくても，日本語を読み書きする能力があれば，聴者が圧倒的に多数の社会における自己実現の可能性は拡大する．ネット上の情報交換が日常的になった近年，**読み書き能力**は，職場など公的な場において一層重要性を増している．逆にいえば，「聞こえなくても書けば通じるだろう」という聴者の一般的な認識に応じるだけの読み書き能力をもたない場合，社会の中で多くの軋轢が生じることが想定される．

c 障害認識

　2つ目の要因は，障害認識の難しさである．幼少時から補聴器を使い成長した場合でも，自身の難聴について十分な認識をもっているとは限らない．面接調査では，聴者の中で育った中等度，高度例の中に，障害認識が不十分で職場や高等教育の場でつまずく例が認められた．聞こえると自認するからこそ，聴者との聞こえの違いや自分が聞き漏らした情報の多さに気づけなかったと推定される．人工内耳を幼少期に導入した重度例が育つとき，従来の中等度，高度例と同様に，不十分な障害認識を成人期まで持ち越す例が生じることも懸念される．

　社会への船出に際して，自らの障害に対する認識がどの程度できているかは，その後の社会への適応を左右する重要な要素と考えられる．自分は何を聞き，何を聞いていないのか，聞こえにくいためにどのようなことが起こりうるのか，周囲の聴者はその状態をどうとらえるのか，などを自身で認識できれば，困難な状況に応じた適切な対応の可能性も生じるであろう．

d 言語聴覚士による支援

　成人した言語獲得前発症例の場合，多くが，補聴器の不適合，構音障害，コミュニケーション障害などを訴えて言語聴覚士のもとを訪れる．

　補聴器に関しては，聴覚検査と耳鼻咽喉科医の診断を受けて調整を行う．就職，転職，配置変えや昇進，子どもの成長に伴う交際範囲の拡大など，聴取を改善したいと感じる転換点はさまざまである．本人が改善を期待する聴取場面がどのようなものかを具体的に把握したうえで，ニーズに応じた調整を検討する．聴取への意欲が強い場合，片耳装用から両耳装用への転換に成功する場合もある．

　構音に対しては，訓練で改善が可能と判断できれば**構音訓練**を行う．有声と無声，通鼻と非通鼻，破擦と摩擦・破裂など，聴覚的にも視覚的にも弁別しにくい語音の出し分けは難度が高いが，聴覚，視覚，触覚，体性感覚をすべて活用して構音操作を修正し，反復練習を促して会話への般化が可能な場合もある．補聴器の調整によって構音の聴取弁別に聴覚が役立つようになる例が少なくないことである．構音訓練開始前に，補聴器の適合状態を評価し整えることが重要である．

　一方，コミュニケーション障害の要因は，障害認識の不十分さ，周囲の聴者との軋轢や上司の無理解など多様であり，対応も一様にはいかない．言語聴覚士ができる基本的な支援は，コミュニケーション困難な場面や相手の言動など，具体的なエピソードを聞き出し，要因を分析したうえで適切な対応法を提案することである．

2　成人期発症例の指導・支援

a 失聴の心理的な影響とその回復過程

　人生の中途で障害を受けたあとの心理的変化について，複数の報告が欧米で紹介されてきた．いずれも，自己に生じた事態に強い衝撃を受ける時期から，障害をもった状態で次の生活に歩み出すまで，段階的な変化を経ることを示している．

　聴力を失ったあとの心理的回復過程とその介入

表6-13 失聴後の心理的回復過程と言語聴覚士による介入

受容の段階	心理的回復過程	コミュニケーション行動	介入方法
ショック期	・医療による回復を強く期待している時期 ・耳鳴，めまい，頭痛などに悩まされている時期	・混乱，拒否的，依存的	・コミュニケーションへの介入以前の時期 ・医療，心理療法の段階
あきらめ期	・回復への期待は断念しながらも悲嘆，不安，抑うつ，攻撃など，心理的葛藤に悩まされている時期	・逃避的（引きこもり），消極的 ・本人のレベルに合わせて可能な手段を用いれば受動的に応じる	・言語聴覚士が総力を上げてつきあう ・言語聴覚士との間で交流を積み重ねていく段階
再適応への萌芽期	・苦悩の末，障害をもったまま生きる決断をし，徐々に将来の生活にも関心を向け始める時期	・言語聴覚士との1対1の交流から他の人にも汎化し始める ・わからないときは自分から聞き返すなど積極性をもつ ・新しいコミュニケーション手段の獲得に関心をもつ	・交流が深まるにつれ，自分から積極的に語りかけてくるのに応じて，言語聴覚士はつきあう ・新しいコミュニケーション手段の導入を行う
再適応への努力期	・社会復帰へ積極的に努力をする時期 ・同障者に親近感を感じ，同障の先輩を対象に観察学習を行う時期	・グループの場に積極的に参加する ・相手によってコミュニケーション手段を変えることができる	・グループにうまく溶け込んで交流できるよう支援する ・新しいコミュニケーション手段に習熟するように援助する
再適応期	・必要に応じて聴者・同障者の区別なく付き合う ・家庭や職場で新しい役割，仕事を得て，社会の中で活動し始める	・相手との関係で使える手段を十分使ってコミュニケーションする	・地域における中途失聴者グループを紹介したり，社会生活に必要な情報を提供する

急激な聴力低下によってもたらされる心理的な衝撃から回復する過程を段階的に示した．回復には個人差が大きく，対象者がどの段階にあるかを慎重に見極め，適切な介入を行うことが求められる．
〔東京都心身障害者福祉センター聴覚言語障害科：中途失聴者に対するコミュニケーション指導．東京都心身障害者福祉センター研究報告集 12：55-74，1981 より改変〕

方法について，東京都の更生相談所における高度難聴例の支援実践をもとに分析された報告を表6-13[10]に示す．医療による回復を強く期待し関連症状に悩むショック期から，新しい役割を得て活動を始める再適応期までの5段階の回復過程が示され，当事者のコミュニケーション行動と適切な介入方法が段階ごとに異なることが理解される．

b 失聴後のコミュニケーション障害と情報遮断

難聴を発症し，集中的な治療の時期を経てなお回復がなく，医師から補聴器を勧められるころ，難聴が不治であることを当事者は認識しはじめる．いつか改善する疾患ではなく，今後も持続する，あるいはさらに悪化するかもしれない障害として事態を認識するのである．聴覚障害の場合，この時期，ほかの障害と異なる最も顕著な特徴は，著しいコミュニケーション障害と情報遮断が当事者を深い孤独に陥らせることである．特に会話が難しい程度まで聴力が低下した場合，聞こえない悲しみや不安を訴えたいと思っても，コミュニケーション障害の壁は厚く，耳を傾けてくれる相手は見つからない．書くコミュニケーションに慣れない周囲の人は，次第に必要最低限の用件しか伝えないようになる．また，ラジオやテレビが情報を伝える道具として機能しにくくなり，社会の動きを知る情報からも遠ざかり，孤独はさらに深まることになる．

c 伝わる対話相手としての支援

　言語聴覚士は，補聴器適合を通じて中途失聴者とかかわりはじめることが多い．当事者はまだ深い孤独の中にいるときである．言語聴覚士はこの時期，補聴器適合に携わりながら，徹底して自らの発話を書くことで，当事者と伝わる対話を実現し，心理的交流をはかることに努めたい．当事者は，言語聴覚士との対話を通じて，苦しい心情を話す機会を得るとともに，少しずつコミュニケーションへの意欲を取り戻し，リハビリテーションの次の段階に進む．

d コミュニケーション障害の改善に向けた支援

1) コミュニケーションストラテジー指導

　補聴器の装用を促しながら，並行してコミュニケーション上の工夫について説明し活用を促す．その工夫はすでに述べたように，口形など視覚情報を活用する，障害を開示しわかりやすい話し方を具体的に要請する，話し手のことばを繰り返して情報を確認する，前後の文脈から内容を推察するなどが基本である．

　しかし，高度以上の難聴になると，補聴器を装用して，これらのコミュニケーションストラテジーを自身が心がけても，意思疎通が難しいことが多くなる．この時，言語聴覚士は，当事者と面と向かい，理解を確かめながら，ゆっくりはっきり話し，伝わりにくいことばは筆記し補い，伝わる対話をする重要な役割を担う．伝わる対話を，当事者を相手に家族の前で実践し，本人には，理解のために話し手に何を要請すべきかを伝え，日常生活の中でも試みることを促すというのが，この段階で実施すべき重要な支援といえよう．

　軽度〜中等度難聴では，補聴器や難聴の開示自体に心理的抵抗が強く，コミュニケーション上の困難が続く場合もある．このような場合には，言語聴覚士は，受容的な対話相手として当事者の不安を受け止め支える役割を担いながら，支援を継続し気持ちの変化を待つ．

2) 読話指導

　重症度が重く補聴器を装用しても会話が難しい場合，次の手段として読話や手話への期待がふくらむ．読話に関しては一般に，口形を読めば聞こえなくてもことばがわかるという誤解がある．これに対しては，正しい理解を促す説明を次のように行う．

　①日本語の語音の口形分類を図や実演で説明する，②口形の種類が音素に比べて少ないため同口形異義語が多く，口形情報のみでは会話理解が難しいことを，実例をあげて伝える，③聴覚情報，表情や動作などの視覚情報，前後の話の流れ，状況文脈など複数の情報を，口形とともに利用する必要があると伝える．

　このように理解を進めると，読話は先述のコミュニケーションストラテジーと重複する内容を含む概念であることが明らかとなる．その上でなお「読話訓練」を希望する場合には，基本口形を読み取る要素的訓練だけでなく，前後の文脈や限定されたテーマから発話内容を推察するなど，総合的な訓練を取り入れることに留意する．

3) 手話の導入

　手話の導入は，単に新たなコミュニケーション手段の導入にとどまらない意味をもつ．手話習得の過程は，同じ障害をもつ人たちとの交流の機会ともなるからである．聴者とのコミュニケーション断絶で深い孤独の中にあった当事者は，同様の体験を共有する同障者の仲間を得て，さらに，手話によるコミュニケーションの体験を重ねて徐々に自信を取り戻すことができる．

　言語聴覚士は，当事者の心理的な回復状況を評価し適期を見極めて，手話の有用性を紹介して関心を促す．手話を学ぶ適切な場に誘導するなどの対応を行う．

3 高齢期発症例の指導・支援

高齢期発症例は，中途難聴の多くを占める．したがって，その指導・支援に関しては，中途難聴の補聴器適合について述べてきた内容が，ほぼそのまま当てはまり，適用可能である．

そこで本項では，高齢期難聴であるがゆえに配慮すべき対応について説明を加え，さらに医療につながらないまま高齢者の中に潜在する難聴に関して，言語聴覚士に期待される役割を解説する．

a 高齢期の聴覚リハビリテーションにおける配慮

超高齢社会の「老後」は長く，高齢者の暮らし方もさまざまである．仕事や余暇活動，ボランティア活動などに積極的に取り組む元気な高齢者が増えている．一方，当然のことながら，高齢期特有の身体的，精神的課題に悩む例も少なくない．白内障，緑内障などの視覚障害，手足の運動制限，認知症や失語症，記憶障害など高次脳機能障害の合併はよく認められる．**要介護，要支援状態**にある例もある．高齢期の難聴は，このようなさまざまな様相の高齢者の生活に影響を及ぼしながら，徐々に進行する．

臨床においては，このような高齢者の多様性を考慮し，十分に情報を得てニーズを明確にすることが必要である．そのうえで，個々の状況に合わせた補聴器の機種や装用耳の選択，装用指導の方法等を検討し，また家族や周囲の人の協力の可能性も見通して支援を開始する．

b 潜在する高齢期難聴—高齢者の聴覚評価と補聴ニーズにかかわる介入研究から

多くの言語聴覚士が主な臨床対象とする**失語症**，**高次脳機能障害**，**構音障害**，**摂食嚥下障害**においても，高齢化が進み難聴合併例が多いことが推定される．また，健康寿命を延伸し**介護予防**をはかる観点から，行政的にも高齢期難聴への対応が重視されつつある．しかし，このような現況に対して，言語聴覚士が専門性を活かしてどう対応すべきかについては，まだ明確とはいいがたい．そこでここでは，高齢者を対象に2015〜18年に実施した聴覚評価と補聴ニーズに関する介入研究[11]の結果を紹介し，対応策のヒントとしたい．

1）聴覚評価の結果

聴覚評価，すなわち耳内所見と気導聴力検査の結果を表6-14に示した．対象は次の3種の高齢者群である

- 老健群：介護老人保健施設に入所中の要介護者87例
- デイケア群：通所リハビリテーションに通う居宅の要介護・要支援者74例
- 元気群：地域グループ活動に参加する元気な居宅高齢者62例

聴覚評価の結果，以下のような特徴がみられた．
①要介護例に耳垢を高率に認めた．
②認知症の重篤な9例を除く全例で，反応法の工夫によって左右別の気導閾値が得られた．
③老健群＞デイケア群＞元気群の順で難聴が高率で程度も重かった．
④聴力と年齢に有意な相関を認めた．
⑤聴力と認知機能に相関を認めなかった．

2）難聴例に対する補聴器試聴の結果

聴力検査で検出された難聴例を対象に補聴器試聴を実施した（表6-15）．試聴の主な結果は次の通りである．全群を通じて，①中等度以上の難聴例で明らかな補聴効果が観察された．②軽度難聴でも継続装用となる例があった．③補聴効果を認めても装用を忌避する例が一定数存在した．

老健群において，④認知症でも定時着脱などの支援で装用継続となる例があった．⑤認知機能が高いほど，離床時間が長いほど装用が安定しやすい傾向を認めた．デイケア群において，⑥失語症例ではことばの韻律情報，環境音，音楽の聴取に補聴効果が現れた．

表 6-14　3種の高齢者群における聴覚評価

対象	老健群 (老健入所者．要介護者)	デイケア群 (デイケア通所者．要介護／要支援者)	元気群 (地域グループ活動参加者)
	87例(男38，女49) 失語例除く	74例(男42，女32) 中等度以上の失語例8例含む	62例(男13，女49)
年齢， MMSE	83.5 ± 8.0歳(63〜99歳) 14.0 ± 9.0点(0〜30点)	78.0 ± 8.2歳(62〜96歳) 25.5 ± 5.2点(5〜30点)	76.3 ± 5.4歳(67〜88歳) 28.2 ± 1.8点(23〜30点)
耳内所見	耳垢栓塞28例(32%) 15例が通院要したが実行不可	耳垢栓塞22例(30%) 7例が通院要し除去できた	耳垢除去4例 通院要す耳垢栓塞なし
気導検査	左右6周波数測定(62例)	左右6周波数測定(全例)	左右6周波数測定(全例)
反応方法	標準法／机上ボタン　　57 ペグさし／音声／挙手　10 聴性行動の観察　　　　11 評価不能(傾眠／無反応)　9 (言語聴覚士2名が協働して検査)	標準法　　　　36 机上ボタン　　23 玉おとし法　　15 (言語聴覚士1名で検査)	全例標準法 (言語聴覚士1名で検査)
難聴率	62例中56例(90%) 35例(56%)が中等度以上	74例中58例(78%) 27例(36%)が中等度	62例中36例(56%) 6例(10%)が中等度

表 6-15　3種の高齢者群における補聴器試聴

	老健群	デイケア群	元気群
試聴例	試聴希望の有無問わず 24例	試聴希望あり 7例 (うち3例が失語症)	試聴希望の有無問わず 14例
	軽度7，中等度16，高度1	軽度1，中等度6	軽度9，中等度5
試聴期間	4か月間	3か月間	3か月間 (1例：1，2週で離脱)
着脱・管理・ 電池交換	言語聴覚士・介護スタッフが担う	自立　　4/7 失語症3例が支援を要した	自立　13/14 (1例：電池交換不可(離脱例))
装用状態	安定装用群*　　5 中間群**　　14 装用拒否群　　5	終日装用　5 ほぼ終日　2	終日装用　7 ほぼ終日　5 2〜7時間／日　1
試聴後	装用継続4 (軽度1，中等度2，高度1)	購入5(すべて中等度) 失語症3例含む	購入4(軽度1，中等度3) 自機調整2(軽度1，中等度1)

＊安定装用群：起床中装用，＊＊中間群：徐々に時間延伸，短時間装用など多様

3) 研究結果から考える対応策

多様な状況にある高齢者群から得た上記の結果から，以下が考察された．
① 難聴があっても受診しない多くの高齢者の存在
② 難聴検出のための聴覚評価の可能性と必要性
③ 試聴体験によって自覚の曖昧な難聴例を補聴に導く可能性
④ 認知機能や運動機能が保たれた早期からの介入の有用性
⑤ 失語症例のコミュニケーションとQOL改善に補聴器が貢献する可能性
⑥ 施設入所後の介入の難しさ

高齢期難聴に対する早期介入の重要性は明らかである．具体的には，居宅で自立生活を送る高齢者に，難聴と補聴に関する啓発的な情報や聴覚検診の機会が行政から提供され，早期に医療につながることが最も望ましい．しかし行政の動きは緩やかである．多くの高齢者に日々接する言語聴覚士が，難聴に対する可能な対応策を探り，試みることが重要である．

C 潜在する高齢期難聴—言語聴覚士に期待される役割

1) 聴覚にかかわる唯一のリハビリテーション専門職

最も重要なのは，リハビリテーションの現場で聴覚障害に対応しうる専門職は言語聴覚士しかいないという自覚である．臨床の中心が言語障害や嚥下障害であっても，常に聞こえを評価する視点をもち，疑わしい場合は可能な方法で聴力検査を行う姿勢が求められる．終日装用が定着した失語症の3例（表6-12）は，聴力検査と補聴が，正確な言語評価だけでなく，訓練の目指す**QOL向上**のためにも重要であることを強く示唆した．老健入所後の介入の難しさを考慮すると，失語症例はもとより，リハビリテーションを受ける高齢者すべてに，入院期間中に**難聴のスクリーニング**が実施され，補聴に向けた道筋が示されることが望まれる．

2) 居宅高齢者への早期介入

次に言語聴覚士に求められる重要な役割は，元気な居宅高齢者の難聴に対する早期介入である．言語聴覚士が行政の要請を受けて，**介護予防教室**などで難聴と補聴器に関して講義する機会は，今後も増えていくと考えられる．講義で正確でわかりやすい情報を伝えることは重要である．聴覚の加齢変化は誰にでも起こりうる生理現象であり，緩やかに自覚のないまま進行する，難聴の放置が認知機能低下につながるリスクが報告されている，治療法の第1選択は補聴器である．補聴器は老眼鏡と異なり，試聴と調整を繰り返して適合する必要があるなどの情報が，講義で必須の内容である．

3) 連携による介入

難聴が疑われた高齢者に対する介入を具体化する際の，**他職種との連携**も重要である．図6-7（→225頁）に示した臨床チームの成員はここでも重要で，連携は必須といえる．しかし，言語聴覚士がそれぞれの職場で，難聴や補聴器に関して他職種と直ちに連携できることはまれであり，聴力検査自体が難しい職場もありうる．

日本耳鼻咽喉科学会が認定する**補聴器相談医**，日本テクノエイド協会が認定する**認定補聴器技能者**が，基本的な要件を満たす有資格者とされている．各法人のホームページから近隣の情報を得て連携を試み，高齢期難聴への積極的な介入を進めていただきたい．

引用文献

1) Livingston G, et al：Dementia prevention, intervention, and care. Lancet 390：2673-2734, 2017
2) Loughrey DG, et al：Association of age-related hearing loss with cognitive function, cognitive impairment, and dementia-a systematic review and meta-analysis. JAMA Otolaryngol Head Neck Surg 144(2)：115-126, 2018
3) Bisgaard N, et al：Findings from Euro Trak Surveys from 2009 to 2015：Hearing loss prevalence, hearing aid adoption, and benefits of hearing aid use. Am J Audiol 26：451-461, 2017
4) 一般社団法人日本補聴器工業会：Japan Trak 2018 調査報告書．2018
5) Southal K, et al：The Sociological effects of stigma：Applications to people with an acquired hearing loss. In Montano JJ, Spitzer JB(eds)：Audiologic Rehabilitation, 2nd ed. pp57-72, Plural Publishing, Inc., San Diego, 2014
6) 坂本幸：中途失聴者のための読唇プログラム学習法について．東北大学教育学部研究年報 38：185-213, 1990
7) 城間将江：人工内耳手術後の聴取評価に関する研究．東京大学大学院医学研究科博士論文，2000
8) 鈴木恵子，他：中等度難聴者の語音識別における視覚併用の効果．Audiology Japan 44(4)：185-192, 2001
9) 鈴木恵子：聴覚障害児の長期経過—診断から成人まで．

音声言語医学 47(3)：314-322，2006
10) 東京都心身障害者福祉センター聴覚言語障害科：中途失聴者に対するコミュニケーション指導．東京都心身障害者福祉センター研究報告集 12：55-74，1981
11) 鈴木恵子，他：超高齢社会における難聴への対応―要介護高齢者の補聴ニーズと補聴器装用効果の研究の成果をもとに．日本聴覚医学会第 42 回補聴研究会資料，2019

事例

事例 2　成人難聴　指導サマリー

【対象者】54 歳，女性，主婦．夫と子ども 2 人の 4 人暮らし．
【主訴】子どものころから聞こえは悪かった．耳鳴が最近ひどいこともあり，補聴器を試そうと思った．
【診断名】両側感音難聴．
【現病歴】おそらく難聴は小児期からあったが，受診しておらず詳細不明．
【既往歴】特記事項なし．
【補聴経過】今回初めて補聴器を試聴．

評価

【聴覚】両側高音障害型の感音難聴(図 6-11)．
【言語・コミュニケーション】構音に歪みあり．静かな個室，対面，配慮した会話でも，聞き返しや聞き逃し，聞き誤りあり．

【障害認識】子どもの学校とのやり取りや電話など，難聴に起因する不便さがいくつかは挙がるが，主訴は「耳鳴」である．長年補聴器非装用の状況で生活しており，言語聴覚士が想像するほどの不便さは訴えない．十分な音が入った状態を経験しておらず，聞こえにくさの認識が不十分である．

評価のまとめ

補聴器装用の適応あり，試聴を開始する．補聴器装用を通して障害認識を促し，学校とのやり取りに補聴器を活用できるようにする．

指導目標と指導内容

【短期目標】自身の聞こえ，補聴器についての理解を促し，補聴器適合を進める．
【長期目標】補聴器を終日装用し，日常生活で活用する．

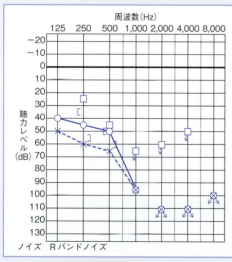

	右耳	左耳
最高語音明瞭度	45％（100 dB）	50％（90 dB）
ティンパノグラム	A 型	A 型
耳小骨筋反射	同側　95 dB 対側　反応なし	基線変動 基線変動
自記オージオメトリー	Ⅰ型	Ⅰ型
	(4,000 Hz 未実施のため評価不十分)	

図 6-11　事例の聴覚評価の結果

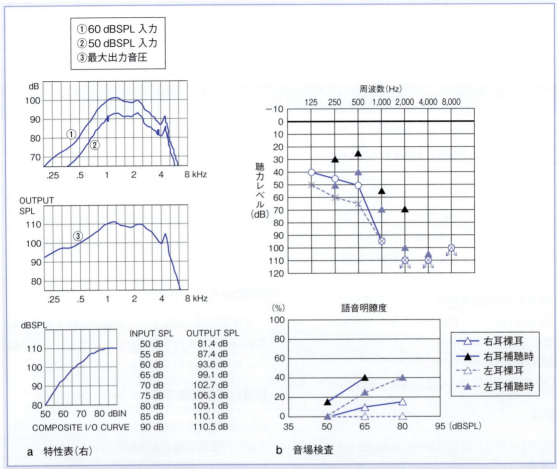

図 6-12 特性表および音場検査の結果

【指導内容】
- 試聴期間中の1日の装用時間，家庭内および外出時で補聴器を装用した場面とその効果を毎日記録する．
- うるささ，聞こえる音の感じ，使い勝手について『試聴の記録』（第5章の表5-6 ➡ 151頁）に記載する．
- 1～2週間ごとに，上記記録をもとに試聴結果を評価し，補聴器の再調整，機種変更・助言を行う．

指導経過

『試聴の記録』の内容に応じて以下の1）～3）について助言・指導を行い，補聴器の継続装用を促した．

1）補聴器を通して聞く音に慣れる

〈記録の例〉

うるささ 食器の音，調理中の音，スポーツ観戦時の周囲の音がうるさかった．いろいろな音が大きく聞こえ，うるさく感じた．

身体的違和感 耳が詰まった感じがするときがある．長時間の使用で肩が凝り，後頭部も痛くなった．

音質の変化 聞きなれた声が風邪をひいたように聞こえるときがある．

〈試聴結果の評価と助言・指導の要点〉

うるささ，身体的違和感，音質の変化は，補聴器を試聴したが購入に至らなかった症例の中止理由の主要因である．補聴器を継続装用するために

は，これらの「今まで聞いていなかった音が聞こえてくる」「機械を通した音である」などへの慣れが必要である．

2）補聴器の効果と限界を理解する

〈記録の例〉

補聴器の効果　家族との会話には全く問題ない．親戚が来たときも楽に話せた．懇親会は1人ずつ順番に話したのでよくわかった．近くで話すと聞こえるが，少し離れると会話がわからない．

補聴器の限界　保護者10人で個室でランチを食べた．それぞれが話すのでワサワサしてうるさいし，人によって声の大きさやトーンが違い，肝心の話はわからなかった．電話の呼び出し音は聞こえるが，会話は難しい．テレビも完璧には聞けない．

〈試聴結果の評価と助言・指導の要点〉

　記録から，慣れた人との会話，1対1の会話，近距離では補聴器の効果を感じたことがわかる．一方，複数人数の会話，騒音下，遠距離，電話，テレビの音声は効果が不十分であった．効果と限界を理解して過度な期待をせずに，効果が不十分な場面ではコミュニケーションストラテジーを活用する必要がある．

3）補聴器の機能を活用する

　学校との連絡や保護者との会話にスマートフォンを活用したいというニーズに合うよう，ワイヤレス接続が使用できる補聴器を選択し試聴を行った．

指導まとめ

　2か月半の間に6回受診，3種類の補聴器を試聴し購入に至った．図6-12に購入決定時の補聴器の状態を示した．

　「今まで補聴器をつけていなかったのが不思議．補聴器をつけたら音が聞こえて，音を聞いて生活できる」と，補聴器を両側終日装用し，電話や音楽の楽しみにも利用している．自身の難聴についての理解が進み，周囲の人に聞こえにくさを伝えられるようになっている．

今後の方針

　半年～1年に1回，補聴器の適合状況，装用状況の確認を継続する．

第 7 章

小児難聴のハビリテーション

> **学修の到達目標**
> - 小児難聴の評価の観点と内容を説明できる．
> - 難聴児および養育者の心理・社会的課題について説明できる．
> - 対象児に応じた聴力検査，発達検査，心理・知能検査，言語発達検査を選択し，実施できる．
> - 収集した情報を分析・統合して評価サマリーを作成し，指導・訓練計画を立案できる．
> - ハビリテーションの長期・短期目標を設定し，指導計画を立案できる．
> - 指導・訓練・支援の効果測定や判定方法について説明できる．
> - 指導・訓練・支援のサマリーを作成できる．

小児難聴のハビリテーションの概要

A 難聴児のハビリテーションの目的と考え方

　小児難聴のハビリテーションでは，言語獲得前の難聴児が対象となることが多い．すなわち子どもは心身の発達や学習の途上にあるため，家庭や学校，地域といった生活全般の中で学びや成長を支える必要がある．このような段階での評価や指導を考えるうえでは，成人難聴へのリハビリテーションとは異なる視点をもつことが必要となる．子どもの成長を見通した総合的な支援を考えた場合，その目的としては次の2つがあげられる．

　1つ目には，1人の人間としての**全人的な発達**である．障害の有無にかかわらず子どもは1人の人間として成長し，発達段階ごとに必要とされる課題については健聴児と同じである．子どもは各期の発達課題に直面し葛藤しながらも乗り越え獲得することで，言語，認知，社会，情緒などを含めた全人的な発達を遂げていく．子どもの長い人生を視野に入れた総合的な視点での支援が重要といえる．

　2つ目には，難聴者としての**自覚と自立**である．補聴機器を使用してどんなにコミュニケーションが可能になったとしても，難聴は改善しうるものではない．難聴を有する自己をあるがままに受け止め，肯定的な自己像を形成し，自立した1人の人間として生きていくことを支援する必要がある．

　これらの基盤となりうる目的を考え評価や指導を行ううえで，私たち言語聴覚士がもつ考え方そのものが子どもや保護者支援の在り方に大きく影響する．難聴についてどのようなイメージを有しているか，どのような視点で支援を行おうとしているか，難聴児を支援する専門職として，自らの立場や考え方についても意識しておくことも重要である．

　具体的な評価・指導の内容や方法を検討するうえでは，表7-1に示す指導上の留意点を考えておくことが必要といえる．以下にそれぞれについて詳しく述べる．

1 早期発見と早期ハビリテーションの開始

　新生児聴覚スクリーニングにより，生後早期の段階から難聴の早期発見と早期支援の開始が可能となっている．Yoshinaga-Itano[1]の報告において，新生児聴覚スクリーニングや精密聴力検査を経て，6か月以内に療育を開始する**1-3-6ゴール**に基づいた難聴児の早期支援は，その後の言語獲得促進において重要な要因の1つとされている．補聴器や人工内耳を装用した聴覚活用，音声による言語習得を進めるうえで，早期支援の効果は大きい．

　しかしながら，その効果は聴覚や言語の発達に限定されているわけではない．早期発見によって療育時間を確保できるということは，子どもが本来有している自然な発達や学習過程を実現するための時間を保障できるということである[2]．難聴が及ぼす影響は，言語発達だけでなく認知，心理，情緒，社会性など，幅広い．音声言語の発達だけにとらわれることなく，発達全般に目を向け，二次的，三次的に生じる難聴の影響を最小限にできるよう支援を検討していくべきである．

2 個の尊重と多様性を理解した対応

　子どもは，小さくても1人の人間であり，それぞれに意思や感情をもった存在である．また，1

表 7-1 指導上の留意点

1) 早期発見と早期ハビリテーションの開始
2) 個の尊重と多様性を理解した対応
3) 子ども自身のもつ育つ力・学ぶ力への支援
4) 子どもの育ちにおけるコミュニケーションの重要性
5) メタコミュニケーションの形成
6) ことばを含めた全体的な発達の促進
7) 子どもと家族を含めた支援計画の構築
8) 長期的視点に立ったハビリテーションプログラムの作成

人ひとりがかけがえのない存在であり，障害の有無にかかわらずありのままに受け止められ，それぞれの個性は尊重されるべきである．小さいころから1人の人間として大切にされた子どもは，自らの体験から他者をも大切にするようになり，愛情を受けた安心感から何事にも前向きに全力で取り組めるようになる．基本的に愛されるべき存在として個を尊重し，かつそれぞれに抱える個性や個人差を理解することは，難聴児を支援するうえでの基本的な姿勢として重要である．

また同じ障害を有しているとしても，補聴の時期や聴取能，家庭環境などは異なるため，発達状況には個人差が生じうる．個々の違いを理解し発達状況に合わせて個別の支援計画を立て，実践することが必要である．

3 子ども自身のもつ育つ力・学ぶ力への支援

子どもは1人の人間として，人との相互的なコミュニケーションの中で，自ら**育つ力**を有している．そして自らの力で考え，**学ぶ力**を備えている．子どもは，大人による過剰な期待と教育によって，教えられ，育てられるのではなく，早期療育によって本来の自然な発達を最大限に実現するための機会を得るのである．自らのもつ力を発揮するうえでは，興味や関心を引き出し，物事への注意力，傾聴する力を育てることも重要である．

現在は生後早期からの過剰な英才教育が行われることもあり，またその教材も世の中に多くあふれている．その多くは一部の能力を極端に伸ばし，親の自尊心を高めることに貢献したとしても，本来獲得すべき能力を見落とし心身ともにバランスの取れた健やかな成長を阻害する可能性もある．子どもごとに適応可能な教育なのかどうかを判断し，早期ハビリテーションによる本来の目的を見失うことなく，目の前の子どもの将来を見据えた支援を行う必要がある．そのためには，子どもや家族の双方に目を向け，多角的な指導を展開することが求められる．

4 子どもの育ちにおけるコミュニケーションの重要性

私たちは，人との**相互的なコミュニケーション**の中で"生きたことば"を獲得する．さまざまなコミュニケーションの文脈で使われたことばからその意味を知り，理解し獲得していくのである．個々の生活での経験が異なるために，使用されることばの本来の意味やイメージは少しずつ違っている．一方，絵カードなどで機械的に覚えたことばは，その裏にある意味や概念を学習していないために一時的な記憶でしかとどめることができない．また，コミュニケーションの中で使われていないために文脈の中での使い方がわからず，"生きたことば"にはなりえないのである．そのため，情動が喚起されうる豊かな体験を子どもとともに積み重ね，その中でのコミュニケーションを大切にすることが重要といえる．

コミュニケーションはことばの発達を生み出す場であり，子どもはコミュニケーションの中で育まれるべきである．そして最初のコミュニケーションは，養育者である親と子の間で始まる．生まれてすぐの乳児は授乳をしながら親を見つめ，そして母親は子どもを見つめる．非言語的なコミュニケーションを繰り返しながら，愛着関係も形成されていく．この強固な関係の基盤ができることで，それ以外の他者との安定した人間関係を

も作り上げていくことになる．難聴はこのような基盤となる愛着関係の形成にも影響しうる．聞こえない，聞こえにくいことで，養育者の働きかけが十分に理解できず，わずかなすれ違いを重ねてしまうこととなる．難聴児とかかわる大人は，わかるコミュニケーションを生み出すために，コミュニケーションパートナーとしてのスキルを身につける必要がある．このスキルをもとに，コミュニケーションの中でことばを含めたさまざまな力を獲得できるように支援することが重要といえる．

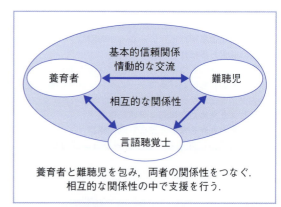

図7-1 小児難聴のハビリテーションにおける対象と言語聴覚士の役割

5 メタコミュニケーションの形成

コミュニケーションを行ううえでは，その場のコミュニケーションそのものだけでなく，コミュニケーションを成立させるためのいくつかの前提条件についても理解し，習得しておく必要がある．例えば，相手に声をかけるタイミングをはかる，話に注意を向けてそれを維持する，相手の理解を確認しながら話を進める，相手の話を理解したことを伝える，やり取りや終了を決める，などである．このような前提条件の調整のことを**メタコミュニケーション**といい，このような能力が備わっていなければ，そもそもコミュニケーションは成立しない．メタコミュニケーションは，乳児期から形成されうる他者との愛着関係や基本的信頼関係，相互的関係の形成が行われる中でその基礎が作られる．聴覚障害は，この基礎を形成する段階に影響するため，メタコミュニケーションの形成を念頭に置きながら，基本的な関係性の理解を促すことが必要といえる．

6 ことばを含めた全体的な発達の促進

難聴は，言語の理解や表出に直接的に影響しうるため，私たちは遅れがちな言語発達に目を向けやすい．しかしながら，難聴による影響は言語発達だけにとどまらず，情緒の発達，他者とのコミュニケーション関係や社会性などさまざまである．このように多岐にわたる影響を見据えて支援を行ううえでは，ことばのみを育むだけではなく，**発達全般**を促していくことが重要である．例えば，人に何かを伝えるためのことばそのものを獲得しても，コミュニケーションの中では，相手の気持ちに配慮しながらどのようにそのことばを使うのかが問われることになる．その場合には，人との根本的なかかわり方，相手の立場に立って考えることなど社会性そのものを理解し，状況に合わせた言動ができるようになることが求められる．すなわち，心身ともにバランスの取れた成長そのものが，言語発達を支えることにつながる．

7 子どもと家族を含めた支援計画の構築

図7-1に示すように，ハビリテーションにおける主体は，難聴児本人と家族である．私たち言語聴覚士は，その本人と家族を包み，支援する役割を担う．難聴診断の直後にはショックや不安が大きく，また，ライフステージのさまざまな時期に問題が生じることで本人や家族が精神的に落ち込むこともある．一貫した精神的サポートおよびカウンセリング的な対応が求められる．

また，難聴児臨床においてはライフステージご

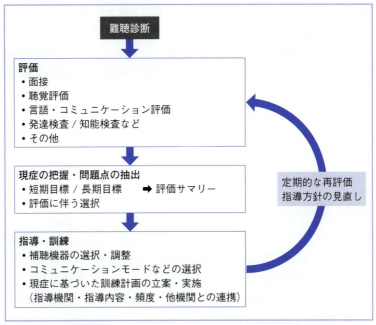

図7-2 小児聴覚障害におけるハビリテーションの流れ

とにさまざまな選択を迫られる時期がある．子どもの発達状況や保護者の希望，周囲の環境なども含めて検討し，適切な**情報提供**を行う．さらに関係機関との協力体制を築きながら，**コーディネーター**としての役割も担当していくこととなる．

8 長期的視点に立ったハビリテーションプログラムの作成

難聴児の発達段階ごとに，必要とされる内容は異なっている．乳幼児の初期段階では，聴覚活用やコミュニケーションの必要性が高いが，学童期に入ると教科学習などの学習面，青年期ではアイデンティティの形成，というように生涯を通した支援が必要となる．人生の節目ごとに選択と葛藤が生じうるが，さまざまな過程で生じうる要因は幼少期からの成長過程での問題が原因と考えられることも多い．そのため，難聴児支援においてはライフステージを考えながら，長期的な視点に立った支援計画が不可欠となる．

B 小児難聴のハビリテーションの流れと構成

図7-2に小児難聴のハビリテーション過程に関して，その内容と流れを示した．難聴診断までの過程について，最近では新生児聴覚スクリーニングにより早期発見される例が多くみられるようになったが（第1章の図1-4 ➡ 20頁），新生児聴覚スクリーニングを受けずに乳幼児健診や就学前健診で発見される例もわずかながらみられる．聴覚精査などにより難聴診断が行われたあとには，言語やコミュニケーションを含めた総合的な評価が必要となる．評価によって子どもの現症がとらえられると，ICFにもとづいて問題点の抽出を行うこととなる．さらに方針を決定し，指導・訓練における長期目標，短期目標を設定する．指導・訓練においては定期的な方法や内容の見直しは重要であり，定期的な再評価を行いつつ，指導・訓練を継続していくこととなる．

子どもに対する評価および指導・訓練において

は，どのようなときにおいても前項で示した基本的なハビリテーションの目的と考え方は，根底にもつべき概念ととらえるべきである．子どもと向き合ううえでの基本的な態度をもつことで，評価や指導・訓練時の子どもとのラポートを形成し，さらに最大限の能力と可能性を引き出し，成長を促すことにつながるであろう．

C 小児期の発達と難聴の影響

小児期の難聴といっても，その特徴は子どもの難聴の種類や程度，使用する補聴機器，聴取能などの子ども側の要因によりさまざまであり，かつライフステージにより必要な支援内容は異なる．小児難聴へのハビリテーションを行ううえでは，小児期の難聴の特徴を理解しておくことが重要となる．

1 乳児期

乳児期は，子どもと養育者の絆が強い時期である．養育者は抱っこやお世話，やり取りを通して子どもへの愛情を深め，そして子どもは身体的接触(触覚)，声によることばかけ(聴覚)，表情や身振り(視覚)，保護者の匂い(嗅覚)など多感覚で保護者からの愛情を感じ取る．乳児は，見つめる，泣く，笑うなど，他者とのコミュニケーションを引き出すためのもって生まれた反応レパートリーを示す．養育者は，子どもから得られる反応に意味を見出し，大きな動きや独特のマザリーズで語りかけ，子どもの反応をさらに引き出そうとする．授乳時においても，乳児が吸啜を止めて母親を見つめると，母親は語りかけて吸啜を促す，という一定のリズムをもった相互交渉が成立しているといえる．このような子どもと養育者の間の相互的なやり取りが連続し，養育者への愛着関係を深め，**情動的な基盤**を形成しコミュニケーションの基礎も成立するようになる．

その後の発達においては，定頸，寝返り，お座り，ハイハイといった運動発達とともに行動性は高まり，乳児も能動的に他者や環境とかかわろうとする様子がみられ始める．自らハイハイで移動できるようになる10か月より前の段階では，特に養育者側が子どもの行動の意図を推測してかかわる段階といえるため，コミュニケーションの発達においては重要な時期といえる．

難聴は生後すぐに始まるコミュニケーションにおける注意や認知，他者との相互的関係の形成に影響しうる．特に音声は，注意を喚起する，維持する，拡大する，対象物を共有する，といった認知過程において重要であり，また声の韻律変化は，他者の感情を理解し共有するうえで重要な役割を担う．音声情報の入力が不十分である場合には，大人の行為や音声に対する注目が薄いために，相互的な関係性を構築しにくく，聴児と同じような愛着関係を築きにくい．不十分な音声入力を補うためには，視覚を用いた知覚回路を十分に活用し，先に述べたコミュニケーションパートナーとしてのスキルの向上が不可欠なのである．

2 幼児期前期

幼児期前期は，乳児期から継続される親子での多感覚の情緒やコミュニケーションの交流をさらに深めつつも，独歩を始め，自ら行動できる段階となる．行動範囲が広がると同時に，初語の表出がみられるようになり，コミュニケーションの中で物事の概念を理解し，**急速な言語発達**がみられるようになる．自らの欲求を簡単なことばとして表現し，言語力が増すことで大人との簡単な会話もできる段階までに成長する．このような発達の中では，自分と他者の違いに気づくようになり，養育者以外の人との交流により社会性も身につけていくようになる．

幼児期前期にみられる難聴の影響は，子どもの難聴の種類，程度，補聴手段や聴取能などの個人

要因によって差が生じうる．重度難聴の補聴器装用例では，全般的な言語発達の遅れにつながる場合があるが，人工内耳装用によって比較的順調に言語習得が可能な例もみられる．軽度・中等度難聴例では，新生児聴覚スクリーニングで早期発見に至っても，補聴器装用により自然な言語獲得を行う場合もあれば，音に反応してある程度の言語表出がみられることから補聴器装用に抵抗を示し，常用に至りにくい例もみられる．また，乳児期からの基礎的なコミュニケーション関係が成立しているかどうかについても，幼児期段階での言語習得には影響する．人への基本的信頼関係を獲得してコミュニケーションの中で学び，自然な学習環境が成立している場合もあれば，乳児期段階での関係性構築に遅れが生じ，言語自体は獲得しても，コミュニケーションの中でことばを運用できないという問題を抱える場合もある．個々の子どもの状態を評価し，家庭でのかかわり方や療育期間での指導・訓練の内容や方法の検討などを行い，早めの対応を行うよう心がけるべきである．

3　幼児期後期

幼児期後期になると，身体運動能力の高まりとともに行動の幅が広がるようになるため，自発的な行動も多くみられるようになる．また，自我がはっきりするようになるが，幼児期前期とは異なり我慢することを覚え，他者の気持ちに立って考えることもできるようになる．

集団保育が始まるようになると，養育者と離れて生活する時間をもつようになり，大人との関係が主体であった生活から，同年代の子ども同士の関係性を深め，協調した遊びを展開することも可能となる．同年齢児との遊びの中では，競争や駆け引きなどのゲーム性を楽しみ，他者とのさまざまな関係性を理解し，知識も行動も広がる時期である．友人との関係性が複雑化していくと，相手の話をしっかりと聞いて理解し，ことばを使って丁寧に説明する力が求められる．さまざまな人とのコミュニケーションを通して母語の基本的構造を習得し，就学に向かって発達するようになる．

この時期はどのような集団生活を選択するのか，また幼児期後期に至るまでの発達状況によって難聴の影響は変化しうる．長期的な難聴の影響は，言語発達だけでなく発達全般に及ぶことになり，第1章の図1-2（➡11頁）に示すような二次的，三次的な影響となり症状として顕在化することがある．子どもの特性を理解しながら，発達全般に働きかけることが必要となる．

4　学童期

学童期に入ると生活の場は家庭から学校や地域へと広がり，自ら登校する，学習するなど行動の自律性が増す．集団生活の中でも，**友人関係**を基盤として人格形成や自立に向けた歩みを始める時期になる．生活言語から学習言語に移行し，音声言語主体の生活から**書記言語**を用いた学習を積み重ねる一方で，思考は抽象化し，内言語がますます発達するようになる．このような生活の中では，自ら問題解決することも求められ，状況や場面に応じた態度や行動をするようになり，また他者の意見を聞いて自らの行動を調整することもできるようになる．

学童期における難聴の影響は，この時期までの発達上の問題がどの程度積み残しされてきたかによって差が生じうる．乳幼児期からの積み残し課題が多い場合には，教科学習を理解すること，複雑な友人関係を調整することなども難しくなる可能性がある．学習や人間関係でトラブルが生じた場合には，言語発達上の積み残しに起因するものと考え，丁寧な言語指導・訓練が必要となる．一方で，乳児期の情動レベルからの丁寧なかかわりにより，年齢相応の発達段階に達している例もみられる．しかしながら，順調に発達を遂げていても，学校内での騒音環境によって聞き間違いや聞き逃しが生じたり，人間関係での微妙なニュアンスが理解できずにトラブルになることもある．学

童期には，自らの聞こえにくさに気づき，欠落した情報に対する理解を深め，自己実現に向けた歩みを進められるようにしていくことが求められる．

引用文献
1) Yoshinaga-Itano C, et al：Early hearing detection and vocabulary of children with hearing loss. Pediatrics 140：e20162964, 2017
2) 中村公枝：聴覚と聴覚障害．藤田郁代（監修）：標準言語聴覚障害学 聴覚障害学，第2版．pp1-30, 医学書院，2015

2 小児難聴の評価

　聴覚障害を疑う幼児とその家族が，医療・療育施設を訪れた際には，言語聴覚士は聴覚検査や言語評価などを行い，対象児が抱える課題状況を分析し解決をはかろうとする．本項では，このような聴覚言語評価と診断，リハビリテーション計画，さらに経過観察時の評価に向けて主な臨床手法と基本的な考え方とについて概説する．

　乳児は生下時からさまざまな環境音や音声を聞き，徐々に音の意味を理解して，1歳ごろに語の獲得に至る．乳幼児期に獲得した言語の基礎的構造は，それ以降の言語学習や学童期の教科学習など多様な知識を獲得する際の基盤となる．

　聴覚障害によって，これらの基盤が十分でなければ，小児期に一貫して言語獲得の遅滞が続くことが少なくない．また，聴覚情報処理過程は母子コミュニケーションで育まれることから，同時に人との交流や情緒社会的発達などにも影響を及ぼす．聴覚機能の障害にとどまらず，乳児期の情緒や社会性，認知，自我形成などに関する，いわゆる「二次的障害」の発生に至ると考えられる．そこで，聴覚障害児の発達評価については，言語コミュニケーション行動の形成と，それに関連する発達的側面の評価が必要である．

　また，聴覚障害児の言語発達については個人差があり，さまざまな様相や程度が示される．早期療育によって幼児期にすでに定型発達を示したり，わずかな遅れを呈す児もあれば，幼児期の言語的基盤が十分でなく学童期に統語上のつまずき

を示す児もいる．

　そこで，聴覚障害児のハビリテーション・療育では，発達の各側面の評価によって個別の発達状況を理解し，各時期に個々の発達状況に応じたバランスのとれた指導を行うことが重要と考えられている．家庭生活に基盤を置いて，本人と家族への体系的なハビリテーションを構成する必要がある．本項では，聴覚障害児における聴覚，言語発達，発声発語，コミュニケーション，認知発達，情緒・社会性など発達全般にかかわる評価について概説する．

　なお，ここでは聴覚障害小児に対する専門的知識・論理と技術に基づいた支援として各領域におけるハビリテーションとよぶ．

A 聴覚評価

1 概要

　乳児期には，聴覚を入力系として，音や語の気づき（検出）から識別，さらに意味の理解と，徐々に高次な聴覚情報処理が行われ，音声言語の習得に至る様子がみられる．そこで，**小児聴覚障害学**（pediatric audiology）[1]では，幼児期早期に難聴を「発見」し，聴覚障害の「診断」後に直ちに「ハビリテーション」を始めることを推奨している[2]．

そこで，言語聴覚士は，幼児期早期より聴覚障害学的側面について評価を行い聴覚機能と障害，必要な対応を明らかにすることが求められる．ハビリテーションでは，聴覚情報の利用を基本として，手話や指文字など視覚情報など多様な手法の適用を検討し支援する．

2 聴覚に関する医学的評価・診断

医療施設においては，対象児や家族と面接して主訴を聴取したのちに，耳鼻咽喉科医が耳鏡検査(otoscopy)または耳顕微鏡検査(otomicroscopy)により外耳道・鼓膜を視診し，疾患の診断に必要な各種検査を処方する．得られた情報について総合的に検討し，聴覚障害の有無，程度とタイプ，難聴の発症原因について医学的に診断し，必要に応じて耳科学的治療が行われる．治療後に聴覚障害が残存する場合に，言語聴覚士に補聴器装用や聴覚活用指導などの（リ）ハビリテーションが依頼（処方）される．そこで的確に対応するには，医学的診断とその過程に関する専門的知識を有し，診断の論理や総合的な判断力が必要とされる．

3 聴覚障害学的評価・診断

医学的診断後の聴覚機能に関する聴覚障害学的評価の目的を以下に示す．
①対象児の聴覚障害にかかわる聴覚閾値，聴覚障害の有無，聴覚障害のタイプ，聴覚障害程度，聞こえの状況についての詳しい聴覚診断を行う．
②生活上の聴覚情報利用と障害（制約）状況についての実態を明らかにする．
③聴覚補償機器などテクノロジーの利用や環境調整，聴覚学習指導などの聴覚ハビリテーションの必要性を検討する．
④実施したハビリテーションによって，聴覚障害児の学習状況や生活機能に改善がみられたかを判断する．
⑤当初の聴覚診断に修正が必要かを検討する．

表7-2 小児聴覚障害学における主な聴覚評価・聴覚診断

1.	聴覚スクリーニング検査	新生児から学齢期までの難聴発見のための簡易評価
2.	聴覚情報収集と管理	聴力閾値，聴覚障害の程度とタイプ
3.	言語音の聴取能力評価	裸耳の語音明瞭度，単語了解度
4.	聴覚補償機器評価	補聴器・人工内耳装用の適用と装用による効果
5.	聴覚活用・聴覚学習	教育・指導の適用と効果
6.	視聴覚併用能力評価	聴覚と読話・手話併用の教育指導の適用と効果
7.	遠隔通信機器評価	FM補聴器，デジタル補聴支援機器，ヒアリングループなどの機器使用と効果
8.	教育・療育環境評価	音響・騒音条件の実態，各種条件下の聴取能と改善
9.	家族支援	聴覚障害療育・教育支援への協力，理解，満足度

それには，聴覚検査や面接法，質問紙法などの各種検査・調査により情報を集め，対象児の聴覚障害と生活機能の状況について**総合評価（アセスメント，assessment）**を行い，指導・支援の必要性を検討するなど，ハビリテーションにかかわる包括的な**聴覚診断**を行う．小児聴覚障害学における主な聴覚評価と聴覚診断について表7-2に示した．

小児期の聴覚評価では，評価目的に応じた検査を選択し，結果に影響を及ぼす各種条件を調整し，得られた結果は聴覚障害学的知識に基づいて的確な解釈が行われるよう留意すべきである．検査法に関する基礎的知識・定義については，日本聴覚医学会聴覚検査法の委員会報告[3,4]や用語集[5]を参照されたい．

聴覚評価の際に検討すべき条件について表7-3に示した．乳幼児聴力検査の実施や結果の判断には小児発達とコミュニケーションに関する技術・熟練を必要とし，言語聴覚士の職能として，専門

表 7-3 聴覚診断における主要な聴覚評価条件

1. 評価内容	語音弁別能（最善の聞き取り能力），語音了解閾値レベル，語音聴取能力，聴覚機能・活動・参加の各水準における障害状況
2. 評価方法	直接検査法，面接法，行動観察法，質問紙法
3. 聴力検査	聴力閾値検査，聴力閾値上検査
4. 評価条件	裸耳，補聴耳（補聴器装用条件・人工内耳装用条件）
5. 検査音	純音・ワーブルトーン，バンドノイズ，語音，環境音，音楽，各種歪音
6. 音源提示	ヘッドホン法（受話器），音場検査法（準自由音場）
7. 聴取環境	静寂下・雑音負荷条件，騒音条件（SN比），反射・反響条件

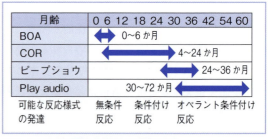

図 7-3 乳幼児聴力検査と適用年齢
反応可能な行動を用いた検査法の選択．
第1ステップ：ABR・BOA，第2ステップ：COR（移行：ビープショウテスト），第3ステップ：play audio

性の向上が求められている．以下に小児期の聴覚検査・評価の原理について概括する．

a 聴性行動の発達

内耳蝸牛の形態は，胎生24週にはすでに成人と同様の構造に完成しており，新生児は出生時には解剖学的に聞こえが成立し，成人と同様の聴力（auditory acuity）が検出される．ABRなどの他覚的聴覚検査によって，このような生得的な聴覚の感覚感度を測定することができる．

一方で，実際に新生児に音を聞かせたときの反応を観察すると，大きな音でないと気づかず，音の弁別はできない．その後，乳児では10か月齢ごろまでに，徐々に音の弁別や理解を導く**聴覚的認知能力**（audition）が獲得される．同時に，検査音の認識や応答に必要な反応行動の発達を伴って，音や音声に敏感になる「**聴性行動発達**」の様子が観察できる．

このような聴覚の発達的側面については，聴性行動発達チェックリスト（→117頁参照）によって評価できる．つまり，①定型発達児と比べて，対象児の発達年齢相応の聴性行動反応の有無を評価し，聴覚障害の疑いがあれば，②聴性行動反応の反応閾値について評価する．後者については，補聴器や人工内耳を装用後に聴性行動の観察経過を検討し，装用開始からの経過期間と比較して成長を評価する．一方で，聴性行動が乏しい場合には，機器の再調整を検討する．

なお，聴性行動がみられる経過期間については，補聴年齢（hearing aided age：HA age），または人工内耳年齢（cochlear implanted age：CI age）とよんでいる．

b 発達に対応した乳幼児聴力検査の選択

乳幼児聴力検査には各種手法があり，被検児の認知・行動発達などから，検査で必要とされる反応行動を選ぶことが重要である．それにより被検児の聴力検査への集中を高められ，より適切な検査結果を得ることができる（図7-3）．

乳児期初期（0～6か月齢児）には，音刺激で生じた驚愕反応のような無条件反射・反応を検査指標とした**聴性行動反応聴力検査**（BOA）を用いる[6]．また，6か月齢以降には，音刺激の方向への振り向きの条件付け反応を指標とした**条件詮索反応聴力検査（COR）**や視覚強化式聴力検査（VRA）を用いる．さらに，2～2歳後半の幼児にはオペラント条件付けによるボタン押し行動を指標とする**ピープショウテスト**，3歳以降では受話器を装着し玩具操作による**遊戯聴力検査**を用いる．

なお，早産児では，乳幼児期には在胎期間を修正した年齢（修正月齢）を目安として，知的発達障害児では，認知発達年齢を目安とした聴力検査を

表 7-4 各検査法の実施条件

	検査音	反応	月齢(m)	検査耳	周波数別閾値	気導・骨導検査	検査法
BOA	震音(ワーブルトーン)	聴性反応	0〜6	両耳	不可	気導	音場
COR*		音源定位	6〜24				
ピープショウ		ボタン押し	24〜36				
Play audio	純音	ボタン押し	36〜72	片耳	可	気導・骨導	受話器
ABR	クリック音/CE-Chirp 音	(脳波)	0〜		不可		
ASSR	変調音/CE-Chirp 音				可		

*インサートホンを用いた場合には，検査耳は片耳，検査法は受話器となる．

第1選択として検査法を検討する．各検査法の実施条件と得られる情報について，表 7-4 に示した．

検査法の実際は，第4章「聴覚・平衡機能検査」(➡ 73頁)を参照されたい．

c 乳幼児聴力検査と総合的な聴覚評価

乳幼児聴力検査は，外来検査室で容易に実施できる臨床検査であり，また，検査音の 125〜8,000 Hz に対応した周波数別閾値が得られるので，補聴器適合やハビリテーションの情報として有用である．しかし，小児では検査への集中に乏しいなど，成人の正確さで聴力閾値の情報が得られないことも少なくない．

新生児・乳幼児の聴覚評価では，乳幼児聴力検査に併せて聴性行動発達チェックリスト，家族の問診により聴性行動の情報を得る．さらに必要に応じて，聴性脳幹反応(ABR)や聴性定常反応(ASSR)聴力検査などの他覚的な検査を組み合わせ，総合的に結論を導く姿勢が重要である．

総合的な聴覚評価では，検査結果のクロスチェックが可能になり[7]，結果の信頼性を確認できる．知的発達障害を疑う児など聴力閾値測定が難しい症例では，特にその重要性を指摘できる．検査者は，各検査の特徴と限界などを熟知して，検査の経験を積み，聴覚評価の精度を高める努力が必要である．

d 小児期の聴力検査閾値の基準

小児の聴力検査の閾値の基準(0 dB)は，同年齢の定型発達児の基準を用いることが適切と考えられる．新生児から5か月齢頃までのBOA検査では，認知機能や反応行動が未熟なため閾値上昇を含んだ聴覚を測定している．それを，「**最小反応閾値**(minimum response level：MRL)」[8]とよび，本来の感覚感度としての「聴力閾値」と区別を要する．6か月齢から2歳の小児では徐々に音に敏感に反応するようになりMRLは発達し[9]臨床指標に用いるとされている．

一方で，最近では1音源から刺激音を提示し，インサートイヤホン(挿耳式イヤホン ER-3A)を組み合わせた視覚強化聴力検査(VRA)方法では，乳幼児の閾値が測定できると報告されている．6〜12か月齢児のMRLは 10〜15 dB の範囲にあり[10]，その後，実施した遊戯聴力検査と 10 dB 以上の差はなく検査の再現性はよいと指摘している[11]．わが国ではスピーカ法による検査がいまだ主流であり，今後の規格化に検討を要する．

また，乳幼児では頭位が小さいので通常の受話器の装着時に，音口位置がずれたり圧迫が弱く隙間ができることもあり注意が必要である．また，乳幼児では通常の受話器カプラ(6 cc)より外耳道容積が小さいために，実際の鼓膜面上の出力音圧は増大していると考えられ，特に1歳未満児には注意を要する．欧米では上記のインサートイヤホ

ンを用いて実耳特性を反映した聴力検査[11]も行われている．

e 重複障害児の聴覚評価と知的障害・聴覚障害の鑑別診断

乳幼児では，聴覚障害がなくても認知発達や運動発達の遅れ，聴性行動や発声行動の発達がみられない例もある．そこで，聴覚評価の際には基礎的発達の情報を収集して，知的障害・運動障害との鑑別が必要であり，また難聴が重複していないかの視点が欠かせない．

聴性行動評価の際には，まず，①定頸や探索的行動など，反応行動に必要な運動・探索行動が可能であるかを確認する．さらに，②玩具などの視覚刺激と比べて，特に聴覚刺激に対する気づきや注目が乏しいかという点について観察を必要とする．問診や発達質問紙，乳幼児発達検査などにより発達全般の評価の資料を参照して，聴覚行動の評価を確認する．各種障害に聴覚障害を重複する例については，他覚的検査や他科診断の情報により慎重な評価が求められる．

f 乳児期の暫定的診断

乳児期に，聴覚障害と診断された場合には，直ちに補聴器を装用しハビリテーションを開始することが重要である．しかし，乳児期では必ずしも詳しい聴覚情報について診断が得られるわけではない．そこで初診時の聴覚診断に基づいて補聴器装用を始め，補聴効果について観察しながら聴力閾値の情報を加える**暫定的診断**（tentative diagnosis）ととらえて進める．

例えば10か月齢児におけるABR検査（クリック音刺激100 dBnHL）で無反応という結果の場合は，検査誤差として±15 dBの範囲（90〜120 dB）を仮定し，110 dBで残聴があるか全く反応がないか，または，クリック音刺激に反映しない低周波数帯に残聴があるかなど補聴器装用後の聴覚や音声発達を観察して必要な修正を加える．

表7-5 問診・インテーク内容

1.	来院の主訴と受診歴	相談内容・他施設受診
2.	現症	聴覚・言語・発達・行動など
3.	家族歴	家族の構成・養育者
4.	病歴	難聴経緯・難聴ハイリスク因子
5.	発育歴	定頸・始歩・始語
6.	教育・療育歴	幼児・学童期，発達支援
7.	補聴状況と経緯	補聴器・人工内耳

4 関連情報の収集と総合評価

聴覚検査の際には，あらかじめ家族から関連する情報を聞いて，現在の聞こえの状況とその経過や原因の推定が有効である．医療施設では問診，療育・教育施設では面接・面談・インテーク（表7-5）などについて情報を得て，対象児の障害状況と要因について概要を理解し，総合評価により，難聴に関連する情報を得る．言語遅滞の主訴に対しては，知的発達障害との鑑別の視点が必要になる．

家族が来室・来院の際に述べる主訴では，最も心配な点について話すことが多く，家庭で子どもの行動を観察しており，傾聴すべき情報を含むことが多い．また，家族の要望を理解して対応することにより，その後の協力を促すことにもつながる．

表7-5の「2. **現症**」に関する情報収集では，幼児の日常生活での聴性行動，発声行動などの情報から難聴の有無や程度について聴力検査結果との整合性を検討する．例えば，重度難聴では自動車のクラクションやたいこへの気付き，中等度・高度難聴では会話音，軽度難聴では囁き声や電子レンジのチンの音への気付きが乏しい，などである．1〜2歳以降では言語発達遅滞が難聴の指標となる．

表7-5の「4. **病歴**」では，難聴の発症時期や進行・変動などについての情報が重要である．聞こえの障害が最近発症したものか，生下時からか，

表7-6 聴覚障害児の社会的活動の制限と関連領域

1. 教育組織	通常校，特別支援学級，特別支援学校通級，特別支援学校
2. サポートサービス	発声発語指導，言語・コミュニケーション指導，カウンセリング，教科学習，全般的発達指導など
3. 情報保障	要約通訳，手話通訳，補助教員，各種情報保障など
4. 専門家の資格	言語聴覚士，特別支援教育教員，普通教育教員，公認心理師
5. 教育体制	通常教育，インクルージョン教育，交流教育，特別支援教育
6. カリキュラム	通常学年カリキュラム，準じる教育
7. アクセス機器	聴覚情報や聴者児童・生徒とのアクセスのためのテクノロジー
8. 学習環境の音響的支援	FM通信，赤外線通信，騒音抑制デジタル補聴援助システム

徐々に悪化したのかについては，中耳炎の罹患歴と治療歴や病歴についての情報に注目する必要がある．また乳幼児では体調や生活リズムなどが検査に影響を及ぼすので，関連情報をあらかじめ収集し検査時間を短縮することによって結果の信頼性や妥当性を高めることができる．正常出産児における聴覚障害の発症率(0.14％)と比べて，難聴のハイリスク因子(第1章の表1-2 ➡ 8頁)をもつ例では3.92％と高く，各因子の既往の問診は重要である[12]．

5 聴覚障害の評価と社会的活動の制限

聴覚ハビリテーションの観点から，聴覚障害児の聴覚情報処理の対策と，生活場面など環境整備の対策を必要とする．診断後に**聴覚補償機器**(補聴器・人工内耳)の適用による聴覚活用を行い，さらに生活上の聞こえの制約の改善をはかる必要がある．医療・療育・教育施設での聴覚学習支援を開始後には，家庭・保育所・幼稚園・学校・地域での活動の制約の解消に向けて，遠隔補聴支援機器の導入が推奨され，関係者と連携し聞こえの理解と啓発が必要といえる．

例えば，幼稚園や学校で教師の音声は雑音下で聞こえにくい場合には，デジタル補聴援助システムやFM補聴器，教室の遠隔通信の整備を検討する．音源の音圧条件として，話しかけには大きめの声でわかりやすい話し方を依頼する．聴取環境条件として雑音を低減して静かな環境を確保し，**SN比**(信号/雑音の比)を改善することなどがある．

また，難聴児の周囲の幼児・児童には難聴理解と会話法について啓発し，関係者の連携による教育体制(表7-6)の整備が重要といえる．

B コミュニケーション発達評価

1 概要

聴覚障害児の**コミュニケーションモード(会話様式)**には，聴覚口話法，聴覚音声法，手話法，キュードスピーチ法，トータルコミュニケーション法などがあり，聴覚障害児への療育・教育・指導の手法として幼児期から適用される(➡ 282頁)．難聴診断直後のコミュニケーション法の適用については，聴覚障害程度・認知能力・家族環境などの要素を検討し家族の教育観により選択される．

すでに療育や教育が開始されている児であれば，会話法の習熟度と当該様式での言語発達について評価をする．習熟度について聴覚口話法では聴覚・音声・読話，手話法では手話・指文字のほか，視空間・身振り・表情の活用など(表7-7)固有の認知発達について，早期からの系統的な導入と円滑な言語獲得の開始が行われているかを検討する．

乳幼児期の言語獲得には，養育者が幼児に向けた発話(child-directed speech：**CDS**)[13]を基盤としている．そこで，聴覚障害児の養育にあたる両親のコミュニケーション方法と習熟度について検

表7-7 コミュニケーション法の理解と産生法

	理解	産生
聴覚口話法 聴覚音声法*	聴覚・読話	音声
	聴覚	音声
キュードスピーチ法	キューサイン・聴覚	
トータルコミュニケーション(併用法)	手話・指文字・聴覚・読話	手話・指文字・音声
手話法(日本手話) 手話法(日本語対応手話)	日本手話	
	日本語対応手話・指文字	日本語対応手話・指文字・口形

＊第1章のオーディトリー・バーバルセラピー(AVT)と同義である(➡25頁).

討し，必要な家族支援について検討する．ここでは幼児期のコミュニケーション行動の臨床的な評価と，前言語期のコミュニケーション関係に関する評価について解説する．

2 日常的なコミュニケーション方法の評価

療育や教育が開始されている児について，対象児が使用するコミュニケーション法の種類と習熟度について評価し，会話法の指導の必要性・効果について検討する．

評価方法は，対象児との面接や自由遊びにおける会話の観察，および問診により家族から情報を得る．幼児では慣れない場で自由な発話が得られないこともあり，観察では事前の家族の問診が重要になる．

評価すべきポイントを図7-4に示した．
①家族の主訴や児の様子を観察して，現在の問題の概要について把握する．
②使用する言語表出の発達レベルでは，音声・語・文・談話レベルであるか，またその具体的使用について検討する．

問診では，具体的な発話例を尋ねて，水準の概要を把握し時間短縮をはかる．例えば「最近，お子さんはどんなお話をしますか？」と聞き，「パパ・バイバイくらいです」ということであれば，図7-4の2. 1)にある③文レベルの下位項目の使用について，さらに尋ねて検討する．

言語理解のレベルについては，音声のみで理解が可能であるか，指差しや状況の手がかりが必要であるか，理解様式を確認する．おおむね日常的な指示理解が可能であるか，それ以前の限られた会話理解であるかを検討する．言語使用・理解の現症から言語発達の概要を把握して，総合評価段階の指導内容と方法・教材のアウトラインについて検討し，指導計画を立案する．

診療簿への記録や他施設への報告には標準化評価を実施して具体的言語発達段階を確認し，ここでの具体的把握内容を叙述例として記載する．

3 コミュニケーション行動

対象児が主に使用するコミュニケーション法について検討し，2種以上の会話法があれば，使用場面(家庭，学校，幼稚園，保育所など)や，会話対象(両親，きょうだい，友人，他人)の情報を併せて得る．例えば，学校で教師や友人と聴覚口話法を用い，家庭では指文字・聴覚・読話を用いる例などである．複数の会話法を用いている場合には，会話成立と言語形式や円滑さについて比較する．2言語の使用児では言語遅滞をまねくこともあり，言語遅滞が生じている場合には優位な会話法への統一や補足的な配慮を検討する．

会話では言語形式と併せて，コミュニケーション機能の発達が欠かせず，使用する会話モードでどのような機能が使われているか評価が必要である．対象児がほしいものを要求する表現があるか，行為を依頼する表現や質問応答，さらに会話での内容修正などの機能がみられるかについて検討する．問診では具体的な例を尋ねて叙述例から該当する機能にあたるものか確認する．

絵カードの記憶や知識に偏重した言語指導法では，言語形式を習得しても会話機能の発達が遅滞し，実用性に乏しく生きたことばの習得に課題を残す児もみられることに注意を要する．

```
┌─────────────────────────────────────────────────────────────────┐
│  実施日    年   月   日   氏名：              年齢（    ）歳  │
│  平均聴力レベル：右耳（    ）dB，左耳（    ）dB  □補聴器・□人工内耳 │
└─────────────────────────────────────────────────────────────────┘
```

1. 現在の問題把握（現症・主訴）
   - □ ①聴性行動：＿＿＿＿＿＿＿＿＿＿＿＿＿＿＿＿＿＿＿＿＿＿＿＿＿
   - □ ②言語遅滞（言語表出／言語理解）：＿＿＿＿＿＿＿＿＿＿＿＿＿＿＿
   - □ ③コミュニケーション障害：＿＿＿＿＿＿＿＿＿＿＿＿＿＿＿＿＿＿
   - □ ④認知・社会性など全般的行動：＿＿＿＿＿＿＿＿＿＿＿＿＿＿＿＿

2. 言語発達の状況
   1) 言語表出の発達レベルについて
      - □ ①音声レベル　音声の意図的使用（□あり　□なし　□ときどき）
      - □ ②語彙レベル　語の形式（□成人語　□幼児語　□擬音語・擬態語）
         　　　　　　　有意語　例）＿＿＿＿＿＿＿＿＿＿＿＿＿＿＿＿＿
      - □ ③文レベル　　文の形式（□語連鎖　□助詞使用　□助詞の使用と誤り）
         　　　　　　　文の構造（□単文　□重文　□複文）
      - □ ④連続する談話レベル
   2) 言語理解の発達レベルについて
      - ①音声指示の理解　□音声理解　□指差し・ジェスチャー必要　□状況理解必要
      - ②日常的指示理解　□簡単な日常的指示の理解（待ってて，おいで，ネンネなど）
         　　　　　　　　□用事を言いつけると応じられる（〜もってきてなど）
         　　　　　　　　□日常的な会話のおおよその理解

3. コミュニケーション行動
   - ①主なコミュニケーション法：□音声　□手話・指文字　□キューサイン　□ジェスチャー
   - ②コミュニケーション機能：　□要求表現　例）＿＿＿＿＿＿＿＿＿＿＿＿
      　　　　　　　　　　　　　□依頼表現　例）＿＿＿＿＿＿＿＿＿＿＿＿
      　　　　　　　　　　　　　□質問と応答　例）＿＿＿＿＿＿＿＿＿＿＿
      　　　　　　　　　　　　　□会話の修正　例）＿＿＿＿＿＿＿＿＿＿＿

4. 言語学習に関連する行動
   - □ ①指差し行動
   - □ ②共同注視
   - □ ③模倣行動：　□音声模倣　□行動の模倣　□大人の行為の模倣
   - □ ④質問行動：　□何？　□何してる？　□だれ？　□どこ？　□どうして？　□どんな？

5. 発達全般（認知・社会・運動・身辺自立の発達）で，気になる点について
   - □ ①他児への関心　＿＿＿＿＿＿＿＿＿＿＿＿＿＿＿＿＿＿＿＿＿＿＿
   - □ ②集団への参加意欲　＿＿＿＿＿＿＿＿＿＿＿＿＿＿＿＿＿＿＿＿＿
   - □ ③問題行動：□奇声　□常同的行動　□固執性　□多動性　□落ちつき
   - □ ④生活習慣（食事，排泄，衣服の着脱，整容等身辺自立）
   - □ ⑤遊び，興味，認知発達（絵本への興味，遊びの発達，物や玩具の操作）

図 7-4　小児の言語・コミュニケーションの障害と評価

表7-8 前言語期関係
1. 人への関心と注目
2. 視線の一致
3. 情緒の共有
4. 共同注視
5. 音声の有意味性の理解

表7-9 コミュニケーション態度
1. 母子分離への対応
2. 感情・意思の疎通性
3. 話者への注意の持続・落ちつき
4. 指示への応答的態度
5. 会話での過度な緊張
6. 会話やりとりへの積極性

4 言語学習に関連する行動

　幼児の初期言語期には，指差し行動によって話しかけに応じたり，母親の注視する先をともに見つめて母親の意図を把握したり（共同注視），音声模倣を促すことで気持ちを共有して言語表現を学ぶ機会となる．そこで，言語学習に関連する行動がみられるかの情報を得て，言語学習の準備段階を評価する．例えば音声模倣がみられるようであれば，言語学習の好機として活用を支援する．

　疑問詞による質問行動の使用は，幼児の認知発達段階の表現ともとらえられる．5W1Hの質問応答を分析[14]することで言語認知の系列性を把握できる．何（事物），誰（人物），どこ（場所），何してる（動作），どうして（理由），どんな（状態）の疑問詞を産生，または応答するということは対応する言語認知的な意味構造が形成されている**質問応答水準**と評価する．

5 発達全般（認知・社会・身辺自立など）

　聴覚障害により適切なコミュニケーション法が得られないまま経過すると，他児との交流や，保育所・幼稚園などでの集団活動に参加できなかったり，年齢相応の遊びや興味などの幼児期の学習活動の機会を逸している場合がある．また，親が児と円滑なコミュニケーションがとれないことにより育てにくさを感じ，生活習慣や身辺自立の支援が十分行われない状況も少なくない．

　そこで，言語・コミュニケーション行動に併せて発達全般に及ぼす影響についての状況把握は欠かせない．また，知的発達障害を重複している児もあり，問題行動などについても家庭などの状況について聴取が必要になる．

6 前言語コミュニケーション行動の評価

　乳児期は，母への愛着的関係や母子相互交渉で代表される，人への関心と交流の志向が育まれ情緒的な共有と共感的なやりとりが形成される（表7-8）．**前言語コミュニケーション段階**として，視線・音声・ジェスチャーなどの要素が重要であるが，聴覚情報が乏しい場合には密接な相互関係の形成に支障をきたすことが少なくない．そこで，聴覚障害児では，言語学習の基盤として前言語コミュニケーション行動の形成が初語期の指導課題となる．乳幼児をあやしたり，手遊びや赤ちゃん体操などについてしっかり母子で向き合い，相互関係を形成していく過程を評価する．幼児はこの時期のコミュニケーション行動を基盤として，言語・知識や観念を獲得する態度・基礎を築くことになる．

7 コミュニケーション態度の評価

　観察評価の会話場面で，対象児の表情や視線，態度を観察する．寡黙になり過度な緊張が観察されたり，落ちつきを欠くようであれば，玩具での遊びやおしゃべりなどで働きかけ，リラックスさせて十分な能力が発揮できるよう配慮する．また，コミュニケーションでの相互性と参加の積極性について総合的に評価する（表7-9）．

表7-10 養育者のコミュニケーション行動

1. 明るい声ではっきりと話す.
2. 話しの速度をやや低下し抑揚を豊かに話す.
3. 児に応じて簡潔でわかりやすいことばで話す.
4. 会話の始まりには声がけをして注目を誘う.
5. 児の理解が確認できるまで言い換えて繰り返す.
7. 児の正面から目の高さで話しかける.
8. 表情・動作・指さし・手話などを加え文脈の理解を促す.

表7-11 言語知識の発達

年(月)齢	言語知識
生後6か月まで	音韻論的知識
1〜1.5歳	語彙知識
2〜4歳	語彙獲得速度の向上
1.5〜4歳	統語知識
3歳〜	談話構成知識
6〜7歳	基礎的言語知識の完成

8 養育者のコミュニケーション能力評価

聞こえる両親が,聴覚障害児とコミュニケーションをとるには,対象児にわかる話し方(表7-10)について,両親が理解を得て実施することが望まれるため,その点について評価する.また,児の言語発達に相応しいCDSとして養育者は,基本的に聴覚障害児が理解できるレベルの語彙や構文で話す必要がある.また,幼児の興味を示す言語表現を用い,さらに幼児が注目する事柄に対して,適切なタイミングで話しかけることが必要である.その結果,養育者の話しかける場面が児の言語学習環境として有効なものになる.したがって,待合室など自然な場面での養育者のコミュニケーション法を観察して分析し,必要に応じて助言や指導に反映することが有効といえる.

C 言語評価

1 概要

聴覚障害児の言語ハビリテーションは,同年齢の定型発達の認知・心理・社会的側面の療育・教育の系列性を念頭において言語指導の構造化をはかることが重要である.

定型発達児の言語発達については,乳児期6か月ごろには母語の初期の音韻的知識の獲得が始まり,語彙は1歳の誕生日過ぎに獲得が始まり,そ

表7-12 言語評価の側面

1. 言語発達遅滞の有無,言語獲得段階
2. 音韻・語彙・文・談話・語用の言語水準
3. 言語理解,言語表現,コミュニケーション
4. 言語聴取,内言語の獲得,発声発語の側面
5. コミュニケーションモード
   (聴覚音声,手話指文字,ジェスチャー)

の後に急激な速度での語彙爆発が生じる.同時期に,語を連鎖する統語知識が獲得され4歳ごろまでに単文・重文・複文の使用と,談話等語りの構造化が進められ,就学までには基礎的な言語知識を獲得すると報告されている(表7-11).

各期における言語知識の遅滞は,その言語形式を用いた思考能力の制約が生じるととらえ,言語指導では認知言語面での意味形成を行いつつ,言語形式の学習が有効と考えられる.例えば,統語知識として仮定法「〜したら」が未習得であれば,非現前の事態を仮定した類推の場面を取り出して言語指導課題を設定する(例:パパが帰ったら,ケーキを食べよう).

言語評価の側面(表7-12)では,発話行動の観察や問診などから,対象児の「1. 言語発達と遅滞状況」と「2. 各種言語学的水準」や,「3. 理解・表現・コミュニケーションのおける遅滞状況の特徴」「4. 聞こえ(hearing),内言語(language),発声発語(speech)の側面」について,発達のプロフィールを把握する.聴覚障害児の固有性としては,主に使用する「5. コミュニケーションモード」と習熟度について検討を要する.例えば,言

語理解として指差しや動作などの視覚情報を加えると良好であっても，音声のみでは応じられないなど，指示モードにより評価結果が異なるなど診断的視点で観察することが重要といえる．

2 聴覚障害児の言語評価の基礎

a 評価の問題意識

対象児の言語評価の際には，何が課題であるか診断的視点(diagnostic question)を明確にしておく．待合室での自然な子どもの言語行動を観察したり，母親の訴えから言語使用の課題について情報を得て評価の問題意識をもつことで，子どもの発達特徴や課題に注目して検出することができる．また，評価時に対象児が緊張して通常の能力を発揮できない場合に能力を低く見積もるような誤りを避けることができる．わずかなサインを見逃さずに発達の詳細と課題を見出し，効果的な支援の立案ができる．

b 言語能力と言語達成度

言語能力(language competence)とは，児がもって生まれた言語獲得に関する潜在的能力であり，一方，**言語運用力・言語達成度**(language performance)は，実際に習得した言語発達の様相で言語能力の表れといえる．言語評価では，基本的に言語達成度を測定して言語能力を推定する．しかし，限られた検査を実施して，児の潜在的な言語能力を十分測定できるかについては議論も少なくない．臨床場面では，言語能力(言語力)という用語は広義に使用されているが，検査結果が発達途上の達成度である点に注意を要する．

c 標準化検査と基準化検査

標準化検査は，同じ暦年齢の定型発達児の結果を集積して，集団での平均値と標準偏差で標準化した検査(norm-referenced test)であり，同年齢児の分布で対象児の言語発達の位置を検討し，課題や乖離について把握する．また，発達のプロフィールについて定型発達児との相違として把握できる．標準化評価は基準が明示されているためわかりやすく，複数の関係者で結果を共有しやすいところが利点である．しかし検査の種類や数が少なく，言語指導の資料としては具体性に乏しく，指導の構造化を直接導くには限界が生じる．

一方，言語臨床に必要な詳細情報としては，定型発達児の発達の系列性や，発達的変化の観察に基づいた臨床家独自の評価が有効と考えられており，**基準化検査および評価基準**(criterion-referenced test)とよぶ．評価基準は，臨床家による言語指導の枠組みを指導仮説として文章表記したものである．会話場面や自発的な発話を分析して，実際の言語発達の様相について詳細に記録する．指導記録から次の指導内容や教材作成に直ちに結びつき，安定した評価資料が得られる．そこで，臨床場面では発達の節目に標準化検査により，対象児の言語発達状況を定型発達に位置付けて測り，通常の指導過程では評価基準による発達仮説を組み合わせて，児の発話の様相と変容について詳細に把握していくことになる．

例えば，教育現場では成績の総合的な評価の際には，習得目標としての「評価基準の具体的内容」を文章表記することが求められている．

d 評価・計画・指導・修正の連続性

言語評価では，心理言語評価，言語発達質問紙，家族の情報や行動観察など総合的に評価し指導内容を立案する．また，指導開始一定経過後に再評価し，指導による言語獲得や変容を判定し，仮に目標とする言語行動に変化がなければ方法や目標を修正し，獲得していれば終了と判断する．指導と評価と目標の修正は連続するものと考える．また，計画した指導の終了後には自由発話を観察し，自発的な使用や汎用ができるかの検討が重要になる．家族には児の変化や獲得した言語行動について解説することで，家庭での積極的な話しかけを促し，成長の喜びを共有できる．

3 聴覚障害児の言語評価の原理

a 早期の言語指導の重要性

　乳幼児期は，大脳の可塑性が高く，神経系のネットワーク化が進む過程にあり，効率のよい言語学習が行われることから言語学習の臨界期(critical period)または適時期(appropriate period)とよばれている．そこで，聴覚障害児の日本語の獲得に向けて，聴覚障害の早期診断と早期療育に向けた関係領域の研究開発が重ねられてきた．また，幼児期にはコミュニケーション行動を基盤として言語発達の各種側面が形成されることから，基礎的言語獲得の遅滞による教育・就労・社会参加・活動などへの長期的な影響についても報告されている．

　幼児期に獲得すべき基礎的日本語の学習を積み残した状況で就学する児に対しては，言語評価によって基礎的言語能力を的確に把握し，学童期の教科学習に並行した個別指導計画の立案が必要である．学童期の言語指導の際には，言語発達課題が幼児の内容であっても，教材は年齢相応の興味をもち主体的に学べるよう構成し，息の長い指導と学習支援を継続する．

b 聴覚障害の発症時期

　聴覚障害が周産期以前の発症は**先天性難聴**(congenital hearing loss)，それ以降を**中途難聴**(acquired hearing loss)とよぶ．発症時期によって，言語発達と一定の障害状況の特徴が生じることから，1～3歳の言語獲得以前の発症を**言語習得前聾**(prelinguistic deafness)，3～4歳以降の言語獲得後の発症を**言語習得後聾**(postlinguistic deafness)とよぶ．

　前者は，聴覚・言語・発声発語・コミュニケーションなどの幼児期の学習全般に影響を与え，体系的で長期に及ぶ基礎的日本語の指導支援を必要とする．後者は，基礎的言語を獲得後に失聴しているので，直ちに補聴器や人工内耳の適用やコミュニケーション指導を開始し，失聴期以降の言語発達の促進が指導課題になる．幼児では突然聞こえなくなることで，意思疎通の障害による心理面の影響は大きく，不安が増大して落ち着きを失い，緘黙状態を呈するなど事態は深刻である．直ちに難聴児としての口形を注目し視覚情報に注視したコミュニケーション法を再形成して，家庭や幼稚園・学校・地域へ復帰することが課題になる．

図7-5　コミュニケーションモード
TC法：トータルコミュニケーション法

c 聴覚障害児のコミュニケーションモード（会話様式）

　聴覚障害児の言語指導に用いる会話様式には，聴覚・音声と読話(聴覚口話法)，指文字と手話(手指法)，キューサイン(キュードスピーチ)，併用法(トータルコミュニケーション法)がある(図7-5)．幼児期には言語指導の手段としての性格をもち，会話様式の獲得には長時間を要して具体的な生活での養育や対人交流で使われ獲得される．

　母語の形成にどの会話法を用いるかは，対象児の獲得が容易な会話様式を用いることが基本とされるが，発達的な会話法の移行，家庭状況や親の文化観などで検討される．養育権をもつ家族が選択する際に，療育・教育担当者は選択に必要な情報と考え方の提供が必要である．

　聴覚障害児の出生について，聞こえる両親が聴覚障害児を育てる家庭が90％と多く，聴覚障害をもつ片親7％で両親が3％[15]と報告されており，同障の家族や聴覚障害成人との意見交換の機会が

表7-13 平均発話長(MLU)と総合評価段階の関連性

段階	MLU	月齢	特徴
I	1.0〜2.0	12〜26	意味規則の使用．文末上昇による疑問
II	2.0〜2.5	27〜30	形態素的発達．what や where と文による疑問
III	2.5〜3.0	31〜34	多様な文型の発達，否定文，命令文，疑問文．疑問詞に助動詞を併用(be, can, will, do)
IV	3.0〜3.75	35〜40	複雑な構造の出現：等位構造，補語化，関係節化．疑問詞併用文の語順を逆転
V	3.75〜4.5	41〜46	複数の関係節の埋め込み文
VI	4.5＋	47＋	同一文に埋め込みと接続の使用($\geq$ MLU 5.0)

〔Brown RW：A First Language：The Early Stages. Harvard University Press, 1973 より〕

重要である．会話様式は日常環境で共有して獲得されるので，多くは難聴診断後に言語指導を受ける療育・教育施設を選択する際に検討されることになる．

d 聴覚障害と言語発達障害

言語発達の障害と予後については，基本的には難聴程度が重篤であれば小児発達への影響は大きく，体系的で長期的な指導が必要と考える．聴覚情報入力が少なければ，言語獲得と定着に困難を要し，スモールステップによる言語指導内容で構成する．一方，軽中等度聴覚障害児では聴覚情報入力も多く，自然な言語獲得が進み，発達の要となる学習項目について集約的な指導内容で構成する．人工内耳を装用する重度聴覚障害児では，中等度難聴相当の聴覚情報処理能により良好な言語発達を示す例も多く，個別評価による指導計画が必要になる．

手話・指文字などの視覚経由での言語指導では聴取能による制約を軽減する．しかし聴覚障害児の言語発達の課題は，会話様式の選択のみでは解消できず，個々の状況に応じた長期的な指導プログラムの整備によると考えられている．

幼児期には，初期の簡単な語彙や構文を用いた日常生活での対話に必要な言語獲得について指導を開始し，幼児期後期には詳細な言語描写に対応した複雑な言語情報を駆使し，抽象的な思考段階に至る指導プログラムを用意する(表7-13)．幼児期全般の言語発達段階念頭におき，言語学的評価を組み合わせて包括的な障害状況を理解したうえで指導計画の立案が必要である．

また，定型発達児では就学前から仮名読みが始まり，学童期には音声言語を基盤に書記言語の学習が進められる．しかし，聴覚障害児では語音聴取能の低下により音韻意識の形成が難しく，書記言語の獲得には幼児期早期(3〜4歳)から音声言語指導の際に文字を導入し，書記言語への移行を配慮することが必要になる．

言語障害の指導体制としては，インクルーシブ教育環境として，地域保育・教育施設に通い，家庭指導を基盤に療育・言語指導を行う手法と，聴覚特別支援学校に通い教育・言語指導を行う手法があり，主に前者では言語聴覚士，後者では特別支援教育教員が指導にあたる．近年では聴覚特別支援学校で新生児聴覚スクリーニング後の乳幼児教育相談に対応し，外部専門家としての言語聴覚士との連携や地域コーディネーター教員配置への予算化が進んでいる．

e 社会参加場面での言語行動

保育所や幼稚園，学校などでの活動参加や，幼児・児童相互の交流では，対象児の言語遅滞による会話の行き違いや，会話理解の障害などによるトラブルが生じやすいことが推測される．そこで，個別の言語指導によって対象児が学習した言語力が実際場面で十分であるか，子ども集団での

対象児の言語行動や適応行動の様子などを観察したり，担当の保育士・教師からの情報による評価が必要である．集団での言語行動については，初回評価時よりむしろ指導開始後に知ることが多く，指導開始後も評価の視点が持ち込まれることになる．

4 聴覚障害児の言語発達評価

聴覚障害児の言語発達については，早期から徹底した指導体制を用意することにより，定型発達児の発達系列をたどり，学童期までには生活年齢に対応した発達達成度を得られることについて多くの報告[16,17]がある．一方で，言語指導が不十分であったり，幼児期初期段階の内容で終始した際には言語遅滞が継続する．聴覚障害児の言語指導では，乳幼児期から幼児期後期または学童前期までの発達基準を参照して，言語獲得を支援すべきといえる．

聴覚障害児は個人差が大きく，国内で標準化した言語発達検査は皆無であり，また定型発達児で標準化された検査の開発は十分とはいえない．そこで臨床的評価には，行動観察法による発話資料の特徴に注目して言語発達の様相を明らかにする．さらに，定型発達児の発達の系列性と比べて，発達段階と障害状況についての評価が必要になる（基準化検査）（➡262頁）．言語学的な構成要素についての分析を組み合わせて発達と障害の実態を把握し，言語指導に結び付けることになる．併せて，言語心理検査によって，定型発達児の標準資料と比較し発達の様相について評価する（標準化検査）．

a 言語発達の総合的評価

幼児期には，音韻，意味（語），文法，談話の多様な言語水準が相互に作用し，らせん状に高次な形式・機能に変化し，複雑な言語行動が形成されていく．聴覚障害児の幼児期の言語発達についても臨床的には同様の観点での総合評価が用いられ，長期的に言語発達を追跡すると，定型発達幼児の発達系列に準じた経緯を観察することが報告されている[18]．

聴覚障害児の**言語発達評価基準**（表7-14）[18]の総合評価については，発話サンプルの分析的評価で抽出された言語行動の構成要素，特に統語的側面を参照して，発達段階を分類する．言語学的側面のプロフィールとして発達水準と特徴，さらに障害状況を明らかにし，必要な指導計画を導くことができる．教育・療育施設への評価報告には具体例として発話例などをあげながらプロフィールの特徴と当該段階について説明する．

また，**平均発話長**（mean length of utterance：MLU）に基づいて，形態素や文法構造の標準的発達特徴を示した分類手法も報告されている（表7-13）[19]．

b 言語発達の分析的評価

言語学的分類による評価では，言語に関する知識とシステムについて，言語心理学の観点から形式（音韻論，形態論，統語論）と，内容（意味論），使用（語用論）の3種の構成要素について検討し，さらに，理解と表出（使用・産生）の2側面から発達の様相と構造について明らかにする．

1）形式的側面

言語の形式は，音韻論，形態論，統語論の下位システムがあげられる．

(1) 音韻論

音素，音韻，韻律，モーラ，弁別素性，音韻プロセスなど語音の機能について分析する．発話における正答音と誤り音の頻度について言語内容と関連づけて記述する．

(2) 形態論

意味をもつ語の最小の単位を**形態素**とよび，形態素には文法機能を有する拘束形態素（bound morpheme）と単独で使う自由形態素（free morpheme）があり，例えば，動詞「たべた」では語幹「たべ」と助動詞「た」の活用部の2個の形態素に分

表7-14 聴覚障害児の言語発達評価基準

言語発達段階・構文		言語学習項目			
期	構文 (形式)	語彙 (意味)	コミュニケーション	語用(運用)	その他
Ⅰa 前言語期			音声の有意味性理解,指示理解	共感,共同注視,反復的行為要求	基礎的関係抑揚模倣
Ⅰb 初期言語期	1語文	1〜50語	質問行為の理解 選択「ドッチ」「ドレ」 手渡「チョウダイ」	動作指示理解 役割交代 指さし(確認)	音声模倣
Ⅱ 語連鎖期	2語文 3語文	50〜400語 名詞・動詞・終助詞	定型的あいさつ 定型的質問応答	指さしによる文要素の意味提示	語連鎖模倣
Ⅲ 多語文・従属文発生期	多語連鎖 従属文	400〜1,000語 格助詞・接続助詞	質問と言語的応答 終助詞・活用語文末上昇による質問と応答	指さし・身振りなどによる談話構成要素の意味表現・理解	仮定法 順接の談話
Ⅳ 文章構成期	従属文	1,000〜1,500語 接続詞,形容詞,副詞	疑問詞「ドレ」「ドウシテ」「ドウ」表現		非現前事象の談話,逆接の談話
Ⅴ 多弁期,複文期	従属文・複文	1,500〜2,500語 動詞,形容詞,副詞・複合動詞,助動詞	「イクラ・イツ・ドンナ・ドノ」 「〜ッテ ナニ」「ドウシテ」		文末形式 程度・状態 談話構成
Ⅵ 成人語模倣期	従属文・複文	2,500〜3,500語 抽象名詞 語義定義			言語学習的機能 知識,人格

水準	学習目標年齢(定型発達児の発達基準)
Ⅰ	1〜1歳11か月(0〜1歳5か月)
Ⅱ	2〜2歳11か月(1歳6か月〜1歳11か月)
Ⅲ	3〜3歳11か月(2〜2歳10か月)
Ⅳ	4〜4歳11か月(2歳11か月〜3歳11か月)
Ⅴ	5〜5歳11か月(4〜4歳11か月)
Ⅵ	6〜6歳11か月(5〜5歳11か月)

〔廣田栄子:小児聴覚障害.喜多村健(編):言語聴覚士のための聴覚障害学.pp102-146,医歯薬出版,2002より〕

けられる.

分析順は,発話を文節に区切り,次いで文節を自立語(名詞,動詞,形容詞,形容動詞,副詞)と付属語(助詞,助動詞)に分ける,用言につく助動詞や補助動詞などの活用語尾は,付属語の形態素と数える.幼児の形態素分析評価では文法出現期に有効な発達の指標になると指摘されているが,音便歪や助動詞省略などもあるので,綿巻・小椋[20]の手法(述部の分割単位を自立語と助詞とする)が簡便で臨床に用いられる.近年はPCによる形態素分析ソフト〔ChaSen(茶筌)[21]やCHILDES[22]〕が公開されている.

(3) 統語論

文を構成する語や形態素の順や結合,構造,文型の構成の規則に関して分析する.分析法として,文の複雑さ評価(単文,重文,埋込み文)があり,使用する文の種類,使用頻度を記述する.文の長さ評価として,平均文節数や,**平均発話長(MLU)**[23]あるいは最大文長がある.臨床的なMLUの分析法は,発話サンプルを形態素に分析し,全形態素数を発話サンプル数で除した数値を算出する.

表7-15 定型発達児の表出語彙数発達についての研究資料の比較

発表者	年齢（歳）				
	1〜2	2〜3	3〜4	4〜5	5〜6
大久保　愛	360	1,029	1,544	2,160	3,182
久保良英	295	886	1,675	2,050	2,289

〔大久保愛：幼児の言語発達．東京堂出版，1987および久保良英：幼児の言語発達．創元社，1928をもとに筆者作成〕

表7-16 語用的側面

1.	コミュニケーションの機能	叙述，あいさつ，質問，返答，情報提供
2.	談話の機能	語りの首尾一貫性，交替や共通話題の維持，内容や言い方調整
3.	会話様式やことば使い	社会的文脈や文化社会的役割期待による言語使用
4.	メタ言語的認識	会話時の発話や言葉を客観視した調整

最大文長の臨床的手法としては，家族に対象児が長く話した3文を記載させ，形態素分析値の平均値を算出して，定型発達児の年齢発達標準値(75%通過)と比較する方法がある[20]．例えば，24か月齢を過ぎると男児(1.91)は女児(2.61)よりMLUが長い．

統語論的分析に必要な最小の発話サンプルは50〜100発話[24]であり，4〜5形態素まではかなり正確な文法の発達の指標になるとされている．

2) 意味論

意味論では，語，句，文，談話などの言語単位における意味の構造と，結びつきの規則について分析する．項構造，主題関係，談話分析などの意味分析もある．

幼児期初期では，語の意味を拡大して用いたり(過大拡張)，狭く用いたり(過小拡張)などの分析がある．語獲得期以降では，語彙獲得の意味的側面から発達的検討を行う．分析法は，発話サンプルについて，単語の意味カテゴリーを分類して発達的変化について評価する．名詞(人，動物，衣類，食物など)，動詞(行為，場所，経験，知覚など)，修飾語(形，大きさ，色，場所，時間など)などである．聴覚障害児では動詞が乏しく，主語＋述語の連鎖が進まず，また，修飾語が乏しく詳しい状況描写が進まないことなどを分析できる．

異なり語率(type-token ratio：TTR)[25]による分析法は，サンプル中の使用された語彙の多様性について検討し語彙数の指標とする．異なる単語数(type)を総単語数(token)で除して比率を算出する．TTRの基準については，3〜5歳児の50語発話について0.45〜0.5と報告されている[25]が，サンプル数や採取した発話場面の影響について指摘がある．成人語使用ではPCソフト(KHコーダー)[26]で計量化が容易になった．

文レベルの意味分析法では，文内意味関係(付加，時間，原因，逆接など)，文間の意味関係(代名詞や指示語と指示対象の前後関係)の使用と誤りについて分析する．分析資料としては，観察法では日常生活や観察場面での発話サンプルを用い(表7-15)[27,28]，質問紙法では定型発達児の語彙リストや教育語彙リスト，マッカーサー言語発達質問紙があげられる．標準化検査では，PVT-R絵画語い発達検査，ITPA言語学習能力診断検査(語の類推)，K-ABC検査などがあり，誤答と正答について意味論的分析を行うことができる．また，幼児期後期から学童期には，会話時の語の理解に，他者の心的状況(心の理論)や社会文脈的な意味(表示規則)が求められるようになり，長期的に語の意味形成への注目が必要といえる．

3) 語用論

語用論(表7-16)では，社会的文脈やコミュニケーション場面における言語の使用と機能に関して分析し，話し手や聞き手の状況や言語使用・理解に関する規則として検討する．発話を音声活動のみでなく他者関係に影響する**発話行為**(speech act)ととらえる[29]．

乳幼児期には交流場面で，意思を伝えるために要求，依頼，行動調整，交話，伝達，叙述，応答，確認，メタ言語学習などの会話機能[30, 31]を使っているかについて，発話行為を評価する．

学童期以降には，他者の意図や状況文脈や文化的背景などの会話機能について評価を行う．5～8歳の発話の語用的側面として，発達相手や状況や文脈により使用法を変えたり意味を変化させたり，コミュニケーション，談話，会話様式などさまざまな場面で観察される．語用論的評価は，コミュニケーション行動の観察や，家族への質問紙調査でエピソードを集めて，分析評価を行うこともできる．

4）談話分析

談話（ディスコース，discourse）とは，コミュニケーションでの文脈のある言語産生を指し，文より大きな単位の言語行動の機能・構造・運用について評価し，発話内容のまとまりと実際の使われ方を明らかにするものである．談話の発話サンプルを収録し，逐語録を作成して，談話分析をする．幼児では，特に2歳後半〜3歳ごろからみられるナラティブ（語り）が言語発達後期の指標として注目されている．ナラティブは時間的に系列化して経験を語り，順序付けたり整えて意味を組織化する言語活動といえる．

いくつかの出来事を1つのストーリーの中において関連付け，意味付けながら，全体をより細かに物語として結束して構成する．幼児期の生活場面での経験（**パーソナルナラティブ**）をもとに，学童期には仮想の出来事など（**フィクショナルナラティブ**）でまとまりをもった話しことば，または書きことばに発展していく．

幼児のナラティブ事例では，幼稚園から帰ってきた児が，「たかちゃんと あそんだよ．たかちゃん かなしかったんだって，ひとりぼっちになって．ぼく あそんであげたんだよ．なかよしだから」など，自分や他者の気持ちを交えて話すようになる．

表7-17 ハイポイント法による分析

マクロ分析	ミクロ分析
1. 非ナラティブ型	1. テーマとの関連性
2. 単一事象型	2. 事象の時系列性
3. 二事象型（3〜4歳）	3. 物語理解に向けた明示性
4. 寄せ集め型	4. 人・機能等相互の明確な区別
5. 飛躍型（4歳）	5. 連続的結束性（語・段落の連接）
6. 時系列型（5歳）	
7. 結末未完型	6. 流暢さ（語彙・句の連続性）
8. ナラティブ結合（6歳）	

幼児期後期は，談話レベルの言語運用が飛躍的な発達を遂げ，豊かで精緻な会話や叙述機能の使用をみることができる段階といえる．一方で言語遅滞によって談話段階の充実をみないまま学童期に至ると，作文の構成につまずきを示すなど，幼児期後期から学童期の評価視点としても重要といえる．

評価法としては，ハイポイント法[32]や物語文法[33]などが提唱されている．ハイポイント法は感情的高揚やイベントに向けて整理された評価法でマクロ分析とミクロ分析の視点で検討する．米国幼児での発話評価の内容を表7-17に示した．物語文法は，問題解決に向けたエピソードの構成に注目する．

5 観察法による発話サンプルの収集

a 概要

言語指導室や家庭など自然な場面に近い状況で，対象児の言語行動や，児と母親の相互交渉における言語行動について観察する．採取した幼児の発話（表出言語）の逐語サンプルについて分析的評価を行い，量的・質的観点での言語行動の発達段階とその障害について記述する．また，定型発達児の発達系列と年齢段階とを見比べて，対象児の暦年齢との発達的乖離について検討する．

表 7-18 発話行動の観察項目

1. 語彙	語彙の種類と使用数，文末形態素
2. 構文	平均発話数，平均発話長（MLU），使用構文の種類と数，意味的整合性
3. 談話	叙述内容と内容の構成，語彙
4. 語用	感情表出，行動調整，交話，意味伝達，叙述・発見，メタ言語学習，ほか
5. コミュニケーションレベル	成立したコミュニケーション，使用した疑問詞

表 7-19 組織的観察手法

1. 連続記録法	観察時間中に時間に沿って映像記録を残す．
2. 事象記録法	特定の標的行動について，生起頻度と生起率／時間を求める．観察中に複数回生起する行動記録に適している（例：模倣行動）．
3. 時間記録法	特定の行動の継続時間を測定し，累積時間や持続時間／回数を分析する（例：乳児の発声持続）．
4. 時間サンプリング法	時間を区切り，標的行動数を時系列的で検討する（例：15分標的行動数／分）．終始が明確でない観察に適する（例：幼児会話）．
5. 事象サンプリング法	行動の連鎖や相互性など連続データから特定場面だけを取り出して分析する手法（例：子どもの独り言）．開始と終了を必要とする．
6. 評定法	標的行動について多肢評定尺度で評価する（例：母子相互交渉での「指示─受容」行動）．評定者はあらかじめ練習し，評価基準の共有が必要になる．

b 観察場面・方法

　観察場面としては，幼児では動物や人形の玩具を用いて，おままごとのようなごっこ遊びの設定が望ましい．学齢期以降では会話の話題として，趣味，友だち遊び，家族や学校の出来事などがあげられる．分析対象には，50〜100の異なる発話サンプル数を必要とする[24]．観察法として，通常30分程度の観察時間の10〜15分を子どもと養育者，残りを子どもと臨床家の会話などを観察する設定などが採用されている[34]．マイク位置や撮影画面など，音声と映像記録をチェックして，サンプル資料を残す必要がある．幼児では撮影場面に慣れる時間をとることも重要である．発話行動の主な観察項目を表 7-18 に示した．

c 観察法・記録法の種類

　日常生活で行う日誌や逸話的記録を主な資料とする偶発的な観察（日常的観察）と，観察する標的行動を絞り組織的に観察して結果の再現性や実証性を高める観察（組織的観察）がある（表 7-19）．前者は，療育領域で用いられ，療育場面エピソードなどの文脈も合わせてとらえられる利点がある．後者は観察者の期待や枠組みなどを反映し，研修会などでは映像とともに共有される．

d 観察法の信頼性

　観察者内信頼性（観察者の記録・評定の再現性）と，**観察者間信頼性**（評定者間の評定の一致）があ

る．統計手法として観察頻度や継続時間，評定などについて相関係数や一致率，カッパ係数を求める〔例：事象記録法の一致する評定では，第1観察者の観察5回，第2観察者が6回であれば，一致率式では(5/6)×100＝83.3％で良好といえる〕．

6 言語心理検査を用いた言語発達評価

　語彙検査では，PVT-R 絵画語い発達検査（対象：3〜12歳）や，ITPA 言語学習能力診断検査（Illinois test of psycholinguistic abilities．対象：3〜9歳）の下位項目，日本語マッカーサー乳幼児言語発達質問紙〔語と身振り（対象：8〜18か月）・語と文法（対象：18〜36か月）〕，ことばのテストえほん（幼児〜小学低学年），標準抽象語理解力検査（SCTAW）（幼児後〜成人）などがある．

　構文検査では ITPA 言語学習能力診断検査，STC 失語症構文検査小児版（理解：幼児〜小学低学年），日本語構文検査（幼児〜小学低学年）[35]，

表 7-20 STC 失語症構文検査小児版

レベル	構文水準	理解検査構文	発達基準
I	語の意味	意味共起制限によって非可逆単文の語理解	2歳
II	語順	可逆文の語順（動作主格＋対象格；叩く，押す）	3～4歳
III	助詞（補文なし）	可逆文の助詞による理解	5歳
IV	助詞（補文あり）	可逆文の補文を含む動詞による理解	6歳
V	関係節文	可逆文の関係節文の理解	7歳

J.COSS 日本語理解テスト（3歳～成人）などが用いられている．全般的領域検査として，国リハ式＜S-S法＞言語発達遅滞検査（1～6歳），LCスケール（0～6歳），LCSA（学齢版），学齢期には Reading Test 教研式 読書力診断検査：小学生・中学生）の下位項目（読字・語い・文法・短文読解）などが代表的とされている．

PVT-R絵画語い発達検査では検査者が検査語を音声提示し，被検児には絵図版について四肢択一にて回答を求める．結果から語彙年齢と同年齢児の分布における偏差を求める．検査語彙は，名詞，動詞，形容動詞で構成され，名詞は具象名詞と抽象名詞があり，回答語の品詞分析や意味分析により，語彙学習傾向について考察することも可能である．

また，認知検査のうちWISC-IV知能検査は，全検査（FSIQ）のほか，言語理解指標（VCI），知覚推理（PRI），ワーキングメモリ（WMI）など4指標の因子で構成する．言語理解指標（VCI）は，下位検査として「類似」「単語」「理解」（補助検査：「知識」「語の推理」）とし，言語概念形成，言語推理，知識を測定する．

STC失語症構文検査小児版は，構文の複雑さについての階層性に着目し構文水準の把握と変化を評価ができ，指導課題を導くことができる（表7-20）．短い検査時間では聴覚理解や文字理解のモードによる評価が容易である．絵図版・検査文の語彙とも小児に適用でき，定型発達児の発達基準の目安が示されている．評価対象とする年齢幅が広く，練習図版が用意され，指導により文法意識の形成は回答を容易にする．同様のモデルによる小児構文力評価がある[36]．

D 発声発語評価

1 評価

a 概要

定型発達幼児では，コミュニケーション場面で音声を聴取して，自然に母語の特徴が産生できるようになるが，聴覚障害児では，母親や自身の音声の聞き取りに制約があるために自然な音声産生が難しく，不十分な情報により母語の特徴の獲得が困難になる．

乳児期の音声については，生後2か月ごろの機嫌のよいときに泣き声のほか，生理的な喃語（初期喃語）の産生がみられる．生後6～7か月には，母語で多用される音声（例：[dada]など）を聴取して，繰り返す**規準性喃語（canonical babbling）**がみられ，徐々に母語の**原音節的（proto-syllable）**な音声発達が観察される．1歳ごろに特定の意味と結びつけて音声を使い始め，4歳くらいまでに母語における構音をおおむね産生するようになる．

そこで，聴覚障害児で重度難聴があれば規準性喃語の獲得時期から音声産生頻度の低下が生じ，発声発語については難聴診断や聴覚活用程度の指

表7-21　単音節明瞭素・単語明瞭度の評価分析

- 発語明瞭度（全体明瞭度，子音明瞭度，母音明瞭度）・単語明瞭度
- 誤答分析（置換，省略，歪み）
- 誤答傾向（声門破裂音，鼻咽腔構音，口蓋化構音，側音化構音など）
- 誤りの一貫性（一貫性，先行・後続の母音・子音の同化による誤りなど）
- 被刺激性（正しい音を例示したときの修正ができるか）

表7-22　臨床的な発声発語の明瞭性尺度（SIR）

カテゴリー	発声発語の明瞭性
5	誰が聞いても連続する発話は明瞭である．日常的文脈で容易に理解される．
4	聴覚障害者の発話に多少の経験がある人には，連続する発話は明瞭である．
3	聞き取りに集中して，読話を併用し文脈を知っていれば，連続する発話は明瞭である．
2	連続する発話は不明瞭であるが，読話を併用すれば単語レベルで理解できる．
1	発話の語は認識できず，コミュニケーションには手指法を使う．

〔Allen MC, et al：Speech intelligibility in children after cochlear implantation. Am Otol 19：742-746, 1998 より〕

標としても評価されている．難聴程度により障害状況は重度化する傾向を示す．一方で，早期診断と療育，聴覚補償などの聴覚活用や，発語指導によって良好な発達が報告されている．重度聴覚障害児の人工内耳適応では発声発語に画期的な改善がみられた．そこで聴覚障害児では，発声発語評価に基づいた長期的で系統的な指導が重要と考えられている．

一方で，母語を手話言語とし，音声を使用しない場合に本評価は適用されない．発声発語の評価・指導を希望しない家族もあり，あらかじめ意向を聴取する必要がある．

b 評価と分析方法

発声発語評価では，対象児の音韻（構音），韻律，音声について評価し，指導の適用を検討し，指導計画の立案や予後予測を行う．さらに，経時的に評価を行い，指導の効果や補聴機器の変更，さらに教育環境の変更等が発声発語能力に及ぼす影響について資料を得る．

音韻は母音や子音の分節的単位であり，韻律は複数の音素にまたがる超分節的特徴があり，アクセント，イントネーション，ストレス，リズム，テンポなどがある．音声は，声質，声の高さ・強さ・速さ，話し方，共鳴について評価を行う．

検査には，検査用図版，録音機器（ICレコーダ・DATなど）とマイク，記録用紙を用意する．録音記録は複数の検者で評価したり，経過を追って変化を観察する際に有用といえる．

1）発語明瞭度検査

発語明瞭度検査では，単音節，単語，会話について明瞭性を評価する．

（1）単音節明瞭度検査（構音検査）・単語明瞭度検査（表7-21）

検査者は対象児と対面で検査素材を提示し，発話サンプルについて国際音声字母記（IPA）を用いて記録する．単語では絵図版，単音節や文章では文字を提示して呼称を求める．自発的な産生を求め（自発法），呼称ができない場合や文字が読めない場合には，正答を例示し模倣を促す（復唱法）．

なお，幼児で検査語による評価が難しい場合には，遊戯場面で発話資料を採取し，単音節の発話頻度の評価を行うこともある．音節の正誤を判定し，誤答傾向を分析し，指導計画資料とする．

（2）発話明瞭度検査（speech intelligibility rating scale：SIR）（表7-22）[37]

対象児の自発的な発話や音読による音声サンプルを採取し，5段階の評定尺度（1〜5点）で評価する．2名以上の検査者の評価結果について一致率を算出し，信頼性を確認する．

2）発話特徴評価（聴覚印象評価）

対象児の文章または連続的な発話や，母音発声

持続サンプルについて，発話特徴に関する聴覚印象について評価する．項目ごとに分析評価してプロフィールを描く[38]．①声質，②発話のプロソディ〔声の大きさ，高さ（ピッチ），速度，抑揚・持続〕，③共鳴・構音についてであり，障害は「認められない」「やや認められる」「認められる」の3肢択一の評定尺度で評価し，評価による具体的な音声特徴を記載する．評価のまとめとして，障害の総合評価および会話明瞭度の包括的評価を行う．重度聴覚障害児で聴覚活用が乏しい場合に，プロソディに障害が生じ，速度の低下，抑揚の平坦化，ピッチの低下などについて報告がある[39]．

3) 音響分析評価

音声の性質を音響学的に分析し，定量的に記述・評価する．サウンドスペクトログラムなどの音響分析を用いて，発話の時系列に沿って周波数分析を行い，可視化された形状から，子音・母音の音響特性やフォルマント構造について音響的特徴を解析する．

また，平均発話音圧レベルや平均基本周波数と変動・レンジなど，各種音響パラメータについて定量的に解析する．ピッチ測定器では，基本周波数を分析し，単語のアクセントや文章の抑揚など声の高さの変化について音響的に評価する．近年ではPCの音響分析ソフトが開発され，フリーソフト（Praat：Paul Boersma，他）も利用しやすい状況にある．

c 評価素材

評価分析は，単音節，単語，文章，談話の言語学的各水準を用い，結果を相互に比較して発話文脈の影響や既習音の汎用状況について検討する（表7-23）[18]．

d 評価結果の信頼性の検討

聴取評価では，検査者間一致率や検査者内再現性を算出して評価結果の信頼性について検討する．高度聴覚障害児の構音評価では母音歪の判断が難しく，検査者間一致率を高めるには評価基準の作成が必要である．また，対面評価では，検査者に正答の情報があるためよく評価する傾向があり，サンプルの録音再生により評価を確認する必要がある．音響分析評価では一定の安定したサンプル数を用いて，評価基準を統計的に検討して信頼性を確認する．また，聴取評価と音響分析評価と両側面で実施して分析結果の妥当性を検討する．

表7-23 発声発語評価の評価素材・実施方法

言語水準	評価素材・実施方法
1. 単音節	日本語音101単音節リストを無作為に配列した文字カードの呼称，または復唱．
2. 単語	構音検査法（日本音声言語医学会編）の50語の絵図版の命名，または復唱．日本語母音・子音を語頭・語中・語尾に含む所定の単語を用いる．アクセント位置（頭高型，低高型，平板型）を対比させ変数とした単語絵図版．単語の命名，または復唱．
3. 文章	「小さなさかな」（日本音声言語医学会編），「ジャックと豆の木」「北風と太陽」などの文章の朗読，または復唱．
4. 談話	自由会話や上記の朗読文の続きの作話を促し，連続発話サンプルを採取する．子どもの興味ある日常的な話題などで発話を促す．
5. 母音持続	五母音について2～3回，発声持続を録音する．

〔廣田栄子：小児聴覚障害．喜多村健（編）：言語聴覚士のための聴覚障害学．pp102-146，医歯薬出版，2002を基に作成〕

E 認知発達検査

a 概要

幼児期の言語学習は，視覚的な構成力や記憶・保持・再生など認知発達の影響を受けることが多く，言語発達評価では，併せて認知発達や全般的

発達についての評価も必要とする．また，言語の入力モード（聴覚・視覚）や処理形式（同時・継時），作動記憶など学習の特徴について分析する視点が必要である．また，知的発達障害児との鑑別や，知的発達障害を重複する難聴児の言語指導や教材の検討に評価結果を反映できる．

個別式知能検査ではウェクスラー式とビネー式の知能検査が代表的で，前者ではWISC-Ⅳ知能検査，WPPSIがあり，後者では田中ビネー知能検査Ⅴがある．知能検査は，同年齢児集団の正規分布を想定し偏差IQを用いて，各年齢児群で平均100，標準偏差15に処理されているので，同年齢児母集団における相対的な位置がわかり，ほかの年齢児集団との比較ができる．

幼児の全般的発達評価には，新版K式発達検査や遠城寺式・乳幼児分析的発達検査法がある．保護者や保育者などに対する質問紙評価法としては，津守・稲毛式乳幼児精神発達診断法，KIDS乳幼児発達スケールなどがある．

b 検査方法と評価

検査については，検査手引に記載されている教示方法に従って，専門的知識に基づいて実施する．認知検査は，定型発達児を対象に作成し標準化されており，音声言語での教示を基準としている．聴覚障害児に対して，音声で教示をした場合に被検児が十分に理解できずに，潜在的能力が評価できないこともあり慎重な検討が必要である．そこで，表7-24の対応を検討し，結果は参考資料とする．手引の教示法の変更点，さらに，検査時に対象児が集中に乏しいなどで検査を中断した場合には，記録用紙に明記する．

c 聴覚障害児における認知検査の使用と解釈

WISC-Ⅳ知能検査では，言語理解（VCI）と，知覚推理（PRI），ワーキングメモリ（WMI），処理速度（PSI）の4指標について知能の因子として構成している（表7-25）[40]．結果の検討では，全検査IQ（FSIQ）について合成得点を算出し，年齢分布

表7-24 聴覚障害児の検査実施

1. 検査の教示	口形を見せて，正確に聞き取れるように大きめにゆっくりとした口調で提示する．教示文を短い文に区切る．
2. 視覚的情報の併用	文字や手話・指文字などを併用する．
3. 被検児とのラポート	検査者は聴覚障害について十分な知識を有し，ラポートとコミュニケーションが成立する．疲労・緊張により被検児に不利な状況での実施を避ける．

表7-25 WISC-Ⅳ知能検査の構成

指標	下位検査
言語理解（VCI）	類似・単語・理解・〔知識・語の推理〕
知覚推理（PRI）	積木模様・絵の概念・行列推理・〔絵の完成〕
ワーキングメモリ（WMI）	数唱・語音整列・〔算数〕
処理速度（PSI）	符号・記号探し・〔絵の抹消〕

〔　〕：補助検査
〔上野一彦：日本版WISC-Ⅳ テクニカルレポート #1．日本文化科学社，2011 より〕

でのパーセンタイル順位と信頼区間を参照し，合成得点の解釈を行う．次に，指標得点間の差から対象児のプロフィールを分析し，強い能力と弱い能力を検討する．

なお，聴覚障害児では言語理解（VCI）の結果は，必ずしも生来の言語領域能力を表しているわけではなく，発達途上での獲得や遅滞など達成度を示す結果であることに注意を要する．また，言語理解（VCI）と知覚推理（PRI）の合成得点を比べて**乖離（ディスクレパンシー，discrepancy）**を言語遅滞の状況ととらえることができる．PRIは視覚運動系の知能評価のため聴覚障害の影響が少なく潜在的な能力とし，VCIは言語下位項目の達成度を評価し，得点差が少ない場合には本来の能力相当に言語達成度を示したと解釈する．統計的に有意（5％，15％水準）な出現率で得点乖離がある児には言語指導の適用を検討する．得点差の分

布はFSIQにより異なるので手引き表を参照する．

　田中ビネー知能検査Vでは，語の理解（結晶性），積み木（流動性），単語の記憶（記憶），順番（論理推理）などがあり，知能は能力の統合体という考えから一括して精神年齢と生活年齢の比によって知能指数（比率IQ）を算出し，14歳以上では精神年齢を算出せず，平均からの偏差値知能指数だけを求めるようになっている．聴覚障害児では，言語遅滞が全体得点を低下させるなど解釈には注意を要する．

　遠城寺式・乳幼児分析的発達検査法などの全般的発達評価では，聴覚障害児の発達評価のプロフィールを検討する．社会性領域・生活運動領域と比べ，言語領域で低下を示す場合には，コミュニケーション障害により言語獲得に遅滞を呈し，他領域は生活年齢相当の発達水準を示すと解釈し，言語指導の適用を検討する．

　KIDS乳幼児発達スケールでは，運動・探索・社会性・身辺自立・言語などの下位領域で構成され，総合点による発達年齢相当水準と下位項目の発達プロフィールについて評価する．

F 情緒・社会・精神衛生の評価

　幼児期より長期にわたり言語コミュニケーション障害が生じると，情緒・社会性や行動領域に二次的な発達課題が生じることも少なくない．このような行動変容が生じているかの検討を行い，指導計画の立案に反映させることが必要である．また，対象児が聴覚障害に加えて，重篤な行為障害（DSM-IV基準）や，自閉性症候群の行動傾向（PARS参照）を併せもつこともある．家族に対しての問診や行動観察によって，対人行動の異常，常同的行動，固執傾向，注意欠如・多動症，奇声などについて評価を行う．知的障害や行動障害については小児神経科専門医の受診を勧め，必要に応じて専門的支援を得る．

　聞こえる人々の社会では，聴覚障害児は「聞こえない」「通じない」など聞こえとコミュニケーションの不全感と不安感が永続し，ストレスを感じる例が少なくない．思春期には青年期に向けた自己確立を揺るがし，障害認識や対人交流のストレスから心身の不調などを訴えることもある．他者による否定的対応（スティグマ），他者への依存，人間関係，孤独感や疎外感，自己有効感の低下などの訴えもあり，人工内耳装用児，軽度難聴児や片耳難聴児についても軽視できない状況と考える．学童期では心理社会的側面（表7-26）[41]についての合理的配慮を必要とし，同障児童や聾／聴覚障害青年や手話との出会いなどの機会を用意しながら精神衛生面の支援が欠かせない．

　評価は対象児との面接が基本であるが，各種心理検査を参照して，児の情緒・社会的側面について評価を行い必要な対応を行う．幼児期・児童期の社会的成熟・スキル形成（SM式社会成熟度評価質問紙）や養育環境としての親子関係（親子関係検査），家庭環境（乳幼児の家庭環境評価）などについて評価し，ハビリテーション過程で必要な環境調整を行い，背景因子の整備について家族の協力を依頼する．

G 書記言語力評価

　聴覚障害児では，幼児期初期より音声言語や手話言語に仮名文字を併用して，音韻意識を形成することが重要である．手話言語では指文字の早期導入が音韻意識形成に有用といえる．仮名文字は，単語から文，談話のレベルの読み書きに発展させ，書記言語へ移行する指導が重要である．また，聴覚障害が幼児期から青年期に継続することは，母語の獲得のほか，社会的知識・世界知識など言語情報入力に制限が生じることも少なくない．したがって，絵本や書籍からの情報入手が欠

表 7-26　聴覚障害児の聴力程度と心理社会的影響

難聴の程度[*1]	聞こえとことばへの影響	心理・社会的影響
正常と難聴の境界 (16〜25 dBHL)	小声による会話や離れた場所での会話を聞き取ることが困難となる．聴力15 dBでも教師が離れていたり，主に音声で指導する小学校で教室が騒がしい場合に，会話の10％程度を聞き落とす．	理解の手がかりになることばが不明瞭であると，場に相応しくないことをすると誤解される．友人との速い会話が理解できず，社会適応と自己理解に影響を及ぼすことがある．聞き取る努力が必要なので，級友より疲れを感じることがある．
軽度難聴 (26〜40 dBHL)	聴力30 dBでは，教室の騒音レベル，教師との距離，聴力型により25〜40％の会話を聞き落とす．35〜40 dBでは学級討論で50％程度聞こえず，小声で話者が見えないとわからない．高周波数の閾値低下では子音を誤る．	「自分に都合のよいことしか聞かない」「ぼんやりほかのことを考えている」「注意が散漫だ」などといわれて，自信を失うことがある．選択的な聴取力が低下し，環境音の影響が大きく学習環境はストレスが多い．聞き取りに努力が必要で疲れを感じる．
中等度難聴 (41〜55 dBHL)	既知の文と語彙であれば，1〜1.5 mの対面の会話を理解できる．補聴器なしでは40 dBで50〜70％，50 dBで80〜100％程度会話を聞き落とす．言語発達の遅れ（構文・語彙など）と構音や音質の歪が生じやすい．	コミュニケーションに著しい影響を認め，正常聴力児との交友関係に難しさを覚える．常時補聴器をつけている様子や聞き返しなどから，不当に能力の低い子どもとみられてしまうなど，自尊心が傷つけられる場面が出てくる．
準重度難聴 (56〜70 dBHL)	補聴器なしで理解させるには大声が必要になる．55 dB以上では会話の内容を100％聞き逃すことがある．対面やグループ会話で，音声による意思伝達は困難さを増す．言語発達の遅れや，発音不明瞭，プロソディの障害を認めるものもある．	学校生活で情報が不足することが多いと，仲間や教師に学習能力の低い子どもとみなされてしまうストレスを感じる．また，自己認識の甘さや，社会性の未熟さが指摘されるような場面に遭遇して疎外感を覚える．
重度難聴 (71〜90 dBHL)	裸耳では耳から30 cmくらいの大声，補聴器では周囲の音や会話音を聞き取れる．言語習得前児で難聴を放置すると，音声言語と構音の自然発達はなく遅れは著しい．後天的難聴では一部の構音が歪むこともある．	聴取情報や会話理解の不全感や，発話を聞き返されることなどでストレスが増す．友だちに難聴児を選び聴児との交流が少なくなることがあるが，難聴仲間によって自己認識や聞こえない者としてのアイデンティティを培うことになる．
最重度難聴 (91 dBHL以上)	適合した補聴器を装用すれば，音声の韻律情報や母音を聞き取れる．子音の聴取には個人差が大きく，コミュニケーションには聴覚より視覚情報利用が優位な例が多い．放置すると，音声言語は発達せず，中途難聴では急速に音声が劣化することもある．	学校生活や対人交流・会話でのストレスは高く，聴児の中では疎外感や孤独感を強く感じ，自己有効感が低下することもある．年長児では聴覚口話能力や同障児との交流，両親の態度などにより，手話や聾文化に親しんだり，逆に嫌うことがある．
片側難聴[*2]	小声の会話や離れた場所での会話聴取が難しく，音源方向が判断できない．周囲の騒音や反響で会話理解が一層困難になる．特にグループ討論で難聴耳側から，小声の会話を聴取し，理解することに困難が生じる．	雑音の有無により，言語理解に差が生じるので，「聞きたいことだけを聞いている」など，とがめられたり，注意が散漫でイライラしているようにみられることもある．聞き取りに努力が必要で級友より授業で疲れを感じる．

[*1]　難聴程度；500〜4,000 Hzの平均閾値
[*2]　対側は聴力正常，難聴側耳は恒常的に軽度難聴を呈する

〔Anderson KL, Matkin ND, et al：Relationship of degree of long term hearing loss to psychosocial impact and educational needs. In：Alpiner JG, et al：Rehabilitative Audiology：Children and Adult, 3rd ed, Lippincot Williams & Wilkins, 2000 より改変〕

かせないため，読書行動[42]と図書嗜好性について積極的な形成支援が望まれる．学童期以降に基礎的日本語の遅滞がある場合にも，言語学的知識について継続して学習を進めることが必要になる．

書記言語力評価は，発達の各時期に達成度評価を行い，指導計画の立案と指導法の修正を行うことを目的とする（表7-27）．幼児には読書レディネステスト，学童期にはReading-Test 教研式読書力診断検査（小学校低学年・中学年・高学年，中学校）などを用い，総合評価（読書力水準や相当

表 7-27 書記言語力評価（読解）

	評価	下位項目
幼児期	年齢段階・評価段階	音韻分解，文字，単語，短文理解
学童期	読書学年・偏差値	読字，語彙理解，文法，短文読解・鑑賞

図 7-6　共通する絵図版課題
〔国立国語研究所（編）：小学生の言語能力の発達．国立国語研究所報告 26．p425，明治図書出版，1965 より改変〕

学年）と下位領域の学習プロフィールを得て，文字・単語・短文理解について分析的な検討を行う．学童期では，低学年・中学年・高学年に分かれている．学年対応の国語科学力達成度評価などが使用できる．

書記言語力産生面については，共通する絵図版課題を提示して作文[43]を求めたり（図 7-6），題目を指定した作文課題があり，語彙や論述展開などについて評価基準を設定する．興味のある自由なテーマによる作文では，個性豊かなサンプルを得ることができる．分析は，形式・意味・使用の視点で行うが，物語構造，表現，談話分析などマクロな分析視点を加えられる．

なお，聴覚障害児の読書力検査については，歴史的にも多数の研究報告がある．そこでは，聴覚障害による聴取能の影響を排除した言語評価手法として用いられ，母語獲得の達成度評価として解釈されていることも多い．高等部卒業時に小学校 3～4 年段階の読書力の獲得にとどまるという「9 歳の峠」説については，近年の調査や欧米の研究[44]でも報告されており，いまだ解決すべき指導課題といえる．

H　まとめと展望

本項では，聴覚障害小児の聴覚・言語・コミュニケーション・発声発語・認知発達・情緒社会・書記言語の領域における評価と，リハビリテーション計画立案・指導に向けて，主要な臨床手法と考え方について概説した．各側面の評価資料によって臨床の根拠を示し，指導による改善効果と課題について検討する資料としても重要といえる．

近年では，早期診断と補聴・早期療育が開始されるようになり，聴覚障害児の高等教育進学率が増加し，多様な業種への就労による社会貢献について報告されている．一方で，聴覚障害児個々の

到達度には個人差が大きく，評価に基づいた個のニーズに応じた指導計画の一層の精選が必要といえる．

また，各種評価結果は関係施設連携の情報提供に用いられる．連携先の医療・教育・保育の関係者と共有できるよう具体的な発達状況の記載が必要である．その際に聴覚言語機能面についての断片的な評価結果に終始せず，児の聞こえやコミュニケーション障害の理解と，言語発達や心理社会面の発達支援に向けて，障害を克服する子どもを育てる柔らかな視点の配慮が重要といえる．さらに，情報提供書は高度な個人情報であり，施設内での管理と管理者の許可など取り扱い方法の遵守はもとより，家族に記載内容の説明と同意に留意を要する．

聴覚障害児のハビリテーションモデルは，ICF（国際生活機能分類）の観点に立ち，対象児の生活機能としての参加や活動の制約の解消と支援の観点で構成されることが推奨されている[45]．乳児から各時期の発達課題について生涯発達の観点で連続的にとらえ，対象児の自己実現やQOL（生活の質）の充実に向けた評価・支援と位置付ける視点が必要と考えられる．

引用文献

1) McCormick B(ed)：Paediatric Audiology：0-5 Years. Wiley-Blackwell, 1993
2) Brown AS：Intervention, education therapy for children who are deaf on hard of hearing. In Katz J, et al (eds)：Handbook of Clinical Audiology, 6th ed. pp934-953, Lippincott Williams & Wilkins, 2009
3) 日本聴覚医学会聴力検査法委員会：語音聴覚検査法．Audiology Japan 46：622-637, 2003
4) 日本聴覚医学会福祉医療委員会：補聴器適合の検査．Audiology Japan 51：661-679, 2008
5) 日本聴覚医学会用語委員会：日本聴覚医学会用語（2003.10.16改訂）．Audiology Japan 46：638-673, 2003
6) Diefendorf AO：Assessment of hearing loss in children. In Katz J, et al (eds)：Handbook of Clinical Audiology, 6th ed. pp545-562, 2009
7) Jager J, et al：The cross-check principle in pediatric audiology. Arch Otolaryngol 102：614-620, 1976
8) American National Standards Institute：Specification for audiometers. ANSI S3.6, 2004
9) Northern JL：Hearing in Children, 4th ed. Lippincott Williams & Wilkins, 1991
10) Nozza RJ, et al：Masked and unmasked pure tone threshold of infants and adults：development of auditory frequency selectivity and sensitivity. J Speech Hear Res 27：613-622, 1984
11) Diefendorf AO：Behavioral evaluation of hearing-impaired children. In Bess FH(ed)：Children with Hearing Loss：Contemporary Trend. pp71-81, Bill Wilkerson Center Press, 1988
12) Schlauch RS, et al：Pure tone evaluation. In Katz J, Medwetsky L, Burkard R(eds)：Handbook of Clinical Audiology, 6th ed. p34, Lippincott Williams & Wilkins, 2009
13) Warren-Leubecker A, et al：Pragmatics：Language in Social Contexts. In Gleason JB(ed)：The Development of Language. C.E. Merrill Pub, 1985
14) 鬼越美帆，廣田栄子，他：聴覚障害児における臨床的会話能力評価法の検討．日本音声言語医学会 45：72, 2004
15) Ross EM, et al：Chasing the Mythical Ten Percent：Parental Hearing Status of Deaf and Hard of Hearing Students in the United States. Sign Language Studies（4）：138-163, 2004
16) 内山勉，他：平均聴力90dB以上の難聴児の聴覚活用による早期療育効果．Audiology Japan 63：140-148, 2020
17) 廣田栄子：聴覚障害児における早期からの聴覚口話法による言語指導の実際とその成果．音声言語医学 34：264-272, 1993
18) 廣田栄子：小児聴覚障害．喜多村健（編）：言語聴覚士のための聴覚障害学．pp102-146, 医歯薬出版, 2002
19) Brown RW：A First Language：The Early Stages. Harvard University Press, 1973
20) 綿巻徹，小椋たみ子，他：日本語マッカーサー乳幼児言語発達質問紙「語と文法」手引き．pp67, 71, 京都国際社会福祉センター, 1995
21) 奈良先端科学技術大学院大学情報科学研究科自然言語処理学講座（松本研究室）：ChaSen ─形態素解析器 http://chasen-legacy.sourceforge.jp/
22) 宮田Susanne（編）：今日から使える発話データベース CHILDES入門．ひつじ書房, 2004
23) Miller JF：Assessing Language Production in Children：Experimental Procedures. University Park Press, 1981
24) Bloom L, Lahey M(eds)：Language Development and Language Disorders. Wiley, 1978
25) Templin MC：Certain Language Skills in Children：Their Development and Interrelationships. The University of Minnesota Press, 1957
26) 樋口耕一：社会調査のための計量テキスト分析．第2版．ナカニシヤ出版, 2020
27) 大久保愛：幼児の言語発達．東京堂出版, 1987
28) 久保良英：幼児の言語発達．創元社, 1928
29) Austin J：How to Do Things with Works. Oxford University Press, 1962
30) 中村公枝，他：難聴児における初期言語の評価法の検

討—発話状況に基づく機能と形式の分析. 音声言語医学 37：147-148, 1996
31) Bate E：Language and Context：The Acquisition of Pragmatics. Academic Press, 1976
32) McCabe A, et al：What makes a good story？ J Psycholinguist Res 13：457-480, 1984
33) Black JB, et al：An evaluation of story grammars. Cogn Sci 3：213-230, 1979
34) Lund NJ：Assessing Children's Language in Naturalistic Contexts. Prentice Hall, 1988
35) 廣田栄子, 他：聴覚障害児における文容認性判断を用いた構文評価システムの検討. Audiology Japan 51：145-146, 2008
36) 天野清：幼児の文法能力. 東京書籍, 1977
37) Allen MC, et al：Speech intelligibility in children after cochlear implantation. Am Otol 19：742-746, 1998
38) 福迫陽子, 他：麻痺性(運動障害性)構音障害の話しことばの特徴—聴覚印象による評価. 音声言語医学 24：149-164, 1983
39) 廣田栄子, 他：聴覚障害児における発話のピッチ・速度, 音声強度の検討. 音声言語医学 26：199-208, 1985
40) 上野一彦：日本版 WISC-Ⅳ テクニカルレポート #1. 日本文化科学社, 2011
41) Anderson KL, et al：Relationship of degree of long term hearing loss to psychosocial impact and educational needs. In Alpiner JG, McCarthy PA(eds)：Rehabilitative Audiology：Children and Adult, 3rd ed, Lippincott Williams & Wilkins, 2000
42) 廣田栄子：聴覚障害児の読書行動と読書のメタ概念の形成に関する検討. Audiology Japan 52：551-552, 2009
43) 廣田栄子, 他：聴覚障害児における物語産生能力の評価法の検討. Audiology Japan 50：581-582, 2007
44) Traxler CB：The Stanford Achievement Test, 9th ed：National norming and performance standards for deaf and hard-of-hearing students. J Deaf Stud Deaf Educ 5：337-348, 2000
45) American Speech-Language-Hearing Association：Scope of Practice in Speech-Language Pathology. 2016
https://www.asha.org/policy/sp2016-00343/

事例

事例3　小児難聴　評価サマリー

【対象者】4歳1か月, 女児.
【主訴】談話レベルの発達段階と家庭での指導法を知りたい.
【診断名】両側性感音難聴(中等度), 難聴遺伝子変異未検出
【診断経過】産科病院にて新生児聴覚スクリーニング(AABR)両側 refer.
0：2　総合病院耳鼻咽喉科　ABR 両側 60 dBnHL, 難聴診断
0：5　小児専門病院耳鼻咽喉科 DPOAE 両側 refer, ASSR 50〜80 dBHL, COR 60〜70 dBHL
【生育歴】始語1：8「バイバイ」, 2語文1：11「○○ちゃん, 来た」, 3語文2：3「○○ちゃん, トイレできる」. 運動発達に問題はない.
【家族歴】父(会社員), 母(パート), 祖母(父方), 本人. 家族は協力的.
【療育歴】0：7 児童発達支援センター(旧難聴幼児通園施設)で補聴器装用し, 聴覚口話法による療

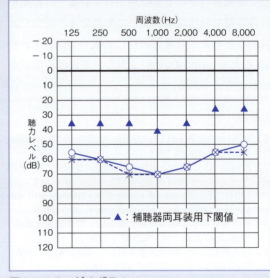

図7-7　オージオグラム

育を開始(週2回親子通園). 3：0 保育所との併用開始.
【補聴経過】0：7 片耳交互装用(3〜4時間/日), 0：9 常用, 1：4 両耳装用.

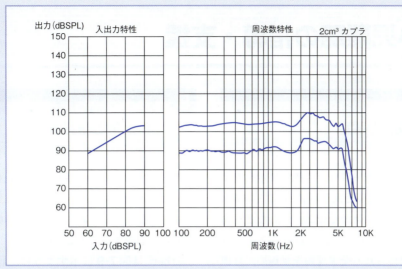

図7-8 補聴器の特性：60 dB，90 dB 入力

評価

(1) 聴覚評価
【裸耳（補聴耳）平均聴力レベル】右耳67.5（37.5）dBHL，左耳68.7（38.2）dBHL（図7-7）．
【最高語音明瞭度（67-S 語表）】裸耳両耳35％，補聴器装用95％．
【補聴器】規定選択法で利得設定し（ハーフゲイン法準拠）（図7-8），音場閾値測定を踏まえ段階的に調整．

(2) 言語・コミュニケーション評価
【語彙】PVT-R 絵画語い発達検査では語彙年齢は3歳10か月（評価点9：平均）に相当し，実年齢より低下した．
【統語】STC 失語症構文検査小児版では，語の意味に着目した構文理解段階にあり，可逆文理解（4歳前半相当）が困難であった．自発話には格助詞「が」，副助詞「も」，接続詞を認めるが，大半は助詞の入らない3語文であった．
【談話】過去体験について「○○した」と簡単に話し，具体的な出来事を順序立ててつなぐことに課題を示した．
【会話】日常生活に即した紋切型の受け答えには支障がない．オープン・クエスチョンへの反応に乏しく，疑問詞質問は「どこ」「誰」には答えるが，「いつ」「どうして」は困難であった．

(3) 基礎的能力
新版K式発達検査 DQ 認知適応99，言語社会109．仮名文字は清音を7割程度読める．

(4) 情緒発達
保育園に仲のよい子どもがおり，ままごとや追いかけっこをして楽しく遊ぶことができる．

評価のまとめ

日常の定型的な言葉のやりとりは可能であるが，自己体験を筋立てて語ることが困難であり，家族との豊かな会話や体験の共有に支障をきたしている．

指導の目標と指導内容

短期には，初期の談話構成の習得を目標とし，体験カードや絵日記を用い，非現前の質問への受け答えや出来事の統括的結合について指導を行う．長期的には，聞き手の興味関心や理解状況を意識した談話を構成できるように指導を行う．

3 小児難聴の指導・支援

A 指導・支援の観点

　本章1節のハビリテーションの概要に示したように，小児の指導・支援とは，言語・聴覚・コミュニケーションを中心に運動や認知，情動などを含めて発達全般を支援することである．ライフステージごとに求められる発達課題を見極め，目標を立て，具体的な指導内容を考えていくようにすることが必要である．

　言語習得における具体的な課題は本節のD項（➡284頁）以降に示しているが，すべての過程を通して，コミュニケーションの発達を促すという基本的な姿勢は重要となる．コミュニケーションの中で使われたことばは，基本的な意味を含むだけでなく，文脈の中の使用方法，そのことばを用いる話し手の意図など，付随するさまざまな学習が可能となる．このため，人とのコミュニケーションは学習の「場」と考えられる．その中で，かかわる**コミュニケーションパートナー**は，「足場をかける人」として重要な役割を担うといえる[1]．子どもとかかわるコミュニケーションパートナーは，子どもが学習し発達するうえで必要となることばや働きかけを行い，子どもの反応や行動を引き出す．子どもの発達を促すうえでは，反応の微妙な調整が重要である．このため，子どもの発達段階に応じてコミュニケーションパートナーが十分に自らの行動を調整し，かかわるうえでのスキルを身につけることが，言語・コミュニケーション指導において重要となるのである．

B 聴覚活用と聴覚学習

　難聴児において，残された聴取能を利用していくことを選択した場合，補聴機器を装用した聴覚活用が必要となる．聴覚活用は，能動的な聴くシステムを形成することを意味する．

　Erber[2]は図7-9に示すように，聴覚には**段階性**(auditory skill hierarchy)があることを示した．すなわち，音の有無がわかる**検出**(detection)，2つの音が同じであるか違うかがわかる**弁別**(discrimination)，その音が何かがわかる**識別**(identification)，質問に従うことができたり，質問に答えるなどことばの意味を理解する**理解**(comprehension)の4段階である．Pollackらもこの4段階に加えて複数の処理段階を検討している[3]．このような聴覚の段階性ごとに聴能訓練を行うのは，人工内耳装用後の中途失聴者に対する指導で用いられやすい．しかしながら，先天性の難聴児の指導においては，このような段階性で指導が行えるわけではない．

　日常生活では，検出，弁別，識別のどの段階であっても理解に到達するとされる．例えば，ガシャンという音が聞こえた（検出）と思ってみると，お皿が割れていたとわかる（理解）のであって，段階性を経た理解とはいいがたい．すなわち，聞こえてきた音に対して注意を研ぎ澄ませてその意味を見出していく過程があり，それは検出，弁別，識別のどの段階でも理解につながる．このように理解していく過程は聴覚学習であり，言語習得において重要といえる．子どもの言語習得を基盤として，生活に根差した状況の中で聴覚活用を考えていくことを言語ベースのアプローチとしている．

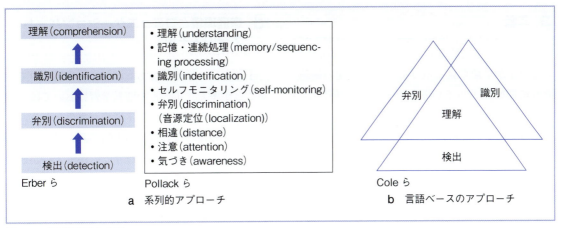

図 7-9 聴覚活用の方法
Erber らや Pollack らの系統的アプローチ(a)では，ボトムアップ処理が段階ごとに行われるようになっているが，言語ベースのアプローチ(b)では，いかなる段階も「理解」につながることを示している．
〔Mischook M（著），今井秀雄（訳）：聴覚学習と聴覚障害児幼児の指導．コール E，他（編），今井秀雄（監訳）：聴覚学習，pp107-129，コレール社，1990 より改変〕

1 難聴児における聴覚学習とその条件

難聴児にとっての聴覚情報は，不明瞭ではっきりしないものと考えられる．そして，補聴器や人工内耳によって補聴を行っただけでは，意味のある聴覚情報になるわけではない．難聴児にとっては，聴覚学習の過程があってこそ聴覚情報が有意味なものに変化し，言語習得に至ると考えられる．

曖昧な聴覚情報であったとしても，明確な状況，他者との楽しいコミュニケーション場面などを通して注意を向けることができる．子どもの中に興味や関心が沸き上がったときに，このような注意機能は出現し，その繰り返しによって注意の持続が場面と聴覚情報，ことばと聴覚情報を結び付ける．不明瞭な聴覚情報は場面にとけこみ，情景や情動をもとに有意味なものへと変化する．その際に聴覚情報はボトムアップからの不明瞭な情報処理だけでなく，これまで獲得してきた知識や意味をもとにトップダウンからの理解という処理が加わると考えられる．両者の相互作用により，聴覚情報が概念化され獲得していく過程を**聴覚学習**という（図7-10）．

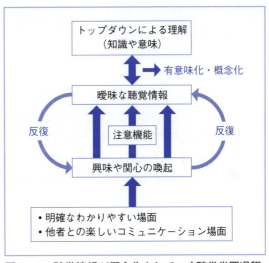

図 7-10 聴覚情報が概念化されていく聴覚学習過程

しかしながら，このような聴覚学習はすべての子どもで同様に獲得されていくとは限らない．難聴児が聴覚学習を行っていくうえで影響すると考えられるのは，年齢，聴力程度，補聴機器，基礎的能力（知能，認知力など），家庭環境やコミュニケーションパートナーのスキルなどである．

a 年齢

現在は，新生児聴覚スクリーニングにより多くの難聴児が早期発見に至っており，早期の補聴，療育の開始に至っているといえる．しかしながら，新生児聴覚スクリーニングを受けずに発見が遅れる場合や，早期発見に至っていても支援に至らない例もわずかながらみられる．早期に発見されて療育開始に至る場合には，聴覚学習が進む可能性が高いが，療育開始が遅れた場合には，聴覚活用ができない期間が長いほど，聴覚以外の視覚などのモダリティを併用しないと言語習得が難しくなる可能性がある．

b 聴力程度と補聴機器

聴力程度と語音明瞭度には相関がみられると報告されており，聴力程度が不良になるほど語音明瞭度も低い場合が多い．聴力程度が軽度であるほど語音明瞭度は良好な場合が多く，聴覚学習は行いやすい．逆に，語音明瞭度が不良になるほど，聴覚情報に気づくことや理解するうえでは困難になりやすい．しかしながら，聴力程度が重度であっても，人工内耳装用児では，補聴器装用児に比して音韻情報は入りやすくなるため語音聴取能が高く，聴覚学習も行いやすい．聴力程度と補聴機器の装用効果をあわせて検討することが必要である．

c 基礎的な能力（知能，認知能力）

本人のもつ基礎的な知能や認知能力は，曖昧な音響情報から概念や意味を推測するうえで重要となる．知能や認知能力を測定する標準化検査は複数みられるが，その検査で測定できる能力がすべてを判定できているとはいえない．物事の微妙な変化や空気感を敏感に感じ取る力や，新しい環境に適応できる能力などは，検査では測定することができない部分といえる．子どもがもつ潜在的な力について，総合的に判断することも必要となる．

d 家庭環境とコミュニケーションパートナーのスキル

子どもは，低年齢であるほど家庭生活の中で学ぶことが多く，子どもの聴覚学習においては，聴覚情報と場面を結び付ける環境が重要となる．また子どもの環境は，毎日の生活においてコミュニケーションパートナーとなりうる保護者のかかわり方で決まると考えられる．このため，家庭環境とコミュニケーションパートナーとしてのスキルの程度は，聴覚学習における重要な要因となる．乳児のころから，保護者が子どもと一体となって感情を共有しながら過ごし，子どもの生活すべてを学習の基盤となるコミュニケーションの場にできている場合には，生活の中での聴覚学習は積み上げられる．しかしながら，コミュニケーションパートナーとしてのスキルが不十分である場合には，子どもが獲得しようとするものとコミュニケーションパートナー側が伝えようとするものとが噛み合わず，場面と聴覚情報を結び付けるのが難しくなる．

C 小児期における選択の内容と条件

ライフステージにおいて必要となる選択内容については，①補聴機器の種類と有無，②**コミュニケーションモード**，③指導方法，③療育・教育機関があげられる（表7-28）．

これらの必要な選択をする際には，次の3つの条件を考慮に入れて考えていく必要がある．①子どもの条件（難聴の種類・程度，聴取能，言語発達状況，年齢，性格，行動特徴など），②保護者の条件（家庭環境，教育レベル，生活習慣，性格，考え方など），③地域の条件（地域ごとの医療や教育の状況など）が関与しうる．それぞれの条件を考慮に入れながら，選択時期や内容，その方法について相談していくこととなるが，その段階ごと

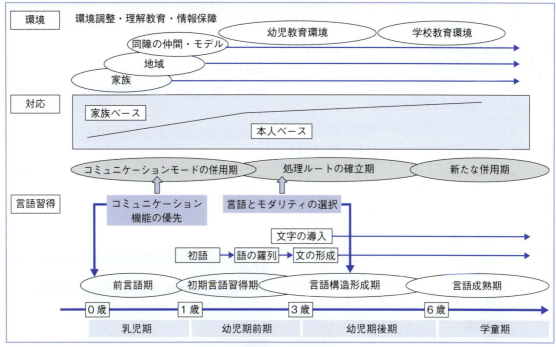

図 7-11　ハビリテーションプログラム立案と選択のための概念図
言語習得過程とコミュニケーションモードの選択を軸にし，乳幼児期の子どもの育ちとその環境との関係を考慮にいれたハビリテーションプログラム．
〔中村公枝：小児のリハビリテーションにおける選択への支援．藤田郁代（監修）：標準言語聴覚障害学 聴覚障害学，第2版．pp237-240，医学書院，2015 より〕

表 7-28　乳児期～学童期に必要となる選択内容

1. 補聴機器の種類と有無
   補聴器，人工内耳，装用しない，など．
2. コミュニケーションモード
   聴覚音声法，聴覚口話法，トータルコミュニケーション法，キュードスピーチ法，バイリンガル教育，など．
3. 指導方法
   自然法，構成法（文法法）．
4. 療育・教育機関
   聴覚特別支援学校，難聴幼児通園施設，医療機関，私設クリニック，地元の幼稚園や学校，など．

に適切な判断が可能になるよう，中立的な立場での情報提供，同障（児）者同士あるいは保護者同士の交流機会の設定など，本人および保護者が選択できるように支援することが必要である．小児難聴へのハビリテーションは，これらの選択を考慮して計画していくのである（図 7-11）．

1　乳児期・幼児期前期における選択

乳児期には，親子間のコミュニケーションの成立を優先することが大事であり，基礎となる情緒的交流が行われるように支援する．そのうえで行われる選択は，**補聴手段**と**早期相談**を受ける施設である．

補聴手段の選択によっては，前言語期に最も活用すべき感覚の選択の問題が生じる．例えば，人工内耳装用を予定していて装用前の時期であるとするならば，補聴器を通した聴覚活用は不可欠であり，また一方で多感覚による親子間の情緒やコミュニケーション機能の成立も重要となる．両者のバランスを考えながら，選択と支援を行うことが必要となる．

早期相談については，難聴診断を受けた病院でその後のハビリテーションも受けることができる

のか，あるいは聴覚管理のみなのか，または聴覚特別支援学校での早期相談を受けるのかなど，保護者および地域の条件を考慮しながら検討する．

2 幼児期後期における選択

幼児期後期では，言語の土台を形成していくうえで，学習に必要とされる**コミュニケーションモダリティ**の選択が必要となる．言語を形成していくうえでは明確な知覚処理が必要であり，ある程度一貫した対応が必要となる．先に示した保護者や地域の状況を考慮しながらも，子どもの聴覚活用あるいは視覚利用による言語の知覚処理能力を見極めていくことが重要といえる．

一方，学習に必要なコミュニケーションモダリティと円滑なコミュニケーションに必要とされるモダリティが一致しない場合もある．子どもの知覚処理能力は絶えず変化することを念頭に置きつつ，有効なコミュニケーションモダリティを検討していく．

そして，幼児期後期からは集団生活に関する選択が行われる．聴覚特別支援学校の幼稚部に入学するのか，地元の保育所や幼稚園を利用するのか，あるいは両機関を併用するのか，先に示した複数の選択条件をもとに決定する．選択においては保護者の意向ばかりに合わせるのではなく，子どもの全般的な発達を考えた判断が求められる．

3 学童期における選択

学童期では，就学先の学校の選択，就学時の**情報保障**の問題だけでなく，**障害受容**を含めて選択が必要となる．

まず就学時には，義務教育機関の選択が行われる．幼児期での発達状況などを総合的に判断し，よりよい選択ができるように支援する．

教育機関の選択とあわせて，情報保障の検討についても必要になる．集団補聴システムの利用，支援の先生の加配，ノートテイクなど，状況に合わせた支援を考え，教育機関との連携や協力体制を構築しつつ支援を進めるようにする．

基本的なコミュニケーションモードについては決定したとしても，その後のアイデンティティの形成などを見据え，聴覚活用だけでなく手話の学習も心理的社会的問題を乗り越えていくうえで重要となる場合もある．聴覚を活用して円滑なコミュニケーションが可能となったとしても，自らの聞こえにくさに気づき，欠落した情報に対する理解を深め，自己実現に向けた歩みを進められるようにする．

D 難聴児の音声言語習得上の課題

1 課題の考え方

最近の言語学の分類[4]に基づいて考えると，言語は大きく**構造**と**意味**に分けることができる．構造においては，音声学，音韻論（音韻体系や音韻規則），形態論（形態素を含めた語の構造），統語論（文の仕組み），文章・談話（文より大きな単位の分析）に細分化される．また意味については，意味論（個々の語，句，文の内容），語用論（文の実際の使用の仕方や文脈と関連した意味）に分けることができる．言語学の分類に基づいた評価や指導方法もみられるが，言語聴覚士が行う言語聴覚評価や指導について考えると，構造と意味の観点を必ずしも分けて考えられないものも多い．このため，言語学上の分類も念頭に置きながら，難聴児の音声言語習得において必要とされる課題について考えていくことが必要となる．

ここでは課題設定において改めて考えるべき点について述べ，各言語課題の特徴と課題について示す．

2 課題設定における前提条件

指導・支援を行う課題を考えるうえでは，表7-1(➡247頁)で示した指導上の留意点を前提条件として考える必要がある．すなわち，言語習得は，子ども自身の発達と環境との相互のかかわりやコミュニケーションによって行われるということである．子どもはあらゆる感覚を通して環境としての場面や状況を認知し，その中で使用されることばを知覚し意味を理解していく．感覚の中でも聴覚は，人や物への注意を促しその注意を維持するうえで重要となる．難聴がある場合には，感覚を通した情報の収集そのものに影響するため，場面や状況を認知しにくい状況といえる．このため難聴児では，慣れない環境や場面におかれた際，過剰な人見知りや母親への依存がみられる，反対に全く怯えることなく探索行動を行うなど，行動的な課題が疑われるような場合もある．このような状況把握の問題は，難聴の影響により生じている可能性も高い．子どものもつ**場面や状況の認知**に関する状態を評価し，支援を行うことも必要となる．

また，子どもにとって，他者との日常生活体験は，言語習得において欠かすことのできない重要な場面であるといえる．保護者とともに実際に体験し，視線や情動，呼応的なかかわりなど身体全体を使って体験を共有し繰り返すことは，子どもの興味や関心を広げ，強力な印象を残すことにつながる．特に乳児期においては，保護者側で子どもの相互交渉への**感受性**を高める必要性があり[5]，その結果として，子どもは自分自身の行為とそれに対する保護者の反応の関係に気づくことができる．子どもは場面の認識を発達させ，保護者の話すことばに注目し，それを理解して用いるようになる．このような体験を丁寧に積み重ねること，そして情動が動くことにより，物事の洞察力や推測力が向上し，行動範囲も広がることとなる．

活動においては，注意や気づきを促しうる聴覚の存在は重要であるため，難聴児においては，体験を通した情動の共有が困難になる．聴覚以外の感覚を十分に利用した体験ができるよう，保護者側の子どもの行動に対する感受性を高め，相互関係が理解できるように促すことが必要といえる．

そして，メタコミュニケーション能力の習得を視野に入れることである．コミュニケーションを行うタイミングをはかり，注意を向けて相手の話に傾聴し，自らの理解を伝えるなど，円滑なコミュニケーションを行う前提となる能力は重要である．これらは他者との情動や交流の中でしか学ぶことができないため，メタコミュニケーションの形成を念頭に置いた指導・支援計画を考えていく必要があるだろう．

3 語彙習得の課題

a 初期言語習得の特徴

初期言語は，前言語期を経たあとの1歳前後に表出される．小林ら[6]は，Web日誌法により約800名の語彙発達の経過を集計し，「まんま，いないいないばぁ，パパ，ママ，はい，ワンワン」などの人や動物を表す語が早期に獲得されやすいと報告した．これらは日常生活の中で頻繁に聞く語彙である．生活場面での情報と，その中で使われた語彙の連合により理解語となり，その後時間を経て表出語彙となりうる．理解した語彙が表出されるまでには，理解年齢，理解から発話までの日数，語の特徴などのいくつかの要因が関係するとされるが[7]，理解語彙は蓄えられ，その後発話となって表れる．

b 語彙の発達と学習

初期言語が習得されたあと，50語程度まではゆっくりと語彙が獲得される．その後1歳半ごろになると，1日に約9語ずつ獲得し，急速に語彙数が増大する爆発期となる．小林ら[6]の分析結果では，最初の50語では名詞が34％，社会的な語

（日課，挨拶，会話語）が32％，述語（形容詞，動詞）が16％，人々に関する語が14％，機能語が4％であり，名詞や社会的な語が中心であったことを報告している．また，早期出現語50語内の名詞と動詞の獲得数から算出される名詞の比率（名詞/名詞＋動詞）では，日本人では0.65であり，英語学習児の0.92に比して動詞が多いことが示されている．このような使用言語による違いは，言語構造や文化の影響を受けているとされ，保護者による発話スタイルの特徴を示すとされている．また，語彙獲得においては名詞に比べて動詞のほうが語彙取得に時間がかかるとされる．名詞と異なり，意味する動作を明確に表現できるとはいえず，事物の名称とは異なり，意味概念が形成しにくいことが影響していると考えられる．

いずれにしても，子どもが保護者からどのような場面で，どの程度ことばを聞いたのかが表出に結び付くといえ，環境の中で子どもが急速に語彙を獲得していくことは明確である．初語から50語以降は獲得の速度が速いが，その要因としては複数の能力の関与が考えられる．すなわち保護者が向けている対象に子ども自身も注意を向ける共同注意の能力，ほんのわずかな経験で新規のことばをそれが指し示す概念に対応付ける**即時マッピング**の能力，言語が指し示している対象の情報を的確に絞り込み的確に対応づけていくための**ルール（制約）**などであり，これらによって効率的に言語習得ができるようになっている[8]．

また子どもは，初語の表出から1年間の2歳時で300語，3歳時で1,000語，就学段階では3,000語の語彙を獲得するとされる．幼児期前半は，生活に根付いた生活語彙を実体験の中から学び，名詞や動詞などの獲得が中心となるが，幼児期後半には集団生活により生活の幅が広がり，かつ会話の中で出現する新しい語彙に注目し，文脈から理解する力も備わってくる．就学前の間には，形容詞や副詞，抽象語など語彙の種類も多様となる．学童期には，幼児期より行われていた直接的なコミュニケーションで曖昧理解であった内容はより

表7-29 難聴児の語彙習得上の問題点

1. **語彙数が少ない**
   理解・表出できる語彙が少ない．
2. **獲得語彙の偏り**
   具象語に比し，形容詞・形容動詞などは獲得しにくい．経験していない事柄に関係する語彙の獲得が難しい．
3. **語彙の意味理解の難しさ**
   類似した語彙や同音異義語などの意味理解が難しい．
4. **抽象語や字義通りに解釈できない語彙の獲得の難しさ**
   慣用句やことわざ，冗談，皮肉の理解が難しい．

精緻化した理解へと変化し，テレビやビデオなどの間接的なコミュニケーションによっても語彙習得は促される．言語発達段階ごとに獲得すべき語彙数や品詞については，表7-14（➡266頁）で確認するとよい．

C 難聴児の語彙習得の課題

難聴児の語彙獲得においては，①語彙数が少ない，②獲得語彙の偏り，③語彙の意味理解の難しさ，④抽象語や字義通りに解釈できない語彙の獲得の難しさ，が課題としてあげられる（表7-29）．

1）語彙数が少ない

同年齢児に比べると語彙数の少なさがみられる．この背景として聴覚情報の曖昧さによる情報不足，概念形成のしにくさ，統語学習の遅れ，があげられる．

2）獲得語彙の偏り

具象語のような直接的に理解しやすい事物の獲得は進みやすいが，直接的に表現しにくい動詞や形容詞，形容動詞などの語彙は獲得しにくい．また汎用性の高い語彙を多用して表現力の分化に乏しいこと，生活経験に応じて獲得語彙のバランスが悪い児もみられる．幼児期には使用語彙を確認し，不足している語彙については積極的に獲得できる場を設定することが必要となる．

3）語彙の意味理解の難しさ

聴覚情報の曖昧さにより即時マッピングは生じにくく，事物と音声記号との強力な結び付けが繰り返し行われる必要がある．語彙を理解する過程においても，類似した意味をもつ語彙の区別がつきにくい，同音異義語のように同じことばで意味の違いがある語彙についての理解が難しい，などの問題がみられる．

4）抽象語や字義通りに解釈できない語彙の獲得の難しさ

具象語のように，事物を視覚的に見せることができ，語彙と意味が1対1対応で表現できる語彙については理解しやすいが，抽象語のように実際に見ることができず表現しにくい語彙については，獲得しにくい傾向がある．また，慣用句やことわざはその字義通りの意味はなく，ことばの裏に隠された意味を理解し覚えなければならない．冗談や比喩，皮肉についても状況理解の中で裏の意味を考える必要が出てくるため，困難となりやすい．

このような語彙獲得における課題への対処方法にはいくつかの視点が考えられる．乳幼児期から興味や関心を広げて体験学習を充実させたり，学習の場となるコミュニケーションの質を向上させることは，語彙そのものの意味を深め，語彙同士の意味やつながりを強固なものにし，記憶に留めやすくなる．また，本からの情報を得ることができるよう書記言語の習得に努めることも重要となる．難聴児にとって書記言語は確実な情報手段であるため，その獲得は語彙を広げることとなり，教科学習も行いやすくなる．また読書によりさまざまなジャンルの理解を広げることが可能となる．さまざまな方法を用いて，間接的に得られる情報を漏らさないように情報を保障することも大切である．

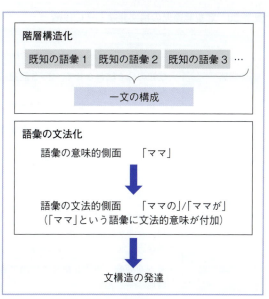

図7-12 語彙から文への発達
語彙が集まって階層構造化することと，語彙が文法化するという2つの要素により文構造が発達する．

4 文の形成に関する課題

a 文の発達と学習

語彙を配列して文構造としての発達を促すうえでは，既知の語彙を集めてまだ階層化されていない発話を文一語へと**階層構造化**すること，語彙を**文法化**すること，の2つが必要となる[9]（図7-12）．語彙には，内容的意味を表す記号と文法的意味を表す記号という2つの側面があり，一語発話期には前者の特性しかないが，発達に伴って語が文法的な意味をもつようになる．

例えば，「ママ」という語自体を習得した場合には，母親を示す語の意味的な獲得段階といえるが，格助詞の「の」や「が」を使用できるようになると，「ママの」あるいは「ママが」とつなげることで，文法的な意味が負荷されると考えられる．生後1歳6か月～2歳ごろにかけて2語発話期に移行していくようになるが，このころには語の階層構造化と文法化が同時に発達していくといえる．その後，さまざまな助詞の獲得，構文の複雑さの

表7-30　定型発達児の構文発達とその段階

言語発達段階		定型発達児の発達段階	語連鎖／構文構造	助詞	動詞の活用
語連鎖期	・既知の語を結合させて，2～3語連鎖として使用する時期. ・2語の関係を示す助詞は使用されない.	1歳～ 1歳11か月	2～3語連鎖 単文	終助詞 間投助詞	現在
多語文・従属文発生期	・文の長さが長くなり，文と文を並べる時期. ・2語の関係を示す助詞が使用される.	2歳～ 2歳10か月	3～4語連鎖 重文	格助詞 係助詞 接続助詞	過去 未来
文章構成期	・文と文の間に接続詞を使用し，文章として構成できる.	2歳11か月～ 3歳11か月	重文	接続助詞 副助詞	現在進行 現在完了
多弁期・複文期	・文末形式が多様化し，副詞や形容詞を用いた豊かな表現がみられる. ・感投詞を使って多弁になる時期.	4歳～ 4歳11か月	複文		受動，能動 使役
成人語模倣期	・豊かな語彙，複雑な構文を使用できる時期.	5歳～ 5歳11か月	複文		自動，他動

言語発達段階が進むほど，構文構造が複雑化し，助詞や動詞の使用は多様になる．発達段階に応じて，必要な構文指導を検討することが重要となる．
〔小渕千絵：文理解・表出，文法の指導．深浦順一，他（編）：図解言語聴覚療法技術ガイド．pp651-653，文光堂，2014より改変〕

理解が増し，語から文，文から文章へと多様化していくこととなる．表7-30には，定型発達児の発達段階と使用する構文について示した．

b 難聴児の文レベルの課題

難聴児における文レベルの課題としては，文が短いこと，助詞の脱落や語用が多いこと，文が単純で複雑性に乏しいこと，などがある．特に助詞は，発話構造の中では強調されずに難聴児にとっては聴取しにくいこと，また省略されることも多いため，一貫性をつかみにくく習得が困難といえる．このため，難聴児では学童期にわたって習得に時間を要す児もみられる．構文能力の獲得は，文脈の中で抽象語を獲得するうえで不可欠であり，かつ学童期以降の教科学習にも影響する．語の獲得と合わせて，文法化に至るような支援が必要である．

5 語用に関する課題

a 語用の発達

ことばの使用に関する問題を語用といい，**社会的文脈**との結びつきが深いといえる．会話の中で相手に何かを伝達する際，発話内容を省略したり，曖昧にすることがある．すなわち，ことばだけを聞くとさまざまな解釈が可能となるが，その場面での状況を考えると1つの意図に絞られる．発話者の意図は相手に伝わり，受け手もことば以外の情報やそれまでの共有体験などと関連づけて場面を解釈できるからである．例えば図7-13に示すように，子どもが母親に「これはイチゴのケーキ？」と話した場合に，その意図は「イチゴかブルーベリーかわからないけど，イチゴなのかな？」という確認，「このケーキを食べたいな」という欲求，「今日は弟の誕生日だからイチゴのケーキを買ってきたのね？」という家庭の状況も含めた解釈，などが考えられる．その中で，置かれた状況に合わせて母親は解釈し，「イチゴだよ」

図7-13 社会的文脈と発話意図の理解
発話の意図は複数考えられるが、社会的文脈を考えると1つに絞られる。語用能力は、コミュニケーションの中で発達しうる。

「食べてもいいよ」「そうよ、あとでお祝いしようね」などと答えることとなる。すなわち人との相互交渉の中で、そのことばの意味が決定される。

　幼児期段階では、直接的な関係性の中で場面を予測し、また会話の中で発話意図をとらえていく。そして就学時期に向けてことばだけで想像したり考えたりしながら、物事の判断や問題解決ができるようになる。すなわち、過去や未来などの非現前事象についての伝達や会話が可能となり、語用能力はさらに精緻化してくる。冗談や比喩、皮肉なども意味を理解して対応できるようになる。

b 難聴児の語用に関する課題

　難聴児では、語用能力に困難を示す例がみられる。ことばとその裏に含まれている意味が異なるような表現(比喩、皮肉、冗談など)については、字義通りの意味に解釈してしまい友人との話についていけずトラブルになることがある。このような語用能力の問題は幼児期からもみられる。例えば、「お風呂みてきて」と母親がお願いしたとする。本来であれば「お風呂にお湯がたまっているかどうかを確認してくる」あるいは「お風呂の湯加減を確認してくる」のがことばの裏に隠された意図と考えられるが、それをくみとれず、本当にお風呂を見て戻ってきてしまう場合がある。このような語用能力について、標準化検査の一部では評価できるものもあるが、体系的な評価ではないために難聴児の語用能力の問題を明確にできないことも多い。非標準化検査も含めて広く評価を行う、あるいは日常生活上のエピソードを集めて実態を把握する必要がある。

　また、語用能力の発達を促すうえでは、この点だけを焦点化して支援することは難しい。語用能力を支える言語能力、認知能力、社会性などの習熟が不可欠であり、さらに幼児期から重ねていくコミュニケーションの質と量によって、少しずつ身に付けられるものである。このため、学童期において語用能力の遅れがみられた場合には、基本的なコミュニケーションに立ち戻り、丁寧な相互交渉を重ねていくことも獲得に至る方法といえる。

6 発声発語に関する課題

a 発声発語の初期発達

　生後0~2か月での発声は、泣き声、くしゃみや咳といった叫喚発声であり、意図的な発声とはいえないが、2か月を過ぎたころからアー、ウーなどの**母音様発声**(cooing)がみられるようになる。大人が声をかけるとあたかも応答しているかのようにクーイングで返す場面もみられる。その後、4~5か月ごろには気分がよく落ち着いている場面で無意味語の発声があり、このころが喃語(marginal babbling)の始まりといわれる。生後6か月を過ぎたころにはダダダダ、ババババ、アムアムなどの**規準喃語**(反復喃語, canonical babbling)に変化する。7~8か月ごろには声を出して人の気を引こうとする発声(**交信的発声**)、9~11

か月ごろには，あたかもおしゃべりをしているかのような多様な喃語（**非重複喃語**）が表出されるようになる．そしてその場の音声模倣や遅延模倣につながり，1歳前後での初語の表出に至る．このような発声から発語への発達経過の中で，音韻情報は一致していなくとも，大人の話した韻律情報部分だけをあたかも模倣して話しているかのような様子が乳児期後半に観察されやすい．韻律情報は，音韻情報として物事を伝達する前の段階において重要な役割を果たすと考えられる．コミュニケーションにおいては，音韻，韻律双方の情報を利用してその基礎の形成に至ると考え，両情報の利用の程度についても目を向けておくことが必要である．

b 難聴児の発声・発語に関する課題

難聴児の発声発語における特徴は，対象児の失聴時期，聴力程度，補聴機器の種類や装用時期・期間，聴覚活用程度などにより個人差が生じうる．入力の障害である聴覚障害の場合には，音韻情報だけでなく韻律情報にも影響しうる．

発話の構音においては，聴力程度や聴力型による聴取能力と関係し，母音や子音の省略・置換・歪みにつながる．軽度・中等度難聴児で補聴器装用の場合には，十分な補聴および聴覚活用指導により正しい構音を獲得しやすいが，高度難聴以上の場合には補聴をしても構音の誤りが生じやすい．重度難聴の場合には人工内耳装用を選択する例が多くなり，比較的容易に構音を獲得する例もみられるようになった．その一方で，韻律情報の獲得は困難であることが多く報告されるようになっている．文のイントネーションは比較的韻律変化が大きく発話においての不自然さはみられにくいが，単語アクセントでの誤りは多くみられ，発話全体の違和感につながっている．また，声のみでの男女の性別判断，感情理解，ポーズやアクセントを利用した文そのものの理解などにも韻律情報は関与するため，高重度難聴で補聴器，人工内耳を装用し，低周波数帯域での残聴が乏しい場合には，聴取に困難をきたしやすい．特に人工内耳装用児では，装用時期の遅れや装用期間が短いとその傾向が強くみられる．これに伴い，音楽のメロディ聴取も困難な場合が多く，歌唱にも影響しやすい．

幼児期から音韻だけでなく韻律情報の獲得にも目を向けながら支援を行うことは重要となるが，一方で補聴機器の限界もあるため，合理的な目標設定を考えながら周りへの説明により理解を促すことも必要となる．

E ハビリテーションプログラムの立案

1 ハビリテーションプログラムの基本的な考え方

難聴児に対するハビリテーションプログラムには，さまざまな考え方や手法がみられる．

基本的な言語指導法としては，**全体法**や**自然法**，**母親法**といった日常生活場面を基礎として子どもの発達や学習面に働きかける手法と，**文法法**，**構成法**といった言語獲得を体系的に考えた指導方法およびその統合的な指導法に分けることができる．これらに加えて，コミュニケーションモードの利用方法，子どもの発達や学習に関する考え方などの違いで，独自の手法を持つプログラムもみられるが，すべてに共通して考えるべき視点について整理していくことが大切であるといえる．

言語指導においては，個々の子どもの発達をとらえ，コミュニケーションや言語習得に対して体系的・統合的な指導を行うこと，またその支援においては相互的なコミュニケーションを基礎とすることが重要といえる．指導プログラムを子どもに当てはめていくことではなく，子ども1人ひとりの状況と個性に応じて個別の支援計画を立て，よりよい環境の中で支援できるように整備するこ

とを考えていくべきである．そのような指導の実現においては，言語聴覚士が自身の観察力を研ぎ澄まし，子どもの状況と必要な支援に敏感になることが大切である．また臨床場面の中では，自らの感情や気持ちに正直となり，内省を繰り返していくことも必要である．

2 プログラム立案の視点と原則

ハビリテーションの立案においては，子どもの状況や親の要望などのさまざまな条件を考え，複数の視点でプログラムを構成することが必要である．その際には，表 7-1（➡ 247 頁）に示す指導上の留意点を根底の考え方とすべきである．コミュニケーションの中で聴覚を活用しながら基本的な言語習得を促し，かつ全般的な発達の促進を視野に入れる．そして，難聴児本人だけでなく保護者の支援も行い，ライフステージに合わせた課題を設定していくことである．

これらの視点をもちながら，難聴児に対する具体的なハビリテーションプログラムを検討するうえで，中村[10]は次の5つの原則が必要と述べている．すなわち，①興味（楽しい→困難），②難易度（簡単→複雑），③繰り返しによる習熟，④**原理・関係性**の発見，⑤**構造化，ネットワーク化**である．子どもによって異なる興味や関心について取り上げ，現在の発達状況に合わせた難易度を細かく段階的に設定する．課題解決においては，言語習得において課題となりうる基礎を確認し，獲得されたことばが音韻的，意味的，統語的なレベルでネットワーク化するように働きかけることである．

また，支援の根底には，あくまで子どもは自ら発達し学習する力を有することを理解し，その学習に必要な条件を整備することも重要となりうる．子どものもつ育つ力，学ぶ力の根に対してアプローチし，子どもが自ら実をつけることができるように，基本的な指導を構築する．また，子どもの個性や能力の違いを理解した方法を個別に考えることも必要である．

3 目標の設定

個別の支援計画を立案するうえでは，**長期的な目標**と**短期的な目標**を設定する．長期目標では6か月〜1年程度の期間，短期目標では1〜3か月程度の期間に到達すべき課題を検討し，常にその目標を念頭に置きながら指導を行えるようにする．

新生児聴覚スクリーニング後で保護者の心理的な面も安定していない乳児の場合には，聴覚精査や補聴機器の選択などで短期的な目標は設定できても長期的な目標は設定しにくい場合がある．その場合には，保護者の心身の状態，子どもの発達状況などを考慮しながら暫定的な目標設定の中で進めていき，聴力の確定やその後の医学的方針が決定したあとに改めて変更していくこともある．

目標を定めるうえでは，生活年齢段階で獲得すべき目標も考慮すべきではあるが，子どもの発達状況を見極め，その子ごとの学習の積み上げに焦点をあてる必要がある．特に発見や支援の遅れにより，生活年齢に比して大幅に遅れがみられた場合，言語習得だけに注力するのではなく，それ以前の傾聴，基本的な相互交渉の態度など，コミュニケーションの基盤となるべき能力の習得に十分な時間をかけるほうが，かえってその後の言語習得を促進することがある．

F 小児発達段階と学習方法

1 学習についての考え方

子どもが学習するうえで，**興味や関心**を育てることは非常に重要になる．子どもは興味や関心があることには夢中になることができ，またその学習は意味をもって習得されうる．興味や関心は

表 7-31 発達段階ごとの学習の特徴と遊びの例

発達段階	学習の特徴	遊びの例
乳児期	・母子の情動的結びつきが強い時期. ・共鳴動作（乳児が大人の動作に合わせて同調的，共鳴的に反復する行為）を通じて学習.	抱っこやくすぐり遊び. 手遊び歌，毛布ブランコなどの身体接触遊び，クルクルトーンチャイムなどの遊具遊びなど.
幼児期前期	・自我の芽生えがみられる時期. ・日常生活のすべてが学習の場となる．家庭での家事や遊びなどの繰り返し体験による概念理解・ことばの獲得を促す.	洗濯物干し，掃除，料理など一部の家事をともに楽しむ. 毛布ブランコ，かけっこ，ボール遊び，フラフープ飛び，おままごと遊び，手遊び歌，お絵かきや簡単な工作など.
幼児期後期	・自発的な行動が多くなる時期. ・集団生活の中で，同年齢児との協調遊びから学ぶ. ・競争，駆け引きなどのゲーム性を楽しみ，机上課題も行える.	おままごと遊び，積み木やブロックなどでの遊び，3ヒントゲーム，ルールを決めた遊び（かくれんぼやオニごっこ，ペットボトルでのボーリング），かるた，季節の行事をともに楽しむなど.
学童期	・行動の自律性が増す時期. ・ドリルなどの教材学習も可能になる. ・思考の抽象化が進むが，低学年段階では体験を通した学習も重要となる.	トランプやボードゲームなどでの遊び，クイズやなぞなぞ，サッカーやドッジボールなどのルールのある遊びなど.

個々に異なり，子どもごとの個性を生み出している．そして興味や関心があることで自ら学習しようとする主体性も生まれ，学習は加速する.

これとは反対に，子どもの興味や能力に合わない学習，過剰な学習は発達上よい結果をもたらしにくい．子どもはあることばの学習だけを行っているのではなく，ことばが使われた場面や会話などからも物事の認知，移り変わる人の感情の動き，他者との関係の取り方などを吸収しており，学習過程自体も重要となる．そこに興味や関心が加わることで充実した学習過程に変化しうるが，興味のない学習が繰り返された場合には子ども自身がそこに意味を見出せず，時間と労力が割かれても有意義な時間とはなりにくい．また，型通りの対応はできても柔軟な思考過程が生まれにくいという問題もみられる．このため，子どもにとって意味のある時間と場になるように，学習過程をどのように設定するのか，課題の内容や方法を入念に検討する必要がある．そのためには，発達段階ごとの学習の特徴と，子どもの興味や関心に基づいた遊びの選択も重要となるだろう（表 7-31）.

2 発達段階ごとの学習の特徴

a 乳児期の学習

乳児期は，親と子での身体接触，見つめ合い，発声などを通した情動的なコミュニケーションが行われる．さらには，対象物に対する**共同注意**により親子で同じ事物を知覚・共有し，言語的，非言語的なやり取りを通して相互交渉を深めていく．このような時期においては，乳児が大人の動作に合わせて同調的，共鳴的に反復する行為である**共鳴動作**が出現し，この行為を通じて子どもは学習を重ねていくこととなる．大人は子どもの興味や関心，リズムに同調して情動に働きかけ応答しながら，子どもが周りの世界を知覚し積極的に探索していかれるように支援する.

この時期は，母子間の強い結びつきが重要な時期であり，母子は一体化しながら愛着関係，情動的な交流を深める．私たち言語聴覚士は，母子間の情動的な相互交渉がより深まるように母子を包み，見守り，支援する存在となる必要がある.

b 幼児期前期の学習

　幼児期前期には，着替えや身支度など周りの助けがなければ達成できなかったことが，自らでもできるようになる．子どもの成長を感じられる時期でもあるが，その一方何でも「イヤ」「自分で」など反抗的な態度と自己主張が強くなる時期でもある．このような自我の芽生えがみられている段階では，忍耐強く見守り励ましながら，子どもが自信をもち新しいことに取り組む力を支援することが重要である．しかしながら，子どもの自己主張の強さから育児の困難感や不安を抱える場合も多い．このため子どもの行動の背景についての説明と対処を示すことは，保護者のストレスや不安を軽減することにつながる．子どもの行動のすべてに合わせたり，行動を抑圧するのではなく，一貫した態度をもちながらも**情動豊かな関係性**を大切にしていくことが必要である．

　この時期においては，日常生活のすべてが学習の場となりうる．家庭での家事や遊びなど，繰り返し体験を重ねて概念理解を定着させ，そこに添えられることばを獲得するように促すようにする．

c 幼児期後期の学習

　幼児期後期になると，身体運動能力の高まりとともに行動の幅が広がるようになるため，自発的な行動も多くみられるようになる．また，自我がはっきりするようになるが，幼児期前期とは異なり我慢することを覚え，他者の気持ちに立って考えることもできるようになる．集団生活の中でも親と離れて過ごすことができ，かつ同年齢児と協調した遊びを展開することも可能となる．競争や駆け引きなどのゲーム性を楽しみ，他者とのさまざまな関係性を理解し，知識も行動も広がる時期である．

　この時期には，遊びの中だけでなく机上の課題にも取り組めるようになり，語彙や構文などを取り出した要素的な学習も可能となる．また，集団生活の中で他者との**協調性**や**ルールの理解**など，同年齢児とのかかわりの中から学ぶこともあるため，個別指導だけでなく，集団指導も併用したアプローチを行うこともよい結果を生み出すことになる．また教育・療育機関との連携を行い，子どもごとの目標達成に向けたかかわりが求められる．

d 学童期の学習

　学童期に入ると生活の場は家庭から学校や地域へと広がり，自ら登校する，学習するなど行動の**自律性**が増す．集団生活の中でも，友人関係を基盤として人格形成や自立に向けた歩みを始める時期になる．遠藤[11]によると，学童期には自己中心的な関係性は互恵的な関係へ，一次的で壊れやすい関係は持続的な関係へ，そして行動的・表面的な関係は共感的・人格的・内面的な関係へと変化し，他者の理解や関係の取り方の成長がみられるようになる．そして**思考の抽象化**が進み，直接的な体験をしなくとも言語で理解できることも増える．

　このような時期には，ドリルなどの教材による学習も可能となるが，難聴児においては聴覚情報の曖昧さにより一部の知識が欠落していたり，抽象的な理解が苦手な場合もあるため，低学年段階では実際の体験や経験を通した学習も有効となる．また，言語力そのものの遅れにより教科学習についていけない場合もあるため，教科学習の支援にあわせて基本的な言語習得の積み残し課題へのアプローチも並行して行うことが必要である．

3　学習方法と留意点

a 学習レベルの設定

　難聴児の言語獲得段階は，生活年齢より遅れていることがある．しかしながら，すべての発達が遅れているのではなく，年齢相応に発達している側面もみられる．例えば，言語発達が大幅に遅れ

ていた場合，年齢相応の絵本では内容の理解ができないことも多い．しかしながら，言語発達段階の絵本の内容や展開は容易過ぎて，子どもの生活年齢段階の興味や関心を引き出すことは難しい．生活年齢段階の発達に対する対応も行いつつ，**学習レベル**に応じた課題をどのような方法で獲得するのか，子どもの自尊心を大切にしながら学習を導くことが重要となる．

b 学習において重要な観察と模倣行動

子どもが自ら学び，獲得する過程においては，場面の状況を把握し，物事の事象や人のコミュニケーションの観察は重要となる．発達心理学で有名なアルバート・バンデューラの社会的学習理論においても，他者の行動観察により**モデリング**による学習が生じることが報告されている．子どもは興味や関心のある事象，人に対しては注意を向けその行動や行為を観察し，さらには模倣行動が生じやすくなる．子どもの主体的な学習は，このような観察と模倣行動によって促進される．このため，興味や関心をもてる場面を設定し，子どもの模倣行動の生起を確認しながら，支援方法の適切性を評価していくことが必要となる．

また私たちが子どもの行動を積極的に模倣することも，子どもが注目する機会を増やし，かつ関係性を作り出すことにもつながる．子どもは自身の行動が模倣されるとその行動をさらに繰り返し，そして遊びの継続にもつながり，自然な学習が促進されることになる．

G 言語指導段階

言語指導段階やその学習内容は，選択するコミュニケーションモードや指導方法によって若干の差は生じる．しかしながら，定型発達の子どもの言語発達段階を考えて，段階に合わせた指導を行う点については共通するところである．ここでは，固定した指導方法ではなく，残存聴力を最大限に活用し，言語習得を目指す指導の枠組みについて示すこととする．中村[10]は，コミュニケーションを基盤とした言語学習には，人との相互的関係，言語学習，聴覚学習の3つの側面が相互に関連しながら意識化され，発達するような取り組みが必要であるとしている（表7-32）．このことにより，コミュニケーションにおける情動や意思などの表現機能，他者へ注目し理解する受容機能，感情や行動を調整する機能，他者との会話機能などの多様な機能を身につけることになる．

乳幼児期に行われるべき言語習得については表7-14（→266頁）を参考にし，子どもの到達段階や必要な支援の側面を検討していくこととなる．難聴児においては，定型発達児よりも遅れを伴うことも多く，学童期の教科学習や書記言語習得にも影響しやすい．幼児期での獲得段階を高め，学童期には幼児期からの積み残し課題に対応できるよう**体系的な指導**を継続することが重要である．

1 乳児期の指導

a 前言語段階の特徴

1）指導目標

前言語段階の指導は，初語の出現などの初期言語習得を生み出す基盤となる．一般に乳児は前言語段階で，言語習得の前提になる基本的事項（例えばコミュニケーションの結果や効果，相互性，人との関係における行動の調整，社会的文脈による調整，音声言語を処理する知覚的スキル）の学習を進展させている．したがってこの段階では，①あらゆる感覚，特に視覚を積極的に利用した前言語的コミュニケーションの成立，②愛着関係を基礎にした聴覚-音声回路の形成，③言語習得に必要な相互行為フレームの形成，が指導目標となる．

前言語段階でのコミュニケーション指導の目的

表7-32　コミュニケーションを基盤にした聴能言語学習のモデル

	コミュニケーション					
	表現機能：情動・感情・要求・意思の表出・伝達・応答 受容機能：他者への注目・共感・意図の理解 調整機能：感情・行動・関係の調整					
相互的関係		言語学習		聴覚学習		
段階	技能	段階	モード	段階	内容	
情動的関係	情動，感情，意欲の醸成，共鳴，共感	前言語期	表情，視線，身体，発声	音・声への気づき	意識，注目，発見，定位，選択	
交話的関係	相互行為フレームの形成（ゲーム）	言語移行期	協約的サイン，手指表現，パターン発声	音・声の産生	聴覚−運動的活動	
相互伝達的関係	コミュニケーションモードの形成	単語 ↓ 言語期 ↓ 文	音声言語，手話，文字	声・音声言語の調整	フィードバック，弁別，記銘	
	言語学的関係の形成（記号−指示関係，語彙−統語構造）			音声言語の構造的処理	認識，理解，判断，知識	

母語習得の基盤は前言語期にある．その際重要なのがコミュニケーションであり，音声言語習得においては相互的関係性の発達と言語学習と聴覚学習が相互関連的に進展していくことが重要である．
〔中村公枝：小児の指導・訓練．藤田郁代（監修）：標準言語聴覚障害学 聴覚障害学，第2版．pp236-280，医学書院，2015より〕

は，愛着関係の形成に基づいた社会的相互行為のスキルを高めることによって，①相手の意図への感受性，②状況への注意能力，③状況の洞察力・類推力，④相互行為活動への感受性，⑤コミュニケーションモードへの感受性，といったメタコミュニケーションスキルを高めることであり，それらが言語の機能的学習の基礎的スキルとなる．

2）特徴と留意点

前言語段階の指導では，子どもの関心や注意対象に大人側が合わせ，子どものやり方やプロセスを尊重することが重要である．その過程で子どもは，関係性の認識に有効な感覚の使い方を身につけていく．なかでも視覚を利用した相互行為フレームの形成や聴覚的モダリティへの感受性を高めることが，聴覚活用や音声言語習得の基盤となる．

一般的には前言語段階とは，子どもが話し始める前の乳児期である．しかしながら聴覚障害児においては，発見の時期が遅れることにより乳児期以降がこの段階にあたることもある．また大人と子どもの二者の関係こそが言語学習の最初の文脈であることから，まずは1対1のコミュニケーション関係を形成することが重要である．

3）前言語段階の子どもと養育者のかかわり

コミュニケーションの関係性の形成のしかたは聴児と難聴児とでは異なる．一例として，空腹を感じて泣き出した乳児とそれに気づいて応じる養育者のかかわりを図7-14に示した．養育者の音声を聞き注意を向け続ける聴児に対して，難聴児は視野に入るまで養育者の反応に気づかない．どちらにおいても「ミルクを飲ませる」行為は達成されるが，難聴児の場合は情報の入出力が制限されるため，そこに至るまでのかかわり方は聴児と異なる．そこで，この時期は養育者と子を別々に考えるのではなく，両者の関係性そのものを視座に入れて指導する必要がある．

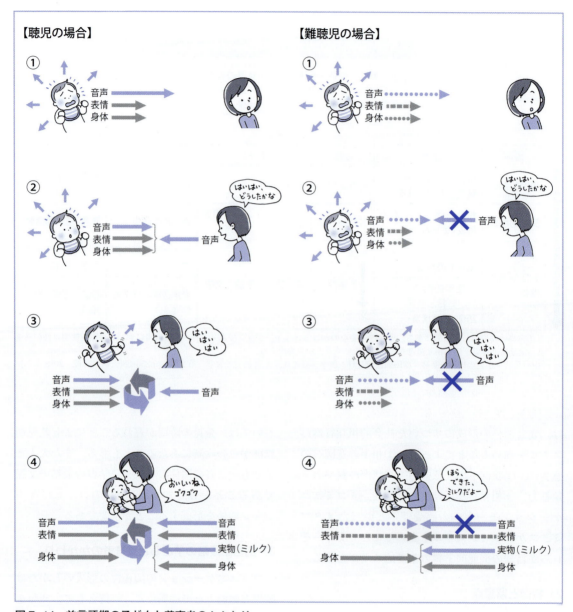

図 7-14 前言語期の子どもと養育者のかかわり
①離れた位置にいる養育者が子どもの泣き声に気付く．
②聴児：養育者の音声に気づき，その方向に注意を向け，音声を聞き続ける．
　難聴児：養育者の音声が聞こえないため，養育者が近づいていることに気づけない．
③聴児：養育者の音声を聞いてその口元や表情，しぐさにも注意を向ける．養育者からの入力に応じて子どもも音声や表情，身体の動きを返すため，養育者の音声や表情はいっそう豊かになり相互の情動関係が深まる．
　難聴児：養育者を見つけ注意を向けるが声は聞こえないため，注意が持続しない．養育者も，自身を注視しにくい子どもの様子に応じて，声かけや表情が少なくなる．
④聴児：ミルクを見て泣きやむ．授乳中，養育者の「おいしいね，ゴクゴク」などの声かけに応じて自らの行動を調整し，注意の喚起・持続・終了のタイミング，およびターンテーキングなど，養育者との双方向のコミュニケーションを経験する．
　難聴児：ミルクを見て泣きやむ．養育者の音声で注意が喚起されないため，授乳中も注意はミルクに集中しやすく，養育者との双方向のコミュニケーションを経験しにくい．

〔北義子：前言語期の指導．深浦順一（編集主幹）：図解 言語聴覚療法技術ガイド．pp638-646，文光堂，2014を元に作成〕

b コミュニケーションの指導

1) 指導の原則

　乳児期初期のコミュニケーションの成立要件は，情動レベルの共有関係が形成されることと，相互的な関係が形成されることである．そこでまずは情動的なコミュニケーションの形成と注意機能の発達を軸に指導を進める．また発達段階に合わせた指導をする．コミュニケーションパートナーとしての大人の役割を重要視する．初めは指導者がモデルを示す．次第に親を巻き込み，子どもと親と指導者の三者関係の遊びにする．親も自然に楽しめるよう工夫する．視線，表情，身振り，音声，手話表現を多用する．

　図7-14に前言語期の難聴児と養育者のコミュニケーションについて示したが，難聴児は空腹になると目覚め，身体を動かし，呼吸を荒げ，ついには啼泣する．養育者は離れたところで泣き声を聞き取り，声で応じ続ける．しかし，その養育者の声は難聴乳児には聞こえない．難聴児は主として視覚を使い，養育者の身体の動きや表情をとらえているので，養育者が視野に入り近づくことでやっと応じてもらっていることに気が付く．養育者はそのことに気づかず，声だけで応じることができているように錯覚しがちである．実際の「ミルクを飲む-飲ませる」行為については相互の認知は一致しているが，そこに至るまでの二者の思いや背景はすれ違ってしまう．養育者は難聴児と音声だけでは認知やコミュニケーションを共有できないことを理解し，音声のみでなく，表情や身体での表現を十二分に用いることが重要である．

2) 指導方法

　以下は相互行為の定型発達を指標にした指導過程である．

① 互いの注意の共有：子どもの視線に合わせ，表情，動き，発声などすべての感覚を有効に同期させる．生後2か月くらいまでは，顔を合わせ，静かに，ゆったりしたリズムで，やさしく刺激を送る．抱く，揺する，声かけ，表情なども子どもの呼吸に合わせ，心地よさが共有されるようにする（情動共有）．

② 人との相互的なかかわり：子どもの行動への応答性を高める．動き，表情変化，泣き方，ぐずり方，笑いなどから意図を読み取る．生後3～4か月ころより，あやすと笑うことが増え，しっかりと相手を注目し，応答的になる．見ることを中心としたかかわりの時期である．積極的なあやし行動，声かけを行う．子どもからの注視に積極的に反応し，豊かな表情や声を使って応える．この時期の濃密な情動交流が人への愛着を高める．

③ 人に支えられた物との関係：定型発達では6か月ころより，子どもは対象物に対して探索的になる．この時期の聴覚障害児は，周囲からの聴覚情報が入りにくいため，自分との物との二項関係に陥りやすいので注意が必要である．大人は，常に子どもの探索行動をともに楽しみ，それに合わせた情動的な応答を繰り返す．例えば「放る」行為も，人が子どもの行為に合わせて驚いたり，喜んだりすることによって，感覚運動的な特性への気づきだけでなく，自分の行為が他者に与える関係的な意味や情動的な意味の発見につながる．これは三項的関係へと導く重要な経験となる．

④ 物を介在させた人と人のやりとり：定型発達では9か月ごろより，三項的相互行為フレーム（→Note 25）が形成され，情動を基盤とした交話的関係を楽しむようになる．交話（phatic）とは，発声発話など相互に共有されるサインによって，互いに波長を合わせ，やり取り自体を楽しむ行為であり，相手や相手の意図への強い関心や意識化が必要である．三項的相互行為フレームによ

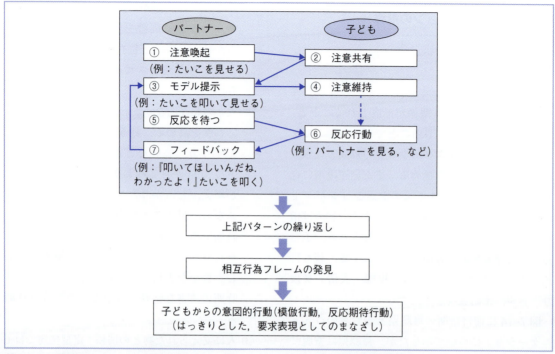

図 7-15　相互行為フレームの形成（コミュニケーションパートナーによる足場かけ）

コミュニケーションパートナーによる適切な足場かけにより，子どもの注意機能は高まる．パートナーのモデル行動や反応行動は子どもにわかりやすく，注目に値するものでなければならない．
パートナーはたいこのばちを見せ，子どもの注意を喚起し，注意の共有に合わせてたいこを叩いて見せる．注意が維持されている間何回か繰り返し，その後，行為をやめ，子どもの応答を待つ．パートナーは子どもの応答を待って行為を開始し，子どもの応答を受け止めたことを子どもにフィードバックし，共有する．パートナーの行為の開始が自らの応答の結果であると子どもが気づき，相互行為フレームが発見されれば，興味はさらに持続し，意図的に応答を繰り返すことができるようになる．

> **Note 25.　三項的相互行為フレーム**
> Fogel[12]は，大人と子どもが作り出す相互行為（インタラクション）の構造を「相互行為フレーム」とよんだ．相互行為のループは定型発達であれば 0〜3 か月で対面的な相互行為フレームを形成し，その後対面する二者だけでなく，対象物などとの三項を結ぶ関係を相互行為フレームの中に成立させられるようになる．難聴児は注意の維持ができにくく，三項的相互行為が一瞬は成立しても，フレームとして子どもが発見し，意図的な行動を形成することが困難になりがちであるため，コミュニケーションパートナーによる足場かけが必要になる．

る交話的遊びは，コミュニケーション場面での言語習得の基盤となる．単純な遊びの型と相互模倣による楽しさの共有により，注意の集中が高まり，遊びの循環性と継続性が生まれる（図 7-15）．

⑤ 前言語的段階での相互行為の学習や発達に問題がある場合は，1 歳以降であってもこの段階で学ぶべき相互的関係性の習得を視野に入れ，対応することが重要である．

C 聴覚活用と感覚運動的遊び

1）指導の原則

診断が確定したあと，両親の納得のうえで補聴器装用を開始する．軽〜中等度難聴では，裸耳でも反応が得られるため，装用を躊躇することもあ

る．そのような場合は指導場面での試行を提案する．視覚や触覚などを十分に併用しながら聴覚刺激への気づきを促す．視覚，聴覚，触覚，振動覚などを統合した感覚運動的な活動の機会を十分につくる．日常的な環境音，人がつくり出す音，音楽などさまざまな音に触れ，聴覚的な経験を豊富に与える．音声刺激は，情動特性と時間特性を強調したリズミカルな繰り返しを多用し，豊かな表情で実施する．これにはさまざまなバリエーションをもったあやし活動が含まれる．赤ちゃんのリズムを感じ取り，赤ちゃんの反応に敏感に応え，赤ちゃんを怖がらせないようにする．

2）指導方法

① 子どもの運動発達や状態に合わせ，補聴器の装用方法を検討する．乳児期初期では寝ていることが多いので，無理強いせずに，短時間でも意味ある装用にする．母親に余裕のある時間帯から始め，補聴器をしたら，必ず子どもと楽しくかかわるよう励ます．

② 音と音源との関係，音と音の操作者との関係を見えるようにする．あらゆる感覚と統合した聴覚的な経験の場を用意する．見ながら聞き，触りながら聞く．子どもが知覚しやすい音源を選択し，聴取しやすい状況を作る．聴取経験をともに楽しみ，喜び，驚く．

　実際に補聴器装用開始当初の乳幼児は，音が聞こえると音源に手・足・舌を当てたり，抱きついたりして，身体全体で自ら音への探索をする行為がしばしば観察される．

③ 楽しい韻律的情報をやや誇張した発声で十分に聞かせる．発声が誘引されたら模倣し，さらに強化する．リズミカルな運動に発声（呼びかけ，オノマトペ，わらべ歌，即興歌など）を伴わせる．ことばの韻律は，「知覚上の接着剤」といわれるほど初期の音声知覚にとって重要である．さらに身体的な動きが付与されることでいっそう子どもの傾聴態度を促進することができる．

④ 聞こえる音や声の大きさ，日常的な音や声への反応の様子を把握する．

⑤ 子どもの発達や聞こえに合わせ，音の出る遊具，楽器，その他の道具を用い，さまざまな音を作り出す．「振る，叩く，打ち合わせる，ひっぱる，放る，こする，押す，吹く」などの行為と音響事象の生起の結合をはかり，聴覚刺激のもつ意味を形成する．

⑥ 子どもが音や音声に反応したり，音や声を出したときに，即座にそれに対する反応行動（随伴的反応）を仕返すことを徐々に明確にしていくと，子どもの反応行動や音や声を表出する行為は意図的になってくる．例えば子どもが偶然たいこを叩いたときに，びっくりしてみせると，次にはその反応を引き出すためにたいこを叩いては，反応を確かめるようになる．

⑦ 子どもの発声には必ず応え，ヴォーカルプレイを楽しみ，強化する．子どもの発声を必ずフィードバックすることは，子どもが自分の発声のもつ効果への気づきを促し，それを有効に利用するきっかけを作り出す．

⑧ 補聴器装用直後は聴覚音声フィードバック（auditory-vocal feedback）により自動的に発声が誘引される．しかしながら補聴器装用による自動的な発声は，フィードバックされずに放置されているとしばらくするとなくなる．それを防ぐために自動レベルの段階で，子どもの発声活動に適切に丁寧に応じ返していくと，その後，発声は応答的になり，有意味に使用されてくる．

d 親・家族への支援

1）聴覚障害の理解と受容への支援

(1) 支援の原則

診断直後の親は，診断へのショックと否定的な感情，補聴器装用や通院などの生活の変化への戸

惑いや負担感，将来への漠然とした不安や焦り，世間への反発や防衛，罪障感などさまざまな感情にとらわれる時期である．一方まだ乳児期であるため，他児との違いも感じられないことから，難聴を実感できないことも多い．したがってその支援の主な内容は，①親に対する共感的理解，②親の重荷の軽減，③聴覚障害の理解，である．

(2) 支援の方法
① 相手の状態を知る：緊張度，話し方，声，表情，服装，赤ちゃんへの接し方などあらゆる言動を注意深く観察し，また情報を集め，相手の感情や人柄，生活について理解し，感じ取る．
② 話を十分に聞く：共感的にかつ熱心に聞く．無理には聞き出さない．相手の感情や自分自身の感情の状態への気づきを深める．
③ 子どもとかかわる：愛情をもって，楽しい気持ちでかかわり，子どもの愛らしさやすばらしさを実感し，その喜びを積極的に表現し，親に伝える．
④ 情報を提供する：親の状況に合わせて，必要な情報を提供する．すぐに役立つ情報，親が求めている情報，あらかじめ知っておくべき情報など．「早くこうしないとこうなってしまう」というような恐れや脅しになるような情報の与え方は避ける．
⑤ 孤立させない：心配や不安にはいつでも対処することをしっかり伝える．聴覚障害者，聴覚障害児を育てた親，同じ立場の親または地域の親の会などの紹介を準備する．

2）育児支援

(1) 支援の原則
　赤ちゃんの臨床はまさに個人差の極みである．1人ひとりの子どもと親に合わせ，その対応は変化する．指導はできるだけ指示的にならないよう，母親と子どもと指導者の三者の相互的関係のなかで，母親の気づきを促すよう留意する．活動は目的別に設定せずに，統合的なアプローチを行う．まずはお母さんの赤ちゃんへの不安を取り除き，愛着的な関係を育てることが育児の基本となる．

　また赤ちゃんは，周りの大人とは違う生活リズムがあり，その基本を作ることが乳児期の1つの課題である．しかしながら理想的なリズムをすぐに求めずに，現在の家族の状況を認め，無理をしないことが肝要である．母親と気楽に楽しく会話すること，その子に合ったやり方を一緒に考える姿勢を基本にする．赤ちゃんの変化や発達をともに喜び，楽しむことを大切にする．

(2) 支援の方法
① 赤ちゃんの特徴を知る．母親から日常の様子を聞く．そのとき，自分で観察した情報を伝えながら聞く．それによってお母さん自身の気づきを促す．
　（例：「〜ちゃんは眠くなったみたい．眠くなるとこんな泣き方をする？」）
② 母親の赤ちゃんの発達についての不安を除く．否定的なことばを使わずに，肯定的なことばで話す．他児と比較しない．
　（例：否定的表現「もう4か月なのに，まだ頸がすわりませんか？」
　　　　肯定的表現「からだを起こすとこれくらい首がついてきていますよ．首がすわるのももうすぐですね．少し身体を立てて抱いてあげるといいですよ」）
③ 育児上，明らかに対応を変えるべきことで，変えることができると判断した場合は，はっきり指摘する．
④ できるだけ記録をつけてもらう．母親によってはそれが負担となる場合もあるので，記録の取り方は相手に合わせる．母親の率直な気持ちを書いてもらうためには，記録を評価対象としない．時には父親にも書いてもらう．

2 幼児期の指導

a 幼児期の特徴

　幼児期においては，前言語的段階の習得を基盤として，言語の形式，意味，語用のすべての側面が相互的に関連しながら獲得され，言語習得として重要な時期といえる．子どもの日常生活を基盤とし，情動的コミュニケーションを通して言語の意味理解を深めていく過程が重要となる．人や物事に対する興味や関心を育て，細かく観察し理解するための注意力を伸ばし，就学に向けて心身ともに大きな成長を遂げられるように支援する．

　幼児期は集団保育と家庭生活のバランスを取りながら，指導・支援が行いやすい時期でもある．表7-33の指導上の留意点に立ち返りながら，コミュニケーション，聴覚学習，言語指導を総合的に行うよう支援計画を立てていくことが必要である．

b 基礎的なコミュニケーション指導とコミュニケーションパートナーの役割

　初期言語期においては，見てわかる手段である身振りや手話を音声言語に併用し，場面の意味，コミュニケーションにおける相互的な関係性など，**コミュニケーションの基礎**が理解できるようにすることが重要である．このような時期には表7-1(→247頁)に示すようなかかわりを心がけることが子どもの発達の鍵となりやすい．コミュニケーションパートナーは，子どもの発達段階に合わせて注意が喚起できるよう興味や関心を引き出せるようにする．特に行動に伴った発話，関係性の中での音声使用が高まるようにする．このためには，子どもとの遊びを構造化し，わずかな発声についても取り上げてフィードバックし，繰り返し楽しむ場面が必要となる．そのような遊びの中では，発声に意味があることを理解し，意図的な使用につながることとなる．

　初期言語期だけでなくその後の発達段階において

表7-33 初期言語期におけるコミュニケーションパートナーのかかわり方

1. 視覚的手段の併用と模倣
表情や身振りなど視覚的な情報と共に音声を提示し，発話のモデルを見せて模倣を促す．子どもの模倣がみられるようになれば，音声のみでも理解できるかどうか，子どもの反応を確認する．
2. わかりやすい音声の使用
擬声語や擬態語，幼児語など，子どもが模倣しやすい音声を使用し，かつ生活内では同じ場面で同じ表現を繰り返し使うようにし，子どもがパターンで理解できるようにする．（ドアを叩く：トントントン　アケテ，ごはんを食べたあと：モグモグ　オイシイ，など）
3. 行動の音声言語化
日常生活の中での身近な物事や行動，子どもの身振りなどについても丁寧に音声言語化して，フィードバックする．
4. 遊びの構造化
子どもとの遊びにおいては，役割交代，ルールをつくり，相互の関係性を理解できるようにする．また，発話と結びついた楽しい遊びのフォーマットをつくり，ゲーム的な感覚をもたせて楽しめるようにする．

表7-34 語連鎖期，文章構成期におけるコミュニケーションパートナーのかかわり方

1. 表現意欲の促進
子どもが表現した内容から何を伝えようとしているのか，その連想の背景や気持ちを考え，フィードバックする．大人も同様に気持ちを言語化し，子どもの内的世界やイメージを広げられるようにする．
2. 言語表現のモデルやフィードバック
子どもの発達段階に合わせた言語表現のモデルを示す．または，子どもの発話を誘導するうえでは，わずかな発話に対しても必ず復唱して返したり，表現を尊重しつつも，助詞の誤用や脱乱を修正してフィードバックし，子どもが正しく表現できるようにする（訂正的拡大模倣）．
3. 思考や言語的世界の構築
子どもの内的世界は外言化されて整理されていくが，うまく表現できない場合に，思考を助けるよう言語化して伝え，思考の整理を助ける．

ても，基礎的なコミュニケーション関係が成立しているかどうかは言語コミュニケーションの習得を考えるうえで必要となる．例えば，表7-34には，語連鎖期や文章構成期などの時期にも行われるべきコミュニケーションパートナーのかかわり

表7-35 コミュニケーションを深める遊び例

身体を使った単純な遊び	オニごっこ，かくれんぼ，かけっこなどを行い，同じ発話を繰り返す．遊び方がわかったら，ST→保護者→子ども，と順番にオニ役をするなど，役割を交代する． ・**オニごっこ**：STはオニ役，子どもと保護者は逃げる役をする．「待て待て」「タッチ！/つかまえた！」を繰り返す． ・**かくれんぼ**：STは探す役，子どもと保護者は一緒に隠れる役とする．「どこかな～」「いない」「いた！」を繰り返す． ・**かけっこ**：保護者は審判役，STと子どもで競争する．「ヨーイ，ドン」「勝った」「負けた」を繰り返す．
物を使った単純な遊び	宝探し，ボール投げなどを行い，同じ発話を繰り返す． ・**宝探し**：隠すものを決めて，1人が訓練室内のどこかに隠す．「○○は，どこかな～」「○○あった！」「○○ない」と，おもちゃ箱から同じおもちゃを探す．例）「電車はどこ？」「あった！（＋指さしをしてより注意を喚起）」 ・**ボール投げ**：キャッチボール，サッカー，的当て，ボーリングなどの遊びで，「いくよ」－「いいよ」，「何本倒れた？」－「～本」というように遊びを通して決まったことばのやり取りを決める．
イメージを用いた遊び	おままごと遊び，着せ替えごっこや再現遊びなど，イメージを膨らませて体験しながら遊ぶ．訓練室だけでなく家庭でも繰り返して楽しめる場面にする．役割交代をしながら遊びを繰り返す． ・**おままごと遊び**：お料理作り（子どもはお母さん役，STは子ども役で一緒にご飯を作る場面を設定する） 　お買い物ごっこ（STはお店屋さん，子どもはお客さんでお母さんと一緒に買い物にくる場面を設定する） ・**季節の再現遊び**：子どもの日，七夕，お月見，運動会，ハロウィン，誕生日，クリスマス，豆まきなどの行事に合わせた遊びをする． 　例）クリスマス：クリスマスの夜の場面にし，STがサンタ役になる．子どもが寝ているふりをしているときにプレゼントを置く．「よいしょ，プレゼントを置いていこう」「プレゼントがあった！」「何かな？」「車が入ってた！」など．
ゲーム性を楽しむ遊び	スリーヒントゲーム，黒ひげ危機一発，トランプ，ウノなどゲーム性を楽しみながらやり取りを行う． ・**スリーヒントゲーム**：STが絵カードを1枚隠しもち，3つのヒントを出し，子どもは何の絵であるのか当てる．保護者とどちらが早くわかるか競争する．あるいは，並べたかるたの中から答えになる絵カードを選ぶ．早くカードが取れたほうが勝ち． ・**黒ひげ危機一発**などのゲーム：差し込む剣を色分けし，「だれが○○色を使うかな？」「次は～」など．

方を示した．遊びの構造化，子どもの状況に応じた適切なフィードバックなどを念頭におき，子どもの全体的な発達の促進に努める．

コミュニケーションを深める遊びとしては，子どもの興味・関心に基づいて何を選択してもよいが，具体例を表7-35に示す．幼児期前期には身体や物を使った単純な遊びを繰り返し行ったり，幼児期後期ではイメージや再現遊び，ゲーム性のある遊びなどを選択するとよい．これらの遊びでは，何で遊ぶかよりも，どのように遊ぶか，が重要になるといえる．子どもと遊びを共有しながら気持ちを通わせ，子どもがSTや保護者に注意を向け，ことばでのやり取りが繰り返されることが大切である．楽しい遊びの中で同じ表現が相互的にやりとりされると，遊びがフォーマット化されて，自然にことばの意味と使い方を身につけることができ，学習が促進されるようになる．このような遊びを通した学習は幼児期段階ではとても重要となるため，コミュニケーションパートナーとしての役割を考えながら，子どもに合った遊びを取り入れていくとよい．

C 聴覚活用と聴覚学習の指導（傾聴態度の学習）

1) 聴覚学習の基礎

補聴機器によって残聴を補い，最大限活用することは子どもが収集できる情報を広げ，豊かに他

者と交流することを助けることとなる．意味のある**聴覚経験**を重ね，適切な情報を子ども自らが選択できるよう，コミュニケーションパートナーとして聴覚情報の質や量を見極めて調整することが必要である．

　コミュニケーションモードのうち，聴覚を活用する方法には，単感覚法としての**聴覚音声法**，自然に読話も併用する**聴覚口話法**とがある．聴覚を最大限活用するうえで，読話などの視覚的情報を抑制する場合もあるが，騒音下などの聴取困難な状況では読話によって情報を得ることができる場合も多い．また，自然な音声言語によるコミュニケーションと考えると読話をあえて抑制するよりも，音声言語の一部として利用し，聴覚活用ができる場面設定にすることが望ましい．

　聴覚活用を高める聴覚学習は，前項 b に示したような家庭での豊かなコミュニケーション場面を設定し，その中で実現することが重要である．家庭は子どもにとって，生活の場であるだけなく，安心して安全に過ごせる場であり，学習の場でもある．保護者とともに楽しむ家事や生活，遊びなどを通じて子どもの発達段階ごとに楽しい場面をつくり，聴覚活用とそして語彙の獲得などを統合して行うこととなる．

2）選択的聴取と傾聴態度の指導

　さまざまな音があふれる中から必要な情報を選び出して注意を向ける**選択的聴取**は，聴覚活用の第一歩となりうる．この能力を向上させるうえでは，豊かでわかりやすい聴覚情報を適切な量で与えることが必要である．選択的聴取能を獲得することで**傾聴態度**も形成できるようになる．必要な情報に気づき，興味や関心をもって傾聴し，意味を理解する．このような傾聴態度が形成されるためには，繰り返しその音を聞き，記憶にとどめ，意味と結びつける過程が必要となる．環境音を受動的な聴取から日常的な認識に段階的に学習する過程について図7-16に示す．音への気づきから，音と意味が結び付く**聴覚的知識**となり，日常

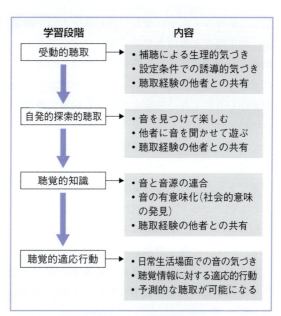

図7-16　環境音認識における学習過程
受動的聴取段階から聴覚的適応行動が形成されるまでの学習過程．音に気づく段階から徐々に意味と結び付けていくことで，聴覚学習が積み上げられ，音が自然に生活の中に位置づけられるようになる．
〔中村公枝：幼児期の指導：言語習得段階．藤田郁代（監修）：標準言語聴覚障害学　聴覚障害学，第2版．pp264-274，医学書院，2015より改変〕

生活における適切な認識に変化しうる．聴覚的な適応行動が増すようになると，遊具のケースを振って音を聞きながら，「ナニガハイッテイルカナ」と話すような行動もみられるようになる．音が子どもにとって意味をなし，判断や認識に関与している状況に達していると考えられる．

　具体的には，子どもの興味のある遊具を用いて声で合図をして動かす，音が聞こえるたびに耳を澄まして音声でフィードバックする，などを楽しい遊びの中で傾聴態度が増すような展開をすることである．

d 語彙指導

　子どもは他者とのコミュニケーションの中で，聴覚を活用し，音に注意を向け意味と結びつけることができるようになる．このようなコミュニケーションの中で，ことばの理解が増し，語彙の

増大に結びつくようになる．初めは擬声語や擬態語，幼児語などの聞きやすく話しやすい語彙から始め，日常生活語彙，学習語彙へと語彙の幅を広げていく．コミュニケーション指導や聴覚学習でのかかわりにより，日常生活語彙も徐々に獲得されていくが，動詞や形容詞，形容動詞や副詞については概念がわかりにくく獲得しにくい．生活の中で場面ごとにぴったりとした表現を繰り返し用いることを心がけて獲得を促す自然法としてのかかわりだけでなく，絵日記指導の中で必要な語彙を取り上げる，絵本の読み聞かせの中で語彙を強調していく，語彙を整理した遊び場面をあえて設定するなど，語彙拡大に努める必要がある．目標とする語彙数や品詞は表7-14を参照する（➡266頁）．

具体的な語彙学習場面として，例えば，誕生日が近い時期であるなら，いちごのケーキを作って食べるという場面設定にし，「イチゴ，ケーキ，クリーム，ロウソク，オサラ，フォーク」などの名詞語彙を強調して繰り返す，あるいはすでに獲得しているとすれば「ノセル，キル，ノセル，ワケル，タベル」などの動詞語彙の獲得場面とし，楽しく遊びを繰り返すことでそこで注目できる語彙を整理して，語彙の獲得を促すことも可能になる．

e 構文指導

構文指導においては，語彙がある程度獲得された段階で，表7-30（➡288頁）に示すように文の長さ，助詞，動詞の活用などに注目し，子どもの獲得しにくい部分へのアプローチが必要となる．

会話や遊びの中で語連鎖や助詞を促すような生活場面を想定したアプローチおよび，お話絵本を活用した指導，絵カードや文字チップなどを用いた学習など，子どもの年齢段階や獲得すべき構文レベルを考えて指導内容を検討する．

1）語連鎖期における構文指導

会話や遊びの中では，自然な語連鎖が身につくような働きかけを心がける．あいさつの際に「○○ちゃん　おはよう」「ママ　おはよう」というように人＋挨拶語で示す．遊びの中では「ママ　やって」「ママ　あけて」と要求する際に，人＋要求語の2語発話でのモデルを示して模倣を促すなど，2語発話で理解し表出できるような場面をつくっていく．

また，安定して2語発話がみられるようになると，2つの語を結びつける助詞の使用がみられるようになる．格助詞「の」の獲得ができるように，「ままの　くつ」「ぱぱの　くつ」と明確に表現できる前には，「ままの」「ぱぱの」というような所有の「の」を1語発話に付加させて使用しておく．そして，「まま　と　ぱぱ」というように並立格である「と」，主格の「が」，連用格の「を」など，理解されやすい格助詞の使用を広げていくことで，2語から3語連鎖へと語連鎖が長くなりやすい．

お話絵本は，決まった構文パターンの繰り返しから，構文構造の理解，定着をはかるうえで有用となる．お話絵本の例を図7-17に示した．この図では格助詞を用いた主語＋述語で，さまざまな動作主での2語発話が繰り返される絵本となっており，楽しみながら語連鎖の獲得が促される．

2）文章構成期の構文指導

この時期においては，接続助詞を利用した重文の理解について指導を行っていく必要がある．絵カード，ペープサート，ぬいぐるみ，実演などを用いて概念形成を行ったり，文字チップの構成により読みでの理解をはかる，音読や復唱などで表出する力を身につけるなど多感覚を用いた指導の展開が必要となる．幼児の場合には，実際に子ども自身に活動をさせながら行うことで，意味理解に結びつきやすく，楽しみながら学習を行うことができる．また，家庭でのかかわり方や絵日記においても，現段階での獲得目標を意識しながら構成できると相乗効果がみられるようになる．

図 7-17　構文のお話絵本例
「〜が　たべる」という2語連鎖を安定させる，「だれ」という疑問詞に対する回答が表現できるようにする．パターンで発話を促せるようにする．

3）多弁期，複文期の構文指導

この時期の指導においては，動作主と動作対象の関係性に着目させ，状況に合わせて受動態・能動態・使役を使い分ける指導の展開が必要である．文章構成期と同様に，日常生活での体験の中で，動作主と動作対象に目を向けられるよう，ことばかけでの工夫を行うようにする．例えば，基本的な「あげる-もらう」の関係についても，お菓子の受け渡しの中で，「ママは○○ちゃん（子どもの名前）にあげたよね」「○○ちゃんはママにもらったよね」と確認したり，「押す-押される」，「叩く-叩かれる」，など日常生活で体験する事柄に対しては，絵日記で構文を確認しながら進めると，より定着をはかることができる．

このような生活場面での学習だけでは，十分な理解に至らない場合もあるため，机上課題での整理も必要である．受動態と能動態に関する指導例を図 7-18 に示した．聴覚的理解，概念形成，文字による構成，複唱，音読，再生など，さまざまな角度からの指導を重ね，獲得に至るよう促す．1つの受動態，能動態について理解できたら，他の動作語を使っても般化がみられるか否かについて確認し，学習を進めていく．

さらに，受動態で用いられる助動詞「れる」「られる」については，受身以外にも，可能，自発，尊敬の意味がある．このような動詞の活用について，どのような動詞には「れる」を付加し，どのような動詞であれば「られる」を付加するのかを整理しながら，意味を理解して使い分けられるよう促していくことになる．

f 絵日記指導

難聴児に対する絵日記指導は，**子どもが体験した事象**について，**楽しみながらことばを学習する過程**をつくりだす．絵日記を通じて，子どもの体験や気持ちを整理することができ，まとまった談話としての表現も促すことができる．また，絵日記を通して親子で**再体験遊び**を行うなど，コミュ

> **受動態・能動態指導例**
>
> **課題内容**：
>   動作主　＋　動作対象　＋述語(動作語)の理解，表出
>   「ねこ　が　うさぎ　を　追いかける」「うさぎ　が　ねこ　に　追いかけられる」
>
> **訓練手順**：
>   1. pre test
>   下の絵カードを提示し，動作主を指差し，「この子はどうしているかな？」と尋ねる．
>   次に動作対象を指差し，「この子はどうしているかな？」と尋ね，動作対象から話すように促す．
>   2. 聴覚的理解課題
>   下の絵を提示し，「『○○が△△を追いかける』はどっち？」と尋ね，該当する絵を指差しさせる．
>   次に，「『△△は○○に追いかけられる』はどっち？」と尋ね，両者を聞き分けているかについて確認する．
>   3. 概念形成課題，復唱
>   実際に子ども，母親，STで順番に動作をしながら，言語化する．
>   動作主，動作対象を明確にしながら繰り返し動作を行う．
>   子どもの復唱についても促す．
>   4. 文字構成課題，音読
>   2枚の絵カードのうち1枚を提示し，文字チップによって課題文を構成するよう求める．
>   1つの絵カードで，「○○が△△を追いかける」「△△は○○に追いかけられる」の2パターンの構成ができるようにし，最後に音読で確認する．
>   5. post test
>   1でのpre testと同じように尋ね，訓練効果が得られたかどうかについて検討する．
>
>

図 7-18　受動態-能動態指導例
受動態-能動態での表現が表出できるようにする前段階として，聴覚的な弁別，意味的な理解，文字での確認を繰り返し，構文の理解に結び付ける．

ニケーションを育てることもできる．

絵日記指導にはさまざまな方法があり，教育機関で用いられているような毎日行う絵日記や1つの体験を数枚の絵にして丁寧に掘り下げて行う絵日記指導もある．ここでは後者について紹介する．

第1に子どもにとって興味のある出来事を決め，保護者がその出来事について絵に描いたり，写真で構成する．3～4枚程度のストーリーになるような絵日記を作り，場面に合わせたことばを考える(図 7-19)．表現内容には，子どもに新しく獲得してほしい語彙や構文を組み込むと，絵日記での体験の表出とあわせて語彙や構文の学習も盛り込むことができる．絵日記学習の中では，場面を繰り返し再現し，より詳しく思い出す過程でことばを添えるなど楽しく追体験学習を行うようにする．絵日記の中での子どもとのやり取り，追体験による記憶の強化により子どもが自ら説明できるようになると，他者に自ら体験を伝達できるようになる．

絵日記指導では，子どもの興味や関心をもとにテーマを決めていること，子どもが実際に体験していることでさまざまな感情の生起により記憶は強固なものとなっている．その体験を改めて言語

g 会話指導

　会話を行ううえでは，相手からの質問の中に取り上げられている疑問詞の理解力，疑問詞に適切に答えるための言語力，会話で相手の意図をくみとる認知力と理解力，会話を維持する集中力などさまざまな能力が必要となる．どの能力が欠けても会話の成立が困難となるため，難聴児においては話が一方的になる，質問とは違う回答をしてしまうなどの課題もみられる．そこで，会話が成立しにくい要因を評価によって見出して指導する．コミュニケーションそのものに課題があると考えられる場合には，まずは遊びの中でコミュニケーションパートナーの関係から基本的なかかわりの方法や姿勢，関係性について学んでいく必要がある．

　一方，疑問詞自体の理解ができていない場合には，子どもの発達段階に応じて「ダレ？」には「人」，「ドコ？」には「場所」を答える，という基本的な対応関係がわかるように人当てクイズをする，宝探しゲームをする，ペープサートを使ったお出かけ遊びの中で，「ダレガ，オカイモノニイコウカナ？」「ドコニイク？」など，疑問詞＝回答，を繰り返し使いながら理解を促すことも可能である．さらに，幼児期後期になると，疑問を示す「ドウシテ」に対して，原因となる「〜ダカラ」と答えられるようにすることも重要である．幼児期後期には集団生活の中で生じた原因-結果の関係を理解し説明できるようにするため，疑問詞に対する理解が増すような指導が必要である．

　質問に対する応答表現については，語彙や構文力がまずは備わっていることが必要となる．子どもがどの段階でつまずいているのかを把握し，語彙力を伸ばす，構文段階を上げるような基本的な言語指導を行うなどの対応を行う．

図7-19　絵日記の例

化する過程であるため，非現前事象に対する理解や表現力，体験した事柄を人に伝えようとする楽しさを知ることができ，幼児期の難聴児の支援においては重要な位置を占める．

h 発声発語指導

　発声発語で伝えられる情報は**音韻**と**韻律**の2つがあり，情動や意図を伝えるうえで重要な情報である．発声発語能力の背景には，聴覚フィードバックが必要であり，難聴児の場合には聴覚活用が前提となる．このため指導において，聴覚活用と発声発語指導は相互に関係しあうものと考える．

　幼児期は，正しい構音獲得の途上段階であること，また言語発達過程であることを考慮し，早すぎる発声発語指導で発話意欲を低下させるのではなく，生活年齢や発達段階を考えた指導時期，内容の検討が必要となる．この場合には，誤りを訂正することだけに主眼を置かず，肯定的な態度で発話を積極的に促し，長期的な視点をもった指導が大切である．軽度・中等度難聴や人工内耳装用児で早期装用が可能な場合には，比較的自然に音韻情報を獲得できる場合が多いが，高重度難聴で補聴器装用児の場合には，聴取能の限界により達成できない目標もあるため，子どもごとに無理のない目標設定を考えることも必要である．

　基本的な発声発語指導は構音障害児に実施する方法と共通するところではあるが，難聴児では，聴覚的フィードバックが働きにくい音があるため，構音点や構音様式などを視覚的，触覚的に示すなど構音動作自体が理解しやすいようにすることは重要となる．また，構音動作が見てわかるような両唇音，破裂音などの指導を先に行い，弾き音，摩擦音，破擦音などの指導を段階的に行っていくこととなる．聴覚フィードバックできない音については，構音動作としての獲得ができ，文や会話レベルでも誤りなく発話できる般化の段階まで根気強い指導が必要となる．その際には，子どもに負荷がかかることがないよう，落ちついた雰囲気の中で指導ができるように配慮する．

　そして，人工内耳装用児や，高重度難聴で補聴器装用児の場合には，音韻情報だけでなく韻律情報においても不自然さを示す場合がある．この場合には，正しいアクセントやイントネーションの変化を指で動かして視覚的に示す，動作をつけて疑問表現であるのか断定表現であるのかを身体を動かして示すことも理解の助けとなる．

i 保護者への支援

　乳児期には新生児聴覚スクリーニングや聴覚精査によりショック期，混乱期にあった保護者も，幼児期には安定した育児や家庭での学習を熱心に行う場合も多い．しかしながら，一度受容できたとしても，子どもの発達過程の中でのつまずきや遅れ，集団生活の中での友人間のトラブル，差別的対応や就学における選択，正常聴力のきょうだいとの関係などのさまざまな場面で**ストレスや不安**を感じて悩むこともある．その過程の中で保護者は子どもの状況，難聴の影響に対する理解を深めていくこととなる．言語聴覚士は，その1つひとつの問題に対して真摯に受け止めて理解し，問題となる子どもの行動の意味を説明したり，対応方法についてともに考えることが有効である．子どもにみられる問題行動の多くは，人との関係性の中で生じている場合も多く，大人側の対応方法を変えれば問題解決することもある．保護者の話を傾聴し，コミュニケーションパートナーとして適切な対応が可能になるよう支援することが重要である．そのことにより，保護者が心身ともに安定し，積極的に子どもとかかわりをもつようになれば，おのずと子どもの発達もみられるようになる．子どもと保護者の双方を支援し，よりよい関係性の中で子どもが自ら学ぶ力が育つようにすること重要である．

3 学童期の指導

a 学童期の特徴

　学童期には「読む，書く」という本格的な読み書き段階に移行し，読むことを通じ，具体的に体験していない事柄も情報や知識として獲得するよう

になる．また書くことを通して自己の経験や知識を**体制化**(変換，生成，拡張)し，言語の脱文脈的な使用ができるようになる[13]．語彙についても，生活に根差した言語から**学習言語**へと変化する．

コミュニケーションにおいては，家庭での直接的なコミュニケーションから**社会的なコミュニケーション**へと変化する．場面に応じた適切な行動や発話が求められるようになり，コミュニケーションの機能やその幅も広がる．

難聴児においては，幼児期からの言語発達上の積み残し課題のために，音声言語だけでなく書記言語でも遅れを伴うことが多い．すべての教科学習で文章の読解力は不可欠となるがその理解ができない，感じたことを自らのことばで作文としてまとめることが難しい，など書記言語上の課題が多くみられやすい．また，字義どおりの意味に解釈しやすく，抽象語の獲得が難しい，冗談が通じないなどの課題がみられうる．先行研究では，難聴児の書記言語能力が**9歳段階**にとどまり，抽象的な理解の問題が背景にあることが指摘されている[14, 15]．抽象的，論理的な思考は言語によって形成されるものであり，その言語を用いた操作に困難を伴えば，思考における**内言語**自体も育ちにくくなる．内言語が発達することで自らの考えをまとめて表現することができるようになり，自らの状況を客観化して障害について考え理解することもできるようになる．

これらの基本的な言語発達課題がコミュニケーション上の問題にも発展するため，幼児期からの積み残し課題への対応を行いながら，教科学習に取り組めるような支援が求められる．

さらに，学童期には**友人関係**の発達も欠かすことはできない．この時期には，友人関係の形態も大きく変化する．低学年段階では遊びや興味に合わせて仲間づくりを行っていくが，仲間割れや興味の相違により関係性は分解しやすい．一方，高学年になると相互の役割が明確となり安定した関係性に変化しうる．家庭での親子でのやりとりから友人同士とのつながりが生活の中心となり，友人関係を基盤として人格形成，社会性を発達させるようになる．難聴児においては，情報不足によるトラブルも発生することもあるため，同様な発達が遂げられるよう仲間づくりについても支援することは重要である．また，聴児だけでなく同障児とのかかわりもアイデンティティを模索する時期には不可欠となる．幼児期からの自然な関係性が築けるよう意図的に同障児(同じ障害をもった児)との交流ができるように配慮する．

b 言語発達課題への支援

幼児期からの言語発達上の**積み残し課題**への支援については，個々の子どもの発達段階によって異なる．語彙力，構文力，会話力など，子どもの発達評価の結果をもとに必要な支援を行う必要がある．言語発達の遅れは，**教科学習**の困難さにつながるため，幼児期からの体系的な指導の継続は必要となる．

具体的には，会話や本の中で知らない語彙について説明したり辞書で調べる，意味をノートに整理する，新しい語彙を使った短文の作成，助詞の穴うめや複雑な構文を整理した書字，教科書や教材の音読，体験などの作文や感想文の作成など，さまざまな課題を考える．その際には，話すことで終わらせることなく，必ず書いて整理することで知識として定着しやすくなる．

c 書記言語指導

書記言語は難聴児にとって確実な情報手段であり，聴覚情報の曖昧さを埋めることができるため重要な情報である．しかしながら，言語発達そのものに遅れがみられる場合，音声言語の獲得だけでなく書記言語も同様に遅れがちになる．読解においては，抽象的な概念の習得が必要にある9歳段階でとどまるという報告や，作文においても語彙表記の誤り，助詞の脱落や誤用，パターン化した文章になりやすいこと，などが指摘されている．書記言語の課題は青年期以降も継続する場合もあり，文章力の問題から指示理解ができない，

表7-36 書記言語(読み, 書き)の学習段階

段階	目標	内容	学習時期
文字導入期	・文字に気づき,慣れる ・知っている文字表記を見つける	・絵本などで文字に触れる ・子どもの所有物に名前を書いてみせる ・わかりやすい文字の字形弁別と認識を促す ・同音2音節単語,1音節単語を認識させる	幼児期
文字レベル期	・文字への関心を促す ・文字と音声言語との対応を認識させる	・1モーラ1文字の対応関係を明示する ・日常生活で,文字を併記するようにする ・文字の認識を促す ・お絵かきで運筆の基礎をつくる ・絵本読みを深める	
単語期	・読字が可能になる ・主体的な文字学習が始まる ・単語の認識と読みが向上する ・書字の基礎をつくる ・音節分解と音韻を意識化させる	・1文字の読みができるようにする ・単語の拾い読みを可能にする ・単語レベルでの文字と聴取と音声化が結びつくようにする ・運筆能力を育成し,仮名書きができるようにする ・しりとりで音韻能力を養う	
文レベル期	・文を最後まで読める ・文レベルの意味理解ができる ・簡単な絵本が読める ・書きことば表現を使える	・簡単な文の拾い読みからまとめ読みができるようにする ・絵本から文字の多い本への読み聞かせに移行していく ・音読を促し,理解力を育てる ・日記,手紙,お話づくりでの書きことば表現を強化する	学童期
文章レベル期	・文章を読んで大意がつかめる ・文脈から単語の意味を類推できる ・文章を読み,問いに答えられる ・長文の読解ができる ・著者の視点を理解する	・音読から黙読・1人読みへ移行する ・文章構成を把握し,理解する ・説明文・物語文・詩など,多様なジャンルを読む ・テーマに沿った作文が書けるようにする	

子どもの文字への興味や関心には個人差がみられるため,子どもの状況を考慮しながら,段階的に文字の導入を進めていくことが必要である.
〔中村公枝:学童期の指導.藤田郁代(監修):標準言語聴覚障害学 聴覚障害学,第2版.pp274-280,医学書院,2015より改変〕

意図を伝えられないなど就労上の問題に発展する.幼児期からの段階的な文字認識から,書記言語としての獲得まで体系的な指導が必要である.

書記言語の学習過程について表7-36に示した.書記言語獲得には子どもの興味や関心も関係するため個人差がみられるが,多くは3歳ごろから開始されるようになる.文字習得には,文字と音声言語の対応による読字から始まり,1文字読みや拾い読み,その後のまとめ読みへと発達する.読字と並行して書字ができるようになり,名前や簡単な手紙を書く中で,徐々に文,文章へと移行する.これらの書記言語習得の過程においては,幼児期からの絵本読みや絵日記の習慣による効果も大きい.

乳幼児期から親からの**読み聞かせ**を受けて絵本好きに育った子どもは,就学して読みの速度が速くなり,自ら1人読みをするようになる.読書は,直接的に体験しにくい世界を間接的に感じとったり,新しい語彙に出会い意味を理解したり,読解力を高めることなどにも寄与する.さらに,読書を通じて感性を深め,自らの障害と向き合い考える力も育むようになり,難聴児にとっては重要な教材となりうる.

一般的に**読書量**が多いほど語彙力や読解力も高いといわれており,論理的思考にもつながることとなる.乳幼児期から親子で絵本を楽しみ,本好

きな子どもに育てておくことが，学童期の言語・コミュニケーションの習得を豊かにするといえる．日常生活の中で，自然に書記言語に触れることができるような働きかけを大事にしていくことが必要といえる．

d 訂正方略の指導

難聴児の場合，他者の発話でわからないことが生じた場合に，意味がわからないことを流してしまったり，会話が途切れてしまうなど，コミュニケーションブレイクダウンと考えられる場面がみられることがある．このように他者との会話の中で，未知の語があって聞き取れなかったり，意味がわからなかった場合には，そのことを自覚して相手に伝え，発話の反復や情報の追加を求めることは，会話の誤解や中断を回避するうえで重要となる．回避する方法のことを，訂正方略といい，幼児期後期から学童期にかけて使用できるようにすることはコミュニケーションにおいて必要なことといえる．訂正方略の種類について表7-37に示した．音声で「え？」と聞き返す場合もあれば，首をかしげてわからないように動作で示す場合などもある．

訂正方略の獲得には，難聴児と会話する大人側も積極的に利用してモデルを示すことが重要となる．会話の中で，わからないことがあればいつでも聞くことができる雰囲気やモデルを示しながら，徐々に獲得を目指すことが重要である．また，訂正方略の活用には，根本的な構文力や語連想力との関係が高いとされており[16]，幼児期からの積み残し課題がある場合には，その点をあわせて支援することも必要となる．

e 教科学習への支援

各教科を理解するうえでは，問題文を読み解く**言語力**と**思考力**が求められる．国語では漢字は書けるのに問題文の読解や語句問題ではつまずきやすい，算数では難度の高い計算は解けても文章題は簡単なものでも間違える，理科や社会では，複

表7-37 コミュニケーションブレイクダウン時の訂正方略例

訂正方略の種類	内容
繰り返し	相手が発話した語や文の全部もしくは一部を繰り返すもの
聞き返し	内容を特定せずに発話の繰り返しを求める（「え？」「なに？」「もう1回いって」など），あるいは相手の発話の一部を疑問詞で置き換えて繰り返しを求めるもの（「○○って何？」）
確認	相手の発話から理解したことや関連した内容，推測した内容を発話に加え，相手の発話を確かめるもの

〔平島ユイ子，他：音声会話における人工内耳装用児の訂正方略に関係する言語要因の検討．音声言語医 56：30-36，2015より改変〕

雑な内容になると理解できない，穴埋め課題はできても文章で説明する力に乏しい，など教科によって出てくる課題はさまざまである．教科学習の支援においては，前出 b の「言語発達課題への支援」（→309頁）における言語発達課題とあわせて行っていくとよい．

低学年段階では，算数の基礎となる数概念の形成，国語の基礎となる語彙の意味や説明，道徳で問われるような状況の理解と"どうして"に対する回答の仕方など，教科書や教材を使いながら理解を促す．高学年段階では，子どもの学習段階に合わせたドリルを活用する，音読や作文など子どもの苦手な課題をわかりやすく理解できるように課題を設定し学習できるようにする．

f 心理社会的問題への支援

学童期は自身の障害について向き合い，葛藤する時期でもある．個別指導の中での言語聴覚士とのやりとり，グループ指導での同障児との話し合い活動などを通して，自身の聞こえにくさと向き合い，障害を抱えながらもたくましく生きる力を身につけられるよう，**障害理解**や**受容**に向けた長期的支援が必要となる（→313頁）．

g グループ指導

　個別指導と合わせてグループ指導では，**同障児とのかかわり**をもち，自尊心や自己効力感を高め自らの障害に向き合ううえで重要といえる．複数名の子どもとのグループ学習の場面では，活動や話し合いを通じて協力，我慢，責任の遂行など，さまざまな経験をすることができる．話し合いの中では，他者の意見に傾聴しつつ自らの主張を表現する方法を考え，共通の結論への妥協や理解を深める機会となり，多様な問題解決を可能にする．1人では気づかない新しい考えを知ることで，豊かな発想力を育てることにもつながりうる．

　会話や話し合いは，難聴児にとって困難な場合も多く，グループを通して学習する意義は大きい．グループ指導の中では，短期的な視点での完結性と，長期的な視点での連続性を大事にし，学習の積み重ねができるように設定する．

　指導内容については，「あいさつ，グループの予定の説明，自由遊び，おやつ，本読み，終わりの挨拶」という大きな枠組みは決めておきながら，それ以外の内容については，子どもたちの年齢，興味などから決定する．幼児や小学校低学年であればあらかじめ内容を決めて準備をしておくが，中学年以降では子どもたちで話し合いをして決定するように促す．工作などの制作活動では，制作時に他児との話し合いを楽しむようにし，つくり終わったものを使って遊ぶことで交流を広げられるようにする．話し合い活動では，他児の話への傾聴，自らの意見の主張，よりよい内容への調整などが可能になる．活動の中では，コミュニケーションモードの違いや言語発達段階に配慮しながらも，書記言語を用いること，楽しく学ぶことを目標に掲げることも重要である．

h 保護者への支援

　幼児期から学童期になると，学校で過ごす時間が長くなり，また自ら登下校するなど親から離れて自立に向けた生活をスタートさせる．通常学級へのインテグレーションを選択した場合，親の心配は就学後の学校生活への適応や学級担任やクラスの友人との関係が中心となる．学級担任が自分の子どもをしっかりとみてくれているのか，情報保障に抜けはないのかなど不安は大きく，時に過剰な期待からトラブルになることもある．就学前から学校と連絡をとって配慮事項や留意点などを伝達し，就学後も連携を行いながらよりよい学校生活を送れるよう環境整備を行うことが大切となる．

　毎日の教科学習が始まると，親の関心は言語発達の遅れの問題よりも学習達成度や成績に移行しやすく，子どものつまずきの本質的な原因が基本的な言語発達課題の積み残しであることに気づきにくくなる．子どもごとに必要とされる発達課題を整理し，**問題解決方法**や**家庭での学習内容**について話し合うことが重要である．

引用文献

1) 中村公枝：聴覚と聴覚障害．藤田郁代（監修）：標準言語聴覚障害学　聴覚障害学，第2版．pp1-30，医学書院，2015
2) Erber N：Auditory evaluation and training of hearing-impaired children. JNSSLHA 724：6-18, 1980
3) Mischook M（著），今井秀雄（訳）：聴覚学習と聴覚障害児幼児の指導．コール E，他（編），今井秀雄（監訳）：聴覚学習，pp107-129，コレール社，1990
4) 斎藤純男：言語学入門，三省堂，2010
5) 野中信之，他：0歳難聴児におけることばの基盤の形成と自発的言語獲得―ことばの発見と他者理解における対人的循環反応の意義―．音声言語医学 48：332-340，2007
6) 小林哲生，他：日本語学習児の初期語彙発達．情報処理 5：229-235，2012
7) 南泰浩，他：語の長さと幼児の語彙習得時期・期間との相関．音声研究 17：44-53，2013
8) 髙橋登：学童期の語彙能力．コミュニケーション障害学 23：118-125，2006
9) 秦野悦子（編）：ことばの発達入門．大修館書店，2001

10) 中村公枝：小児の訓練・指導．藤田郁代（監修）：標準言語聴覚障害学 聴覚障害学，第2版．pp236-280，医学書院，2015
11) 遠藤純代：友だち関係．無藤隆，他（編）：発達心理学入門Ⅰ 乳児・幼児・児童．pp161-176，東京大学出版会，1990
12) Fogel A：Developing through Relationships：Origins of Communication, Self, Culture. University of Chicago Press, 1993
13) 岩田純一：ことば．無藤隆，他（編）：発達心理学入門1―乳児・幼児・児童．pp108-128，東京大学出版会，1990
14) 岡本夏木：9歳の壁．岡本夏木，他（編）：発達心理学辞典．pp141-142，ミネルヴァ書房，1995
15) Tanaka K, et al：Structural characteristics of reading ability in Japanese children and youth with hearing impairments：Linguistic competence. Jpn. J. Spec. Educ, 44：473-492, 2007
16) 平島ユイ子，他：音声会話における人工内耳装用児の訂正方略に関係する言語要因の検討．音声言語医 56：30-36，2015

H 障害認識へのアプローチ

1 障害認識とは

a 障害受容から障害認識へ

　障害のとらえ方は，社会の価値観や制度などにより変容する．聴覚障害において「障害の受容（と克服）」は，従来中途失聴者が聞こえなくなったことをどのように受け止めていくかという視点から語られてきた．またこの言葉は子どもに対して，障害をどのように教え自覚させるかという教育者・指導者の視点から用いられてきた．

　1990年代以降「**障害認識**」という用語が使われ始めた．障害に対する医療（病理）的な視点と文化（社会）的な視点を相対化し，聴覚障害のある子どもの主体を尊重したとらえ方である．「聞こえない・聞こえにくい」ことを正しく知り，肯定的に向き合い，同障の仲間や周囲の多数の聞こえる人たちとかかわっていく意欲や行動のありかたまで含まれる幅の広い概念である．

b それぞれの障害認識

　障害認識は障害のある子どもだけに求められるものではない．保護者や周囲の支援者（言語聴覚士・教員など）もそれぞれ自分のもつ障害認識を絶えず問い直すなど，子どもと向き合うときに必要な視点である．地域の学校に通う子どもの障害認識の段階と対応・支援の例を図7-20に示す．

　例えば，自分が日本の文化や価値観にとらわれていることを海外に行って気づいたという話のように，自己認識は，**帰属集団**や周囲の状況によって内容や深まる時期が異なる．聴覚障害のある子どもの障害認識は，障害や聴覚活用の程度・生活上の人間関係の幅や層・発達段階・社会背景によって多様である．彼らの9割は聞こえる親をもつ．またデフファミリーで豊かな手話言語の環境にいる子どももいる．同年齢集団が10人以上の聾学校がある一方，欠学年のある小規模校も多い．家族でも校内でも聴覚障害のある子どもは1人だけという割合も高い．

2 発達段階ごとの特徴と指導の留意点

a 保護者の障害認識への支援

　新生児聴覚スクリーニング後，障害の早期発見・療育の流れの中で，保護者の障害認識についても早期からの支援を必要とするものになってきている．特にスクリーニング後の専門機関では「保護者の障害認識のためのカウンセリング」が重要で，繰り返し丁寧に応接することが求められる．医療関係者から「聞こえないことは悲しくて残念なこと」というメッセージだけを受け取ると，自分の子どもの聴覚障害について肯定的な受け止めがしにくくなる．保護者の障害認識を支えるには，障害の状態や障害名の告知，子どもとのコミュニケーション方法や今後の進路についての助言を，どの時点でどのように伝えるべきかを個別に継続性をもって考慮する必要がある．

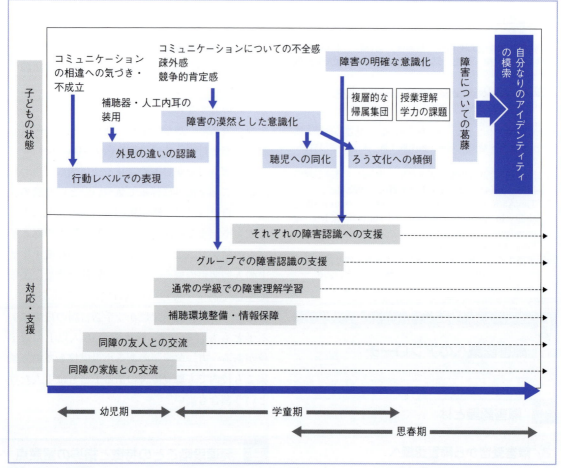

図7-20　障害認識の段階と対応・支援の例（通常学級在籍児）
〔中村公枝：小児の指導・訓練．藤田郁代(監修)：標準言語聴覚障害学 聴覚障害学，第2版．pp236-280，医学書院，2015 より改変〕

　聴覚障害のある子どもに一定の割合で発達障害があることが知られている．保護者の中には，こうしたあわせもつ障害について拒否的であったり受け止め方が希薄であったりする場合も見受けられる．時間をかけた丁寧な傾聴と共感のある支援が必要とされる．また，発達段階ごとの子どもの障害認識の変容に伴い，保護者自身が対話を続けられる関係を培うことができるよう助言も求められる．

b 幼児期の特徴と指導の留意点

　2～3歳の幼児であっても補聴器をしている人にいち早く気づき親近感を示すことがある．また，聾学校幼稚部の子どもが人を呼ぶときに，相手が聞こえる場合には声を出し，聞こえない場合には身体を触れて呼ぶなどの区別をすることはよく見かけられる．個人差はあるが，幼児期の障害認識は，身体的な相違への気づきだけではなくコミュニケーションの違いに対する自覚や態度によるところが大きい．

幼児期の障害認識は，保護者や周囲の大人が子どもの気づきや疑問に肯定的に興味関心を示し相互にやりとりをしようとする態度によって育まれる．基本的な信頼関係と共感はその基盤となる．1対1の関係から家族へとかかわりが広まってくると0歳児であっても両親の会話を交互に見るなど他者同士の会話に興味を示すようになる．聞こえる子どもは3〜4歳児でも他者同士の会話に自分から入り話し合い活動をする端緒がみられる．聴覚障害のある子どもにも周囲の会話が，手話や表情，はっきりとした音声など確実にわかるコミュニケーション環境であるように支援することが望ましい．そのためにも乳幼児期から同じ障害のある家族や友人との交流をもつことは重要である．

c 学童期の特徴と指導の留意点

就学後，子どもは自分の聞こえについての気づきや疑問を自分なりの言葉で表せるようになる．個人差はあるが**9歳の峠**を迎える3〜4年生ごろは，1つの節目である．多くの子どもは聴覚障害について漠然とした意識化がなされてくるので，この時期に聞こえの仕組みや補聴器・人工内耳の話をすると非常に興味をもつことが多い．

現在わが国で聴覚障害のある小中学生は，聾学校よりも**難聴学級**や通級を含めた地域の学校に多く在籍しており，実態の幅は広い．聾学校等の専門性をもつ教育機関では，**自立活動**の時間に障害認識に関するトピックスを位置づけていることが多い．これらをまとめたものが表7-38である．病院など教育機関外にいる言語聴覚士が継続的にこれらの話題についての支援を担うこともある．

トピックスの提示については，指導者が子どもの実態と課題に合わせてカリキュラムをたて，その時々に相互に評価していくのが望ましい．ワークシートを用いる，グループ指導やオープンエンドの話し合い活動，具体的な体験，先輩との出会いの場を作るなどの幅広い取り組み形式が考えられる．また，こうした取り組み後，通信など書記言語の形式で読み合い話し合うことは有効である．同じ話題について，学年を超えて繰り返し深めていくこともできる．

地域の学校に通う軽度・中等度難聴や人工内耳装用の子どもの中には，低学年では障害の差異をあまり自覚せず校庭で遊んでいたが，高学年になり教室内でグループのおしゃべりをする時間が増えると，疎外感を抱き交友関係での不全感やトラブルを障害と結びつけてとらえるようになった例もある．聾学校や一部の難聴学級などで同障の集団が確保されている場合は，手話を併用して仲間とやりとりすることが多い．コミュニケーションの壁を意識することは少ない反面，固定された人間関係に閉塞感を抱いたり，「○○さんより聞こえる（または聞こえない）」と比較して自分を位置づけたりする時期もある．

地域の学校では，耳せん（イヤマフ）などを用いる難聴の疑似体験や視覚と聴覚をあわせた聴覚心理に関する素材を扱いながら周囲の聞こえる級友への理解啓発も有効である．同障の仲間がいない子どもの中には，障害を話題にすることをためらう時期もあるので，個別の対話と支援を積み重ねたうえで準備や事後の振り返りの時間をもつことに留意する．

d 思春期から青年期の特徴と支援の留意点

エリクソンは**アイデンティティの確立**を思春期の心理・社会的課題とした．思春期は障害の有無にかかわらず自己と他者に対する意識が急速に高まる．コミュニケーションをより意識することの多い聴覚障害のある子どもにとっては，まさに自分の障害と向き合う時期になる．この意味で障害認識は自己認識と重なる．

思春期の自我は不安定で自己像をもちにくく，小さな失敗で自己嫌悪に陥り逆にちょっとしたことで万能感を味わうこともある．「聞き取りがよい，テストの点が高い」など他者と比べる指標を手がかりにして競争的な自己肯定感にすがったり，聴者と聾者を二分してどちらかにだけ自分を

表7-38 障害認識に関するトピックスの例

カテゴリー	内容
1. 聴覚障害について	耳の構造や聞こえの仕組み，難聴の種類や原因など，自分自身の聴覚障害を理解するための知識をもつ．
2. 補聴器・人工内耳・補聴援助機器	補聴器・人工内耳・補聴援助機器などの構造や操作の仕方がわかり，日常生活での使い方や保守管理などができる．
3. 身体障害者手帳や福祉制度	身体障害者手帳や聴覚障害に関する福祉制度についての知識をもつ．場面や状況に応じてその手続きを理解して利用できるようになる．
4. 情報保障	自分の聴覚活用の程度と情報内容ややりとりに合わせた具体的な方法を選択できる．音声・文字・手話など幅広い情報保障の種類や利用の方法を知り，実際に経験をし，取捨選択や判断のための話し合いをする．
5. 自分と周囲について（コミュニケーション，自己権利擁護，自己開示，アサーション）	・手話と日本語のそれぞれの特徴や魅力を知り，親しむ． ・聞こえる人の音に関する文化やマナーを知る． ・自分の聞こえない・聞こえにくいことと必要な合理的配慮などを，誰にどのように説明するかを予測して考える． ・自分や仲間が実際に行った障害の説明や自己開示について振り返る． ・音声情報が関与する「こんなときどうする？」場面を想定し，考える． ・集団での会話や外国語学習，マスク着用時など，さまざまな状況で相手の発言が聞き取れなかったときの幅広い訂正方略を知り，実際にやってみる． ・次のステージを予想して自分の「トリセツ（取り扱い説明書）」を試作する．
6. 将来について	進学先や将来・就職後の生活について幅広く情報を集める．書籍・映画・同障の先輩の話などを素材に，イメージをもち話し合う．
7. 聴覚障害者の歴史と社会	聴覚障害者と教育・療育の歴史，権利擁護の社会活動などについて学ぶ．欠格事項の変遷や諸外国の状況について幅広く話題に出して話し合う．

当てはめるという柔軟性のない判断に陥ったりする場合もある．自分がこうありたい理想像や周囲から期待される像と現実の自分自身との差異に強い葛藤が起こる．反面，学級や部活また同障の集団など自分が所属するグループから得る共感的な承認の中で自己肯定感を得ることは，心理的な安定と前向きなエネルギーにつながる．帰属集団は学童期と比べて複層的であり，時間軸の中で変化する．

また，思春期の帰属集団は規定されたものから自己選択するものに変容する．家族や幼児期の教育機関などから気の合う友人や部活など徐々に自分で選ぶようになる．この時期から成人に至るまで，同障の仲間と聞こえる仲間とを並行して行き来しつつ，自分なりのアイデンティティを模索し，折り合いをつけていく若者は多い．

思春期の子どもにとって，自分と正面から向き合ってくれる信頼できる大人と安心できる仲間は必要であり，その中で自分を語る言葉が紡ぎ出さ

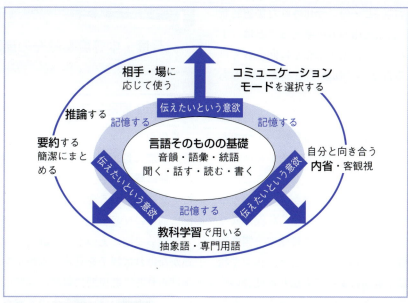

図7-21 言語運用の二重構造

れていく．不満や葛藤や言葉にしにくい思いも，書き言葉でも表しながら双方で対話を続けるという積み重ねは有効である．手軽なツール（メール，チャットなど）は距離が離れていても継続できる．また，聴覚障害を扱っている映画や書籍，マンガなどを媒体にして対話を重ねることも効果的である．支援者が媒介者となって異なる教育環境の中学高校生と少し年上の先輩をつなぐ試みも各地でなされている．

高校生・大学生が具体的に自分の障害特性に合う情報保障機器や手段の試用や選択をすることは障害認識の大きな一助になる．支援の経験のないところに，自分から支援を要請する力は育たない．支援者が方法や技術について説明と紹介はするが，本人が決定することが重要である．自分が申し出なかったために情報が得られず損をするという小さな「失敗」経験も許される時間的余裕があることが望ましい．

大学では障害学生支援制度があり，ノートテイク支援や手話サークルなどの活動が広がっている．デフリンピックに代表されるようなさまざまなスポーツ活動などのピアグループやセルフヘルプグループのネットワークも存在する．社会資源を活用するためにも，本人と周囲がしっかりとした障害認識をもち，選択できる力が求められる．

3 言語運用の力と自己開示

障害認識を支え，外界とつながる力は言語面に表れる．特に9歳の峠以降，言語面では「聞く・話す・読む・書く」という4側面をもつ言語そのものの基礎「音韻・語彙・統語」を核としながら，**言語運用**の力をその外側に重ねるという二重構造が顕著になる（図7-21）．言語運用については「相手や場に応じて使う」「コミュニケーションモードを選択する」「内省する（自分と向き合う）」「簡潔にまとめる」「推論する」などのカテゴリーが考えられる．この部分は「伝えたい意欲」によって広がりをみせる．

聴覚障害のある子どもは，遊びの中で母語を習得する聞こえる子どもに比べて超早期から丁寧な言語指導を受けることが多い．このことはともす

ると思春期以降に○と×の二分化された価値判断に陥りやすい．言語運用の力を考えることは，丁寧に育まれ教えられた言葉から相手に向かって自ら使おうとする言葉への転換を迫ることでもある．

自己開示とは，聴覚障害のある子どもが障害認識に基づき言語運用の力を用いる行動の1つである．聴覚障害は見えにくい障害である．補聴器や人工内耳が髪に隠れて見えにくいということだけを指すのではない．同じ人でも静かで対面できる場所と騒音の多い大勢の会話では全く状況が異なる．その困難性は，軽度・中等度難聴や一側性難聴まで障害の程度が多様であることと，相手や状況，情報の種類や難易によっても伝わる度合いがさまざまであることと，聴覚障害のある子ども自身がすべての音情報をつかめないためにその時々の伝わらない情報に気がつかないこと，などによる．明瞭に発話する子どもに対して「それくらい話せるのだから，聞こえるだろう」という周囲の誤解は頻繁に生じる．したがって，聴覚障害のある子どもが自分のことを伝える力は重要でかつ経験を積まなければ培われないものである．

障害認識に基づく表出は，学童期に支援者や保護者が主導して可能になる「障害の説明」から，思春期以降の「自己開示」へと質的に変容する．1人ひとりの経験に基づき次のステージや相手の状況を予想し，相手にわかる言葉を選び，具体的な提案を伴うものであり，かつ何度も繰り返して重ねていくものである．

なお，難聴児のための早期支援，聴覚障害教育の情報提供，教材などの紹介をしている難聴児支援教材研究会のホームページ（http://www.nanchosien.com/）も参考になるので，参照されたい．

I 軽度・中等度難聴児の課題

1 新生児聴覚スクリーニング検査導入前

新生児聴覚スクリーニング検査が導入される前，一般に軽度・中等度難聴児の診断は遅く，3歳児健診時や就学前後に発見されることが多かった．診断が遅れる理由には，ことばや環境音の一部に適切に反応するため周囲の人が難聴を疑わない，健診で聞こえの不安を訴えても日常生活に問題がなければ様子を見るよう指示される，などが挙げられる．乳児期に難聴の診断に至らなかった場合，幼児期以降，**聞こえの不安**だけでなく，**ことばの発達が遅い，発音が不明瞭**といった主訴で見つかることもある．

軽度・中等度難聴が疑われた場合，言語聴覚士は聴力の評価に加え，言語発達や構音，コミュニケーションに関しても情報を集め評価を行う．その結果明らかになるのは，**ことばの発達の遅れ**（語彙が少ない，同胞に比べ会話からことばを覚えない，何度教えてもことばを覚えない，など），**発音の誤り，不適切なコミュニケーション**（話題と無関係なことを一方的に話す，人の話をただ笑って聞いているなど），**社会からの孤立**（約束の行き違いで友達とトラブルを起こす，合奏に参加しない，習い事に行きたがらないなど），といった問題である[1]．診断が就学直前であると，言語聴覚士は補聴器の適合に加え，言語発達，構音，コミュニケーションの課題に対し，短期間での対応を求められることになる．

新生児聴覚スクリーニング検査は，両側難聴児を早期に発見して療育を開始することで，言語発達の遅れを防ぎ，コミュニケーションなどにおける**二次障害を防ぐ**ことを目的に導入された[2]．新生児聴覚スクリーニング検査の導入以降，軽度・中等度難聴児も乳児期に診断されるため，言語聴覚士が**早期から介入**できるようになった．しか

図 7-22　補聴器装用に関する課題と対応

し，早期介入が開始されてからも残る課題は少なくない．

2　軽度・中等度難聴児の課題とその対応

軽度・中等度難聴児の課題は，難聴の程度や種類，発症時期，発見時期，家族環境などによって多様性があることは否定できない．しかし大きくとらえると，**補聴器装用**，**ことばの発達**，**コミュニケーション**の3つの側面に集約される共通の特性が認められる．それぞれについて具体例とそれが生じる要因，考えられる言語聴覚士としての介入をまとめた．

a　補聴器装用

図7-22に，補聴器装用に関する課題とそれへの対応について示した．軽度・中等度難聴児は，補聴器の装用自体を拒否する，装用してもなかなか常時装用に至らないなどの反応が多くみられる．日常生活における会話や環境音は，聴覚情報以外の情報が加わるため，本人も周囲の人も裸耳でも聞こえると誤認しやすく，補聴器の**装用効果**を感じにくいことが要因と考えられる．

保護者からは「ことばも話しているし補聴器はいらないのではないか」「装用しなくてもよいなら装用させたくない」など，本人からは「友だちに何かいわれてしまうかもしれない」「音がうるさい」「装用するのが面倒」など，保育士，幼稚園教諭，教員（以下，教員など）からは「聞こえにくい感じはしない」「他の子どもと変わらない」などの発言が寄せられる．保護者も本人も補聴器装用への動機づけが弱く，自発的な装用，子どもへの装用の促しが不十分となる．このような場合，言語聴覚士は次のような介入を検討する．

本人が装用を拒否しなくても，保護者が装用に抵抗感をもつ場合がある．家族が認めないものを子どもが装用することは難しい．そこで，本人や保護者とともに生活の中で聞こえにくい場面はないかを具体的に振り返り，補聴器の必要性への理解を徐々に促す．また，補聴器購入のための金銭的負担が要因となり，保護者が装用を躊躇する場合がある．これに対しては，近年多くの市区町村で実施されている**軽度・中等度難聴児補聴器購入費助成事業**について情報を提供する．

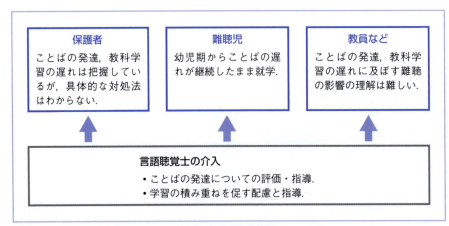

図7-23 ことばの発達や教科学習に関する課題と対応

難聴児本人が装用を嫌がる場合，まず，聴力の評価とそれをもとにした**補聴器の調整**が適切に行われているかを再確認することが重要である．そのうえで，「**装用感**」「**音質**」「**見かけ**」など本人が訴えてきた装用を妨げる要因に応じて，対策を検討する．例えば「うるささ」に対しては，**雑音をより抑制**できるよう新しい機種に変更する，「見かけ」に関しては，年齢により可能であれば，**耳あな型に変更**するなどの対策が有効な場合がある[3]．

教員などに対しては，ことばが音として耳に入っただけで内容が理解できていない場合が多くあることを伝え，さまざまな集団場面で注意深く観察するよう依頼する．

軽度・中等度難聴児は多くの場合，統制された対面の会話場面では聞き取りがよいため，難聴や言語の知識をもつ言語聴覚士でさえ，問題を短時間で的確にとらえることは容易ではない．本人，保護者，教員などが補聴器の必要性を理解し納得するまでは，丁寧な働きかけを継続することが必須といえよう．また，補聴器を受け入れて常時装用に至った場合も，引き続き適切に装用継続できるように，聴力管理や補聴器の調整を定期的に行うことが重要である．

b ことばの発達

図7-23 に，ことばの発達に関連する課題とそれへの対応について示した．軽度・中等度難聴児は，幼少期からのことばの発達の遅れが継続したまま就学する場合が少なくない．具体的には，語彙が少ない，助詞の使用に誤りがある，正しい構文が作れずうまく自分の気持ちや考えをことばにして表現できない，などが課題となる．基礎的な言語理解や表出が不十分であると**教科学習の遅れ**にもつながる．

言語聴覚士は，難聴児が正しい語彙を用いているか，発話の内容は適切かなど，ことばの発達に関する**評価・指導**を適宜行う．そのうえで，保護者や教員など，難聴児の周囲の人々に対して，軽度・中等度難聴であっても聞こえにくい，ことばが入りにくい特性があるということの理解を促し，**配慮したことばがけ**の方法を助言する．言語聴覚士による適切な言語評価と助言によって難聴児の周囲の人々がその特性を理解すれば，補聴器装用のモチベーションにもつながる．

c コミュニケーション

図7-24 に，コミュニケーションに関する課題とそれへの対応について示した．軽度・中等度難聴児は，休み時間のにぎやかな教室，早口の友

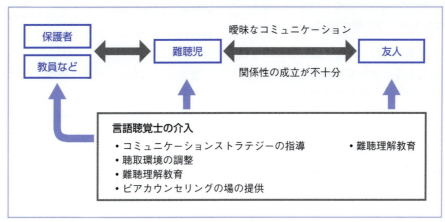

図7-24 コミュニケーションに関する課題と対応

人，遠くからの話しかけなど聞き取りにくい条件下では，ことばが聞き取れないまま聞き流す，わかったふりをするなどを繰り返し，**曖昧なコミュニケーション**で過ごす日常を経験している[3]．他者と十分に理解しあう確実なコミュニケーションが成立しにくく，またその自覚も薄いため，友人との輪から外れ**孤立するリスク**を抱えることになる．

このような課題に対して，言語聴覚士は次のような介入を検討する．

1）コミュニケーションストラテジーの指導

コミュニケーションストラテジーの活用を励まし促す．すなわち，コミュニケーションをうまく進めるためには，会話で聞き取れないときにそのまま過ごすのではなく，適切な言い方で**聞き返す**，ことばを**言い換えて**もらう，**ゆっくりいって**もらう，**聞きやすい場所を選択**する（近づく，静かなところへ行く）などの行動が重要であることを軽度・中等度難聴児本人に伝え，これらを心がけるよう助言する．

2）聴取環境の調整

ことばの聞き取りやすさには，**話し方**，**距離や位置**，会話する場所の**騒音や反響の有無**が関係する．**聞き取り環境の改善**を目指すために，座席の位置を考え，教室内の騒音を軽減する必要があることへの理解を促す．

コミュニケーションストラテジーの活用や聴取環境の調整は，未就学児や小学校低学年児が自分で行うことは難しい．そのため，この時期には言語聴覚士が保護者や教員などに説明して協力を依頼する．さらに小学校高学年に向けては，自分の聞こえにくさの課題の認識を促しながら，これらの対応を少しずつ自分で行えるように導くための支援を継続する．

3）難聴理解を促す教育

言語聴覚士は難聴児とかかわる人々に対し，難聴，補聴器について説明することを通して，軽度中等度難聴児の課題への理解を促す働きかけを行う．具体的には，①話し方，距離や位置，騒音や反響の有無によっては，補聴器を装用していても聞きにくい場面がある，②"聞こえる"と"わかる（理解する）"は同じではない，③聞こえるから補聴器を装用しないのではなく，聞こえなくても装用しない場合がある，などの説明が重要である．これらの説明を保護者や教員などに行う過程で，難聴児本人が自身の難聴についての理解を深めることも期待できる．

4）ピアカウンセリングの場の提供

軽度・中等度難聴児は，高度・重度難聴児と比べ，自分と同じように補聴器を装用している同年代の友人を作りにくい．同じ境遇の友人に悩みを相談し，相互に情報を交換しあえることの意義は，聞こえる人々の間で1人育つことの多い軽度・中等度難聴児にとっては特に大きい．同じ障害をもつ年齢の近い友人との出会いの場を用意する．

言語聴覚士はこれらの介入を，難聴児の**進級・進学**のたびに繰り返し行う．また，確実なコミュニケーションや関係性の成立が難しい状況が難聴児と友人の間にだけ起こるのではなく，保護者や教員との間にも起こりうることに留意し，難聴児の訴えに耳を傾け行動を観察しながら，適宜必要な介入を検討することも重要である[4]．

新生児聴覚スクリーニング検査が開始され，言語聴覚士が軽度・中等度難聴児に介入する時期は早くなった．しかし，軽度・中等度難聴児の課題は現在も残されている．受検率が100％ではない，うまく療育につながらなかったなどの理由で介入が遅れる場合も少なくない．また，乳児期に難聴が判明した場合においても，高度・重度難聴児とは異なる課題が認められる．軽度・中等度難聴児の課題の多くは，"難聴がある"ということへの本人や周囲の人々の理解不足が要因で生じると考えられる[5]．

軽度・中等度難聴の課題への対応は，当初は保護者や周囲の人々への働きかけとして行われる．その後，難聴児の年齢が上がるに伴い，言語聴覚士は，周囲の人々に助言してきたコミュニケーションストラテジーの活用や聴取環境の調整などを，難聴児自身が自分の課題として自ら行えるように導いていく．難聴児の成長に伴い，介入の対象や内容が本人主体に変化するのは高度・重度難聴児と同様であるが，本人も周囲も障害を理解しにくい軽度・中等度難聴児の場合は，本人が自身の障害を理解し周囲に対して適切に対応する力を身につけるために，より丁寧で持続的な助言・指導が必要である．

なお介入にあたっては，難聴児が暮らす**家庭環境の多様化**にも注意を向ける必要がある．核家族，片親の家庭，共働き家庭など，近年の家庭環境はさまざまである．難聴児の育つ生活環境に合わせた**柔軟な対応**が求められる．

言語聴覚士は，軽度・中等度難聴児の課題とそれを取り巻く環境の多様性を考慮し，個に応じた対応法を工夫しながら，難聴児本人，保護者，周囲の人々に対して，長期にわたって**支援を継続**する重要な役割を担っている．

引用文献

1) 井上理絵，他：軽度・中等度難聴児の補聴器装用と言語およびコミュニケーションの指導―新生児聴覚スクリーニング検査導入前出生児．Audiol Jpn 50(4)：246-253, 2007
2) 神奈川県母子保健対策検討委員会新生児聴覚検査体制整備部会：新生児聴覚スクリーニング検査の手引き，2020
3) 井上理絵，他：軽度・中等度難聴児の補聴をめぐる課題．第44回日本コミュニケーション障害学会学術講演会，2018
4) 国立特別支援教育総合研究所：軽度・中等度難聴児の指導・支援のために―軽度・中等度難聴時をはじめて担当される先生へ―．2012
5) 福島邦博：軽度・中等度難聴児への対応．日耳鼻 116(9)：1056-1057, 2013

J 人工内耳装用児の課題

人工内耳装用によって，難聴児の進学や就職などの選択の幅が広がり，手術の選択は人生を変えるほどの出来事である．しかし課題も少なくない．

新生児聴覚スクリーニングの普及できわめて早期に難聴診断が確定でき，世界的に1-3-6ゴールが難聴児療育の原則のように謳われ，今や人工内耳手術の適応年齢を生後6か月児とする国も珍しくない．さらに，2～3歳までの両側人工内耳手

術が言語獲得に効果的であるとして，両側装用児が増加傾向にある．わが国の小児人工内耳適応基準（第5章➡187頁）によると，適応年齢は生後1歳以上となっているが，現実にはそれ以前に手術する例もみられる．人工内耳手術適応の低年齢化と両側装用に伴い，下記のような課題が散見されるようになった．人工内耳装用児が抱える課題は保護者の障害認識と無関係ではない．言語聴覚士では解決しようがない課題も少なくないが，課題を認識することであらかじめ対応策を講じることができる．

1 重複障害の併有

a 重複障害の併有率

人工内耳手術が低年齢化した現在，発達障害の診断時期が手術後になる可能性は高い．特に自閉症スペクトラム障害，注意欠如・多動症については，言語・コミュニケーションや社会性の発達の遅れなどの行動特性が難聴児と類似していることもあって診断が遅れる．

高度・重度難聴児においては，他障害をあわせもつ割合は約30〜40％といわれるが，人工内耳装用の重複障害併有率は研究者によって異なり，約25〜47％と報告されている．かつ，聴覚障害以外に2つ以上の障害を併有している割合は13％，3つ以上併有が11％おり[1]，かなり高い割合で重複障害が存在する．これらの事実を言語聴覚士は理解し，エビデンスに基づいた評価を行う必要がある．

b 重複障害児の人工内耳装用効果と障害特性

重複障害児の人工内耳装用効果は限定的であるにせよ，子どもと保護者にとっては大きな変化をもたらす．具体的には，QOLが向上した，音声のよびかけに反応してコミュニケーションがとりやすくなった，非言語コミュニケーション力も改善して疎通性がよくなった，言語発達も緩やかながら改善した，音楽や環境音を楽しむようになった，警報音が知覚できて身体的安全面が改善した，などの研究報告がある．

これらの効果はあわせもつ障害の種類によって異なり，視覚障害，運動機能障害，発達障害を伴わない症候性難聴，心疾患・内科的疾患などの子どもは，知的障害や認知機能障害を伴いやすい発達障害群（自閉症スペクトラム障害，注意欠如・多動症，脳性麻痺，ダウン症など）に比べて良好な発達がみられるとし，あわせもつ障害の特性によってリハビリテーションプログラムを変える[2]．

さらに注意が必要なのは，これらの重複障害児の1割程度は人工内耳装用を断念していることである．手術前のカウンセリング時に，このような事例に基づいた限定的な効果の事実を伝え，手術を選択した場合の現実的な対策を講じたうえで手術に臨むのが医療従事者の責務ではないかと思われる．

c 保護者の不安・負担感への対応

療育における保護者の果たす役割はきわめて重要であるが，それだけに負担度も大きく，特に重複障害があるとストレスが増大する傾向にある．その要因は，自己決定の責任（子どもの教育・予後を見通した判断，コミュニケーションモードの選択，人工内耳手術の判断など），義理の家族の反応，兄弟間のかかわり，経済的側面，育児による心身の疲労，多職種とのかかわりなどがあり，単一の聴覚障害児の保護者以上に心身のケアが必要である．

これらの育児の悩みを，保護者から言語聴覚士に告げられることがあるが，そのときは，まず傾聴に努める．しかし，臨床心理士やソーシャルワーカーなど，医療・福祉・教育の専門家の援助を求めることも重要で，多職種で対応していく．

2　保護者支援・障害認識

a　人工内耳に対する保護者の期待感

　生後1〜2か月の難聴診断時に「『人工内耳』という優れた聴覚補償機器があり，その機器を使えば聞こえるようになります」「通常小学校に行けます」と医師に説明されると，障害告知に打ちひしがれていた保護者は，「人工内耳は魔法の手段であり，手術後はマッピング直後に言語を理解できる」「暦年齢相応に話せる」と期待する．しかし，現実には安定した聴覚活用に1〜2年を要し，発話にさらに1〜2年かかる[3]．手術は音を聞くための道具を提供するだけであり，それを使いこなすためには，人工内耳を通して入力される不自然な音を意味ある音に変換するのを手伝う大人の存在が不可欠である．しかもそれには数年〜十数年かかる．

　マッピング後の装用閾値は25 dB前後の水平型になるにもかかわらず，語音の聴取能力は個人差が大きい．静かな環境で，かつ対面で会話すると聴者と変わらないと感じることもあるが，雑音を負荷した条件だと，聴者以上に聴き取りが困難になる．つまり，人工内耳装用児は生涯にわたって難聴児なのである．このことを新生児期から保護者がしっかり認識したうえで人工内耳手術に臨むのと，障害を否定しつづけたまま臨むのとでは，親子関係の構築やリハビリテーションに向ける姿勢，言語・社会性の発達支援，さらには子ども自身の障害認識のしかたにも違いが生じる．保護者が聴覚障害を否定的にとらえつづけることで聴覚障害がスティグマ化し，子どもの自尊心の低下やアイデンティティ隠しにつながりかねない．

b　インクルージョン

　早期に人工内耳装用した子どもたちの多くが，言語発達のためには聞こえる環境に入れるべきとして，通常保育所・幼稚園，通常学校にインクルージョンする傾向にある．しかし，単にインクルージョンの環境にいることで言語発達が促進されるわけではない．少なくとも学習言語の見通しがつく段階までは，医療施設や特別支援施設，放課後デイサービスの言語聴覚士や特別支援学校の教員などによる体系的な専門的介入が必要である．

　家庭生活での日常会話は不自由なく聞こえていても，学校のような騒がしい環境ではFMシステム（「ロジャー」など）を使ったとしても聞き誤りや聞き漏らしが多くなる．聴児が自然にできる，「選択的聴取」や「ながら聞き」も難しい．低学年の間は楽しく交わっていて勉強も良好と思えても，高学年になると学習内容は専門的で抽象度が高くなり，グループ活動も増えてくる．異聴や聞き落としが増えると友達関係に亀裂が生じ，学業にも影響を及ぼす可能性もある．言語聴覚士は，これらの現実を保護者が受け止めたうえでインクルージョンの時期や環境を考えられるよう，親の選択を尊重しつつ支援する．

c　セルフアドボカシー

　人工内耳装用者は生涯にわたって難聴である．成人して就職し，自己尊厳をもって社会参加するには，自身が聴覚障害を認識し，周りに開示して必要な支援を受けられるように交渉する主体性が求められる．しかし，このような積極性は幼少期から蓄積されて培われるもので，保護者の障害認識が問われる．難聴があると，幼少期は言語受容も表出も困難で，必然的に親が代弁することが多い．大人は自分で解決したほうが早いし，不憫に思って子どもが直面する課題に即反応しがちであるが，子どものストレスにならない程度に抑制し，子どもの意見を待ち，自己表現を促すよう心掛けるとよい．人工内耳を含め，コミュニケーションがある程度可能になったら，他人との会話場面では，不完全であっても子どもが積極的に自己表現できるよう支援するとよい．特に，就学後は子どもが自ら聴覚障害であることを回りに伝えられる，自己の権利をきちんと表明して問題解決

能力を身につける，いわばセルフアドボカシー(self advocacy，自己権利擁護)の姿勢を日ごろから意識する・させることが大切である．例えば，「聞こえにくいので紙に書いてもらえませんか？」「すみませんが，もう一度いってください」「ロジャーを使ってください」などと依頼・主張できるよう日常から意識する．

障害の有無にかかわらず，人の能力は凸凹がある．できることを増やして可能性を広げる，できないことは他人や物で補うことを自然にできるのが理想である．

3 子どもの障害認識

人工内耳による聴覚活用の程度は個人差が大きいが，静寂時であれば日常会話の疎通性はよく，軽度から中等度難聴の聞こえ方に匹敵する子どもも少なくない．しかし，そのような好事例ほど，自分の「聞こえ」を意識する機会も意識させられることも少なく，障害認識が育ちにくい．現実には，対面でない場面，複数人の会話，背景雑音が大きい場所などでは聞き漏らしが多いが，そのこと自体が聞こえていないので本人は回避しようがない．前述のように幼少期から保護者が難聴を意識し，聞こえにくい状況を伝えて対策を講じることが本人の障害認識とセルフアドボカシーを育てる．

障害を意識するようになるのは，通常は学校で周囲からの指摘が増える時期で，思春期や自己アイデンティティに悩む時期と重なると対応が難しくなる．障害の受け止め方は年齢や性格によって変化してくるが，障害を卑下することなく自己表現していけるようになるには，前述のように保護者のかかわりによって異なる．同障者とのかかわりも聴者とのかかわりもバランスよく行う，味方になってくれる大人を増やす，日ごろから聴覚障害があることによって不利益を被る場面での対策を大人と一緒に考える，などの努力が重要である．

引用文献

1) Inscoe JR, et al：Additional difficulties associated with aetiologies of deafness：outcomes from a parent questionnaire of 540 children using cochlear implants. Cochlear Implants Int 17(1)：21-30, 2016
2) Martini EA：Evaluating benefits of cochlear implantation in deaf children with additional disabilities. Ear Hear 33(6)：721-730, 2012
3) Wakil N, et al：Long-term outcome after cochlear implantation in children with additional developmental disabilities. Int J Audiol 53(9)：587-594, 2014

学校教育における指導と課題

聴覚障害児教育の歴史

障害を抱える子どもに対する教育は，1878年の京都盲啞院にその歴史が始まるとされるが，大正時代においても私立の聾話学校が開設され現在の聴覚障害児教育の礎となっている．1920年には，日本初の口話法を用いた日本聾話学校がライシャワー博士らの支援によって開設された．1948年学校教育法により盲学校，聾学校の就学義務制が始まり，聴覚障害児は6歳になると聾学校に入学するようになった．

1960年代には全国の聾学校に幼稚部が設置されるようになり，個人補聴器も普及し聴覚口話法による指導が広まった．3歳未満での補聴器装用と聴覚活用指導が行われるようになり，その結果として通常学校への就学(インテグレーション)が盛んに行われるようになった．通常校に難聴特殊学級が設置され，通常学級に在籍しながら指導を

受けることができる通級による指導も開始された．1980年代には**聴覚口話法**が全国的に行われるようになり，構音情報を視覚的に補う**キュードスピーチ法**も普及した．手話を導入することは音声言語習得の妨げになると考える聾学校がある一方で，手話や指文字を積極的に導入する聾学校もあった．大学進学率が上昇する中，1990年には難聴児を対象とした高等教育機関として筑波技術短期大学(現在の筑波技術大学)が開学した．その後，新生児聴覚スクリーニングが実施されるようになり，聾学校での乳幼児相談や指導も開始時期が早期化するようになった．1994年に人工内耳が保険適用となったことで小児の人工内耳手術数は増加し，裸耳聴力の程度にかかわらず聴覚を活用し音声口話でコミュニケーションする難聴児が育つようになった．しかし，補聴器や人工内耳の性能が向上してもすべての難聴児に聴覚の聞こえをもたらすわけではないことも明らかになった．また，音声口話よりも手話が有用な難聴児や家庭があることも理解されるようになった．2008年には日本手話による教育を行う私立の聾学校である明清学園が開校した．多様なコミュニケーション能力の難聴児が在籍する公的教育機関の多くは，個々の難聴児に合わせて聴覚口話や手話，指文字や文字などを目的や内容に合わせて用いる**トータルコミュニケーション**を用いるようになった．

2007年から**特別支援教育**に移行し，聾学校は聴覚障害のある児童生徒に対する教育を行う特別支援学校となった．特別支援教育となった背景には発達障害を含む従来は対象ではなかった子どもにも特別な支援を行う目的があった．聾学校に発達障害をもつ難聴児がいることが明らかになった．また，新生児聴覚スクリーニングによって軽度・中等度難聴や一側性難聴の診断が早期に行われるようになり，難聴教育機関で指導する難聴児の様相は多様化している．

2012年の中央教育審議会の報告を受け，**インクルーシブ教育システム**(➡ Note 26)が推進され，通常の学級の難聴児には合理的配慮(➡ Note 27)を行うことが求められるようになった．2018年の学習指導要領の改変で対話的な学びの重視や小学部に外国語学習が設けられ，難聴児が地域の人や外国語を母語とする先生などとコミュニケーションする機会が設けられるようになった．難聴児にかかわる人々に難聴理解を進めるとともに，学習環境やコミュニケーションに対する配慮を行っていくことがますます求められる．

> **Note 26. インクルーシブ教育**
> 障害児が通常学級で教育を受けることをインテグレーション(統合教育)とよんだが，個々の障害特性に応じた支援や指導は十分ではなかった．その後，ノーマライゼーションの普及に伴い，通常学級においても個々に教育ニーズのある子どもたちを包括的に受け入れ，指導するというインクルーシブ教育(包括的教育)の実現が目標となった．障害者の権利に関する条約第24条によれば，インクルーシブ教育システムとは，「人間の多様性の尊重などの強化，障害者が精神的および身体的な能力などを可能な最大限度まで発達させ，自由な社会に効果的に参加することを目指す，障害のある者と障害のない者がともに学ぶしくみのこと」である．
>
> **Note 27. 合理的配慮**
> 障害者の権利に関する条約第24条によれば，教育についての障害者の権利を認め，実現するため，その権利の実現のために「個人に必要とされる合理的配慮が提供されること」としている．「合理的配慮」とは，「障害者が他の者と平等にすべての人権及び基本的自由を享有し，又は行使することを確保するための必要かつ適当な変更及び調整」であって，実現可能な配慮のことである．具体的な例としては，①教員，支援員などの確保，②施設・設備の整備，③教育課程の編成や教材などの配慮である．

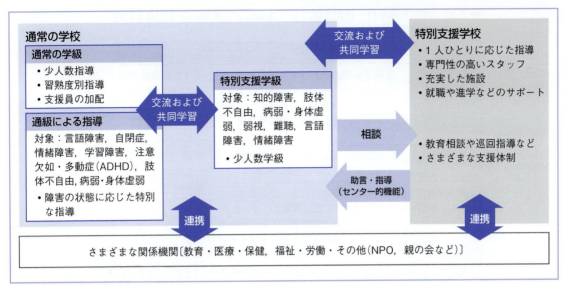

図 7-25　特別支援教育の概要
〔文部科学省：パンフレット「特別支援教育」についてより一部抜粋，改変〕

B 指導体制

　難聴児の教育は，特別支援学校，特別支援学級，通常の学級，通級による指導（通称：通級指導教室）で行われる（図 7-25）．教育機関では，子ども自身が主体的に発達することを目指すため，「訓練」ではなく「指導，支援」という．国語や算数などの教科学習と自立活動（障害による困難さを改善・克服するための指導の領域）が行われる．

　乳幼児期の難聴児の指導は，教育機関を利用する場合と医療や療育を利用する場合がある．学校教育機関を利用する場合には，難聴診断のあと，病院から聴覚特別支援学校が紹介され，乳幼児教育相談で聴覚活用やコミュニケーションの指導，母子へのサポートが行われる．3 歳になると幼稚部では個別指導に加えてグループ指導が始まり，小学部，中学部，高等部へと進学する．難聴児によっては通常の幼稚園・保育所や地域の小中高等学校を選択する場合がある．地域の通常校に通いながら聴覚特別支援学校で定期的に指導を受けている場合もある．難聴児が教育を受ける学校や学級の基準を表 7-39 に示す．実際には，個々の難聴児の教育的ニーズに本人や保護者の意向を加味して決定される．教育支援委員会（仮称）を設け，医師や言語聴覚士，心理士などの専門家の意見も取り入れ総合的に判断される．

　教育機関で特別支援教育を担当するためには教員免許状が必要である．言語聴覚士が特別支援学校自立活動教諭一種免許状（聴覚障害教育）（以下，自立活動免許）を保有すれば，聴覚障害特別支援学校で教員として勤務することができる．現状では，自立活動免許保持者を採用している都道府県は限られている．

1 特別支援学校

　特別支援学校では，障害種を視覚障害，知的障害，病弱・身体虚弱，聴覚障害，肢体不自由に分けて，それぞれの障害に応じた教育を行っている．難聴児の指導は聴覚特別支援学校（従来の聾学校）で行われるが，重複する障害があるとほかの特別支援学校に在籍する場合がある．聴覚特別

表7-39 特別支援学校・特別支援学級・通級による指導の対象となる障害の程度

	基準	
特別支援学校	両耳の聴力レベルがおおむね60 dB以上のもののうち補聴器等の使用によっても通常の話声を解することが不可能，または著しく困難な程度のもの．	学校教育法施行令第22条の3
特別支援学級	補聴器等の使用によっても通常の話声を解することが困難な程度のもの	平成25年10月4日初等中等教育局長通知
通級指導教室（通級による指導）	補聴器等の使用によっても通常の話声を解することが困難な程度の者で，通常の学級での学習におおむね参加でき，一部特別な指導を必要とするもの	

〔令和元年9月25日新しい時代の特別支援教育のあり方に関する有識者会議資料3-1より〕

支援学校は，年齢別に，幼稚部，小学部，中学部，高等部まで設置され，一貫した教育を行う．また，3歳未満の難聴児と保護者の支援のために乳幼児教育相談部門が設置されている．多くの聴覚特別支援学校で意思疎通の手段として手話を使用している．パトライトや電光掲示板などの聴覚障害用屋内信号装置が整備されており情報が視覚的に伝達される．学習時間については個々の難聴児に応じて音声，読話，文字，手話，指文字など多様な方法が用いられる．IT機器も整備されておりプレゼンテーションを用いた視覚的にわかりやすい授業が行われている．磁気誘導ループシステムや補聴援助システム，音声文字変換システムなどを取り入れている．指導では，学習の基盤となる言語力の育成，読書を含む書記言語力の育成，手話やジェスチャーを含む言葉などでのコミュニケーション力の育成，保有する聴覚の活用，IT機器を含む教材などの活用が目的となる．少人数指導のため個々の教育的ニーズに対応しやすい．大学進学を目指す難聴児がいる一方で，医療的ケアの必要な重複障害のある難聴児も在籍しており，難聴児の様相は多様化している．

特別支援学校はセンター的機能を有し，地域の通常学校の要請に応じて，難聴児の教育に必要な助言や支援を行っている．このセンター的機能の強化のために外部人材の配置・活用が行われ，言語聴覚士が活用されており，都道府県によっては言語聴覚士の資格で学校に勤務している．

2 特別支援学級

特別支援学級は，小学校，中学校，高等学校の通常学校に設置されており，複数の学年児童で構成される少人数の学級である．聴覚障害特別支援学級（以下，難聴学級）では特別支援学校と同様に聴覚活用状態の把握や聴覚活用指導，構音指導，語彙の拡充と言語理解の促進，文法指導，コミュニケーションの力の育成，障害受容についての指導が行われる．教科指導は学年の教科内容に対応し，個々の理解力や言語力に配慮して行われる．難聴児1人に担任1人というところが多く，通常学級に担任教員とともに入って，担任教員がサポートしながら授業を受けるケースが増加している．

3 通級指導教室(通級による指導)

通級による指導(通級指導)は，通常学級に在籍する子どもに対して必要な個別の指導やグループでの指導を行う．内容や指導時間や回数は対象児に合わせることができる．難聴通級指導教室(難聴通級教室)では，聴覚活用状態の把握や聴覚活用指導，構音指導，語彙の拡充と言語理解の促進，文法指導，コミュニケーションの力の育成，障害受容についての指導が行われている．平均規模の通常学校では，校内に難聴児が1人しかいない場合が多い．そのため難聴通級教室での難聴児同士のかかわりは障害受容に有用である．また，軽度・中等度難聴，一側性難聴は，学齢期に診断されることが少なくない．個々の難聴児のニーズに応じた指導がなされている．

4 通常の学級

通常の学級(以下，通常学級)は，2025年度までに最大で35人の学級への引き下げが決まっており，学年別に定められた内容の教科学習を行う．**合理的配慮**として各校の実情に応じて可能なコミュニケーション支援や学習支援が行われている．学校によってはノートテイカーや手話通訳者が配置されている場合もある．消音キャップやテニスボールを利用して机や椅子の雑音を抑制することや板書を増やすような配慮は，どの子どもの学習にも有効であることからユニバーサル支援とよばれる．また，**補聴援助システム**(FMシステムやロジャー)の利用は，先生の声を直接補聴器や人工内耳に届けることができるので雑音の多い通常学級では有用である．多くの情報伝達が音声を用いて行われるため，教職員や学級児童が難聴児の聞こえについて理解し，難聴児が学校生活に適応できるよう配慮する必要がある．

通常学級のみに在籍する難聴児は，医療機関が聴覚情報を保有しているため，聞こえの状態を医療機関と教育機関が共有し，連携して難聴児の学校生活を支える必要がある．教員が子どもの実態を共通理解することを目的として校内委員会が設置されており，**特別支援教育コーディネーター**(➡ Note 28)を中心に個々の子どもに対する必要な支援が検討されている．

C 学校教育における聴覚障害児指導の課題

学齢期においては，難聴児への療育や指導が早期から行われている場合には個々に聴覚活用能力，コミュニケーション力，言語力が獲得されているが，学年に満たない言語力や学力の難聴児がいるのが現状である．学齢期以降は，それまでに獲得してきた力を駆使して，「主体的に」教科学習の知識・技能の習得と思考し表現できる能力の育成を目指す．幼児期までは保護者の読み聞かせや絵日記などがよく行われているが，学齢期になると保護者と過ごす時間は減り学習をするかどうかは難聴児自身に委ねられる．一方で，難聴児自身は交友関係や活動場所を広げ，学校や友達の影響を受け興味を広げたり学習を競ったりすることで主体性を発揮し，学習にもよい影響を与えることが期待できる．

課題1 言語力の育成

低学年で使用する言葉は生活言語とよばれ日常生活では使用頻度が高いものである．しかし，学年が上がるにつれ授業では学習言語が用いられる．抽象的な言葉が増え，言葉の本来の意味とは異なる意味で用いられることも増え，語用理解が必要となる．ことばの音と漢字は同じでも異なる

> **Note 28. 特別支援教育コーディネーター**
> 各学校における特別支援教育を推進するため，校内委員会や校内研修の企画・運営，関係諸機関と学校との連絡調整を行い，保護者からの相談窓口となる．

表7-40 情報を得やすくする工夫

	自分ができること	相手に依頼しなければならないこと
対 相手	・わからないことを伝える. ・尋ねたり確かめたりする. ・話を聞く前に準備(予習)する.	・話し方(ゆっくり, はっきり, 大きい声でいって) ・繰り返し(もう一回いって) ・言い換え(別の言い方をして. わかりやすくいって) ・コミュニケーションモードの変換(書いて)
対 集団		・個別に話す(一緒に言わないで. 1人ずつ話して) ・話者を明確にする(話す人は手を上げて)
環境	・騒音の少ない場所に移動する. ・顔が見える位置に移動する. ・話者の近くに移動する.	・場所の移動(静かなところで話そう. 近くで話して) ・座席位置(顔が見やすいように座って)
補聴器・ 人工内耳	・ボリュームや騒音抑制機能などを調整して聞きやすくする. ・補聴援助システムの利用	・マイクの使用

意味で用いられることば(多義語)を用いる機会が増え, 文脈に応じて意味を理解する必要が増える. 難聴児は理解して初めて言葉として聞こえる側面があるため, 授業に参加する前の予習は重要である. 予習を初めとした学習のサポートが長期的に必要であるが保護者だけでは難しい. そのため, 学校や公民館での放課後学習, 放課後デイサービスなどの地域資源を生かしサポート体制を維持する必要がある.

課題2 書記言語能力の獲得

難聴児においては書記言語能力の獲得は容易ではない. 構文や助詞の習得が困難であることがよく知られている. 単純な文構造にとどまり, 関係節を使用した複文では助詞の誤りによって文意が通らないことがある. 正しい書記日本語の獲得は補聴器や人工内耳が進化した現在においても課題である. 読む機会や文字表現する機会を難聴児の興味を尊重しつつ繰り返し設ける必要がある. その際に個々の難聴児の構文獲得段階に配慮し, 現在の構文段階を確実なものとし, 次の段階の文型を示すような配慮が必要である.

課題3 主体的で自主的な言語習得態度の育成

難聴児が興味のある内容や活動を見つけ, 関係する読み物に興味を持たせ, 自らがことばを知ろうと調べたり尋ねたりし, わかったことを他者に伝えるために書記言語を学習するような仕込み(学習場面や教材の工夫)が有用である. 日記や交換日記, 手紙, 行事や学習の記録など書き, 報告する機会を設ける. 書く意欲を失わせないように言語指導を配慮する.

課題4 主体的な情報の確かめ

難聴があると情報を聞き逃すことがあり, それが忘れ物や失敗につながる. 聞き逃しや曖昧な情報を確かめるために訂正方略の活用が有用である. 難聴があると情報を確かめるための方法を自然に身に付けることが難しい子どもがいる. そのため, 確かめる内容に応じた言い方を指導する必要がある. 学校生活では確かめる必要がある機会は多い. 指導者はサポートをするばかりでなく, 難聴児自身が主体的に尋ねるのを待ち, より有効な確かめ方を獲得できるよう指導する必要がある. 高学年になれば聴取しやすい座席を自ら決めたり, 聞きやすい話し方を相手に求めたりできる力を獲得する必要がある(表7-40).

表 7-41　学校での配慮

		配慮
クラス全体		・教室での座席位置は，前から2列目あたりの中央席が，教師の声がよく届き，最前列の友だちの様子を目で確認できる． ・ルールが伝わっていないことがある．守るべきクラスのルールや遊びのルールは，書いて貼っておく． ・校内放送の内容を日直が板書するといった役割を設け，誰もが確認できるようにする．
通常教科		・教員は，正面を向いて話す．板書時には話さない．作業中の指示は避ける． ・板書やプリントなど視覚的な教材を増やす． ・子どもの発言を，教師が再度言い直す． ・子どもの発話も板書する． ・子ども同士の話し合いでは，1人ずつ話させる．発話をメモさせる．
技能系教科	体育	・水泳では，補聴器を外す前に何をするのか予告する．プールでは小型ホワイトボードに書いて指示を伝える．拡声器は口元を隠すため，わかりにくいことがある． ・スタートの合図の笛とともに手を下ろしたり，旗(白旗は見えにくい)を使ったりして合図する． ・ダンスや体操などでは，開始がわからないため友だちがよく見える位置にする．
	音楽	・歌唱での音程の取りにくさを周りの子どもにからかわれることがないよう配慮が必要である． ・リコーダーは，向かい合わせで練習すると指使いを真似て音程がとれる． ・合奏は，演奏しはじめるタイミングがわかるようにする． ・合唱は，低いパートが音程の変化が少ないので参加しやすい． ・譜面を理解させ，どんな音があるかを理解させる． ・音が持続するオルガンが聴取しやすい．
	家庭科	・ガスの炎の音や沸騰した湯の音，流水音が聞こえないときは目で確認させる．

課題5　学校適応支援

聞こえの状態やその聴覚活用には個人差があるため，個々人に合わせた配慮を考える必要があるが，筆者が通常学級に在籍する難聴児の指導体験から得た配慮についてまとめた(表 7-41)．通常学級在籍児の中には，聴児の友だちとのおしゃべりに参加することが難しくなり疎外感を覚える子どもがいるが，物を介した遊びであれば参加しやすくなる．また，年齢相応の興味(アイドルやペットなど)を知る機会が少ないために話題に参加できない場合もあるので，同年齢児が興味をもっている事象について知らせる必要がある．

学年が上がると，運動会や修学旅行，クラブや委員会など学級以外の子どもとのかかわりが増える．周りの子ども達の難聴に対する理解が進むとコミュニケーションがとりやすい．そのため，難聴理解を啓発する授業や活動を継続して行うことも有用である．

難聴児が不安になることは，日々起こりうる．そのつど，一緒に対応を考えてくれる大人の存在が不可欠である．言語聴覚士も難聴児のよき相談相手となる必要がある．

D 学校教育における言語聴覚士の役割と課題

　2005年に中央教育審議会答申で言語聴覚士を含む外部専門家の活用が示された．言語聴覚士の学校教育へのかかわりには，言語聴覚士のみの資格で校内に勤務する場合，教員免許と言語聴覚士の資格をもち校内に勤務する場合，市町村の教育委員会や福祉機関の所属で学校を巡回相談する場合，教育機関以外に勤務し招聘されて学校で相談や助言を行う場合などがあり，立場によって期待される役割がある．聴覚特別支援学校に勤務する言語聴覚士の役割は，補聴器のフィッティング，聴覚検査，聴覚活用指導，コミュニケーション指導，保護者への指導，環境調整，ケース会議や職員研修での専門知識の提供，関係医療機関との連携など多岐に及ぶ．

　聴覚特別支援学校の中には聴覚障害についてよく知らない教員がいる．難聴があることでコミュニケーションの取りにくさが生じるが，教員が聴覚障害を理解することで困難さを減らすことができる．言語聴覚士の最大の役割は，聴覚障害についてわかりやすく伝えることである．補聴器や人工内耳を装用していれば聞こえると誤解されがちであるため，個々の難聴児の聞こえについて言語理解と兼ね合わせて説明する必要がある．そして，校内の誰もが個々の難聴児と適切にコミュニケーションできるようにする．

　また，言語聴覚士は，絶えず研鑽に努め，日々進化している医療や補聴機器，指導方法などについて得た知識を校内に伝える務めがある．研修の重要性について日ごろから学校長とよく話しておくことも必要である．学校教育は子どもにとっては生活の場であるため，多様な行事や活動が予定されている．言語や聴覚に関する内容だけが言語聴覚士の業務であると制限を設けず，生活の中で見せる子どもたちの姿を見て，他の教員と一緒に指導することも求められる．その中で個々の難聴児の課題に気づくことができる．

　多くの難聴児が地域の学校に就学する現在，通常学校への支援も重要である．言語聴覚士の役割は，聴覚障害についての理解や個々の難聴児に応じたかかわり方を教員やクラスの子どもたちに伝えることである．通常学校では，聴覚障害に対する理解は乏しい．また，教員の異動が頻繁で情報が引き継がれにくい．さらに，言語聴覚士の認知度は低く，言語聴覚士に期待できる内容が理解されにくいため，当初は，保護者を介して連絡を取り合うとよい．言語聴覚士の役割が理解されるようになれば，学校からの協力要請につながり，連携しやすくなる．子どもの様子は，難聴関係施設や病院での姿と異なる場合もあるので，学校での状態を教員からよく聴取する必要がある．教員に依頼する支援は，40人のさまざまな子どもがいる学級であることを踏まえ，できそうな内容を少しずつお願いするとよい．相談は，知的な低さや発達障害に及ぶ場合があるので，他の障害への理解や対応を知っておく必要がある．

　医療機関に勤務する言語聴覚士に対しても就学や進学に関する保護者からの相談は多い．言語聴覚士は，各教育機関について偏った理解をすることなく，聞こえや言語力などについての客観的な情報を示しつつも，保護者とともに悩み相談しあえる存在でありたい．

事例

事例4 小児難聴（乳児期）指導サマリー

【対象者】1歳11か月，男児（図7-26～28）．
【家族構成】父，母，本児（A）．
【診断名】先天性感音難聴（*GJB2*遺伝子変異）
【診断経過】
- 0：0　A産院；新生児聴覚スクリーニング（AABR）右耳pass，左実施不可
- 0：2　B大学病院；ABR　右耳80 dBnHL，左耳80 dBnHL
- 0：3　C病院耳鼻咽喉科；COR　65～80 dB

【生育歴】38週5日，BW 2,715 g，定頸0：3，寝返り0：5，独歩1：1．
【家族歴】両親とも家系に難聴者はいない．
【療育・教育経過】0：5　療育開始．個別指導（週1回），集団活動（週1回）．
【補聴経過】0：4　両耳耳かけ型補聴器装用開始（C病院耳鼻咽喉科）．

評価（指導開始時）

【聴覚評価】裸耳で呼びかけに反応あり．補聴器装用下でたいこ，鈴にすばやく振り向く（図7-26, 27）．
【言語・コミュニケーション評価】言語聴覚士に注目し，あやしによく笑う．「ウー」「アーアー」と盛んに発声．自分の発声に言語聴覚士が返すことがわかり，また声を出すという循環関係が成立する．
【認知・知能】特に大きな遅れはないとみられる．

評価のまとめ

　聴覚以外の発達に問題はないと考えられる．安定して補聴器装用が可能で発声は盛ん．人への注目はよく，かかわりを期待する様子もみられる．母親は療育に前向きに取り組もうとしている．

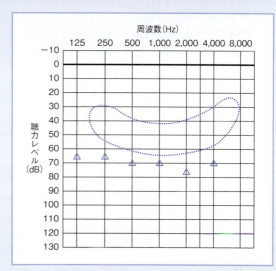

図7-26　0歳5か月時
裸耳（COR）．

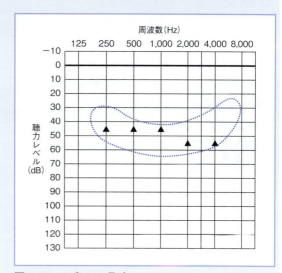

図7-27　0歳6か月時
両耳補聴器装用閾値，応答はCOR．

指導目標と指導内容

1）指導目標

【長期目標】
①残存聴力の積極的活用を基本とし，補聴器による補聴をもとに，読話を併用し，音声言語の獲

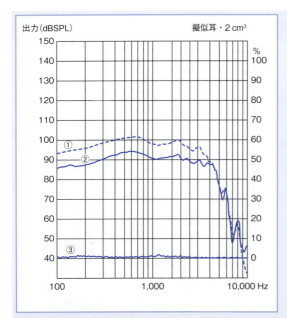

図7-28　0歳6か月時
補聴器特性図(左右ともほぼ同じ特性).
入力音圧：①90 dB，②70 dB，③ひずみ率.

得をはかる．
②児童の心身全体の健全育成をはかる．
③社会的コミュニケーションの良好な児童への育成をはかる．

【短期目標】
①補聴器の聴こえを通して，さまざまな音や声への気づき，傾聴，意味づけを促す．
②生活や遊びの中で，身近な人と楽しいやり取りをしながら傾聴・注目して音声言語を聞き込む経験を重ね，聴いて理解する力や表出する力を育む．

2) 指導内容

(1) 育児支援

- 療育に不安を抱える母親の気持ちに寄り添い，丁寧に話を聴く．言語聴覚士が指導場面で子どもの反応を引き出し，母親が子どもの変化や成長を実感できるよう支援する．また生活や遊びの様子，聞こえやことばの様子，育児全般の悩みや疑問などを記録に書いてもらい，指導に活かす．

(2) 聴覚活用

- 視覚なども活用し，子どもの気持ちに沿いながら，身振りや豊かな表情を伴って繰り返し音や声を聴かせる．この過程を通して子どもが自ら音や声を検知し，意味づけられるようかかわる．
- 歌や手遊びなどを通して，子どもが音声やリズムの楽しさを体感し，自然な声の模倣や身振りを使った表現へ展開できるよう支援する．

(3) コミュニケーション

- 子どもの注目や発声，身体の動きなどのわずかな変化を注意深く観察し，すかさず明確に豊かな表情や声で返すことを繰り返しながら，子どもの気持ちや意図をくみ，言語聴覚士自らの気持ちや意図を返していくかかわりを重ねる．
- 言語聴覚士が遊びや話しかけ方のモデルを示すことで，母子が良好な愛着関係を形成し，家庭での楽しい実践につながるよう支援する．

指導経過

【短期目標】②生活や遊びの中で，身近な人と楽しいやり取りをしながら傾聴・注目して音声言語を聞き込む経験を重ね，聴いて理解する力や表出する力を育む．

- 0：8　言語聴覚士が膝に座らせてたいこを叩くと患児Aはじっとして音を聴いている．自ら足の裏をたいこに付け，言語聴覚士が叩くのを待っていた．
- 0：11　Aが遊びながら「ア！」と声を上げる．言語聴覚士はCと視線を合わせ，明るい声で「あけて」と代弁する．Aの注目を確かめ，「いいよ」と要求に応える．
- 1：5　Aがボードにスタンプを押す．言語聴覚士が「ペッタ，ペッタ」と言いながら身体を揺する．Aは言語聴覚士の動きに声を上げて笑い，言語聴覚士を見つめながらスタンプを押す．ボードを消す際に言語聴覚士が「ポポポ」と声をかけると，すぐにAも「ポポポ」とまねる(図7-29, 30)．

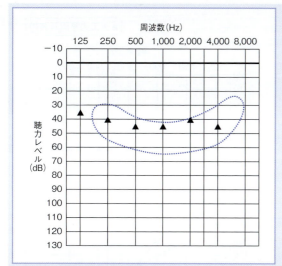

図 7-29　1 歳 5 か月時
両耳補聴器装用閾値，応答は COR．

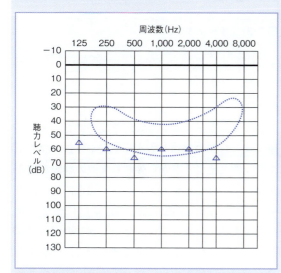

図 7-30　1 歳 8 か月時
裸耳（COR）．

指導まとめ

　母親は家庭で，本児との楽しい遊びや豊かな体験を工夫し，丁寧な育児を心がけている様子が生活記録から読み取れた．父親も育児と療育に協力的であった．
　本児は当施設での療育開始時に補聴器装用が安定しており，すぐに補聴器での聞こえを活用しながら，さまざまな音や声を意味づけ，人への注目

や興味の広がりも順調に育っていった．この安定したコミュニケーション関係の構築を通して，1歳ごろ「ワンワンワ」「マンマ」など自発語が出現，1歳4か月ごろには「デンチャ」「パン」「ママ」「アッタ」「モッタイ（もう1回）」と増えていった．1歳6か月ごろには，母親が「おしまいする？」とたずねると，「ヤ！　モッタイ！」と主張するなど，ことばでやり取りを楽しんでいた．
　この経過から，難聴の早期発見・早期療育が，本児のごく自然な子どもとしての育ちに沿った順調な聴覚活用と，言語発達の促進に大きく寄与してきたことがわかる．

今後の方針

　今後は本児の聴力のより的確な把握，快適な補聴器装用のための調整を進めていく．そしてよりよいコミュニケーション関係と健全な全体発達を主軸に，本児の主体的な聴覚学習の力の育ちを促し，偏りのない言語習得を促せるかかわりを引き続き積み重ねていく．

事例 5　小児難聴（幼児期）指導サマリー

【対象者】6 歳 5 か月，女児．
【家族構成】父，母，本児，妹．
【主訴】療育希望（他都市から転入）．
【診断名】重度感音難聴，身体障害者手帳 2 級（*GJB2* 遺伝子変異）
【診断経過】
- 0：0　　A 病院；新生児聴覚スクリーニング（OAE）pass
- 0：4　　B 福祉保健センター；4 か月健診問題なし
- 1：6　　B 福祉保健センター；1 歳半健診問題なし．保護者から聞こえについて相談
- 1：9　　C 療育センター受診；COR 100 dB 難聴疑い
- 1：10　D 病院；ABR 両耳 100 dB 難聴確定診断

【生育歴】定頸0：5，寝返り0：6，座位0：7，四つ這い0：9，独歩1：1，初語2：2
【家族歴】叔母：聴覚障害（3級）．
【療育・教育歴】
- 1：11　Eろう特別支援学校；教育相談開始
- 3：4　Fセンター；個別療育開始
- 4：4　G幼稚園入園
- 5：4　当市転入，当センター療育開始

【補聴経過】
- 1：11　重度耳かけ型補聴器，両耳装用
- 2：3　右人工内耳手術
- 4：3　左人工内耳手術

評価（CA 5：4実施）

　重度感音難聴，人工内耳装用閾値は30 dB（図7-31）．言語聴覚士（以下，ST）の発話への集中短く，聞き落としがあり，聞き返しはない．認知面は田中ビネー知能検査VでIQ 100年齢相応．言語面は理解，表現ともにおおむね4歳代レベル．理解語彙はPVT-R絵画語い発達検査で語彙年齢5：4（SS10平均），国リハ式＜S-S法＞言語発達遅滞検査で段階5-1統語方略語順可，助詞不可．表現は，多語発話は可だが，動詞や助動詞の省略，助詞の省略や誤用が多い．会話明瞭度は時々わからないことがある．

　ひらがなは特殊音節の誤りがあるが，読字は文，書字は単語レベルで可．対人関係は良好．コミュニケーションは，他者への注目の持続，応答の確認などが弱い．行動面は新奇場面への緊張や不安が強く，難しい課題は回避する，落ちつかなくなる．社会性は他児の遊びに興味はあるが，主に1人遊び．母親は声が小さく，表情乏しく，患児（以下，C）の顔を見る，応答の確認などはしない．Cの気持ちや行動の理解より，語彙や表現の誤りを指摘し，訂正や言い直しをさせる対応が目立つ．

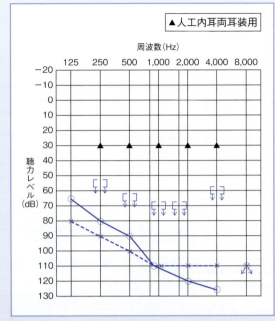

図7-31　オージオグラム

評価のまとめ

　コミュニケーションと傾聴態度の弱さ，生活年齢に比し言語の遅れがある．不安や自信のなさがあり，聞こえにくさから生じる失敗の経験が積み重なっていることが考えられる．他機関で療育を受けてきたが，母親（以下，M）はCに適切な対応を未習得，Cはコミュニケーションの弱さがみられ，これまで母子で確実に通じ合った経験が少なく，母子関係が十分に育っていないことが考えられる．

指導目標と指導内容

1）長期目標（1年）

　Cの興味や関心に合わせコミュニケーションおよび傾聴態度，言語発達を促進し，意欲や自信を育む．MによるCの感情の理解，適切な対応の習得への助言を行う．

2) 短期目標(6か月)と指導内容

(1) **コミュニケーションの向上**：①STはCに適切なコミュニケーションを行う，②ST-M間でやり取りのモデルを示す，③Cの自発的な習得を促す．

(2) **母子関係の促進**：①母子の感情の共有，②面接で，MのCの気持ちや行動へのMの気づきを促す．

(3) **傾聴態度の促進**：Cの理解に合わせた場面設定，必要に応じ視覚的手がかりも併用し，聞くことへの意欲や興味を促す．

(4) **言語発達の促進**：①Cの興味と学習状況に合わせ，語彙，文型，なぞなぞなどを実施．

指導経過

なぞなぞを用いた指導例を示す．場面設定は，出題者が問題の絵カードを箱に隠す→出題→応答者は答える→出題者は箱から答えを出し正誤を伝える．やりとりの表現は「もういいよ，ヒントください」などの常套句から導入し，習得状況を見て拡大する．

1) セッション1回目
(参加者：C，M，ST，応答者：C)

ST(絵カードを箱に入れる)「雨が降るときにさすものは？」
→C(STの動きに注目)
→ST(Cの注目をひいて再質問)
→C「かさ」小さい声で表情は固い．

面接でMは「答えられない，語彙が少ない」，Cの苦手な部分を指摘．STは，慣れない場面で苦手な課題に取り組む気持ちなどをMに問いかけ，言語発達には子どもの興味や意欲と，働きかける側の適切な対応が必要であることを伝える．

2) セッション3回目
(参加者：C，M，ST，応答者：C)

セッション2回目から教材を変更し，Cの課題への興味は高まっている．

ST「もういいよ」(注目を待つ)
→C(注目)「ヒント！」
→ST「ヒントをいいます」
→C(うなずく)
→ST「食べ物です」
→C「何色？」
→ST「黄色です」
→C「バナナ」(注目持続)
→ST「Cはバナナだと思うのね？」
→Cうなずく．
→ST「Mは？(STはMを見る)」，C(STのあとMに注目)
→M「レモンかな？」
→C「レモン？」(MのあとSTを見て笑顔)
→ST「Mはレモンね．どっちかな？」
→C(STに注目し，祈る仕草)
→ST「答えはバナナ！」
→C「ヤッター，Cが当たり」とMを振り返り，Mも笑顔．

CはSTが待つと注目し，やり取りの間が持続するようになる．面接でMは「やり取りが楽しそう．Cは私に勝ちたいんだと思いわざと間違えた」と話す．STは，MがCの気持ちを推測し，気持ちに沿った対応をしたことでCの意欲や興味が高まったことを伝える．

3) セッション7回目
(参加者：C，M，ST，応答者：C)

C(STに注目)「ヒントをください」
→ST「赤い食べ物です」
→C「トマト」(STのあとMに注目)
→M「いっぱいあるね？」と首をかしげる．
→C(Mに注目)

→ ST「もっとヒントがほしい？」
→ M(STを注目)「もっと教えて」．
→ C(ST, M両者のやりとりに注目)．
→ ST「誕生日のケーキに飾ります」
→ C「イチゴ」と答える．

Cは最初から話者に注目するようになり，次の試行から「もっと教えて」と自発するようになる．面接でMは「家ではCから聞いてこない．今日は自分から教えてといった．本当はもっと聞きたいのかも？」とCの気持ちを考え，「今日は私の様子を見てまねしたのかも？」と話す．STはMがCの気持ちを理解し，適切に対応したことを褒め，CはMを見本にしてやり取りを習得していることを伝える．

4) セッション10回目
（参加者：C，M，ST，出題者：C）

役割を交替してCが出題する．
C「もういいよ」(ST, M両者に注目)
→ ST, M「ヒントをください」
→ C「どんなヒントがほしいですか？」
→ ST「何をするもの？」
→ C「拭くものです」
→ ST「拭くもの？　ぞうきんかな？」
→ C(STの応答を確認)．
→ M「わからないな？」
→ C(Mの声で振り向く)「ママ，わからない？もっと教えてほしい？」(身を乗り出す)
→ M(うなずく)「どこにあるの？」
→ C「帰ってから手を洗う所」(注目持続)
→ M「タオル？」
→ C「当たり！(Mに注目後，STに注目)ママとCは3つ当たり．ママとCの勝ち」といい，Mに抱きつきMも笑顔．

Cは出題者でもST, M両者に注目し続け，それぞれの応答を確認し，常套句的なやり取りだけでなく，相手の気持ちを考えた発話や対応をするようになる．面接でMは「以前はCと話してもつまらなかった．最近は通じ合えたと思うことが多い」と話す．STは，Mの気づきに共感し，MがCの気持ちを受け止め，確実に伝え合うようになったことでCとの感情のつながりが深まったことを伝える．

指導まとめ

Cはコミュニケーションが向上し，母親はCの気持ちに沿った適切な対応を習得し，母子関係が深まった．

今後の方針

引き続き親子のコミュニケーションとCの傾聴態度，言語発達を促進し，就学準備に向けての助言も行う．

事例6　小児難聴(学童期)指導サマリー

【対象者】8歳，女児．
【家族構成】父，母，姉，本児．
【診断名】両側感音高度難聴
【診断経過】
- 0：0　A産婦人科；新生児聴覚スクリーニング(AABR)両耳refer
- 0：1　B病院；ABR左耳右耳90 dBnHL(＋)，左耳70 dBnHL(＋)，BOA 80 dB(＋)，たいこ(＋)，鈴(－)．両側高度感音難聴と診断．

【成育歴】出生体重2,450 g，定頸0：5，独歩2歳．言語発達歴は指差し1歳前後，初語1歳前後(ママ，まんま)，2語文2歳半ごろ(パパいない，ママおいで)．
【家族歴】特記事項なし．
【療育・指導歴経過】
- 0：2　B病院；個別指導(1回/週)．C聾学校を紹介するも通学希望なし．
- 0：6～地域の保育所を経て，小学校(普通クラス)在籍(5日/週)，加配あり．

【補聴経過】

0：5からB病院にて補聴器装用開始し，2：6ごろから聴力低下を認め，3：6時のplay audioで右耳92.5dB，左耳130dB以上で補聴器の装用効果が限定的となり，4：2時C社製人工内耳手術施行(左耳)．

評価

(1) 聴覚評価

- 平均聴力レベル：右耳105dB，左耳全周波数SO．
- 人工内耳装用下閾値30dB(HA非装用)(図7-32)．
- 最高語音明瞭度検査(57-S)84％
  CI 2004：幼児用単語：96％(24/25)
  学童用文キーワード正答数70.2％(40/57)

(2) 言語・コミュニケーション評価

コミュニケーションモードは音声言語中心．

【理解】語彙理解はPVT-R絵画語い発達検査より語彙年齢5歳8か月，評価点(SS)1であり，構文では4歳程度の構文理解力である(国リハ式<S-S法>言語発達遅滞検査にて段階5-1語順通過，5-2助詞不通過)．日常的な質問理解は可能だが，やや複雑な内容の質問などの理解は困難．書記言語能力は，Reading-Test教研式 読書力診断検査にて，読字：評定2，語彙：2，文法：2，読解：1，総合：1，読書力偏差値：30，読書学年小学校1年1～2学期以下と遅れを認めた．

【表出】日常高頻度の語彙表出が中心で3～4文節の単文が多く，多語文・従属文発生期段階．構文検査(産生)では，助詞の誤用，脱落が目立ち(お母さんがバスを乗る)，質問応答は単語レベルでの発話が多く自らが体験したことを談話として話すことは困難．発話は未熟構音(s音)があり，抑揚に乏しいが伝達度は高い(段階2)．書記言語能力は仮名，簡単な漢字の書字は可能．4コマ系列絵の作文では「けんかしてる．くりちゃんがだめだよ．じゃんけんした．おんなのこないちゃった」と語彙が乏しく，助詞の脱落，単文構造の羅

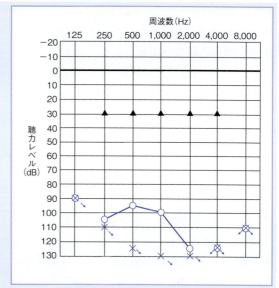

図7-32　オージオグラム

列の構成にとどまってた．

(3) その他の発達・情緒・行動特徴

- 発達：独歩は2歳とやや遅れがみられたが，その後の運動発達は年齢相応．2歳4か月時点の新版K式発達検査では姿勢・運動発達指数：64，認知・適応96，言語・社会54，全領域80と運動発達，認知発達の遅れは認めなかった．
- 知能：WISC-Ⅲ知能検査から，VIQ 45以下，PIQ 96，FIQ 59で知的発達に遅れを認めず．
- 対人関係：コミュニケーション態度は良好であるが，質問の内容がわからない場合でもうなずきやわかったふりをするなど，聞き返しや確認などのコミュニケーションストラテジーは不十分であり，他者とスムーズなコミュニケーションが成立しない場面も多い．
- 集団生活：学校が終わったあとは学童保育で過ごしており，話をする友人はいるものの，表層的な関係性にとどまっていた．

評価のまとめ

本症例は早期診断，聴覚補償，療育を行ってきたが，徐々に聴力が低下し，4歳時に人工内耳を装用した．その後，音の入力，聞き取りは良好で

ある．本児は知的発達は年齢相応であるが，言語発達は4〜5歳程度と顕著なことばの遅れを認め，複雑な内容の伝達は困難であり，スムーズなコミュニケーションに支障をきたしている．

ICF 問題点
- 機能：(−)言語発達の顕著な遅れ．
  (＋)知的機能は年齢相応，語音聴取能は良好．
- 活動：(−)他者と複雑なコミュニケーションが成立しにくい．
  (＋)描画やジェスチャーなど伝達しようと努力する．
- 参加：(−)友人関係が築きにくい，集団活動に参加しにくい，教科学習の遅れ．
  (＋)気にかけてくれる友人がいる，仲のよい難聴の友人がいる．
- 個人因子：おとなしく人懐っこい性格．
- 環境因子：両親は子どもへの愛着はあるが，ことばかけの量的な不足，質的な問題，家庭学習の遂行が困難．

指導目標と指導内容

【方針】聴覚管理，言語指導，教科学習の強化を行う．また集団参加の環境整備(情報保障)や障害認識も促していく．

【目標】
短期目標(6か月)：語彙の拡大，助詞レベルの構文理解．
長期目標(1年)：音声にて複雑なやりとりが可能になる．

指導経過
- 聴覚管理は定期的な人工内耳チェック，聴覚評価を行い，年齢に即した人工内耳の自己管理方法を指導した．補聴援助システムは進級時の状況によって導入の検討をすることとした．
- 言語指導では，語彙の拡充(絵辞典を用いた生活語彙の拡充，意味調べ学習，絵日記，読書)以外に，本人の読む，書くことへの動機付けとなるよう言語聴覚士との交換日記を実施し書記言語能力の向上を促した．構文指導はプリントワークを用いた要素的指導を実施し，言語課題は宿題帳を作成し家庭学習を促した．
- 教科学習では，家庭教師を導入し家庭学習の定着，1〜2年次の学習の積み残しの復習を実施した．また学校との情報共有に連絡ノートを作成し，密な情報交換を実施した．
- 同年齢の難聴児とグループ指導を適宜実施し，話し合い活動をもとにコミュニケーション機能の拡大や語用論的発達の能動的学習を実施した．さらに，学校での悩み(同級生にからかわれたこと)を共有し合うピアカウンセリングの実施，聴覚障害や補聴機器の効果と限界など正しい障害認識を促し，セルフアドボカシースキルの向上に努めた．その結果，自身の聞こえや人工内耳について同級生に説明ができ，本人の自信につながった．土日にお互いの家を行き来する友人もでき，困ったときに自ら助けを求めるなどのコミュニケーション行動の変容がみられた．

指導まとめ

幼児期に積み残した言語発達課題を中心に，環境調整や教科学習や障害認識へのアプローチを行った．

今後の方針

聴覚障害をあるがままに受容し，1人の聴覚障害成人者として成長できるよう連続性のある切れ目ない支援を継続する．

第 8 章

特異的な聴覚障害

学修の到達目標
- 特異的な難聴の種類と特徴を説明できる.
- 視覚聴覚二重障害者に対する支援法の概要を説明できる.
- 難聴に伴う障害の種類と特徴を理解し,支援法の概要を説明できる.

1 一側性難聴

A 概要

　一側性難聴(single-sided deafness/unilateral hearing loss)は，一般人口10万人につき12〜27人が有するとされる疾患で，コミュニケーションにおけるさまざまな障害の原因となりうる．一側性難聴は通常，頭部陰影効果(head-shadow effect)による障害側からの音声の聞き取りの低下を原因として，特に両耳聴効果が失われることによって生じるさまざまな障害のことをいう．

　一般的な症状としては，①特に騒音下でのことばの聞き取りにくさ，②音源定位の困難さが主たる症候であり，これによって③コミュニケーションブレークダウンを起こして社会的孤立をまねく場合があることが問題となる．聞きにくさを代償するために横を向きながら聴こうとする動作で不作法を指摘される，騒音下での友人からの呼びかけを無視したといわれるなど，社会的な行動における不自由さを自覚することも多い．一見して障害と理解されないがゆえの困難さがあることも理解しておく必要がある．

B 原因

　新生児聴覚スクリーニング検査では，1,000人の出生に対して0.6〜0.7人程度の頻度で先天性の一側性難聴が存在することはしばしば報告されており，こうした場合にはしばしば聴神経の低形成が報告されている．遺伝子変異がかかわる難聴でも，Waardenburg症候群や*SLC26A4*変異例などの遺伝子変異，あるいは先天性サイトメガロウイルス感染症のような胎芽病により，非対称性の聴力を示す場合がある．

　発達期に発症しうるムンプス感染では，不顕性感染の場合にも一側の高度難聴が生じることがあり，この場合はらせん神経節が高度に障害される．頭部外傷，突発性難聴や聴神経腫瘍など典型的な後天性疾患の場合でも，一側の高度感音難聴が生じるが，もちろん術後耳など，伝音難聴が一側高度難聴を呈することもある．

C 対策

1 定期的な経過観察

　生下時に存在する一側性難聴の場合，その後の遅発性ないしは進行性難聴のハイリスクである．また，急性感音難聴のあとに残る一側感音難聴は，その後に遅発内リンパ水腫をきたして両側難聴の原因となりうる．したがって一側の聴力が正常であっても，両側高度難聴を早期に発見して介入するための重要なフォローアップ対象と考えるべきである．

　定期的な検査には**純音聴力検査**などが中心であるが，片耳難聴の両側進行例では時に機能性難聴の影響を受ける例も経験することもあるために，聴力低下時などには適宜**他覚的聴覚検査**も併用する．また，言語発達や学業成績などへの影響がみられる場合には早期の介入が必要になるため，発達段階に合わせた言語発達検査や，学習面への評価が欠かせない．一側の聴覚障害に平衡機能障害が伴う場合には，同時に平衡機能に関する評価も必要である．

2 補聴

難聴の原因と程度によって，補聴手段の選択と，その有用性はさまざまである．

難聴側に対する補聴の有用性が期待できる軽度から中等度難聴や，伝音難聴の場合には，難聴側の耳に補聴器を装用するという手段を考慮できる．

難聴側が高度難聴のため十分な補聴効果が期待できない場合には，**CROS(contralateral routing of signal)型補聴器**が適応となりうる．CROS型補聴器では，難聴側の音をマイクロホンで拾い，良聴耳のレシーバーで聞き取るため，頭部陰影効果を軽減できる．海外では，骨固定型補聴器での骨伝導を用い，骨導によって同様の効果を得る方法や，一側の人工内耳手術の適応が行われることもあり，わが国でも将来的な適応が考えうる．

騒音下での聞き取りが学業成績に影響を与えている場合や，就労後の騒音下での聞き取りの改善には**RMS(リモートマイクロホンシステム)**が有効な場合もある．RMSは，小型のマイクを本人の使いやすい場所に置く場合や，マイクを話者がもち，スピーカを教室内の適切な場所に配置する．さらに個人の机の上などに小型スピーカなどを置く方法などがある．

こうした機器による支援方法は，本人の年齢，聴取能，発達段階，改善したい聴取内容について検討したうえで選択する．

3 環境調整

騒音下での聞き取りが一側性難聴の問題となることが多いため，教室内などで環境調整を行い，実際上の問題の低減をはかる．必要に応じて良聴耳を使いやすい側の着座位置を指導したり，衝立などの防音具を適切に配置して聞き取りやすい環境を確保することを目指す．生下時からの一側性難聴の場合，成長に伴って特別扱いを拒否する場合も多いため，対応は本人・家族との十分な対話のうえで選択することが必要である．また本人が聞こえにくさを自覚する状況は，静かな教室内よりもむしろ複数の友人との自由会話場面であることも多い．自分の聞こえにくさを適切に相手に伝え，セルフアドボカシー(self-advocacy)指導，すなわち友人などからの適切な支援を受けるために必要なコミュニケーション技術についても適宜指導する．

2 中枢性難聴

A 概要

中枢性難聴(central hearing loss)は，**後迷路性難聴**(retrocochlear deafness)とほぼ同義で，らせん神経節以降，聴皮質に至るまでの聴覚伝導路に生じた病変のために聞こえの障害が生じるものをいう(図8-1)．中枢性聴覚障害の臨床的特徴としては，語音明瞭度や歪語音明瞭度，環境音認知，両耳分離能などの中枢性聴覚機能が，純音聴覚閾値から予測される値よりも著しく低下していることが特徴とされる．特に両側の聴皮質の障害に起因する中枢性聴覚障害では，聴覚失認，語聾，感覚性失音楽などを呈して重篤な聴覚障害の臨床像を呈するが，こうした症状や検査所見は，中枢病変の局在や広がりに応じてさまざまに異なる(図8-2)．

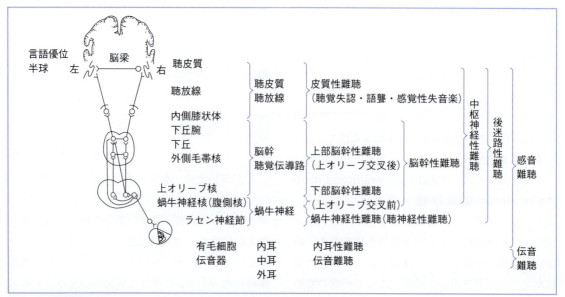

図 8-1 聴覚障害の分類
聴覚伝導路の各障害によって生じる末梢性難聴から中枢性難聴にいたる分類を示す.
〔加我君孝:中枢性聴覚障害―はじめに. 医学のあゆみ 200:153-154, 2002 より改変〕

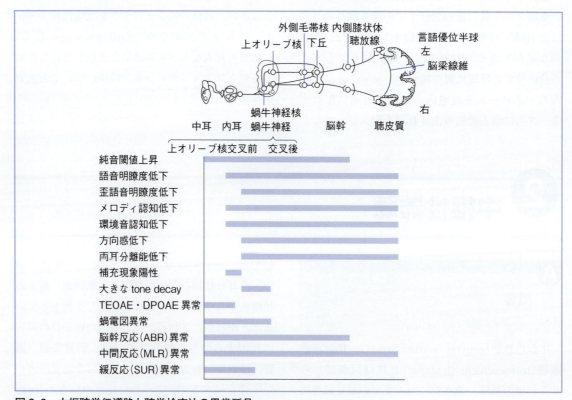

図 8-2 中枢聴覚伝導路と聴覚検査法の異常所見
色のグラフで示す範囲が異常. 各聴覚検査法が検出可能な中枢聴覚伝導路の異常部位を示す.
〔加我君孝:中枢性聴覚障害―はじめに. 医学のあゆみ 200:153-154, 2002 より改変〕

こうした中枢性難聴あるいは中枢神経性難聴はきわめてまれであるとされてきたが，各種の末梢性聴覚障害では，中枢性難聴の影響を受けている頻度は従来考えられていたよりもはるかに一般的であることが指摘されている．

B 原因と病態

脳幹までの聴覚伝導路は，蝸牛神経核，上オリーブ核，外側毛帯核，下丘からなる脳幹部分と，内側膝状体から発する聴放線を経て，シルビウス裂の深部に局在する聴皮質に投射する皮質部分に大別される．聴皮質や聴放線の障害によって生じる**皮質性難聴**と脳幹聴覚伝導路の障害によって生じる**脳幹性難聴**の2つを合わせて中枢神経性難聴とされる．

1 脳幹性難聴

脳幹病変はまれに中枢性難聴の原因とされる．一般に，純音聴力検査では正常ないしは軽度低下で，両側性のことが多く，環境音認知には問題がないが，語音聴力検査は純音聴力閾値に比して明瞭度が低下するとされる．左右の聴覚情報が統合される上オリーブ核への交叉線維の前後の病変で，下部脳幹性難聴（障害側と同側の耳の明瞭度の低下）と，上部脳幹性難聴（対側の明瞭度の低下）とする考え方がある．下丘の両側性対称性病変を伴う症例では，完全な語聾と軽度の両側性感音難聴となることがある（midbrain deafness）．上オリーブ核などの聴覚に関与する脳幹構造の損傷が原因で，聴覚幻覚が発生することがある．

2 皮質性難聴

皮質性難聴は，聴皮質ないしは聴放線における障害で発症する．被殻の病変は，時に聴放線を障害して皮質性難聴を引き起こす可能性がある．片側の皮質性難聴では，損傷側の反対側耳の語音聴力が低下し，特に右半球の損傷では，右耳での会話が可能であることが多い．左半球の損傷例では，実際には失語を伴う場合が多く，聴覚的言語理解全体が低下していることも多い．

皮質性難聴は，本質的には語聾と聴覚失認の組み合わせとされる．純音聴力閾値には大きな問題がなくても，言語音，環境音，音楽などの認識が困難になる．これは通常，すでに片側の障害をもつ例で，残りの正常な聴覚皮質が破壊されて両側の聴皮質の障害をきたしたときに発生することが多い．両聴皮質・聴放線障害例では，ほとんどの聴覚認知機能が失われているため，内耳障害による高度難聴症例と見かけが類似している．音の強弱の認知は可能で，大きな音を聞かせると不快に感じる程度の残存聴覚がある．視覚と音の統合能力が部分的に保たれるが，読話と残存聴力を生かしコミュニケーションにつなげることは難しい．

a 純粋語聾

純粋語聾は言語音の認知の障害であり，聴こえに問題はなく，語彙や文法といった言語機能も保たれる．患者の大部分は両側大脳半球の上側頭回皮質・皮質下に病変があり，聴覚言語野（Wernicke野）への聴覚情報が遮断された場合に生じる．感音難聴と異なり，純粋語聾では音をすぐに感知して振り向き，それが何の音であるかを説明することができるが，復唱は困難で，筆談は問題なく可能である．

b 聴覚失認

中枢性難聴のもう1つのまれな症候である聴覚失認は，聴力検査での比較的正常な純音聴力を示すが，電話の呼び出し音などの非言語的音を認識できない．非言語的な音は解釈できないが，音声を解釈する能力は保持されている．

3 聴覚幻覚

音楽やスピーチなどの複雑な音の錯覚で構成される．聴覚幻覚は**統合失調症**で古典的にみられるが，脳の損傷の結果である可能性もある．聴覚幻覚は，上オリーブ核などの聴覚に関与する脳幹構造の損傷や，側頭葉てんかんの結果として発生することもある．

C 原因疾患

局在性脳機能障害を生じる，脳血管病変，脳腫瘍，頭部外傷などのいずれの病態でも中枢性難聴をきたすことがある．この場合には，頭蓋内病変が聴覚伝導路のどの部分を障害しているかを画像診断などで確認する必要がある．

中枢性難聴をきたす特異な病態として，**脳表ヘモジデリン沈着症**がある．脳表ヘモジデリン沈着症は，鉄（ヘモジデリン）が脳表，脳実質に沈着し，神経障害をきたす疾患であり，小脳，脳幹など後頭蓋窩や脊髄を中心に中枢神経系にびまん性・対称性に病変が生じることがある．臨床症候として小脳失調に加えて感音難聴（難聴の多くは緩徐進行性）を示すことがある．ヘルペス脳炎は，後遺症として両側側頭葉損傷を生じることがあり，中枢性難聴の原因となることがある．聴神経腫瘍は頭蓋内病変によって難聴を生じるが，難聴の病態自体には末梢性の因子も関与している．同じく低脊髄圧症候群も後迷路性病変に加えて内リンパ嚢経由の末梢性因子も同時に関与している．

D 検査と対応

中枢性難聴の診断は，一般的な純音聴力検査では困難で，安定した結果とならないことが多い．また，しばしば軽度から正常の聴力を示す．一方でこうした純音聴力検査の結果と一致しない語音明瞭度検査の低下が特徴的とされる．中枢性難聴の患者は通常，聴覚行動に一貫性がなく，大きな話声には反応がないにもかかわらず，環境音に反応することがあるため機能性難聴と誤診されることがありうる．聴性定常反応検査（ASSR）は，中枢性難聴の診断にも有益で，ASSRと純音聴力検査の聴覚の間に違いがみられることが多い．

1 評価

前提として，実際には中枢性難聴にはほかにさまざまな神経症状や高次脳機能障害を伴うことが多い．このため，本人に利用可能な代償手段として，どのような能力が活用可能で，どのようなコミュニケーション手段をとることが有効かの評価を行う必要がある．

2 指導

口形の理解が可能な場合には，読話指導を行うことでコミュニケーションを改善できる場合がある．同じように拍の理解や，プロソディの理解が保たれている例などでは，残存機能をコミュニケーション場面で活かすための具体的な指導を行う（二拍で「はい」，三拍で「いいえ」など）．また，この場合には特にコミュニケーションパートナーを対象にした指導も重要であり，相手に伝わりやすい手段を指導することによって，簡単な会話であれば成立することを目指す．

3 環境調整

片側の語音明瞭度が低下している例では，一側難聴の場合に準じた環境調整が有効である．両側で，失語症の合併がなく読字に問題がない場合には，代償手段としての要約筆記サービスが利用できる．要約筆記者などの養成は各自治体で実施さ

れており，患者本人の依頼で活用することができる．電話などの場合には電話リレーサービスによる筆談が利用できる場合もある．

4 補聴と支援機器の使用

　聴覚障害に合併してある程度の末梢性聴覚障害がある場合には，有効な補聴を行って部分的にでも状況を改善することは重要である．しかし，語音明瞭度の低下から対応が困難な場合も少なくない．蝸牛神経レベルの後迷路性難聴の場合，人工内耳が有効である場合がしばしば報告されている．慎重な適応決定は必要ではあるが，状況によっては検討するべきである．また聴神経腫瘍術後では，脳幹インプラント(auditory brainstem implant)も治療の選択肢となる．

　スマートフォンなどの機器の音声認識ソフトを用いて会話を文字で提示する方法もある．直接に話者の認識を行う場合もあるが，あらかじめ支援者の音声認識をしておき，支援者によってリスピークすることで，会話音声を文字提示するという方法もある．こうした手法は，電話やテレビなどでの字幕として用いる方法もある．

　また，メールやFAXを用いた文字による遠隔コミュニケーション手段の活用も有効である．

3 オーディトリー・ニューロパチー(ANSD)

A 概要

　オーディトリー・ニューロパチー(auditory neuropathy spectrum disorder：ANSD)とは，①聴性行動やABRなどの検査で聴覚に異常があると診断されるにもかかわらず，②DPOAEや蝸電図などの方法によって蝸牛機能が残存すると考えられる，一群の疾患グループを指す用語であり，このためスペクトラムと称される．聴力像など，ANSDの臨床はそれぞれの原因によって大きく異なるが，新生児聴覚スクリーニングにDPOAEを用いる場合に偽陰性の原因となることがあるので，乳児期に存在するANSDの取り扱いが問題とされる場合が多い．

B 原因と病態

　新生児期に存在する難聴のおよそ10人に1人がANSDの病態をとり，その頻度は必ずしもまれではない[1]．小児期発症例は遺伝子変異に起因するものが多いが，その他の病態では必ずしも乳児期発症とは限らず，各年齢層で発症しうる．一部は症候群の一部症状として発症する(症候性)ことがあり，その場合の代表的な症候群はWaardenburg症候群とCharcot-Marie-Tooth病，Friedreich ataxiaなどがあげられる．聴力レベルや難聴のパターンは同じANSDの原因であってもそれぞれ異なり，ごく軽度の難聴から最重度の難聴までみられることがある．聴力レベルに比して語音明瞭度は不良な場合が多いとされるが，やはりバリエーションに富む[1]．新生児期の重症黄疸に伴うANSDなど，一部は時間経過とともに自然に改善(**一過性ANSD**)する場合もあるが，急

激に耳音響放射（OAE）の反応も失われてきて最終的には高度難聴に至る場合（**進行性 ANSD**）もしばしばみられる．このように ANSD の診断だけから臨床経過と聴力予後を推測することはきわめて困難であり，結局慎重なフォローアップを行って病態を確認する必要がある．

障害部位としては，①内毛細胞のリボンシナプスの障害に伴うシナプス前障害，②無髄化樹状突起の障害に起因するシナプス後障害，③らせん神経節細胞ないしは軸索・樹状突起などのシナプス後障害，④聴神経そのものの障害による「真の」ニューロパチーなどさまざまな病態が含まれると考えられている．小児例での ANSD の原因としては **OTOF 遺伝子変異**によるものが多く，シナプス前障害の病態をとる．OTOF 変異例の中には，体温の変化と共に聴力が変動する例についても報告されている．

診断

特に小児例の診断では，比較的良好な OAE ないしは蝸電図の結果と，明らかに異常を呈する ABR ないしは ASSR，および聴性行動とを対比して行う．周産期における ANSD のリスク因子として知られるのは，低出生体重，高ビリルビン血症，低酸素血症，明らかな症候性 ANSD の臨床的徴候，耳毒性薬物の使用，感染症などがあるため，こうした場合に新生児聴覚スクリーニングを行う場合には OAE 単独のスクリーニングではなく，ABR でのチェックは必須である．

評価としてはさらに，語音明瞭度検査，各種の中枢性聴覚機能検査，画像診断，特に 3DMRI や MRI cisternography を用いて内耳の形態および内耳道の神経の状態について検討する．また，色素異常（Waardenburg 症候群）や，神経・筋症状（Charcot-Marie-Tooth 病）などの合併にも注意を払う必要がある．成人の場合，hidden hearing loss（→ Note 29）や APD との鑑別が必要になる場合もあるため，十分な病歴聴取も重要である．OTOF 変異の遺伝子診断は人工内耳の適応決定などで有用な場合がある．

対策

小児例の場合，聴性行動から難聴の存在が明らかになれば，難聴の程度に応じた補聴器装用がまず推奨されるが，一般的には ANSD に対する補聴器の装用効果にはしばしば限界があるとされる[2]．軽度の聴力低下をきたしている ANSD では，特にワイヤレス補聴援助機器などを活用して SN 比の改善[3]を目指し，これによって聞き取りの改善を行う．より高度な難聴であり，補聴器での効果が不十分であれば人工内耳についても考慮する．実際，OTOF 変異例などシナプス前病変によって生じている ANSD では，人工内耳による聞き取りは良好であることが多数報告されている．一方で，らせん神経節の障害をきたすような

> **Note 29. hidden hearing loss**
> 内耳が強大音にさらされた場合，内有毛細胞に接続するシナプスが損傷されるが，こうしたシナプス損傷（シナプトパチー）は，時間経過とともに再生するとされ，これが一過性聴力閾値変動（TTS）が生じる生理的なプロセスと説明される．
> しかし，最近の研究ではこうしたシナプトパチーの一部でシナプスに損傷が残ると（あるいは遅発性にシナプトパチーが発生すると），閾値は改善しくも閾値上の刺激に対する反応が悪化することがあると報告されており，これが hidden hearing loss とよばれる．
> 症状としては，騒音曝露歴のある患者で，聴力の閾値には大きな問題がないにもかかわらず，競合音の存在下での言語音の聞き取りにくさや，聴覚過敏の症状を呈することがある．純音聴力検査の結果では正常でも，DPOAE の反応低下や，ABR での I 波振幅の低下がみられるとの報告もある．治療は基本的には騒音に対する環境調整と認知行動療法であり，特に耳鳴が伴う場合には TRT が行われる．

病変（*OPA1* 変異など）ではより不良な聴取成績になるとされる[2]ため，年齢・発症時期などの臨床的特徴や病態についての精査を行ったうえで人工内耳の適応を検討する必要がある．

引用文献

1) British Society of Audiology：Recommended Procedure：Assessment and Management of Auditory Neuropathy Spectrum Disorder (ANSD) in Young Infants. pp1-45, 2019
https://www.thebsa.org.uk/wp-content/uploads/2019/01/FINAL-JAN2019_Recommended-Procedure-Assessment-and-Management-of-ANSD-in-Young-Infants-GL22-01-19.pdf
2) De Siati RD, et al：Auditory Neuropathy Spectrum Disorders：From Diagnosis to Treatment：Literature Review and Case Reports. J Clin Med 9：1074, 2020
3) Kumar AU, et al：Auditory processing in individuals with auditory neuropathy. Behav Brain Funct 1：21, 2005

聴覚情報処理障害（APD）

概要

　聴覚情報処理障害（auditory processing disorder：APD/central auditory processing disorder：CAPD）とは，中枢による聴覚情報処理の障害のために，特に騒音下や，歪んだ言語音などでの状況において，聴力の状態に不釣り合いな聞きにくさを自覚する障害である．小児では2～3％の頻度で存在するとされるが，55歳以上の成人では23～76％とされ，加齢に伴ってその頻度は高くなることが推定されている．すなわち，一部のAPDは先天性（遺伝性ないしは周産期の障害を含む）の病態で発症するが，一部は発達期になって明確な症状を示し（**発達性APD**），またさらに一部は明白な後天性イベント（頭部外傷や感染）と関連して発症する（**後天性APD**）．

　特に発達期に存在するAPDの場合には，言語発達やリテラシーなど，さまざまな発達期の課題に影響を与えることで，学習障害の病態をとることがある．したがって，特に小児期に存在する**先天性APD**および発達性APDでは，特に適切な診断と介入が必要となる．

症状

　臨床症状として，音源の局在・同定が難しい，競合する音や，背景ノイズの存在下，ないしは早口で提示された話ことばの聞き取りが難しいなどがしばしばみられる．純音聴力検査やDPOAEなど，通常の聴力検査では異常を示さないにもかかわらず，こうした種々の症状を呈することが特徴ではあるが，個々の症状としては特徴的なものに乏しく，通常の末梢性聴覚障害や，自閉症スペクトラム障害，うつ病などとの鑑別が必要になることが多い．

対策

1　検査と評価

　診断に先立って，現在各種のスクリーニングテストが存在するが，国際的に標準化されたスクリーニング方法はまだない．しかし，年齢が低いために中枢性聴覚検査が実施できない場合にスク

リーニングとして行い，結果に基づいて必要な支援を考えるためには有益である．

診断には，①通常の聴覚医学的検査として，年齢に応じて純音聴力検査や，DPOAE，ABR，ASSR，語音聴力検査などの各種聴覚医学的検査を行って末梢性聴覚障害の除外診断を行う．また②両耳聴検査，交互聴検査，圧縮語音検査，騒音負荷検査など各種の中枢性聴覚検査を行って，2つ以上の検査項目で−2 SD以下の低値がみられる場合にAPDと診断とされる．1項目のみで低値を示した場合には，同じ聴覚情報処理のプロセスを評価する他種類の検査を行ってフォローアップする．異なるテスト間の結果が一致しない場合には，聴覚系以外の認知障害の存在を考える．逆に，すべての検査で低値を示すような広範な障害がみられるときには，やはり聴覚系以外の障害の存在を考える．③同時にADHDやうつ病などの徴候についてもスクリーニングを行い，聴覚系以外の原因による「聞こえにくさ」の自覚につながる因子についても検討する．

2 環境調整

環境調整によって提示された情報へのアクセスを改善することが主として用いられる．すなわち，ボトムアップアプローチとして，音情報を強化し聴取環境を改善することで，SN比を改善して聴取するべき音の明瞭度を改善する．具体的には，席を教室の前方に移す，適切な防音資材を用いて騒音・競合音・反響音の抑制をする，教室内などでの騒音減（水槽のポンプやホールにつながるドアなど）を排除する，などの手法が用いられる．

また，トップダウンアプローチ（マネジメントアプローチ）では，言葉による説明に視覚的キュー（キーワードを板書する）を一緒に用い，注目するべきポイントの情報をシェーマ，ハンドアウトなどの形で提供するなどして，理解の改善を目指す．

3 支援機器の使用

さまざまな支援機器，例えばリモートマイクシステム（RMS）として2.4 GHz無線通信機器を用いるなどを行って，特に騒音下での聴取能を改善する．成人の場合には，より一般的な機器での対応が可能な例も多い．例えばスマートフォンをリモートマイクとして話者の近くにおいて，ノイズキャンセリング機能をもったイヤホンを用いながら騒音下での会話の聞き取りを改善することができる．また，ICレコーダーなどの録音・録画機器を用いて，会話内容をあとで時間をかけて確認することも可能である．

4 直接指導

個別指導で「聞き分けること」「聞き取ること」を中心にトレーニングすることもあり，PCなどのソフトウェアを使った指導法も提案されている．聴覚弁別指導，音韻弁別指導，ギャップ検出や，音源定位などについての聴取訓練が実施されるが，学童期のこうした聴取訓練の有用性については現時点でも異論が多い．

指導のトップダウンアプローチでは，環境調整におけるレジュメなどの準備を踏まえて，あらかじめ使用される用語の予測を行いながら聞き取るための練習を行う．また，言語発達障害がみられる場合には日本語の構文指導を行い，聞き取るためのポイントについての指導を行う．

5 機能性難聴

A 概要

通常の難聴の診断のために用いられる純音聴力検査では，被検者からの意図的な反応が必要である．何らかの理由で，器質性の疾患がないにもかかわらず純音聴力検査では適正な反応が得られない場合，機能性難聴(functional hearing loss/non-organic hearing loss)とよばれる．この概念の中には，**心因性難聴**(psychogenic hearing loss, pseudohypacusis)，**詐聴**(feigning, malingering, simulation)，**検診難聴**などが含まれる．機能性難聴では，語音の聴取や他覚的聴覚検査など，純音聴力検査以外の検査では正常な所見を示す．

1 心因性難聴

心因性難聴は身体表現性障害として，何らかの心因がきっかけとなって身体的な障害としての難聴を呈するものである．正確な疫学についてのデータは乏しいが，通常外来では高頻度に遭遇する病態である．特に年少の児や，知的障害がある場合には，ストレスに対処する能力が低いため，葛藤やストレスにさらされたときに転換症状としての心因性難聴を呈しやすい．ただし，検診などを契機として発見される心因性難聴には明白には心因とのかかわりが明らかでない場合も多い．

また，難聴としての症状があることで本人が何らかの利益(学校を休むことができる，家族からの注意関心を集めることができるなど)を無意識のうちに得ていることがあり，これを**疾病利得**とよぶ．転換性障害としての心因性難聴の場合，こうした疾病利得はあくまでも結果であり，疾病自体が長引くことには影響しても，原因ではなく，また意図的でもない．

心因性難聴ではこのほかに，過剰適応によるもの(小さいころから手のかからない優等生タイプの児で，他律主体をもつ心身症としての発症を示すもの)や，発達障害に合併しているものもあるが，オーバーラップしていることも多く正確な分類は困難である．多くの場合，両側性を示すが，成人の場合の一側性難聴は，頭部外傷などのイベントに一致して起こることが多く，またもともと本人がもっている難聴が心因性難聴によって極端に誇張された臨床像になる場合もある．

2 詐聴

心因性難聴では，むしろ本人は難聴の自覚に苦しんでいることが多いが，逆に難聴による利益を得ることを目的として，意図的に難聴としてのふるまいをすることを詐聴といい，虚偽性障害の1つとされる．ことに障害認定や，事故後の聴力評価などで問題になることが多く，しばしば難聴という診断が金銭面での利益と直結する場面で遭遇する．

3 検診難聴

検診などで，検査時の手順がわからなかったり，検査そのものに対して著しい緊張をきたしたりして提示される検査音に対して適切に反応できない場合があり，検査不適合や，検診難聴とよばれることがある．

B 検査

一般的には純音聴力検査を用いて，聴力閾値の再現性を確認する（聴力検査を反復して測定誤差範囲以上の差がみられるかを検討する），反応の性質を確認する（閾値付近と明白な閾値上の刺激における反応時間の違いや，聴力検査結果と語音明瞭度検査結果との乖離を検討する），陰影聴取法（一側の詐聴が想定される場合には，陰影聴取が生じると推定される音量での聴力検査を行い，陰影聴取の有無を確認する）などの手法で機能性難聴の存在を疑う．純音聴力検査ではしばしば両側皿形の感音難聴のパターンを示すが，特定の聴力型を取るとは限らず，高音漸傾型や一側難聴（特に外傷後の例など）もありうる．

機能性難聴の評価のための検査としては，**遅延側音検査**（delayed side tone test），**ロンバールテスト**（Lombard test），**ステンゲルテスト**（Stenger test）がある（表 8-1）．自記オージオメトリ検査では，V 型（第 4 章の図 4-13 ➡ 89 頁）を示すことがある．

実際には確定診断のためには他覚的聴覚検査が実施される．ABR ないしは ASSR が実施されることが多く，補助的に DPOAE や SR などが用いられる．それぞれの検査には限界があるので，過剰な評価には注意が必要である．

C 診断

さまざまな局面でみられる聴性行動では正常な反応を示すにもかかわらず，純音聴力検査では異常値を示し，かつ他覚的聴覚検査では正常な値を示すため診断は容易である．ただし，ある程度の難聴が存在したうえで，機能性難聴（特に心因性難聴）によってより極端な聴力を示しているよう

表 8-1 機能性難聴の評価のための検査

1. 遅延側音検査
詐聴の診断法の 1 つである．被検者に適当なことばを暗唱させ，それを録音しながら直ちに再生し，被検者にフィードバックしてきかせる．そのとき再生を 0.2 秒遅らせると，声が大きくなる，時間がかかる，発語が乱れるという 3 つの効果があらわれる．これを遅延側音効果といい，耳が聞こえているかどうかの判断に使う．暗唱させる語は，例えば数字を 50 から逆順でいわせる，などがよく使われる．

2. ロンバールテスト
被検者に 60 dB 以上の白色雑音などの連続音を聞かせ，本の音読など，連続的な発語を指示する．負荷なしの音読課題時の声量よりも，連続音負荷時に声の大きさが 5 dB 以上増加する（ロンバール現象）と，聴力が正常であるとされる．

3. ステンゲルテスト
一側の聴力が良好で，機能性難聴を疑う場合，まず聞こえる側の聴力閾値を測定する．次に難聴側に同じ周波数の純音を，「聞こえない範囲での」なるべく大きい音の負荷をかけながら，もう一度聞こえる側の聴力閾値を測定する．両耳聴効果から，同じ音を両耳に同時に聴かせると，強いほうだけが聞こえて弱いほうは聞こえなくなってしまうため，片側の難聴が器質性であれば（真に聞こえない状態であれば）2 回の閾値の間に大きな相違はない．逆に大きな違いがあれば，難聴とされる側の聴力は機能性であることを示す．

な場合で，障害認定や人工内耳の適応などのために真の聴力を確定しようとする場合には各種の検査を併用する必要がある．また，聴覚情報処理障害との鑑別は必ずしも容易ではなく，混在することもまれならず経験する．

機能性難聴の場合，まず存在を疑って精査を準備する必要がある．この場合のポイントは，まず患者の観察から始まる．聴力の状態から推定されるコミュニケーションの状態を検査中から把握しておき，特に視野から外れたときの声かけなどに対する反応を観察しておくことが重要である．詐聴の場合，聞き取りにくさの様子が誇張されていることが多く，また本人の話声の大きさは高度難聴者でしばしば経験されるような大声ではない．さらに，高度難聴で読話を中心的に行う場合にみられるような口形に対する注意が乏しく，アイコンタクトが少ないことで気づかれることも多い．

D 対策

1 評価と診断

　転換型の心因性難聴と，詐病とは概念的に混同されることがあり，特に非専門家である両親が必要以上に心因性難聴の児に厳しく対応することもまれではない．疾患の背景と状況について，家庭のほかの家族や教師などに対して，どのように伝達されるかを配慮しながら丁寧に説明することが大切である．このため，しばしば機能性や心因性の説明は家族と本人では別々に行う必要がある．

　特に心因性難聴の本人に説明する場合，聴覚検査の結果から器質性疾患の除外についてきちんと説明する．しばしば心因性難聴の本人は自身の難聴の存在を恐怖し，将来についての不安を抱いていることが多い．器質性疾患の否定を行って本人の不安感を取り除くことは，介入としての重要なプロセスである．

2 心理学的介入

　心因性難聴の多くは予後良好であり，特別な心理学的介入がなくても改善する場合が多い．このため，特に本人に難聴での「困り感」がない場合には心理学的介入は必ずしも急ぐ必要はない．そのうえで転換型の身体表現化症状が体の他部位の症状へと広がらないようにするために，必要とあれば心理学的介入を行う．なお，心因性難聴にはほかに視野の異常を伴う**心因性視覚障害**を合併する頻度は高い．

3 環境調整

　心因性難聴の発症要因としては，比較的低年齢の児では家庭内の問題，学年が上がるにつれて学校内の問題の頻度が多いとされる．このため，家庭や学校での環境調整が介入として重要になる．

　学校でのいじめなどが問題になっているときなどには学校側の協力者と共同して対応する．このため，就学期の心因性難聴の対策には必要に応じて担任の教師やスクールカウンセラーに連絡をとり，児の心的反応の原因になっている環境(特に友人関係や部活での状況)の同定について対策を促す．

　家庭内の問題，特に家庭内暴力(domestic violence：DV)やネグレクトが疑われる場合は地域の児童相談所などとの協力が必要であり，疑わしい経過がある場合には慎重にデータを収集して，公的施設への通報なども考慮する．

6 視覚聴覚二重障害

A 概要

1 定義

　視覚聴覚二重障害(盲ろう)とは，視覚と聴覚の両方に障害がある状態のことをいう．視覚聴覚二重障害を理解するためには，視覚障害と聴覚障害を単につなぎ合わせた状態ではなく，独自の困難とニーズをもつ1つの障害ととらえる視点が重要である．視覚聴覚二重障害のもつ独自の困難とニーズはともすると見逃され，単純にそれぞれの障害の側面にのみ着目される場合がある．このため，視覚障害とも聴覚障害とも異なる新たな障害として社会の理解を促すためにあえて「**盲ろう(deafblind)**」という語を積極的に用いるという動きが従前から世界的にあった．この流れを経て，2006年の国連総会で採択された障害者権利条約において，初めて"deafblind"という語が明記された(➡Note 30)．このことを踏まえ，本節では，以下「盲ろう」という語を用いる．

　わが国における「盲ろう」の法的な定義はないが，制度運用上，視覚障害および聴覚障害のいずれもが身体障害者手帳の基準に該当する程度であること，とするとらえ方がある(➡Note 31)．

2 人口

　全国盲ろう者協会が2012年に全国の自治体に対して実施した調査[1]によると，わが国の盲ろう(児)者数は約1万4,000人と推計される．この調査は，身体障害者手帳所持者を把握したものであり，身体障害者手帳の基準に該当しない程度の障害は含まれていない．もし身体障害者手帳の基準に該当しない程度の障害も含めて考えるとすれば，さらに多いことが予想される．

3 原因

　視覚と聴覚に障害をもたらす原因には，疾患や外傷などさまざまなものがある．1つの原因で視覚障害と聴覚障害を併発しうる主な因子の例を表

表8-2　視覚障害と聴覚障害を併発しうる主な因子の例

遺伝性の疾患	アッシャー症候群 CHARGE症候群，ダウン症候群
妊娠中の母体感染	先天性風疹症候群，先天性サイトメガロウイルス感染症
周産期にかかわる因子	低出生体重児，周産期のトラブル
後天性の疾患・外傷	髄膜炎，糖尿病，脳腫瘍，事故
加齢	

1つの原因で視覚障害と聴覚障害を併発しうる主な因子の例．これら以外に，視覚障害と聴覚障害が別々の原因で生じる場合がある．

Note 30. 障害者権利条約における「盲ろう」

　2006年に採択された「障害者権利条約」は，わが国においては2013年12月の国会承認を経て2014年1月に国連に対し批准書が寄託され，2014年2月から国内での効力が発生している．外務省による公式な日本語訳では，第24条に記載された"deafblind"が「盲聾」(「聾」はここでは漢字表記)と訳された．これは，盲ろうという障害が社会に認知されるための画期的なできごとであった．

Note 31. 制度運用上の「盲ろう」

　わが国の「身体障害者福祉法」に定められる「身体障害者手帳認定基準」では，視覚障害と聴覚障害がそれぞれ単独に定義されている．しかし，制度運用上，自治体が盲ろう者向け事業の対象を「身体障害者手帳の視覚障害と聴覚障害両方に該当する人」とするなどの基準を設けている例がある．ただし，対象とする手帳等級は自治体により異なる．

表 8-3 見え方と聞こえ方による盲ろう者の 4 つのタイプ

		視覚障害の程度	
		全盲（まったく見えない）	弱視（見えにくい）
聴覚障害の程度	ろう（まったく聞こえない）	①「全盲ろう」（まったく見えず，まったく聞こえない）	②「弱視ろう」（見えにくく，まったく聞こえない）
	難聴（聞こえにくい）	③「全盲難聴」（まったく見えず，聞こえにくい）	④「弱視難聴」（見えにくく，聞こえにくい）

このタイプ分類でいう「全盲」「弱視」「ろう」「難聴」という言葉は，視力や聴力などの厳密な基準で定義されているわけではなく，おおまかな障害状況を表している．実際の見え方や聞こえ方は個別性が高いことに留意する必要がある．
〔社会福祉法人全国盲ろう者協会：盲ろう者のしおり 1998 ―盲ろう者福祉の理解のために．全国盲ろう者協会，1998 を参考に作成〕

8-2 に示す．ただし，視覚障害と聴覚障害が，1 つの原因ではなく別々の原因により生じる場合がある．原因によっては，症状が突然生じる場合，あるいは徐々に進行する場合もある．また，視覚と聴覚以外の障害を合併する可能性の高い疾患もある．

4 多様な状態像

a 視覚障害と聴覚障害の程度

盲ろうを視覚障害と聴覚障害の程度別に考慮した場合，①全盲ろう，②弱視ろう，③全盲難聴，④弱視難聴の 4 つのタイプでとらえることができる（表 8-3）[2]．この 4 つの分け方について，「全盲」「弱視（→ Note 32）」「ろう」「難聴」を定義する視力や聴力などの基準はなく，行動上の自覚的なとらえ方として「まったく見えない」「見えにくい」「まったく聞こえない」「聞こえにくい」状態をいう．ある盲ろう者がどのタイプに当てはまるかは，その人自身の自己申告によるといえる．

なお，実際の見え方や聞こえ方は，個々の盲ろう者により多様であることはいうまでもない．見え方については，視力や視野，まぶしさ（羞明）の有無によって異なる．聞こえ方については，聴力，補聴器や人工内耳の有効性，耳鳴の有無などによって異なる．症状の個別性に留意しつつ，上記のタイプ分類を，おおよその障害状況把握の参考にするとよい．

b 発症時期

視覚と聴覚それぞれの障害が生じた時期を考慮した場合，次の 4 つのタイプでとらえることができる．なお，本項で「先天性」とは，乳幼児期の発症も含める．
①先天性視覚障害・先天性聴覚障害
②先天性視覚障害・後天性聴覚障害
③後天性視覚障害・先天性聴覚障害
④後天性視覚障害・後天性聴覚障害

ひと言に後天性といっても，発症時期，進行の有無などの要因が，教育やリハビリテーションをいつどこで受けるかに影響し，その結果，身につけるコミュニケーション手段の多様さをもたらす．先天的に視覚障害があり，視覚障害者としての生活様式を身につけたあとに聴覚障害が生じた人を「盲ベースの盲ろう者」，先天的に聴覚障害があり，手話を主なコミュニケーション手段として生活しており，あとから視覚障害が生じた人を「ろうベースの盲ろう者」という場合もある．

上記タイプ分類は，現在用いている，あるいは

> **Note 32. 弱視**
> ここでいう「弱視」とは，医学的弱視とは異なり，何らかの原因疾患により矯正しても日常生活に十分な視力が得られない状態を指す．「医学的弱視」（amblyopia）とは，網膜や脳神経には異常がないにもかかわらず，乳幼児期の視機能が発達していく段階において，十分に視覚的刺激が入力されず，正常な視覚の発達が停止あるいは遅延している状態をいう．

将来導入を検討するコミュニケーション手段の参考にすることができる．

C 他障害の有無

先に述べた原因疾患の中には，知的障害，運動機能障害，内部障害などのほかの障害を合併しうる疾患もある．また，視覚障害・聴覚障害とは異なる原因によりほかの障害を合併する場合もある．

これら障害の程度，発症時期，他障害の有無といった個人的要因のほかにも，教育環境，家族環境など，さまざまな環境要因が複雑に絡み合って現在の状態像に影響を及ぼす．

以上のように，盲ろうという障害はきわめて多様な状態像をもつ．臨床にあたっては，困難や課題のみに目を向けるのではなく，さまざまな要因を理解したうえで対象者自身がどのようなニーズをもっているかを把握する視点が重要である．

5 盲ろう者が抱えるコミュニケーションの困難

コミュニケーションは，意味や内容を伝え合うという実用的側面だけではなく，感情や態度，相手との関係を示す社会的側面をもつ．これらの両側面を，言語的手段と非言語的手段の両方が担っている．視覚と聴覚に障害がある場合，言語的手段による受信と発信に加え，非言語的手段による「感覚的情報の文脈」[3]の把握，すなわち，相手の表情やしぐさ，声のトーンなどからニュアンスや言外の意味を読み取ったり，時々刻々と変化する周囲の人や物の動きなどから状況や雰囲気を読み取ったりすることが難しいため，コミュニケーションに困難をもたらす．また，その場のコミュニケーション行為にかかわるさまざまな情報が把握できず，コミュニケーションの担い手としての自分の立場や役割を同定することが困難になるため，「コミュニケーションの定位」[4]，すなわち，コミュニケーション行為の中での自らの位置づけ

を行うことが困難になる．

盲ろうという障害は，コミュニケーションのみならず情報の獲得や移動の面でも困難をもたらすが，コミュニケーションはこれらと切り離せない関係にあることに留意する必要がある．なぜならば，コミュニケーションには，背景となる情報を把握したり，コミュニケーションをとる相手のいる場所に移動したりするという要素が伴うからである．また，これらに困難が生じる場合，周囲の人とかかわり合うことに制限が生じ，コミュニケーションの機会が減る，人間関係の維持が困難になる，孤立した状況に置かれるという二次的障害が生じうる．

6 盲ろう者のコミュニケーション手段

盲ろう者のコミュニケーション手段には，**触手話，弱視手話，指点字，手書き文字**などさまざまなものがある．これらは，手話，指文字，点字，文字，音声をもとにして，触覚，視覚，聴覚のうち活用する感覚に応じて形態を変えて用いられる（表8-4）．個々の盲ろう者の障害の程度，それまで用いてきたコミュニケーション手段の経緯などにより，使用する手段が異なる．盲ろう者のなかには，複数の手段を，相手や状況に応じて組み合わせたり使い分けたりしている人もいる．

B 支援の留意点

1 面接の際の留意点

問診および主訴確認のための面接を行うにあたり，まず重要なのは，言語聴覚士が対象者と十分にコミュニケーションをとることができることである．このためには，言語聴覚士がコミュニケーション手段の多様性を熟知していることのみならず，対面した対象者に対しどの手段を使うのが適

表 8-4 盲ろう者のコミュニケーション手段

	手段	説明
手話をもとに	触手話 (図 8-3)	・盲ろう者が相手の手に軽く触れて，手話を読み取る．
	弱視手話 (接近手話)	・話し手が盲ろう者の見え方に応じて距離や手指の位置，動きの範囲を調整して，盲ろう者が手話を読み取る． ・すでに手話を習得している人にとっては，継続して用いることができる．
指文字をもとに	ローマ字式 指文字	・アルファベット指文字の母音と子音を組み合わせて日本語をローマ字式に示す． ・母音と子音を組み合わせる構成が点字と似ている点や，触読に適している点から，盲学校における盲ろう児の教育に用いられてきた例がある．
	日本語式 指文字	・日本語の五十音に対応した指文字．単独で用いられることは少なく，手話の補助手段として用いられることが多い．
点字をもとに	指点字 (図 8-4, 5)	・点字タイプライターのキー配列に合わせて，盲ろう者の左右 6 本の指に触れて伝える． ・タイプライターのキーの配列の種類や盲ろう者と話し手の位置関係などにより，指づかいには複数のパターンがある．
	点字筆記	・点字器や点字タイプライターを用いて点字用紙に書く方法や，コンピュータに接続した点字ディスプレイに出力する方法，ブリスタ(Note 34 ➡ 362 頁)を用いる方法がある．
文字をもとに	手書き文字 (図 8-6)	・話し手が，盲ろう者の手のひらに指で文字を書く．話し手が盲ろう者の人差し指をもち，盲ろう者のもう一方の手のひらや机の上などに書く方法もある． ・発信の手段として用いる際は，盲ろう者が相手の手のひらに書いて伝える．
	筆談	・見え方に応じて，字の大きさや太さを調整して筆談する． ・紙ではなく簡易筆談器やパソコンを用いる方法もある．
音声をもとに	音声	・話し手が盲ろう者の耳元や補聴器・人工内耳のマイクの近くで話す方法や，ワイヤレス補聴システムなどを用いて話し手がマイクに向かって話す方法が有効である． ・音声言語を用いてきた人にとっては，そのまま継続して用いることができる．
	読話	・話し手の口唇の形や動きを読み取って話の内容を理解する方法．単独で用いられることは少なく，音声など他の手段と併用することが多い．視覚障害を伴うと読話が困難になる．

複数の手段を，相手や状況に応じて組み合わせたり使い分けたりしている人もいる．受信と発信とで異なる手段を用いる場合も多い．読話は難しい場合が多いが，もともと読話を使用していてあとから視覚障害を発症した（あるいは視覚障害が進行した）人の場合は読話を使用することもあるため，ここでは記載した．

切であるかを判断する必要がある．障害の特性に適した接し方をすることは，対象者との信頼関係を築くうえでも重要である．面接を行う際に留意すべき点を以下に述べる．なお，本項では，通訳・介助者を介さない場合について述べる．

a 名前を名乗る

盲ろう者にとって，相手が黙ってそこにいるだけでは，人がいるのかいないのか，誰がいるのかがわからない場合が多い．初対面でなくとも，出会った場でそのつど名前を名乗る．話し手が代わるときにはそれを伝え，コミュニケーションの相手を明確にする．

b 部屋を移動する際の誘導

対象者に介助が必要であれば，介助する人の腕や肩などに触れてもらい移動する．腕を引っ張る，背中を押すなどの行為は，対象者に予期せぬ動きを強要してしまい，危険かつ不快感を与えるため，行ってはならない．

c 室内の状況を伝える

部屋の広さ，物や人の位置関係，同席者の有無など周りの状況を具体的に伝える．

d 話しかける際の注意喚起

話しかける際には，名前をよぶ，腕に軽く触れるなどして注意を喚起する．

e 対象者からの発信に対するフィードバック

対象者からの発信に対して，声で相づちを打つ，腕に軽く触れるなどして理解したことをフィードバックする．これは，盲ろう者にとって，相手の表情や頷きなどの情報を認知することが困難な場合もあるためである．

f 室内の照明および対象者の座る位置

眼疾患によっては，まぶしさを強く感じる場合があるため，室内の照明が適切かどうか対象者に確認する．また，窓に向かって座るとまぶしい場合があるため，対象者が座る位置に配慮する．

g その場を離れることを伝える

その場を離れるときには，離れる理由やどのくらいで戻るかも含めて盲ろう者に伝える．また，戻ってきたときはそのことを伝える．

2 検査・評価における留意点

聴覚機能の検査においては，対象者に検査法の教示が伝わっているかどうか，応答方法が確保できているか，十分に確認する．また，コミュニケーションに時間を要することを想定し，検査に充てる時間は，通常より長めに確保しておく必要がある．

一般的に用いられるテストバッテリーを用いて知的機能を評価する際には，それが盲ろう者のために標準化されているものではないことを認識する必要がある．また，対象者の応答性が乏しい場合に，それは周囲の状況が把握できないことに起因するか，あるいは十分な情報を得られないまま長期間にわたり生活してきたために身についた態度である可能性もある．障害の特性を理解したうえで，対象者の行動の意味を理解しようとする姿勢が必要である．

3 コミュニケーション手段の確保

盲ろう者に対するコミュニケーション支援で最も中核となるのは，他者とのコミュニケーション関係を維持あるいは拡大し，その人が主体的にコミュニケーションの場に参加できる環境を整えることである．そのためには，コミュニケーション手段の確保が不可欠である．実用可能なコミュニケーション手段が確保されていない場合や，これまで用いていた手段ではコミュニケーションが困難になった（あるいは困難になることが予想される）場合には，新たなコミュニケーション手段を導入する必要がある．新たな手段の導入にあたっては，現在（進行性の場合は将来も含めて）の見え方や聞こえ方，発症時期，他障害の有無，それまでに用いてきたコミュニケーション手段などを十分に考慮し，どの手段が活用可能かを個別に検討する．

以下に，コミュニケーション手段の確保における留意点を述べる．

a 手話を活用する場合

手話を主に用いて生活してきた人が視覚障害を伴った場合，相手の手話を読み取ることが困難になる．夜盲（暗い所で見えにくい）やまぶしさを伴うために手話の読み取りが十分でない場合は，照明や背景とのコントラストに配慮する．視野が狭い場合は，コミュニケーションをとる相手との距離や相手の手の動きの範囲を，手話が読み取りやすいように調整する．見て読み取ることが困難な場合は，触れて読み取る方法（触手話）を導入する（図8-3）．手話に熟達した人であっても，触手話による受信には習熟に時間を要する．

b 点字を活用する場合

点字を習得している人で，聴覚からの受信が困

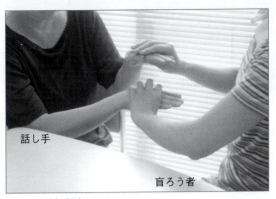

図 8-3　触手話
相手の手に軽く触れて手話を読み取る.

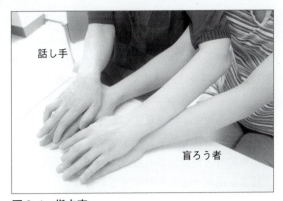

図 8-4　指点字
左右の手の人差し指, 中指, 薬指の計 6 本の指に触れて伝える.

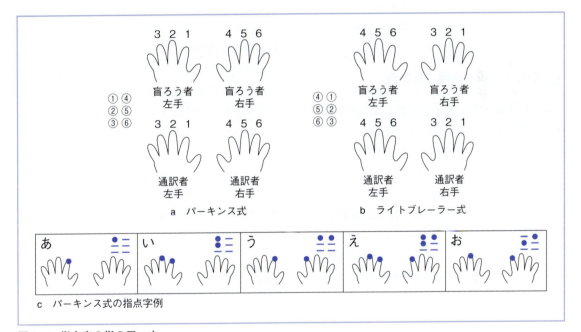

図 8-5　指点字の指の用い方
点字を習得していればすぐに円滑に指点字で読み取ることができるわけではなく, 習熟に時間を要する.
点字タイプライターには, パーキンス式(a, c)とライトブレーラー式(b)とがあり, 種類によりキー配列が異なる.
したがって, どちらのキー配列を用いるかにより指づかいが異なる.
点字は 1 文字につき 6 つの点で構成されており, 1 文字ごとに構成するすべての点(指)を打って伝える.
〔認定 NPO 法人東京盲ろう者友の会：指点字ガイドブック 盲ろう者と心をつなぐ. 読書工房, 2012 を参考に作成〕

難になった場合は, 点字筆記や指点字(図 8-4, 5)[5]のように, 点字を活用してのコミュニケーションが可能である. ただし, 指点字による受信は, 点字を習得していればすぐに円滑にできるとはかぎらず, 実用的に使用するには習熟を要する.

成人期以降に初めて点字を習得する場合は, 実用レベルに至るまでの習熟は容易ではなく, 誰もが習熟できるとはかぎらない. しかし, 将来的に聴覚・視覚の活用が困難になる可能性がある場合には, 点字は情報を得るうえでもコミュニケーションをとるうえでも有効な手段となりうる.

c 文字を活用する場合

　文字を習得している人で，聴覚からの受信が困難になった場合は，筆談や手書き文字のように，文字を介したコミュニケーションが可能である．文字は，新たな手段を覚えなくても使用できるため，盲ろう者にとっても家族や周囲の人にとっても比較的導入が容易である．

　視覚を活用することが可能な場合は，話し手が紙や筆談器などに筆記して伝える．家族や周囲の人に対しては，盲ろう者の見え方に応じた書き方を助言する．手書き文字（図8-6）は，ひらがな，カタカナ，漢字など盲ろう者によって読み取りやすい文字が異なる場合がある．

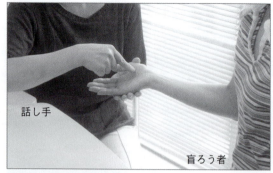

図 8-6　手書き文字
話し手が，盲ろう者の手のひらに指で文字を書く．

d 聴覚・音声を活用する場合

　受信の手段として聴覚を活用してきた場合は，生活全般にわたり聴覚に頼る部分が大きいため，聴覚管理，および補聴器や人工内耳の適切なフィッティングが重要であることはいうまでもない．補聴器や人工内耳を単独で用いるだけでなく，ワイヤレス補聴システムの使用が有効なこともある．

　人工内耳に関する情報提供を行う場合，単なる資料提供ではなく，対象者が理解しやすい方法で説明する必要がある．また，術前，術後の諸場面でのコミュニケーションを保障するために言語聴覚士が丁寧にかかわることが肝要である．**盲ろう者向け通訳・介助者**の派遣（➡ Note 33）を利用することも有効である．

　発信の手段として音声を主に用いてきた人で，文字による筆記など，視覚を活用する手段への移行が困難な場合は，対象者が発語明瞭度の維持あるいは向上というニーズをもつことがある．こうした対象者に発声発語訓練を行う場合，フィードバックを触覚的に行う工夫が必要である．

　いずれの場合も，手段の確保という限られた目標にとらわれず，周囲への助言を含め対象者のコミュニケーション環境を整えることが肝要である．また，見え方や聞こえ方の変化に伴い，それまで用いてきた手段の活用が困難になったことへの精神的負担にも配慮する．

4 人生の諸段階と支援の留意点

a 乳幼児期

　先天性盲ろう児の場合，周囲の世界の認知を促し，人（とくに親）への愛着・信頼といった情緒的関係やコミュニケーション関係を育てていくために，乳幼児期からの非常に丁寧なかかわりが必要である．なぜならば，そうした関係の形成には，親の声かけに反応して声を交わす，まなざしを合わせるというように，聴覚と視覚が関与する部分が大きいからである．これら情緒的関係やコミュニケーション関係の形成なくして，コミュニケーション手段の獲得のみを目的とすることは適切ではない．また，さまざまな活動の全過程を1つひ

> **Note 33.　盲ろう者向け通訳・介助者**
> 　盲ろう者のコミュニケーション，情報の獲得，移動を保障するための人的資源．盲ろう者向け通訳・介助者の派遣については，2013年に施行された「障害者総合支援法」では地域生活支援事業の都道府県必須事業となっている．国の制度では「盲ろう者向け通訳・介助員」，都道府県では「盲ろう者向け通訳・介助員」「盲ろう者向け通訳・介助者」などの名称でよばれる．

とつ体験し，周囲で起こっていることの因果関係や概念を，時間をかけて学習していくことが重要である．盲ろう児からの発信を大人が注意深く読み取り，大人が「わかった」ということを児にとってわかりやすい方法で返していくことで，盲ろう児とのやりとりの展開が可能になる．この積み重ねを十分に経て初めて，体系的なコミュニケーション手段の獲得への可能性が広がる．

知的障害を合併する場合は，コミュニケーション関係や概念を育てるために，さらに時間を要する．児の生活や興味に合わせて，実物を用いた合図（例：エプロンを触らせて，これから食べることを伝える）を決めたり，身振りや触り方を用いた合図（例：児の手を上下に軽く揺らして，これからトランポリンで遊ぼうと伝える）を決めたりして，児にとって見通しがもててわかりやすい状況を工夫する．

この時期は親への支援も重要である．盲ろう児の親にとって，ほかの親たちや同じ障害のあるさまざまな年代の人たちと出会い，将来どのような選択が可能かを知ることは有効である．

b 学齢期

学齢期には，盲ろう児が自身の障害について理解できるような働きかけが必要である．学校で孤立しないよう，教師や他児とのコミュニケーション手段の確保や，他児が障害について理解できるような支援が必要である．盲ろう児自身が，同じ障害のあるさまざまな年代の人たちと出会うことも大切である．

アッシャー症候群など，学齢期に障害が現れたり進行したりする可能性のある場合は，周囲が障害に気づかない場合もある．学校や医療機関などが連携して支援することが重要である．

c 成人期

成人期に症状が進行する場合は，それまで果たしてきた社会的役割，家庭での役割が果たせなくなることで喪失感を経験する場合がある．症状に応じたコミュニケーション手段を確保することに加え，職場や家庭など，個々の生活様式に応じて環境調整をはかることが必要となる．

それまでは聴覚にも視覚にも障害がなく，人生の途中で2つの障害が生じた場合には，心理面のケアが何よりも重要である．ことに突然全盲ろうの状態になった場合には，まずは手書き文字により十分なコミュニケーションをとり，非常な制約下に置かれたコミュニケーション関係を改めて形成したうえで，新たな手段の導入につなげる．

d 高齢期

高齢期には，加齢に伴い，聴覚障害と視覚障害の進行を含めた身体的変化に対処する必要がある．先天性風疹症候群などの先天性疾患の場合，加齢に伴い身体症状が生じる場合もある．高齢期以前には障害がなく加齢により視覚障害と聴覚障害が生じた場合，補聴器など新たな機器の操作が困難で，活用に至らない場合がある．機器選択にあたり，操作のしやすさを十分に考慮する必要がある．また，導入した機器を活用できるよう，日常生活場面での支援が必要である．手話や点字など新たな手段の獲得は困難な場合が多い．

5 拡大・代替コミュニケーションおよび社会資源

画面拡大ソフトや点字ディスプレイ（→ Note 34）の普及により，盲ろう者のIT機器利用の可能性は高まっている．インターネットや電子メールなどの利用が可能になることは，盲ろう者の情報獲得やコミュニケーションに大きく貢献する．しかし，IT機器利用を習得するための支援を受けられる環境がなければ，実用化は困難である．個々の盲ろう者の状況に応じてIT機器利用の支援ができる人材の確保，およびトラブルが生じたときに支援できる体制が必要である．また，文字や点字の使用が困難な盲ろう者にとって，単独でIT機器を利用するのは依然として困難である．盲ろ

う者向け通訳・介助者(➡ Note 33)の派遣を利用するなどの方法で，情報を獲得する手段を確保することが重要である．

補聴器・人工内耳による効果がどれほど高くても，機器がどれほど普及しても，盲ろう者の自立と社会参加を支えるには，盲ろう者を理解し盲ろう者に適した通訳・介助技術を習得した通訳・介助者の存在が不可欠である．

盲ろう者の関連団体として，全国盲ろう者協会，各地の盲ろう者友の会などの当事者団体，全国盲ろう教育研究会などがある．こうした関連団体の情報を得て，必要に応じて連携することも重要である．

> **34. 盲ろう者に使用可能な機器**
> - 点字ディスプレイ：出力された情報を，点字で表現するための機器．
> - ブリスタ(図)：ドイツ製の速記用点字タイプライター．タイプライターのキーを打つと，紙テープに点字が打ち出される．
> - 画面拡大ソフト：弱視の人が画面情報を拡大して作業するためのソフトウェア．
>
>
> 図　ブリスタ

引用文献

1) 社会福祉法人全国盲ろう者協会：厚生労働省平成24年度 障害者総合福祉推進事業 盲ろう者に関する実態調査報告書．社会福祉法人全国盲ろう者協会，2013
2) 社会福祉法人全国盲ろう者協会：盲ろう者のしおり1998―盲ろう者福祉の理解のために．社会福祉法人全国盲ろう者協会，1998
3) 福島智：盲ろう者として生きて―指点字によるコミュニケーションの復活と再生．p300，明石書店，2011
4) 柴﨑美穂：中途盲ろう者のコミュニケーション変容―人生の途上で「光」と「音」を失っていった人たちとの語り．p304，明石書店，2017
5) 認定NPO法人東京盲ろう者友の会(編著)：指点字ガイドブック―盲ろう者と心をつなぐ．読書工房，2012

7　難聴を伴う重複障害

A　概要

新生児聴覚スクリーニングの普及により，早期発見・早期療育が浸透しており，重複障害児においても適切な聴力評価と聴覚補償が求められる．先天性難聴の原因として，遺伝子変異による「遺伝性難聴」が50〜60％を占めるが，その中で，難聴にほかの症状を伴う症候群性難聴は30％，難聴が唯一の症状である非症候群性難聴が70％を占める．重複障害児は，症候群性難聴に含まれる例が多い．

聴覚障害に合併する重複障害児には，①**知的能力障害**，②**発達障害**(自閉症スペクトラム障害，注意欠如・多動症，限局性学習障害など)，③**運動障害**(脳性麻痺など)，④**視覚障害**などほかの症状を有するものがある．合併する症状の程度は個人差が大きく，日常生活や療育場面における行動観察や発達評価の視点を要する．難聴の側面のみではなく，全体像をみて個別性をとらえていくことが重要となる．

1　難聴を伴う重複障害例

難聴を伴う主な重複障害として，ダウン症候群，CHARGE症候群などの染色体異常，発達障害，脳性麻痺などについて述べる．

a ダウン症候群

ダウン症候群(21 トリソミー)は知的障害・発達遅滞を呈する染色体異常で,筋緊張低下,成長障害,先天性心奇形や消化器奇形などを合併するほか,難聴も高頻度に出現する.ダウン症には種々の聴覚障害が合併するが,それらの7割以上に滲出性中耳炎が関与し,伝音難聴が最も多い.滲出性中耳炎の原因には,耳管機能の不良,鼻咽腔・後鼻孔の狭さ,外耳道狭窄,易感染性が関与している.成長とともに ABR,ASSR の閾値や聴性行動反応が徐々に改善する場合がある.

b 発達障害

発達障害は,神経発達症として**自閉症スペクトラム障害**(autism spectrum disorder:ASD),注意欠如・多動症(attention deficit/hyperactivity disorder:ADHD),限局性学習障害(specific learning disorder:SLD)に分類され,それぞれに特徴的なプロフィールをもつ.

ASD は対人的相互反応やコミュニケーションに質的な遅れや異常があり,こだわりや固執性を特徴とする.臨床的に,乳児期の筋緊張低下と運動発達遅延は知的障害のリスクとして考えられるが,ASD も合併する場合がある.ADHD は注意集中,持続力の欠如や,絶えず動き回るなどの多動性,衝動性などの症状のいくつかが持続する.限局性学習症にはさまざまな定義があるが,基本的には知的発達に遅れがなく,読字障害,書字表出障害や算数障害などを有する.これらの障害が1人の子どもに重なり合い,発達に伴って子どもの状態像が変化する.発達が未分化な段階で障害を特定することは難しいが,幼児期には特徴的な行動が現れやすい.

難聴に加えて発達障害を有する場合,難聴は発達障害よりも早期に診断されるため,言語発達の遅れの原因を難聴のみに求めがちになる.知的発達の遅れは目立たないが対人コミュニケーションに質的な問題があり,適切な聴覚補償がなされても言語発達の伸びが緩慢である場合には発達障害が疑われる.難聴に発達障害を合併する児に対しては,難聴のフォローアップと合わせて発達障害の特性に応じた発達支援が有効である.

c 脳性麻痺

脳性麻痺は,胎生期から出生前後の脳の損傷に伴う姿勢と運動の障害である.最も多い原因は周産期の脳障害で,低酸素性虚血性脳症(hypoxic ischemic encephalopsy:HIE)が大半を占める.周産期医療の発展により早産低出生体重児の生存が可能となり,脳室周囲白質軟化症(periventricular leukomalacia:PVL)が増加した.脳性麻痺に伴う難聴は,過去には高ビリルビン血症による核黄疸を原因とするアテトーゼ型に多く認めたが,光線療法や交換輸血などの治療が確立し,激減した.脳性麻痺の原因と難聴のハイリスク因子が重なるため,聴力の確認は必須である.

先天性サイトメガロウイルス感染症は胎児感染の中でも頻度が高く,小頭症や精神運動発達遅滞,中枢神経奇形を伴う.風疹ウイルスと並んで出生後難聴をきたすウイルス疾患である.新生児聴覚スクリーニングで pass となっても,のちに難聴が判明することがある.難聴の特徴は両側性,一側性とも存在し,その程度も軽度から重度までさまざまである.聴力に左右差が認められることもある.年齢とともに難聴が進行し,聴力が悪化することも多い.

d CHARGE 症候群

CHARGE 症候群は,*CHD7* 遺伝子のヘテロ変異により発症する多発奇形症候群である.目の欠損症(coloboma of the eye),心奇形(heart disease),後鼻孔閉鎖(atresia of the choanae),生育・発達の遅れ(retarded growth and/or development)または中枢神経奇形,生殖器低形成(genital hypoplasia),耳介奇形ないし難聴(ear malformation and /or hearing loss),顔面神経麻痺の主症状のうち,4つ以上の症状を呈する.先天

表8-5 難聴を伴う重複障害児における聴力評価の問題点

		定型発達の難聴児	重複障害児
乳幼児聴力検査 (BOA, VRA, COR)		生後6か月までに、音源探索や音源定位が可能になる.	心身発達と体調に個人差があり、音源定位が困難な児が多い.
他覚的聴覚検査	ABR	高音域の聴力を反映する.	脳損傷を伴う場合、高音障害例、高度難聴例を除いても波形が出現しないことがある.
	ASSR	周波数別の閾値推定に有効である.	脳損傷を伴う場合、反応を認めないことがある.
乳幼児聴力検査と他覚的聴覚検査の関係		ほぼ一致する.	脳損傷を伴う場合、一致しない場合がある.
推定聴力の変動		進行性例、中耳炎悪化例を除き、おおむね変動なし.	良好になる場合や、悪化する例も認める.

〔北川可恵,他:重複障害児の聴力評価と聴覚補償.小児耳 31:228-232, 2010 より〕

性奇形症候群の中でも口蓋裂や合併奇形を多く認める. 乳児期から呼吸,摂食,運動機能,視覚,聴覚など生活面での障害が持続するため,多くの診療科にわたって長期間のフォローを要する. 難聴の合併率は約90%以上といわれ,難聴のタイプは混合性,伝音性,あるいは感音性も認め,高度のものが多い.

2 重複障害児の聴力評価に関する問題点

難聴を伴う重複障害児の場合も,聴覚のみの単一障害の乳幼児と同様,乳幼児聴力検査と他覚的聴覚検査など複数の所見から難聴が診断される[1]. 聴性行動反応聴力検査(behavioral observation audiometry:BOA)[2], 乳幼児聴力検査は視覚強化式聴力検査(visual reinforcement audiometry:VRA),条件詮索反応聴力検査(conditioned orientation response audiometry:COR),ピープショウテスト(peep show test),遊戯聴力検査(play audiometry)があり,暦年齢ではなく,心身の発達段階に沿って聴力検査を選択する.

従来から他覚的聴覚検査として聴性脳幹反応(auditory brainstem response:ABR)が行われてきたが,聴性定常反応(auditory steady-state response:ASSR)の普及により,周波数別の閾値推定が可能になった.

これらの重複障害児における聴力評価の問題点を表8-5[3]に示した. BOA, VRA, CORなど行動反応を評価する乳幼児聴力検査では運動や知的発達,体調や覚醒レベルの影響により音源への定位反応が難しいことがある. 脳の損傷など器質的障害を伴う重複障害児では,実際には聞こえていても,ABRやASSRなどの他覚的検査では無反応であり,乳幼児聴力検査の結果と一致しない場合がある[4]. さらに,ダウン症などの染色体異常を伴う場合,初期診断で推定された聴力レベルが経年的に変化し良好になることがあるので,補聴器装用を急がず経過をみることもある.

B 検査・評価

乳幼児聴力検査であるBOA, VRA, CORは聴性行動の観察が重要であり,子どもの行動反応に対する発達の視点と行動観察の熟練度により結果が異なる. 子どもが本来もっている,音に対する応答性を引き出すやりとりの場面であり,被検者である子どもと検者である言語聴覚士とのコミュニケーションの場である. 重複障害児についても乳幼児聴力検査の意義は同様であり,聴力評価のみならず,被検者と検者のコミュニケーショ

ンを構築する場である．子どもが本来もっている能力を低く見積もらず，常に子どもから教わり，学ぶ姿勢が大切である．

　ASSRなどの他覚的評価は有用ではあるが，難聴の診断や補聴器調整には，聴性行動の評価が重要である．子どもの聴力を適切に評価し得れば，話しかけるときの声の大きさや距離，トーンなど，言語聴覚士がかかわり方のモデルを示すことで，コミュニケーション方法を保護者に伝えることができる．聴性行動反応が確認されず，真に難聴の程度が重度であっても，視覚や触圧覚や振動覚など体性感覚入力により，かかわり方で子どもの応答反応が変わることを保護者に示し，可能な限り保護者を不安にさせない工夫が必要である．1人ひとりの子どもに向き合いながら，重複する障害に対する行動観察の視点，子どもへの介入と方法，そのタイミングや量の定め方，再現性のある応答を得られるまでの感覚入力や聴性行動反応の確認についても，言語聴覚士には経験と技量が求められる．行動反応の要素として，感覚，運動，認知，情緒，対人関係があり，医療・療育・教育情報の共有および，理学療法士，作業療法士など他職種の専門的な視点とアプローチは，言語聴覚士がその子どもに対する理解を深めるのに有用である．

1 BOA, VRA, COR

1）実施前のポイント

　検査実施の前にカルテの記載から基礎疾患やてんかん発作の有無などを確認し，保護者からは日常生活の聴性行動や検査時の体調や機嫌についても情報収集を行う（表8-6）．検査室に入室する前に，待合室で待つ児と保護者を迎えに行き，声をかけてあいさつして聴性行動反応をみておくことも重要である．子どもに出会ったときから聴力評価は始まっており，検査室に入室する前の行動観察は貴重な情報となる．

表8-6　聴力検査時の情報収集

1. 基礎疾患や体調について	3. 保護者に確認すること
・疾患名 ・周産期異常の有無 ・てんかん発作の有無 ・投薬の有無 ・排泄や摂食，睡眠リズム	・主訴 ・最近の体調 ・検査時の体調 ・日常生活での音の反応
2. 入室前の行動観察 ・全体像 ・呼名に対する聴性行動反応 ・視線の合い方，注視や追視	

表8-7　聴性行動の観察における問題点と留意点

1. 子どもの行動反応に対する発達の視点と行動観察の熟練度により結果が異なる．
　→子どもが本来もっている応答性を引き出すコミュニケーションの観点が必要
2. 新奇な音には反応するが，同じ周波数の音を提示し続けると，実際の聴力レベルより反応が悪い
　→1回の検査で評価を終了せず，経時的に検査を繰返す．
　検査への集中を持続させるために，音の提示方法を工夫する．
3. 得られた反応値は最小反応閾値である．
　→実際の閾値よりも5〜10 dB上昇していることが多い．
4. 音への条件付けが困難な場合
　→応答反応をよく見て，児にタイミングとペースを合わせることで再現性が得られることがある
5. 音源定位が困難な場合
　→目の動きなどの聴性行動反応と再現性で評価する．再現性の有無を区別して両方をデータとして残す．
6. 姿勢が不安定な場合
　→姿勢を安定させる．
7. 閾値が下降する，または上昇する可能性がある．
　→長期間にわたるフォローアップを行う．

2）実施上の問題点と留意点

　聴性行動の観察における問題点と留意点を表8-7に示す．

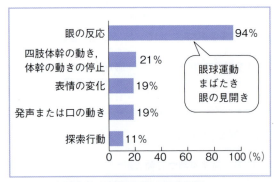

図 8-7 音源定位が困難な児の反応指標
(運動障害を伴う重複障害児 206 例)

音源定位が困難な児の聴性行動反応様式は,眼球運動など眼の反応が主である.音源定位が困難でもこれらの聴性行動反応の再現性が高ければ,検査の信頼性は高い.
〔北川可恵,他:運動障害を伴う重複障害児の行動反応聴力検査と運動・言語発達. Audiology Japan 48:89-95, 2005 より〕

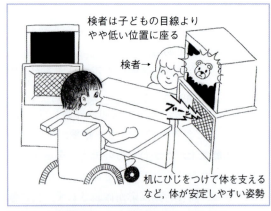

図 8-8 運動障害を伴う重複障害児の検査例
〔川浪龍司氏よりイラスト提供〕

重複障害児の場合,閾値の推定には注意を要する.新奇な音には反応するが,再現性をみようと繰り返して同じ周波数の音を提示していくと,実際の聴力レベルより反応が悪い結果になることがある.1回の検査で評価を終了せず,経時的に検査を繰り返す.1回の検査で 250 Hz〜4 kHz までの全周波数を大まかに測定する場合,500 Hz,1 kHz,2 kHz と母音の周波数成分に限定して反応の安定性をみる場合がある.得られた反応値は最小反応閾値(minimum response level:MRL)であり,実際の閾値よりも 5〜10 dB 程度上昇していることが多い.

聴性行動反応の指標となる表情や眼球,四肢の動き方は子どもによってそれぞれ違い,反応の速度も異なる.短時間の検査を心がけ,無駄のない音の提示を行う一方で,児に合わせた応答反応を待つことも重要であり,音の提示法(周波数や提示音の長さ)も児によって工夫する.音への条件づけが困難な場合でも,児の応答反応をよくみてタイミングとペースを合わせて音を提示していくと,再現性が得られてくる場合がある.音源定位が困難な場合も多くあり,聴性行動反応の再現性で評価していく(図 8-7)[5].周波数と音圧により再現性がある場合と再現性に乏しい場合を区別して,両方をデータとして残す.

検査環境では,**姿勢設定**が重要である.ダウン症や ASD など,筋緊張が低く姿勢を維持しにくい場合や,脳性麻痺のように頸が座っていない,反り返りが強いなど姿勢が不安定な場合には,まず検査時の保護者の抱っこや座位の姿勢を安定させることが重要である.検者である言語聴覚士は,ある程度安定した姿勢を維持できる知識と経験も必要である.理学療法士や作業療法士から教わるとよい.

また,経過観察の中で閾値が下降または上昇する可能性もあるため定期的に長期間にわたって評価を積み重ねていく.

脳性麻痺のような運動障害を伴う重複障害児は,身体上の運動制限や視覚の問題で音源定位が困難な症例が多く,聴力に左右差がある場合も定位反応は得られにくい.VRA,COR では,振り向きなどの音源定位反応を引き出すことに終始せず,BOA の聴性行動反応と同様に目の動きや体の動きの停止などの**聴性反応の再現性**をよく観察する.目の動きは,検査者の位置が被検児の目線よりもやや低いぐらいが観察しやすい(図 8-8).

2 発達評価

聴覚評価以外に，**全般的な行動観察**と**発達評価**は必須である．KIDS 乳幼児発達スケール，新版 K 式発達検査の領域別プロフィールは発達の個人内差を見るのによい．運動障害を伴う重複障害児では，運動発達に比べて，認知発達の指標となる言語理解が良好な場合があるので，運動発達と言語発達のそれぞれの側面を評価する．ASD など発達障害を伴う場合は社会性を表す項目がほかの領域よりも低い．

3 難聴の総合的診断

難聴の診断は，BOA，VRA，COR などの行動反応聴力検査と ABR や ASSR などの他覚的聴覚検査および心身発達評価を組み合わせて総合的に行う．

他覚的検査である ABR，ASSR については，脳の髄鞘形成不全や脳幹発達の未熟性[4]，中耳腔の間葉組織の残存[6]などによって閾値が上昇することがあり，実際には聞こえていても検査音に対する同期性が不良の場合がある．中枢神経系の成熟に伴う他覚的検査の閾値の改善や心身発達に伴う聴性行動反応の発達が認められる一方で，先天性サイトメガロウイルス感染症には聴力低下のリスクがあり，ダウン症には中耳炎の悪化に伴って聴力が悪化することもあるので注意を要する．聴力低下の検出も含め，聴力が変動する可能性があるため，定期的な聴力評価と発達評価を継続して経過をみていく．

C 補聴器装用指導とコミュニケーション発達の援助

新生児聴覚スクリーニングで難聴が診断された場合，早期から補聴器装用を行い，聴覚活用を補償するのが理想である．しかし，重複障害児で

表 8-8　難聴を伴う重複障害児の補聴器装用指導とコミュニケーションの発達援助

1. **補聴器装用**
   - 医療ケアの優先順位があるため，心身発達の内的リスクと体調，発達，保護者の心情とソーシャルサポートを十分考慮して装用指導を行う．
2. **コミュニケーションの発達援助**
   - 現実的な療育目標を設定する．第一目標は母親の声に反応する，母親とのかかわりで応答的な反応を促すことである．
   - 周囲の人とのやりとりを育てるコミュニケーション発達を支援する．
   - 1人ひとりの原疾患や合併症，発達段階や行動特徴に合わせたコミュニケーション手段を活用する．
3. **保護者への支援**
   - どう育てるかの具体策を一緒に考える．
   - 親子ともに楽しい時間を過ごせ，保護者が養育の成功体験を積み重ねられるよう援助する．

は，補聴器の常時装用まで時間がかかり，さらに補聴効果の確認に長期間を要する．重度重複障害児の場合は個々の障害の程度により音声言語の獲得には至らない児も多く認めるため，定型発達の難聴児とは聴覚補償のゴールが異なる．

重複障害児の補聴器装用指導とコミュニケーション発達の援助について表 8-8 にまとめた[7]．

1 補聴器装用

a 目的とタイミング

補聴器装用の目的は，対人コミュニケーション発達を促進する支援の一環として，適切な感覚入力を行うことにある．重複する障害の程度によりことばの表出が困難であっても，音や声に気づいて反応してほしいという保護者の願いがある．

重複障害児の乳幼児期は，睡眠や栄養摂取などが生理的に不安定で呼吸障害や心疾患などの合併症を併せもつ児が多い．医療ケアの優先順位があり，呼吸障害や摂食困難など心身発達の内的リスクが持続することもあるため，補聴器を合わせていくタイミングは1人ひとり異なる．保護者の心

情に寄り添い，保護者から子どものことを教わりながら，適切な聴覚評価とイヤモールドの適合を前提として，補聴器調整と装用指導を行う．

b 補聴器装用指導

　子どもが受け入れられる補聴器調整と装用場面，装用時間は1人ひとり異なる．補聴器装用を開始するときには，保護者とよく相談して，日常生活で具体的に補聴器を使う場面と装用時間，装用時の体位（姿勢を保持しやすいベビーラックやバギーに乗っているときなど）を設定する．補聴器は保護者とかかわって楽しめる活動の中で，短時間の装用から開始する．

　補聴器装用指導では児と家族の生活時間帯，生活空間と人間関係を把握し，適切な姿勢保持と活動内容に配慮する．例えば頸が座っておらず，反り返りが強いなど，保護者が抱っこしにくい児に対しては「抱っこのときには補聴器は装用しない」「姿勢が安定するバギーに座って，機嫌がよいときに補聴器を装用する」「通園に行っているときには装用する」など，母子になるべく負担のかからない範囲で補聴器装用を継続し，聴覚活用を促す．

　また，食事や睡眠が安定せず，感染症などで子どもの体調不良が続くと，母親が児の体調管理のために睡眠不足などで疲労困憊する場合が多い．母親が気持ちにゆとりをもって，児とのコミュニケーションを楽しめるような周囲の支援が必要である．

　補聴器装用を子どもが拒否するなど，装用を継続しにくい場合，イヤモールドが合わない，皮膚感覚として受け入れられないなど触覚的な要因，調整の利得・出力の過多や不足など音響的要因，体調や睡眠，食事の安定性や生活リズム，服薬している薬のコントロールなどの生理的要因と，保護者の疲労，ソーシャルサポートの状況など環境的要因も絡み合う（図8-9）．児と保護者の様子を注意深く観察し，生活状況を把握し，迅速に判断して対策をとっていく．

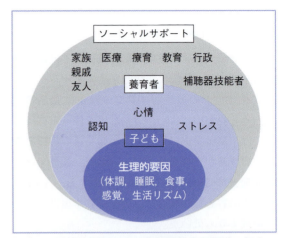

図8-9　重複障害児における補聴器装用指導の視点
1人ひとり異なり，ケアの優先順位があるため，個別対応が必要である．

c 補聴器調整

　正確な聴力検査が難しいため，補聴器の選択・調整に必要なデータが得られにくいが，聴性行動の再現性をみながら乳幼児聴力検査の結果で真の閾値から5〜10 dB上昇している場合を考慮し，仮の聴力レベルと推定する．推定聴力から成人の資料を参考に補聴器の機種を選定し，最大出力音圧と音響利得の調整を行い，実際の聴性行動反応の観察と日常生活の聴性行動の情報を収集しながら調整を繰り返していく．

　触覚的な敏感さによりイヤモールドの挿入そのものを嫌がる場合や，難聴があっても音質に対する感覚過敏のために音の刺激を嫌がることがあるため，イヤモールドの適合や補聴器の調整は慎重に行う．外耳道が狭く，耳介が柔らかいためにイヤモールドが合わせにくく，補聴器が外れやすく安定して装着できない場合や，裸耳である程度反応がみられる場合には保護者が補聴器装用に対して消極的になることもある．

　ASSRでは周波数別の聴力が推定されるので，従来のABRよりも補聴器調整は行いやすくなった．しかし重複障害児では，ABRと同様にASSRの結果が聴性行動反応と一致しないことも

あるので，補聴器調整と補聴評価には，COR などが重要である．

d 補聴効果

補聴効果を認めるまで長期間を要し，聴覚の活用状態も暦年齢ではなく，発達段階を反映し，また個人差が大きい．補聴効果では，言語理解面では音声に対する振り向き，簡単な言語指示の理解，言語表出面では応答的な発声の増加や有意語の出現が認められる．情緒面や行動面では，笑顔が増える，行動が落ちつくなどの変化がみられ，相手への注目が増えるなど**対人的な相互交渉**が成立しやすくなる．発達遅滞や発声発語器官の障害が重度であるために音声言語の獲得には至らない児でも，補聴によって対人指向性が高まり，環境音や呼名に対する反応は良好になる場合が多い[7]．

補聴器を常時装用する児もいれば，学校でのみ装用して自宅では外す，テレビを見るときだけは自ら装用するなど，その子どもなりの補聴器の使い方がある．また，中学生や高校生以降になって，自ら補聴器装用を求め，学習や日常生活に積極的に聴覚を活用しはじめるなど，さまざまなバリエーションがある．

重複障害児であっても補聴効果がみられない場合は人工内耳を考慮する．内耳奇形の有無も補聴器効果の限界を判断する一助となる．重複障害児の人工内耳手術は，日本耳鼻咽喉科学会の適応基準では禁忌にはならない．しかし，障害の程度や全体的な発達，予想されるゴールおよび療育との連携なども含めて総合的に判断すると記されている．ASDのように，低年齢では見過ごされるか，顕著に表出していない障害もあるので全体的な発達・発育の観察が必要である．ASD児の人工内耳適応・装用指導に関する留意点を**表 8-9**に示す[8]．

表 8-9 ASD児の人工内耳適応・装用指導に関する留意点

1. 術前の留意点
   - 補聴器装用指導により，補聴器の常時装用を定着させる．
   - 可能な限りASDの診断・専門療育を受けておく．
   - 人工内耳埋め込み術の目的は音声言語獲得を目的とする定型発達の難聴児と異なり，対人関係の発達促進にある．

2. 術後の留意点
   - 調整による音質の変化に敏感で，装用困難になることがある．
   - 常時装用に至るまでは，児が受け入れられる調整を優先し，場面装用を安定させる．
   - 発達全体を促す，特に対人関係発達を育てることに主眼におく．
   - 音声言語によるコミュニケーションが困難であっても，身振りサインや文字などのコミュニケーション手段を導入する．

〔北川可恵：発達障害を伴う人工内耳装用児の療育─知的障害を伴う自閉症スペクトラム障害児のコミュニケーション発達．音声言語医 61：360-368，2010 より〕

2 コミュニケーション発達の援助

a 現実的な療育目標の設定

第1の療育目標は「母親の声に反応する，母親とのかかわりで応答的反応を促すこと」にある[9]．適切な補聴で呼名に対する反応を引き出すことは，母子コミュニケーションの発達援助に有効である．定型発達の難聴児では音声言語の獲得が目標となるが，重複障害児には発達に応じて音声言語の獲得のみを療育目標に設定せず，周囲の人と意図のやりとりを育てるコミュニケーションの発達を支援していく．

日常生活のあらゆる側面において細やかな援助を必要とされる重複障害児では，現実的な療育目標と訓練時間の設定が重要であり，子どものQOLが向上すること，補聴器を装用することや訓練が家族の生活やほかの活動に支障をきたさないかなどの問題に配慮を要する．

補聴器に関しても適切な療育目標を設定し，の

ちに聴性行動反応が改善して補聴器が不要になる可能性があっても，保護者と相談したうえで必要な時期だけでも補聴器を活用するなど，柔軟に対応する．

b 発達段階に応じたコミュニケーション手段の選択と指導

重複障害児の療育では聴力評価や補聴と合わせて，個々の症例の原疾患や合併症，発達段階や行動特徴に合わせたコミュニケーション手段の選択と活用が重要である[10]．発達段階に応じてかかわり，好きな活動に寄り添って児の応答反応を待つこと，やりとりの楽しさの共有し，大人との関係を通して相手に期待する気持ちを育てるなど，対人関係発達の向上を目指す．発話が困難な場合には，聴覚活用と合わせ，早期から視線や表情の変化や動作などを表出行動としてとらえ，コミュニケーション手段として積極的に活用する．発達に伴い，代替コミュニケーション手段（手話やマカトンサイン[11]，文字，コミュニケーションエイドなど）につなげる．

「見る，聞く，触る」学習の一環として，適切な聴覚評価をもとに調整された補聴器を使用して聴性行動発達を促進していくことを目標とし，特定のコミュニケーション手段に偏らず使える手段はすべて使い，子どもを中心として保護者と協働していくことが重要である．また，児を取り囲む環境の調整も大切である．重複障害児は教育機関や医療機関，療育施設など，同時期に多くの施設に通っている．同じ施設内だけではなく，他施設のスタッフとも連携し，チームアプローチでフォローしていく．

c 保護者に対する支援

保護者に対する支援では，保護者を温かく出迎え，保護者の心情を傾聴する，子育ての具体策を保護者と一緒に考えていく．親子ともに楽しい時間を過ごせるよう，保護者が養育の成功体験を積み重ねられるように援助する[12]．保護者の子育てのやり方を受け止め，子どもに問題が生じない範囲で保護者が納得するまで行動することを見守ること，必要なときにはいつでも援助できる態勢でいることも保護者との信頼関係を築いていく過程には必要である．

引用文献

1) 工藤典代：精密聴検における問題点．ENTONI 33：39-47，2004
2) 日本聴能言語士協会聴覚検査法委員会（編）：聴性行動反応（BOA）．日本聴能言語士協会，1983
3) 北川可恵，他：重複障害児の聴力評価と聴覚補償．小児耳 31：228-232，2010
4) 加我牧子，他：小児科領域における聴性脳幹反応（ABR）無反応症例の臨床的検討．脳と発達 21：550-556，1989
5) 北川可恵，他：運動障害を伴う重複障害児の行動反応聴力検査と運動・言語発達．Audiology Japan 48：89-95，2005
6) Takahara T, et al：Mesenchyme remaining in temporal bones from patients with congenital anomalies. A quantitative histopathologic study. Ann Otol Rhinol Laryngol 96：333-339，1987
7) 北川可恵，他：運動障害を伴う重複障害児の補聴器装用．Audiology Japan 49：93-100，2006
8) 北川可恵：発達障害を伴う人工内耳装用児の療育—知的障害を伴う自閉症スペクトラム障害児のコミュニケーション発達．音声言語医学 61：360-368，2010
9) 北川可恵，他：当センター母子入院における重複障害児の補聴器装用指導．Audiology Japan 56：171-177，2013
10) 玉井ふみ，他：難聴児の早期言語指導の方法を省みて—重複障害児の場合．音声言語医学 34：273-279，1993
11) 松田祥子，他：日本版マカトン・サイン線画集 第5版，日本マカトン協会，2000
12) 古塚孝：親子相互作用の整備改善のための親への援助．前川喜平，他（編）：別冊発達 22 障害児・病児のための発達理解と発達援助．pp125-136，ミネルヴァ書房，1997

事例

事例7 重複障害(難聴・発達障害) 指導サマリー

【対象者】5歳11か月．男児
【家族構成】両親，姉，本児の4人家族．
【診断名】両側感音難聴（重度）．難聴の原因は不明（原因検索は実施済み）．
【診断経過】
- 0：0　A病院産科；新生児聴覚スクリーニング（AABR）両耳refer．
- 0：2　B病院耳鼻咽喉科；聴力精査開始．
- 0：4　BOA；500 Hz，1,000 Hz，2,000 Hz，4,000 Hz，いずれも100 dBで反応なし．
C病院；ASSRにて診断．右耳95.6 dB　左94.1 dB（3分法）．

【生育歴】37週，2,670 gで出生．定頸0：4～0：5，寝返り0：7，伝い歩き1：4，独歩1：8．
【家族歴】特記事項なし．
【発達相談歴】近医小児科で発達の遅れを指摘され，0：11　D病院小児科で**発達遅滞**と診断．
【療育・教育経過】父母の就労により乳児期から地域の保育所に通所．
　療育は以下の順に通う施設が増え，各施設で週1回程度の指導を受ける．
- 0：6～　B病院；補聴器装用指導，言語・コミュニケーション指導．
- 1：7～　D病院；人工内耳の調整，言語・コミュニケーション指導．
- 3：2～　E特別支援学校乳幼児教育相談；言語・コミュニケーション指導．

【補聴経過】
- 0：6　B病院；補聴器装用開始．
補聴器を装用するも明確な音反応を認めず，1：1より人工内耳の適応を検討．
- 1：7　D病院；右耳人工内耳埋め込み術．
- 2：2　D病院；左耳人工内耳埋め込み術．

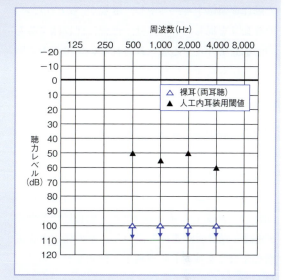

図8-10　オージオグラム

評価

【聴覚評価】裸耳と人工内耳装用閾値を図8-10に示す．検査に取り組む意欲や集中力が一定せず，再現性が乏しいため，児の機嫌のよいときに測定し，聴性行動反応の経過を追った．人工内耳装用閾値は5：4の結果である．条件付けは確立せず，自分の関心のままにボタンを押すことが多い．しかし，音を提示するタイミングを配慮すると，音に気づきすばやくボタンを押す姿や，聞こえないときに「ない」と手話で表現する姿がみられる．

【発達評価】遠城寺式乳幼児分析的発達検査法．
暦年齢4：6，移動運動3：0～3：4，手の運動3：4～3：8，基本的習慣3：4～3：8，
対人関係2：6～2：9，発語0：5～0：6，言語理解0：0～0：1．

【情緒面・行動面】自分の思うようにならないと癇癪を起こす．落ちつきがなく，よく動き回る．

【言語・コミュニケーション】母子遊び場面の観察による評価．
1：7　音声言語の理解・表出なし．他者に物を渡す，他者の手を取るなどで要求を表す．「あー」

「んー」の情動的発声あり．ボールの転がし合いのように他者と物を介して遊び，関心が向けば他者の動作を模倣する．しかし，母親が「ちょうだい」の身振りを促したときには，母親に注目はするものの応じようとする姿はみられない．母親の意図が児に伝わらず，母親は戸惑いを感じていた．

評価のまとめ

発達全般の遅れを伴う重度難聴児である．**前言語期の発達**，特に**他者との共感的コミュニケーションの形成**に遅れが認められた．父母は，発達支援の専門施設への通園は行わず，保育所での集団保育の継続を希望．そのため，療育にかかわる3施設と保育所が連携をはかり，児の発達と保護者の子育てを連携して支援する体制を整えることにした．

指導目標と指導内容

【**長期目標**】①人工内耳を装用し，環境音が認知できる，②身振り，手話，写真，絵などの視覚的手段を活用し，他者とやりとりができるようになる．
【**短期目標**】①人工内耳の安定装用，②音への気づきを高める，③**前言語期の発達**の促進．
【**指導内容**】①人工内耳の装用指導，②音遊びによる聞こえの体験，③**他者との共感的コミュニケーションの形成**の支援．

指導経過

人工内耳の装用に関する問題点とその対応を**表8-10**に，人工内耳装用後の聴覚およびコミュニケーションの発達経過を**表8-11**に示す．気に入らないことがあると機器を外して投げてしまい，機器破損が頻発．装用には情緒の安定が重要と考え，関心のある遊びを十分に行う中で自分の要求を受けとめてもらい，他者との間に楽しい気持ちが育まれることを目指した．また，母親には大きな動作や身振りなど，**児が見てわかる手段**を用いてかかわり，児の注目と自然な模倣を待つことを

表8-10 人工内耳装用にかかわる問題点とその対応

1. 歩行が安定しないため，転倒による頭部打撲のおそれあり．
   → 頭部保護のため，小児用のヘッドギアを装着する．
2. イヤモールドの装着を嫌がるため，サウンドプロセッサが脱落しやすい．
   → サウンドプロセッサを肩の位置で固定したが，送信コイルとの間の接続ケーブルを手で引っ張って外してしまう．よってイヤモールドは装着せず，ヘッドギアで送信コイルとサウンドプロセッサの位置がずれないよう工夫する．
3. 気に入らないことがあると，自分で機器を外して投げてしまう．
   → 何が原因で機嫌が悪くなり機器を投げたか，保護者から情報を得る．場面転換をはかり，機嫌よく遊べるようになったときに装用させる．
4. 接続ケーブル断線，サウンドプロセッサ破損などのトラブルが頻発，常時装用が確立しない．
   → そのつど，ケーブル交換，機器修理の依頼を行う．機器が正常に作動しているか，家庭や保育所で1日数回確認してもらい，機器の不調に早く気づけるようにする．機器の管理と手入れの方法を保護者に指導する．

指導した．指導開始から3年，自分で楽器やおもちゃを使って音を出し，他者の顔を見て反応をうかがう姿がみられるようになった．また，自分から他者にかかわり「バイバイ」「ちょうだい」「ありがとう」「ない」などを身振りや手話で表現するようになった．

指導まとめ

他者との共感的コミュニケーションの形成を目指し，**児が見てわかる手段**を使用して**前言語期の発達**を支援しつつ，人工内耳の装用により，聞こえの体験を積むことを支援した．

今後の方針

人工内耳の安定装用を目指しながら，身振りや手話など，**児が見てわかる手段**を使い，今後も児の療育にかかわる3施設が情報を共有して児の発達と保護者の子育てを支援していく．

表 8-11 人工内耳装用後の聴覚・コミュニーションの発達

装用開始からの期間 （暦年齢　歳：か月）	音への気づきに関すること	他者とのかかわりに関すること
音入れ直後 （1：8）	・大きな声での呼びかけや，振るとカタカタ音が出る木製のおもちゃ，シンバルの音に反応する	・「バイバイ」の身振りの自発表現がみられる
3～6か月 （1：11～2：2）		・発声量が増加 ・他者に向かい，「おー」と声を出す ・ほしいものに「あー」と声を出す
6か月～1年 （2：2～2：8）		・要求を指さしで表現 ・母が「ちょうだいは？」の身振りを促していることがわかり，同じように身振りで表現する
1年～1年6か月 （2：8～3：2）	・背後からのラッパの音，鈴の音に振り向く	・「ん，ん」という声を出したあと，他者の手を取り，要求を表現する ・「あうあう」という音声がよく出る
1年6か月～2年 （3：2～3：8）	・電話のベルを鳴らすと音が出るのがわかり，にっこり微笑んで繰り返す	・他児の遊ぶ姿を見て，同じようにぬいぐるみに食べさせたり飲ませたりして遊ぶ ・「おしまい」の手話をじっと見つめ，模倣したあと，他者に向けて頭を下げる（お辞儀をする）
2年～2年6か月 （3：8～4：2）		・「こんにちは」と声をかけられると，「おー，あー」のような声を出して応じる ・他者の動作模倣が増加 ・自分に注目してほしいとき「あー，あー」と声を出す
2年6か月～3年 （4：2～4：8）	・キーボードの鍵盤を触って音を出したり，自動演奏を聴いたりするが，気に入らない音にはスイッチを切る ・日常生活場面で楽器音への気づきが増加 ・キーボードのスイッチを押しても音が聞こえないとき，不思議そうな表情で首をかしげる ・音色を変えてほしい気持ちを，他者の顔を見て表現する	・「ちょうだい」「ありがとう」「おしまい」「ない」の手話を自発的に使用する ・車のおもちゃを手にもって走らせて遊ぶときに，「ブー」に近い音声が伴う ・周りが拍手をして褒めてくれるのがわかり，嬉しそうな表情で他者を見つめ，まねて拍手をする ・写真を指さし，同じものをつくりたい気持ちを表現するので，「これ　つくる？」と，手話を併用して尋ねると，「つくる」の手話を模倣して応答する ・周囲の人に自分からかかわりをもつ姿がみられ，おもちゃを介したやりとり遊びを繰り返す

事例 8　重複障害（難聴・脳性麻痺）指導サマリー

【対象者】15歳，男児．
【家族構成】両親，姉，本児．
【診断名】両感音難聴，脳性麻痺（痙性四肢麻痺とアテトーゼの混合型），知的障害．
【診断経過】在胎25週，989g，仮死ありでA病院で出生，APS 3-3．

MRIでは両側の脳室周囲白質軟化症（PVL）と脳室拡大あり．内耳奇形なし．

- 日齢154日（47週6日）　A病院耳鼻咽喉科；ABR両側105 dB無反応．
- 0：6　補聴器装用を開始，地元の療育施設と聾学校に通園開始．
- 1：5　A病院小児科で脳性麻痺の診断．
- 3：6　発達全般のフォローと補聴器装用指導を目的にBセンターを初診．

評価

- 3：6　COR70-80 dB, BOA でたいこに反応あり, 呼名に反応なし.
  津守・稲毛式乳幼児精神発達診断法の質問紙の結果, 発達月齢は, 運動, 探索・操作法 3 か月, 社会 7 か月, 食事 4 か月, 理解言語 1 か月であった.
  定頸安定せず, 反り返りあるいは四肢体幹とも低緊張で声が出にくい.
  表情は豊かで不快な表情や笑顔もみられる. 補聴器は所持していたが装用困難.
- 3：11　ABR 両側 110 dB で反応なし, ASSR 右 110 dB 左 110 dB スケールアウト.
  COR 70-80 dB, 補聴器装用下の COR 45 dB（図 8-11）.

評価のまとめ

ABR・ASSR と COR の結果は一致しない. 補聴器の装着を嫌がる. 定頸不安定で臥位姿勢を好む. 反り返りが強く, 身体接触と場面の変化に泣くことが多い. 摂食に時間を要し, 嚥下検査でも誤嚥を認め, 発熱や喘鳴などで体調不良になりやすい.

指導目標と指導内容

- 短期目標：発声の増加と誤嚥の軽減.
- 長期目標：体調の安定とコミュニケーション行動の発達促進.
- 指導内容：・補聴器装用による聴覚活用の促し.
  ・聴覚的フィードバックにより自発的な発声発語行動の促進.
  ・かかわり遊びにより対人相互交渉の活発化.
  ・食形態をミキサー食にし, オーラルコントロールを併用.

指導経過

3 歳 6 か月より補聴器の再装用指導を開始. 定頸は不安定で臥位を好み, 座位姿勢を好まず, 触

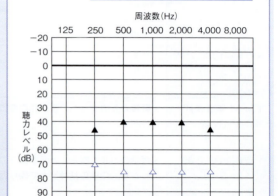

図 8-11　聴覚検査（3 歳 11 か月時）

られることや場面の変化に対する過敏さを認めた. COR では 70〜80 dB で反応を認めたが, 泣く以外は発声行動に乏しかった. 誤嚥があり, 体調も不安定であったため, 定期的にリハビリ入院を繰り返し, 小児科医や整形外科医, 理学療法士, 作業療法士など多職種との連携が欠かせなかった. 理学療法士, 作業療法士により, 日常生活の姿勢管理, 食事場面の姿勢設定, 座位保持装置の設定がなされ, 呼吸理学療法と変形拘縮予防に対する介入が行われた. 言語聴覚士は嚥下障害改善のために摂食指導と, 発声発語を促すための補聴器調整および補聴器装用指導を行った. 補聴器装用指導は, イヤモールドの装着に慣れることから始めた. 座位保持装置を使用し, 安定した姿勢がとれる時間のみにするなど, 装用時間と場面を限定した.

5 歳より幼稚園に通園しはじめ, 活動の範囲や座位保持の時間が長くなったため, 補聴器も常用可能となった.

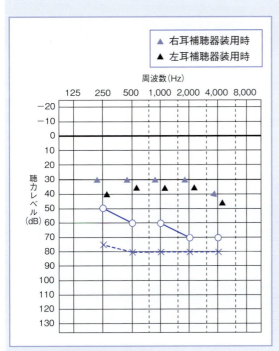

図 8-12　聴覚検査（15歳時）

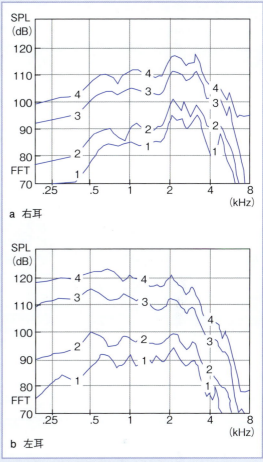

図 8-13　補聴器特性図（15歳時）
1：50 dB 入力，2：60 dB 入力，3：80 dB 入力，4：90 dB 入力．

COR評価が中心であったが，15歳時に左右別の気導検査が可能になり，右60～70 dB，左80 dBと左右差を認めた．聴覚検査を図8-12に，補聴器特性図を図8-13に示す．

指導のまとめと今後の方針

前言語的なかかわりを含め，補聴器装用による発声発語を促し，視線，ジェスチャー，指さし，マカトンサインなど多感覚を利用したやりとり遊びで，曖昧な意思疎通を確実にし，コミュニケーション意欲を育てること，摂食指導とあわせて誤嚥の軽減を目標とした．脳性麻痺のため運動発達は緩慢だが，対人関係と言語発達は伸びた．

5歳6か月時（補聴器装用2年後）では，音声言語20語，マカトンや指さしで30語の表出を認め，「おねえちゃんはどこ」の質問に「ネーチャン」といって家の2階を指さすなど，音声言語とサインを組み合わせたやりとりが可能になった．

中学生以降にヘッドホンによる左右別の気導聴力検査が行えるようになり，左右差が判明したため，補聴器を左右別に調整した．補聴器を自ら「みみ」と求め，成長しても補聴器がコミュニケーションと学習において重要なツールとなっている．補聴器装用と聴覚活用により子どもの応答性が伸びたために，保護者の意欲が湧き，丁寧にやりとりを重ねてきた事例である．今後も多職種と連携して心身と体調の変化に注意しながら聴力評価と補聴器調整を継続していく．

第 9 章

情報保障と社会資源

学修の到達目標
- バリアフリー・情報保障の概念を説明できる.
- 情報保障の種類と特徴を説明できる.
- 健診制度を説明できる.
- 聴覚障害に関する社会福祉制度を説明できる（難聴の程度と身体障害者手帳の等級含む）.

1 情報保障

A 情報保障とは何か

1 障害の社会モデル

障害は,「機能障害を有する者とこれらの者に対する態度および環境による障壁との間の相互作用」[1]によって創り出されているものである.

これは,2006年に国連総会で採択された「障害者権利条約」の前文に示された考え方である.障害は個々の心身機能にあるのではなく社会にあるとするこの考え方は,障害の「**社会モデル**」とよばれる.

社会モデルに対比される枠組みとして「医学モデル」(「医療モデル」あるいは「個人モデル」ともよばれる)という語が用いられる.医学モデルとは,障害は個々の心身機能に起因しており個人に内属するものであるという,かつて医療や福祉の分野でとらえられてきた枠組みを指している.

社会モデルの考え方に立てば,社会的な障壁を取り除くのは社会の責務であるとされ,このことが**バリアフリー**の理念の根底にある.

2 バリアフリーの理念

日本政府が1993年に策定した「障害者対策に関する新長期計画—全員参加の社会づくりをめざして」[2]では,障害のある人を取り巻く「障壁」(バリア)として以下の4つが指摘された.
①歩道の段,車いす使用者の通行を妨げる障害物,乗降口や出入口の段差などの**物理的な障壁**.
②障害があることを理由に資格・免許等の付与を制限するなどの**制度的な障壁**.
③音声案内,点字,手話通訳,字幕放送,わかりやすい表示の欠如などによる**文化・情報面での障壁**.
④心ない言葉や視線,障害者を庇護されるべき存在としてとらえるなどの**意識上の障壁**(心の壁).

こうしたバリアの除去をバリアフリーという.この用語は,もとは建築用語として,段差などの物理的なバリアの除去という意味で用いられたとされる.その後,障害のある人や高齢者が生活するうえでのバリアを除去するという意味で用いられるようになった.しかし現在は,障害の有無や年齢といった人の属性にかかわらず,社会生活を困難にするあらゆるバリアの除去という意味で用いられている[3].

社会には,障害の有無や年齢のほかにも,国籍,使用する言語,性別,性認識,外見など,実にさまざまな状況に置かれた人がいる.こうした多様な人がいるにもかかわらず,多数を占める人に合わせて社会がつくられるときに,バリアが生じる.つまり,聴覚障害者にとっては,聞こえる人に合わせてつくられた社会のありかたがバリアとなりうるのである.

3 情報保障の概念

感覚機能や運動機能,そして認知機能に障害がない場合,人は聴覚や視覚,触覚,運動などを通して,周囲のさまざまな情報を享受し,それを解釈し,あるいは無視して,自らの意思や表現を生み出すことができる.情報には,例えば自分が直接参加している会話,周囲で行われている会話,他者の表情やしぐさ,環境音,マスメディアの流す文字や映像や音声など,さまざまなものが含まれる.われわれは,こうした情報を得ながら社会

に参加しているのである．

ところが，これらの機能に障害がある場合，適切な対策を講じなければ，情報のバリアが生じやすくなる．聴覚からの情報を得ることが困難な聴覚障害者にとって，音声情報のバリアが重大な問題となることは想像に難くない．ここで注意したいのは，情報のバリアとは，必ずしも機能的に障害がある側に生じるものではなく，あくまでも情報を発する側と受ける側との関係性の中で生じるという点である．例をあげるならば，音声言語を用いる集団の中に手話を主に用いる人が1人いる場面では，通訳者がいなければ手話使用者にとってバリアが生じるであろうし，手話を用いる集団の中に，手話のわからない人が1人いる場面では，その人にとってバリアが生じるであろう．ここで忘れてならないのは，バリアは少数派に生じるとはかぎらず，互いの間に生じるという点である．

人はみな，等しく情報を享受し，コミュニケーションや表現を行う権利をもつ．このことは，障害者権利条約第21条においても，明確に示されている．情報保障とは，この権利を守るための概念である．情報保障という概念を平易な言葉で述べるならば，「なんらかの理由で情報を得ることが困難な人に対して，その人にとってわかりやすい方法で，情報をできるだけ確実に即時的に伝えること」であるといえる．

4　情報が保障されないとどのようなことが起こるか

聴覚障害者にとって，情報が保障されないとはどのようなことを意味するのであろうか．ここでは3つの例を挙げる．

1）大学での講義

聴覚障害のある学生が講義を受ける場合，教員が音声のみで講義を進めると，得られる情報は聞こえる学生と比べてわずかなものとなるであろう．講義の内容だけではなく，講義中の他の学生の発言や雰囲気も取りこぼすことになる．その結果，講義についていけず，また，他の学生との間で孤立状況を生み出すことにもなりうる．

2）会社でのコミュニケーション

上司や同僚，顧客とのコミュニケーションが音声のみでしか行われないとすればどうであろう．会議で周囲の議論を確実に即時的に把握できなければ，自分の意見を述べることもできない．重要な内容はあとからメールなどで確認できるとしても，即時的な情報が得られなければ，質問や反論などができず，会議に十分に参加したとはいえない．その結果，能力を正当に評価されなかったり，社内で孤立したりすることにもつながる．

3）家庭内でのコミュニケーション

家庭で，皆が音声のみの会話で楽しそうに団欒しているときや，家族の重要な問題を話しているときに，自分だけ話の内容を理解できずにその会話に入れないとすればどうであろう．共感したり共に笑ったり，考えを述べたりすることができず，家庭内での役割を果たせないという不全感や無力感にさいなまれることにもなりうる．

いずれの場合も，深い孤独感や精神的な負担が生じる可能性が高く，時として深刻な事態をもたらしうる．

B　情報保障の実際

聴覚障害者の情報を保障する方法の例を表9-1にあげる．

1　人的資源

聴覚障害者の情報を保障するための人的資源で，制度化されたものとしては，**手話通訳者**と**要約筆記者**の派遣がある．

表 9-1 聴覚障害者の情報を保障する方法の例

1. 人的資源
   - 手話通訳
   - 要約筆記(パソコン要約筆記, OHP要約筆記, ノートテイク)
2. 物的資源
   - 補聴システム
   - 視覚的にわかりやすい表示
   - 筆談用具
   - タブレット端末(遠隔手話通訳サービス, 音声認識文字変換システムの活用)
   - 字幕
   - 光や振動で知らせる装置
3. 意識・態度
   - 聞き取りやすい話し方
   - 複数で会話するときは交代で話すといった配慮
   - 筆談
   - 連絡先にメールアドレス・FAX を記載

1) 手話通訳

音声を手話に，手話を音声に通訳することにより，聴覚障害者と聞こえる人との情報やコミュニケーションを保障する方法である．制度としては，1970年に国の身体障害者社会参加促進事業として手話奉仕員養成事業が加えられ，1976年には手話奉仕員派遣事業が加えられた．1989年には，厚生大臣(現 厚生労働大臣)認定の手話通訳技能認定試験が始まり，国家資格としての手話通訳士が誕生した．1998年に厚生省(現 厚生労働省)の通知により，手話通訳者の養成・派遣は都道府県事業として，手話奉仕員の養成・派遣は市町村事業として行うこととなった．

2) 要約筆記

聴覚障害者に対して，音声情報を文字により通訳する方法である．主に，パソコン要約筆記，OHP要約筆記(OHPを用いた手書きによる要約筆記)，ノートテイクの方法がある．制度としては，1981年に国の身体障害者社会参加促進事業に要約筆記奉仕員養成事業が加えられ，1985年には要約筆記奉仕員派遣事業が加えられた．

手話通訳者派遣も要約筆記者派遣も，2006年に施行された障害者自立支援法では，地域生活支援事業の中の「コミュニケーション支援」として位置づけられ，市町村の必須事業となった．その後，2013年に施行された障害者総合支援法では，「コミュニケーション支援」から「意思疎通支援」へと名称が変わり，市町村と都道府県の役割分担の明確化，広域的な派遣についての都道府県の関与の明確化など，それまでの課題を解消するための強化がはかられた．

なお，就労場面での情報保障を支える制度としては，障害者雇用促進法がある．事業主が聴覚障害者の雇用のために手話通訳者や要約筆記者を委嘱する場合，所定の審査で認定されれば，障害者雇用納付金制度に基づく助成金の支給を受けることができる．

2 物的資源

機器や設備の整備といった物的資源もまた，情報保障を実現するためには重要である．例えば，公共施設にヒアリングループやFM電波，赤外線などを利用した補聴システムを備えることは，補聴機器により音声で情報を得ることのできる聴覚障害者の情報保障に大きく貢献する．ほかにも，聴覚障害者への情報保障の例として，公的機関や公共施設，交通機関におけるアナウンスを音声だけでなく文字や図・記号などの視覚情報で提示すること，公的機関や公共施設の窓口などに筆談用具やタブレット端末を備えること，テレビや映画に字幕をつけることなどがあげられる．

障害者雇用の制度においては，事業主が聴覚障害者の雇用のために機器などを設置する場合，所定の審査で認定されれば，障害者雇用納付金制度に基づく助成金の支給を受けることができる．

3 意識・態度

人的資源，物的資源が確保されているからといって，情報が確実に保障されているとは限らない．情報のバリアが，あくまでも発する側と受ける側との関係性の中で生じるものである以上，情報保障もまた，関係性の中で実現するものである．

例えば，聴覚障害者が手話通訳者を同伴して面接に臨んだとしても，面接官が当の聴覚障害者ではなく通訳者に向かって話しかけたとしたら，主体的なコミュニケーションがとれるとはいえない．講演会で主催者が手話通訳をつけたとしても，参加する聴覚障害者が必要とする方法が要約筆記であったならば，講演の内容は理解しにくくなる．事業主が会社に補聴システムを設置したとしても，会議に参加する人が早口で話したり，一度に複数の人が話したりする環境では，議論に参加することは難しい．個々の場面に応じて，誰がどのようなかたちでの情報保障を必要としているかを見極め，必要な方法を用意し，適切な仕方で活用してはじめて情報保障は実現する．そこには，わかりやすい話し方をするといった態度面での方略も含まれる．

情報保障の方法は，さまざまな社会生活場面で求められるが，特定のパターンで画一的に用意することが趣旨ではない．社会が情報のバリアに気づき，具体的に対処することにより，バリアが除去される．その意味では，情報保障の方法は進化し続けるものである．

2011年に改正された障害者基本法では，すべての障害者は「意思疎通のための手段についての選択の機会が確保されるとともに，情報の取得又は利用のための手段についての選択の機会の拡大がはかられること」（第3条）とされている．また，2013年に公布された障害者差別解消法では，社会的障壁を除去するための「合理的配慮の不提供」を禁止している．

このように，情報保障を支える技術や制度は，着実に進展している．しかし，技術や制度が整っても，人々の意識が育たなければ，情報が保障される社会は実現しない．聴覚障害についての社会の理解が進むためには，「世の中には聴覚障害者がいるのが当然」という社会の意識を育むことが必要であろう．言語聴覚士が情報保障を熟知することの意義は，個々の臨床場面で情報保障を確実に行うことのみならず，こうした社会の実現を牽引する担い手としての自覚をもつことにある．

引用文献

1) 外務省：障害者の権利に関する条約．https://www.mofa.go.jp/mofaj/fp/hr_ha/page22_000899.html
2) 国立社会保障・人口問題研究所：障害者対策に関する新長期計画—全員参加の社会づくりをめざして—．http://www.ipss.go.jp/publication/j/shiryou/no.13/data/shiryou/syakaifukushi/462.pdf
3) 政府広報オンライン：暮らしに役立つ情報 知っていますか？街の中のバリアフリーと「心のバリアフリー」．https://www.gov-online.go.jp/useful/article/201812/1.html#section1

2 聴覚障害と社会資源

環境や人とのかかわりのなかで種々の社会的障壁が生じる聴覚障害において、社会資源の果たす役割は大きい。本節では、聴覚障害に関連する主な社会資源とその背景をなす制度、および健診制度について概説する。

A 障害者施策の背景

近年の障害者施策の背景には**ノーマライゼーション理念の浸透**がある(➡ Note 35)。これは、「障害」を医学的に評価するだけでなく、社会との関係でとらえ直し、施策の検討に活かす姿勢の進展とも関連する。

1981年の**国際障害者年**のテーマは「完全参加と平等」であった。1982～91年には「国連・障害者の10年」が続き、その後も障害にかかわる運動が展開して、ノーマライゼーション、地域での自立生活、自己決定、自立支援などの理念が国を越えて広く共有されるようになった。2001年に世界保健機関(World Health Organization：WHO)が**国際生活機能分類**(International Classification of Functioning, Disability and Health：**ICF**)を通じて「障害」の新たなとらえ方を示したことも注目される。2006年になると国連総会で**障害者権利条約**(障害者の権利に関する条約)が採択され、以降わが国においても、障害当事者の意見も聴きながら、障害者施策を大きく左右する複数の法律の見直しが行われた。障害者基本法の改正(2011年)、障害者総合支援法の施行、障害者差別解消法の公布、障害者雇用促進法の改正(2013年)などもこれに含まれる。これらの法整備を受けて、2014年に障害者権利条約の批准、発効に至った。この条約締結をもって、障害に基づくあらゆる差別が法的に禁じられ、わが国においても障害をもつ人々の社会への参加が本格的に進むための基盤ができたといえる。

B 聴覚障害にかかわる社会福祉制度

1 障害者基本法と身体障害者福祉法

わが国における障害福祉施策の基盤となる法律が**障害者基本法**である。心身障害者基本法(1970年制定)を前身とし、1993年にノーマライゼーションの理念を導入、精神障害も対象に含む障害者施策の基本法として誕生した。2011年には発達障害と難病に起因する障害も対象に含む改正が行われ、共生社会の実現という理念をさらに明確に示した。障害福祉施策の理念とともに国・公共団体の責務など、基本事項を定めている。国の障害者基本計画はこれに基づき策定される。

社会資源の活用に際して重要な意味をもつ**身体障害者手帳**は、**身体障害者福祉法**(1949年制定)を根拠に、表9-2 に示す判定基準に沿って交付される。等級は、聴覚障害の重症度の順に2～6級までの4段階に区分される。発話が不明瞭な言語障害3級が聴覚障害2級に加わる場合は1級となる。福祉行政は多くの場合、身体障害者手帳を交付された「身体障害者」を対象としている。平均

> **Note 35. ノーマライゼーションの理念**
> 障害を特別視するのではなく、一般社会のなかで普通の生活が送れるような条件を整えるべきであり、共に生きる社会こそがノーマルな社会であるとする考え方。1950年代デンマークのバンク-ミケルセン(Bank-Mikkelsen NE)が初めて提唱した。

表9-2 身体障害者手帳（聴覚障害）の等級

障害者程度等級	判定基準
2級	両耳の聴力レベルがそれぞれ100 dB以上のもの（両耳全聾）
3級	両耳の聴力レベルが90 dB以上のもの（耳介に接しなければ大声語を理解しえないもの）
4級	1. 両耳の聴力レベルが80 dB以上のもの（耳介に接しなければ話声語を理解しえないもの） 2. 両耳による普通話声の最良の語音明瞭度が50％以下のもの
6級	1. 両耳の聴力レベルが70 dB以上のもの（40 cm以上の距離で発声された会話語を理解しえないもの） 2. 一側耳の聴力レベルが90 dB以上，他側耳の聴力レベルが50 dB以上のもの

身体障害者福祉法施行規則別表により規定されている．

聴力レベル70 dB未満の軽度・中等度難聴は，交付対象とならない点に注意が必要である．

2 障害者総合支援法に基づく障害福祉サービス

公的な社会資源である障害福祉サービスを具体的に規定する法律が，**障害者総合支援法**（障害者の日常生活及び社会生活を総合的に支援するための法律，2013年施行）である．

障害者総合支援法に基づく総合的な支援の概要を図9-1に示す[1]．支援，すなわち障害福祉サービスの実施主体の基本は市町村であるが，一部を都道府県が担って支え，また市町村間のサービスのばらつきを防ぐために，上限を決めて費用の国庫負担が行われている．

サービスの内容は，利用者のニーズに応じて個別に給付される**自立支援給付**と，地域の特性や居住する障害者の状況に応じて自治体が柔軟に対応して実施する**地域生活支援事業**の2つに区分される．ここに示された障害福祉サービスのうち，聴覚障害と特に関連の深いものが，補装具，意思疎通支援，日常生活用具である．

自立支援給付の1つである**補装具**は，「障害者等の身体機能を補完し，又は代替し，かつ，長時間にわたり継続して使用されるもので，義肢，装具，車いすその他の厚生労働大臣が定めるもの」と定義される．聴覚障害の場合は，**補聴器**およびその付属品としての**イヤモールド**がそれに該当するが，2020年度に修理基準に人工内耳（**人工内耳用音声信号処理装置修理**）が加わった．このほか，授業などで活用される無線方式補聴援助システムは**特例補装具**として費用が給付されていて，これは人工内耳装用者にも適用される．いずれも給付の対象は，身体障害者手帳の所持者および難病患者などである．利用者の自己負担は原則定率1割負担であるが，障害者総合支援法の**応能負担の原則**から，世帯の所得に応じて負担上限月額が設定され，一方，本人または世帯員のいずれかが一定所得以上の場合は補装具費の対象外とされる．

地域生活支援事業として提供される**意思疎通支援**は，障害のある人とない人の間の意思疎通を支援する者の養成や派遣などにかかわる制度である．障害者総合支援法施行前には曖昧だった市町村と都道府県の役割分担が明記され，それぞれの必須事業として進められるようになった．市町村を越えた広域の対応や，より専門性の高い人材の養成や派遣を都道府県が担うことで，多様なニーズに応えようとするものである．聴覚障害に関しては，**手話通訳者**と**要約筆記者**，**盲ろう者向け通訳・介助員**が，意思疎通の支援者として重要である．さらに近年は，浸透したICT情報通信技術を背景に，**電話リレーサービス**や**遠隔手話サービス**などを事業化する自治体もある（→ Note 36）．

日常生活用具は日常生活上の便宜をはかるための用具であって次の3要件を満たすものと定義される：①安全かつ容易に使用でき実用性が認められるもの，②障害者の日常生活上の困難を改善し自立を支援し社会参加を促すもの，③製作や改良，開発にあたって障害に関する専門的な知識や技術を要するもので，日常生活品として一般に普

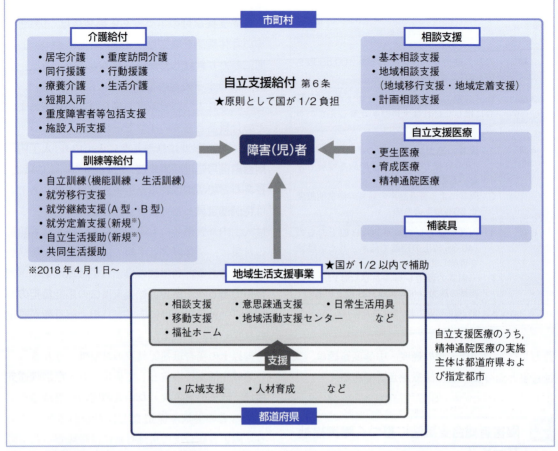

図 9-1　障害者総合支援法の給付・事業
〔厚生労働省：緊急に措置すべき事項(https://www.mhlw.go.jp/file/06-Seisakujouhou-11130500-Shokuhinanzenbu/0000150448.pdf) より〕

> **Note 36. 電話リレーサービス／遠隔手話サービス**
>
> 　電話リレーサービスは，電話リレーサービスセンターにいる通訳オペレーターが手話や文字と音声を通訳して，聴覚障害者と電話相手の聴者を即時双方向につなぐサービスであり，聴覚障害があっても1人で電話をかけることを可能にする．
>
> 　遠隔手話サービスは，聴覚障害者情報提供施設などの通訳ブースにいる手話通訳者によって翻訳された手話と音声を，遠隔でタブレットに送り，それを間に置いて，対面する聴者と聴覚障害者が意思疎通するサービスである．COVID-19感染予防の対応策として国の2020年度補正予算が組まれた．

及していないもの．聴覚障害に関連する日常生活用具では，来客や電話・ファックスの着信を光や振動で知らせる屋内信号装置が代表的である．対象は身体障害者手帳所持者であるが，市町村によって利用可能な日常生活用具が異なる点に留意する．

　これらのほか，**就労移行支援**，**就労定着支援**などの訓練等給付も，社会に出るに際し，聴者の理解を得られず不適応を起こすリスクを避けるために，聴覚障害者が積極的に活用すべき障害福祉サービスであることを知っておきたい．

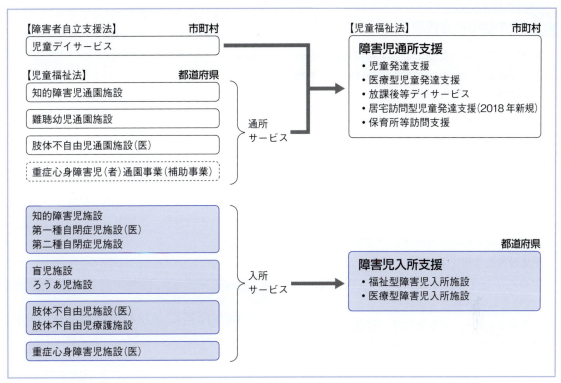

図 9-2　児童福祉法一部改正（2012 年）による障害児施設・事業の一元化
（医）とあるものは，医療の提供を行っているもの．
〔厚生労働省：障害児支援施策の概要（https://www.mhlw.go.jp/content/12200000/000360879.pdf）より〕

3　児童福祉法に基づく障害福祉サービス

2012 年の**児童福祉法**改正は，聴覚障害をもつ小児のための障害福祉サービスにおいて，大きな改変であった．

その第 1 の要点は**障害児施設の一元化**（図 9-2）である[2]．早期療育を担ってきた従来の通園施設はすべて，「日常生活の基本的な動作の指導，知識技能の付与，集団生活への適応訓練，その他必要な支援（及び治療）を行う」児童発達支援ないしは医療型児童発達支援を行う施設に，障害種を問わず統一された．言語聴覚士を配置して聴覚障害児の療育に長く重要な役割を担ってきた難聴幼児通園施設も，**児童発達支援センター**の 1 つとなったのである．

改変の第 2 の要点は，支援対象に「精神に障害のある児童（発達障害者支援法第 2 条第 2 項に規定する発達障害児を含む）」が加わり，その範囲と数が大きく広がったことである．これを受け，児童発達支援センターは 2020 年度末までに各市町村に少なくとも 1 か所以上設置することが目指され，「身近な地域における通所支援」の環境が整えられつつあるということができる．しかし一方，このような環境下で，相対的には少数の聴覚障害児が，言語習得のために必要な専門性の高い療育を受けられるかどうかは，慎重に評価していく必要があろう．

このほか，**放課後等デイサービス**や**保育所等訪問支援**も，聴覚障害児のハビリテーションの観点から重要な障害福祉サービスである．言語聴覚士が，特別支援教育や保育の担当者と連携しながら積極的にかかわる意義の大きい領域といえる．

4　その他の社会資源

　身体障害者手帳の要件に至らず補装具費の給付を受けられない18歳未満の児童を対象とする**軽度・中等度難聴児補聴器購入費助成事業**が，2018年の調査で全都道府県，全指定市で実施されているとの調査報告がある[3]．放置されればコミュニケーションやことばの発達に問題を生じる軽度・中等度難聴児が，この支援を受けて適切な補聴と療育につながる意義は大きい．ただし，イヤモールドや修理を含むか否かなど助成の対象や助成金額が自治体間で異なる点が今後の課題である．

　聴覚障害者情報提供施設は，身体障害者福祉法に定められた身体障害者社会参加支援施設であり，1県を除く各都道府県に少なくとも1施設が設置されている[4]．主な業務は，相談，聴覚障害者用ビデオ制作・貸出，手話通訳者の養成・派遣などであり，講座や講習会，補聴器調整など独自の事業に取り組む施設もあり多様である．同障の仲間との交流機会や聴覚障害にかかわる情報を提供する拠点として期待される．

　超高齢社会を迎え，聴覚障害をもって高齢期を迎える人々は今後さらに増えると想定されるが，社会資源の整備は今後の課題といえる．例えば，全国高齢聴覚障害者福祉施設協議会が手話を使って生活できる入所施設として紹介するのは，特別養護老人ホーム6件と聴覚障害者養護老人ホーム4件に限られる．また，要介護状態になった高齢者の補聴をどのように確保し保持するかも，今後検討されるべき課題であろう．

5　障害者差別解消法と合理的配慮

　障害者差別解消法（障害を理由とする差別の解消の推進に関する法律）は，すべての人が障害の有無にかかわらず，尊厳ある存在として共生できる社会の実現に資することを目的に，2013年に制定・公布され，2016年に施行された．2006年の障害者権利条約の国連総会採択に続く一連の国内法整備の上に成立した重要な法律であり，障害者基本法の「差別禁止」の基本原則を具体化するものである．

　この法律では，行政機関等および事業者に対して，障害を理由とした**不当な差別的取扱い**を禁じ，また，障害者から社会的障壁[注1]の除去を求められた場合に，負担が重すぎない範囲で除去のために必要で**合理的な配慮**を提供する義務を課している．社会的障壁を除くために障害者個々の状況に応じて行われる配慮を合理的配慮といい，行政機関では法的義務，民間事業者では努力義務とされている．

C　聴覚障害にかかわる健診制度

　難聴が当事者にとっても周囲の人にとっても気づきにくい特性をもつことを考慮すると，早期に適切な治療や介入につなげるための健診制度は重要である．

1　乳幼児健康診査

　新生児聴覚スクリーニング検査は，難聴を生後間もなく検出することを可能にした重要な検査であるが，いまだ公的な健診制度ではない（第4章➡116頁）．これに対し**母子保健法**に基づき市町村が実施主体となって実施するのが，1歳6か月児健康診査と3歳児健康診査である（➡Note 37）．2018年度の受診率は前者が96.5%，後者が

> **Note 37．乳幼児期の健康診査**
> 　乳幼児期の健康診査には，このほか生後3〜4か月，9〜10か月などに各市町村が実施している健康診査があるが，時期は多様である

注1）社会的障壁の「障壁」は❶情報保障の節の「バリア」と同義である（➡378頁）．

95.9％といずれも高率であり[5]，新生児聴覚スクリーニング検査を受けなかった例やその後に発症した例にとって，重要なスクリーニングの機会となる．

a 1歳6か月児健康診査

満1歳6か月を超え満2歳に達しない幼児を対象とする．目的に「運動機能，視聴覚等の障害，精神発達の遅滞等障害をもった児童を早期に発見」することを含む[6]が，聴覚検診が明確には位置付けられていない．そこで，日本耳鼻咽喉科学会福祉医療・乳幼児委員会が，健康診査に携わる小児科医や保健師を主な対象として2009年に公開した聴覚検診の手引きが，『難聴を見逃さないために─1歳6カ月健康診査および3歳児健康診査』（2015年改訂）である．1歳6か月では"ささやき声"による後方からの呼名への反応を問う項目を含む質問紙が推奨されている．**表9-3**に質問紙，**図9-3**に質問紙の結果の判定とその後の対応のフローチャートを示す[7]．

b 3歳児健康診査

満3歳を超え満4歳に達しない幼児を対象とする．1961年に制度が始まったが，聴覚検診が加わったのは1990（平成2）年であった．1998年に聴覚検診の実施方法が改訂され，「厚生労働省方式」として実施されている．「お子さんの**耳に関するアンケート**」（**表9-4**）と「保護者が行う絵シートによる**ささやき声検査**」で構成され，ともに事前に配布され，説明書に従い保護者がアンケートに答え，検査を行って結果を健診日に持参する．「ささやき声検査」では，保護者が1mの距離から口形を見せずに6つの単語を順に発し，子どもが絵シートを指差し応答する．聴覚検診の結果判定とその後のプロトコールを**図9-4**に示した[8]．"ささやき声"は「会話の際に重要となる1,000～2,000 Hzの音が強調された弱い音」という理由で用いられているが，検査が保護者にまかされているため刺激法に幅が生じて偽陰性，偽陽性が生じ

るリスクを負う[7]．自治体によっては，他の検査を加え，言語聴覚士がかかわるなど，聴覚検診の精度を上げるための試みが行われている．

2 学校における健康診断

学校保健安全法は，教育委員会に対して小学校入学前年の児童を対象とした**就学時健康診断**の実施を，また，学校に対して在学中の幼児，児童，生徒または学生を対象とした健康診断の実施を義務づけている．いずれも結果に基づき必要な治療を進め，適切な教育的措置を行うことを目指して実施される．

就学時健康診断，就学後の**児童生徒等の健康診断**いずれにおいても，聴力についてはオージオメータを用いて1,000 Hz 30 dB，4,000 Hz 25 dBの反応を左右別に検査することが定められている．ただし，小学4年，6年，中学2年，高等学校2年，高等専門学校2年，4年，大学においては，聴力を検査項目から除くことができるとされている．

3 職場における健康診断

労働者を1人でも雇用している事業所は，常時使用する労働者に対して1年以内ごとに1回**定期健康診断**を行う義務を負い，また常時使用する労働者を新たに雇い入れる際に，その直前または直後に健康診断を行う義務を負うことが，**労働安全衛生法**で定められている．そのいずれにもオージオメータを用いた左右別の選別聴力検査が含まれる．なお，**雇入時の健康診断**は採用選考のためのものではなく，職場における適正配置や雇入れ後の健康管理を目的にしている点に注意が必要である．

もう1つ，**騒音健康診断**が聴覚障害に関連して重要である．労働安全衛生法による定めはないが，特定の業務に就くなどの場合に行政からの通達で指導勧奨される健康診断の1つであり，「騒

表9-3 1歳6か月児健康診査における聞こえに関する質問票

1. 聞こえの反応			
①見えないところからの呼びかけ，テレビから流れてくるコマーシャルの音楽や番組のテーマ音楽などに振り向きますか．	はい		いいえ
②耳の聞こえが悪いと思ったことがありますか．	はい		いいえ
③"ささやき声"で名前を呼んだときに振り向きますか（気づかれないように，お子さんの後ろから"ささやき声"で名前を呼びかけてください）．	はい	いいえ	わからない
2. ことばの発達			
①簡単なことばによる言いつけができますか．	はい		いいえ
②意味のあることばを3つ以上いえますか．	はい		いいえ
3. その他の難聴に関連する項目			
①家族（父母，祖父母，兄弟姉妹など）に，小さいときから聞こえの悪い方がいますか．	はい		いいえ
②妊娠中に風疹にかかりましたか．	はい		いいえ
③1,500g未満で生まれましたか．あるいは，5日以上NICUに入院しましたか．	はい		いいえ
④仮死で生まれましたか．	はい		いいえ
⑤黄疸が強く，交換輸血を受けましたか．	はい		いいえ
⑥耳や口に形態異常がありますか．あるいは，頭髪の一部が白くなっていませんか．	はい		いいえ
⑦髄膜炎にかかりましたか．	はい		いいえ
⑧頭部を骨折して入院しましたか．	はい		いいえ

〔日本耳鼻咽喉科学会福祉医療・乳幼児委員会：難聴を見逃さないために—1歳6か月児健康診査．日本耳鼻咽喉科学会，2015（http://www.jibika.or.jp/members/iinkaikara/pdf/hearing_loss-you.pdf）より改変〕

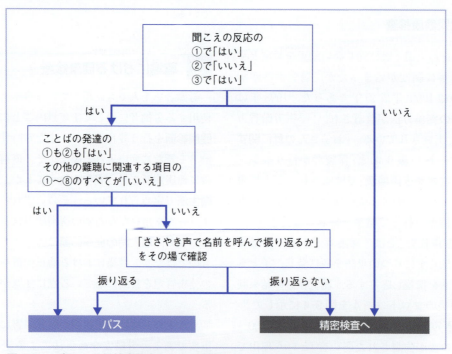

図9-3 1歳6か月児健康診査における判定方法とその後の方針

〔日本耳鼻咽喉科学会福祉医療・乳幼児委員会：難聴を見逃さないために—1歳6か月児健康診査．日本耳鼻咽喉科学会，2015（http://www.jibika.or.jp/members/iinkaikara/pdf/hearing_loss-you.pdf）より改変〕

表9-4 3歳児健康診査における聞こえに関する質問票

参考項目	①家族,親戚の方に,小さいときから耳の聞こえのわるい方がいますか.	はい	いいえ
	②中耳炎に何回かかかったことがありますか.	はい	いいえ
	③普段鼻づまり,鼻水が多い,口で息をしている,のどれかがありますか.	はい	いいえ
重要項目	④呼んで返事をしなかったり,聞き返したり,テレビの音を大きくするなど聞こえが悪いと思うときがありますか.	はい	いいえ
	⑤保育所の保育士など,お子さんに接する人から,聞こえがわるいといわれたことがありますか.	はい	いいえ
	⑥話しことばについて,遅れている,発音がおかしいなど,気になることがありますか.	はい	いいえ
	⑦あなたのいうことばの意味が動作などを加えないと伝わらないことがありますか.	はい	いいえ

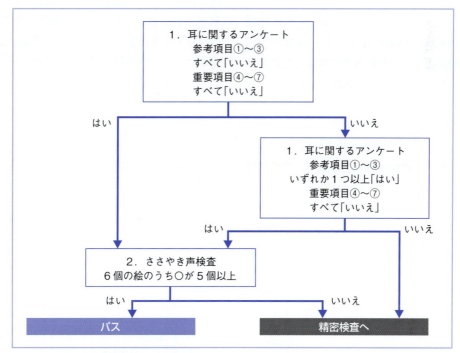

図9-4 3歳児健康診査における判定方法とその後の方針
〔日本耳鼻咽喉科学会 社会医療部 福祉医療・乳幼児委員会：耳鼻咽喉科医のための3歳児健康診査の手引き. 第3版, 2010 より〕

音障害防止ガイドライン」(1992年)に準拠し,騒音作業に従事する労働者に対して実施される.雇入れ時・配置換え時に気導純音聴力検査が,6か月ごとの定期健康診断時にオージオメータによる選別聴力検査,および医師が必要を認めた場合の二次検査として気導純音聴力検査が行われる.騒音健康診断の結果,聴力低下が明らかになった場合,防音保護具使用の励行や作業従事時間の短縮などの事後措置が求められる.

学校,職場における選別聴力検査などで判定に用いられる検査音を表9-5 に示した.

表 9-5 学校・職場の聴覚検診の検査音

		1,000 Hz	4,000 Hz
学校	就学時健康診断 児童生徒等定期健康診断（1回/年）	30 dB	25 dB
職場	雇入時の健康診断	30 dB	30 dB
	定期健康診断（1回/年）	30 dB	40 dB
騒音のある職場	雇入れ時・配置換え時	250～8,000 Hz（気導純音聴力検査）	
	定期健康診断（1回/6か月）	30 dB	40 dB

4　その他の健康診断

2008年，高齢者医療確保法に基づき生活習慣病とその医療費の抑制を目的に40～74歳の公的医療保険加入者とその被扶養者を対象とした特定健康診査（通称メタボ健診）が開始された．一方75歳以上を対象とする後期高齢者医療制度も発足し，その保険者たる各都道府県の後期高齢者医療広域連合が，それぞれ健康診査を行っている．しかし，これらに聴覚検診は含まれず，職場の健康診断を受けなくなると，聴力の変化を知るための公的な機会がほとんどないというのが実態である．

健康寿命の延伸，介護予防が強く期待されるわが国の現況を考慮すると，認知症の危険要因の1つとして認識されつつある難聴を，中高年期の健診を通して検出するシステムを急ぎ構築することが強く望まれる．

ここまで，聴覚障害にかかわる社会資源の主なものを，健診制度も含めて学んできた．社会資源の活用にあたって注意すべきは，聴覚障害ゆえに社会資源に関する新しい情報を得られないリスクである．公的な障害福祉サービスは，本人や保護者が行政窓口に申請しなければ受けることができない（**申請主義**）．進歩する技術が新たに生み出す社会資源も，情報を知らなければ利用できない．私たち言語聴覚士は，行政の動きやICT情報通信技術の進歩に常に関心を向け，必要に応じ社会資源について情報提供できる力を身につけておくことが必要である．

引用文献

1) 厚生労働省：緊急に措置すべき事項
 https://www.mhlw.go.jp/file/06-Seisakujouhou-11130500-Shokuhinanzenbu/0000150448.pdf
2) 厚生労働省：障害児支援施策の概要
 https://www.mhlw.go.jp/content/12200000/000360879.pdf
3) 全都道府県・指定市で助成　軽度・中等度難聴児の補聴器購入費　朝日新聞社調査．2018年9月12日付朝日新聞
4) 特定非営利活動法人全国聴覚障害者情報提供施設協議会ホームページ http://www.zencho.or.jp
5) 厚生労働省：平成30年度地域保健・健康増進事業報告．2020
6) 厚生労働省児童家庭局長通知：乳幼児に対する健康診査の実施について．児発第285号 1998
7) 国立成育医療研究センター：乳幼児健康診査身体診察マニュアル．平成29年度子ども・子育て支援推進調査研究事業乳幼児健康診査のための「保健指導マニュアル（仮称）」及び「身体診察マニュアル（仮称）」作成に関する調査研究．2018
8) 日本耳鼻咽喉科学会 社会医療部 福祉医療・乳幼児委員会：耳鼻咽喉科医のための3歳児健康診査の手引き 第3版（2010年）.
 http://www.jibika.or.jp/members/iinkaikara/pdf/3age_health.pdf

参考図書

第1章　聴覚と聴覚障害

- Northern JL, et al：Hearing in Children, 6th ed. Plural Publishing, 2014
- 今井むつみ，他：新 人が学ぶということ．北樹出版，2012
- 鯨岡峻：ひとがひとをわかるということ―間主観性と相互主体性．ミネルヴァ書房，2006
- 津名道代：難聴 知られざる人間風景 上・下．文理閣，2005
- 中村公枝：聴覚障害．伊藤元信，他（編）：新編 言語治療マニュアル．医歯薬出版，2002
- 中村雄二郎：臨床の知とは何か．岩波新書，1992
- ミルドレッド・A・グロート（著），岡辰雄（訳），齋藤佐和（監修）：自然法―聾児の言語指導法―．ジアーズ教育新社，2016.

第2章　音と聴覚

- Borden G, 他（著），廣瀬肇（訳）：新 ことばの科学入門．医学書院，2008
- Moore B（著），大串健吾（監訳）：聴覚心理学概論．誠心書房，1994
- Ryalls J（著），今富摂子，他（監訳）：音声知覚の基礎．海文堂，2003

第3章　聴覚と平衡機能の医学

- 大串健吾：音響聴覚心理学．誠心書房，2019
- 神崎仁（編）：聴覚情報処理とその異常．図解耳鼻咽喉科 NEW APPROACH（3）．メジカルビュー社，1996

第4章　聴覚・平衡機能検査

- Katz J：Handbook of Clinical Audiology, 7th ed. William & Wilkins, 2014
- 加我君孝（編）：新生児聴覚スクリーニング．金原出版，2005
- 香取幸雄，他（編）：あたらしい耳鼻咽喉科・頭頸部外科学．中山書店，2020
- 切替一郎（原著），野村共也（監修）：新耳鼻咽喉科学，第11版．南山堂，2013
- 佐藤宏明（編著）：知っておきたい 難聴・耳鳴―原因・診断・治療・予防・補聴器選びまで．日本医事新報社，2018
- 日本聴覚医学会（編）：聴覚検査の実際，第4版．南山堂，2017
- 日本めまい平衡医学会（編）：「イラスト」めまいの検査，改訂第3版．診断と治療社，2018
- 服部浩：聴力検査を行う人のための 図解 実用的マスキングの手引き，第4版増補．中山書店，2012

第5章　聴覚補償機器

- Dillon H（原著），中川雅文（監訳）：補聴器ハンドブック，原著第2版．医歯薬出版，2017
- Flasher LV, et al：Counseling Skills for Speech-language pathologists and audiologist, 2nd ed. Delmar Cengage Learning, 2012
- Gifford RH：Cochlear Implant Patient Assessment ― Evaluation of Candidacy, Performance, and Outcomes, 2nd ed. Plural Publishing, 2020
- Wolfe J, et al：Programming Cochlear Implants, 2nd ed. Plural Publishing, 2015
- コール E, 他（編著），今井秀雄（編訳）：聴覚学習．コレール社，1990
- 小寺一興：補聴器のフィッティングと適用の考え方．診断と治療社，2017

- 人工内耳友の会（ACITA）（編）：よみがえった音の世界—人工内耳を使用して．学苑社，1992
- 中瀬浩一（監修）：教室における聞こえへの配慮—補聴器・人工内耳をつけた子どもが楽しい学校生活を送れるように．日本教育オーディオロジー研究会 難聴理解のための冊子作成委員会，2006
- 日本めまい平衡医学会（編）：「イラスト」めまいの検査，改訂第3版．診断と治療社，2018
- マイケル・コロスト（著），椿正晴（訳）：サイボーグとして生きる．SBクリエイティブ，2006

第6章　成人難聴のリハビリテーション

- Montano JJ, et al：Adult Audiologic Rehabilitation, 3rd ed. Plural Publishing, 2021
- Tye-Murray N：Foundations of Aural Rehabilitation：Children, Adults, and Their Family Members, 5th ed. Plural Publishing, 2020

第7章　小児難聴のハビリテーション

- 我妻敏博：聴覚障害児の言語指導—実践のための基礎知識，改訂版．田研出版，2011
- 今村彩子（監督・主演）：DVD「Start Line スタートライン」．2016
- 大久保愛：幼児言語の発達．東京堂出版，1967
- 大沼直紀（監修）：教育オーディオロジーハンドブック．ジアース教育新社，2017
- 加我君孝（編）：新生児・幼小児の難聴—遺伝子診断から人工内耳手術，療育・教育まで．診断と治療社，2014
- 喜多村健（編著）：言語聴覚士のための聴覚障害学．医歯薬出版，2002
- 鯨岡峻：原初的コミュニケーションの諸相．ミネルヴァ書房，1997
- 坂野慎二，他（編著）：学校教育制度概論，第2版．pp59-66，玉川大学出版部，2017
- 全国聴覚障害教職員協議会：365日のワークシート　手話，日本語，そして障害認識．2011
- 田中裕一（監修）：新版「特別支援学級」と「通級による指導」ハンドブック．pp174-179，東洋館出版社，2019
- テクノエイド協会：聴覚障害児の日本語言語発達のために— ALADJIN のすすめ—．2012
- 中邑賢龍，他（編）：バリアフリー・コンフリクト—争われる身体と共生のゆくえ．東京大学出版会，2012
- 廣田栄子，他（編著）：聴覚障害のある子どもの理解と支援．学苑社，2021（印刷中）
- ふじもとゆうこ（文・絵）：『難聴理解かるた』．難聴児支援教材研究会
- マーク・マーシャーク，他（編著），四日市章，他（監訳）：オックスフォード・ハンドブック デフ・スタディーズ ろう者の研究・言語・教育．明石書店，2015
- 文部科学省：特別支援学校教育要領・学習指導要領解説 自立活動編（幼稚部・小学部・中学部）．平成30年3月
- 文部科学省：聴覚障害教育の手引．令和2年3月
- ろう教育科学会（編）：聴覚障害教育の歴史と展望．風間書房，2012
- 脇中起余子：聴覚障害教育 これまでとこれから：コミュニケーション論争・9歳の壁・障害認識を中心に．北大路書房，2009

第8章　特異的な聴覚障害

- Bower E（編著），上杉雅之（監訳）：脳性まひ児の家庭療育，原著第4版．医歯薬出版，2014
- Kathleen Ann Quill（編），安達潤，他（訳）：社会性とコミュニケーションを育てる自閉症療育．松柏社，1999
- 小渕千絵：APD「音は聞こえているのに聞きとれない」人たち—聴覚情報処理障害（APD）とうまくつきあう方法．さくら舎，2020
- 柴崎美穂：中途盲ろう者のコミュニケーション変容—人生の途中で「光」と「音」を失っていった人たちの語り．明石書店，2017
- 諏訪まゆみ（編著）：ダウン症のすべて．中外医学社，2018
- デービット・M・バグリー，他（著），中川辰雄（訳）：聴覚過敏—仕組みと診断そして治療法．海文堂出版，2012
- 日本小児耳鼻咽喉科学会（編）：小児耳鼻咽喉科，第2版．金原出版，2017

索 引

欧文

数字

1-3-6 ゴール 118, 246, 322
1 歳 6 か月児健康診査 387
2 cm³ カプラ（2 cc カプラ） 139
3 歳児健康診査 387
3 分法 86
4 分法 86
6 cm³ カプラ（6 cc カプラ） 77
6 分法 86
9 歳の峠 315
21 トリソミー 363
90 dB 入力最大出力音圧レベル 141

A

AABR（automated auditory brainstem response） 118, 119
AB ギャップ（air-bone gap） 86
ABC 法 85
ABI（auditory brainstem implant） 184, 347
ABLB 検査（alternate binaural loudness balance test） 78, 90
ABR（auditory brainstem response） 105
acoupedic approach 16
acoustic coupler 139
acoustic gain 140
acquired hearing loss 12, 263
ADHD（attention deficit/hyperactivity disorder） 363
adult audiology 16
air conduction 79
amblyopia 355
ANSD（auditory neuropathy spectrum disorder） 63, 347
APD（auditory processing disorder） 349
appropriate period 263

ART（auditory nerve response telemetry） 189
ASD（autism spectrum disorder） 363
assessment 253
assistive listening devices 198
ASSR（auditory steady-state response） 107
audiology 16
audiometric zero 79
audition 254
auditory feedback 4, 192
auditory implants 162
auditory skill hierarchy 280
auditory-oral method 16, 25
auditory-verbal アプローチ 25
automatic audiometry 78
AVT（auditory verbal therapy） 16, 25, 195

B

backward masking 39
Baha®（bone anchored hearing aid） 164
band pass noise 84
Barr 法 126
behavioral audiometry 74
behavioral play audiometry 125
Bekesy audiometry 88
BiCI（bilateral cochlear implant） 180, 191
BICROS（Bilateral CROS）補聴器 134
bilingual bicultural education of deaf and hard of hearing 17
bimodal hearing 180
binaural summation 180
Bluetooth 202
BOA（behavioral observation audiometry） 120, 254, 364
bone conduction 79
BONEBRIDGE システム 165

BOR（branchio-oto-renal syndrome） 46
bound morpheme 265
BPPV（benign paroxysmal positional vertigo） 111
broad band noise 84
BTE（Behind-The-Ear） 131

C

caloric test 114
canonical babbling 270, 289
CAP（compound action potential） 105
CAPD（central auditory processing disorder） 349
CDS（child-directed speech） 257
CE-Chirp 音 106, 107
central hearing loss 343
CHARGE 症候群 363
CI（cochlear implant） 167
CI-2004（試案） 177
——— 人工内耳評価法（小児用） 195
CI age（cochlear implanted age） 254
CIC（Complete-In-the-Canal） 132
CM（cochlear microphonics） 105
cochlear delay 106
compliance 100
comprehension 280
conditioned play audiometry 125
congenital hearing loss 12, 263
contralateral stimulation 103
cooing 289
COR（conditioned orientation response audiometry） 122, 254, 364
counting threshold 191
criterion-referenced test 262
critical period 263
CROS（contralateral routing of signal）補聴器 133, 181, 343
cross hearing 83

cued speech　25
cVEMP　69

D

Deaf　7
deafblind　354
delayed side tone test　352
detection　280
diagnostic question　262
discourse　268
discrepancy　273
discrimination　38, 280
DL検査(difference limen test)　90
DPOAE(distortion product OAE)　104, 119
DR(dynamic range)　92
DSL(desired sensation level)　147

E

ECAP(electrically evoked compound action potential)　189
ECochG(electrocochleogram)　104
electric acoustic stimulation system　181
ENG(electronystagmography)　111
EOAE(evoked OAE)　103
Ewaldの第1法則　68

F

false negative　77
false positive　77
Fechnerの法則　38
feigning　351
FM補聴援助システム　201
forward masking　39
free morpheme　265
functional hearing loss　351

G

gain　134
grades of hearing impairment　8

H

HA age(hearing aided age)　254
hard of hearing　7
head shadow effect　180
hearing disability　7
hearing impairment　7
hearing level　31, 79
hearing loss　7
hearing preservation　181
hearing/lip reading method　15

HFA-FOG(high-frequency average full-on gain)　141
hidden hearing loss　348
HIE(hypoxic ischemic encephalopsy)　363
HIT(head impulse test)　68, 114
hybrid implant system　181

I

IA(interaural attenuation)　83
ICF(International Classification of Functioning, Disability and Health)　17, 277, 382
identification　43, 280
IDR(Input Dynamic Range)　170
IID(interaural intensity difference)　180
ILD(interaural level difference)　41
impedance audiometry　100
infant-directed speech　4
ipsilateral stimulation　102
ISTS(International Speech Test Signal)　42, 143
IT-MAIS(infant-toddler meaningful auditory integration scale)　194
ITC(In-The-Canal)　132
ITD(interaural time difference)　41, 180
ITE(In-The-Ear)　132
ITPA言語学習能力診断検査　269

J・K

J. COSS日本語理解テスト　270
Jerger分類　88
JIS　140
Jumbling現象　68
KIDS乳幼児発達スケール(kinder infant development scale)　116, 274, 367

L

ladder gram　91
language　3
language performance　262
LCスケール　270
LCSA(学齢版)　270
LEAQ(LittleEARS Auditory Questionnaire)　195
LFC(low frequency compression)　145
LFT(low frequency transition)　145
Ling 6音テスト(Ling 6 sounds)　193, 213

lip reading　215
Lombard test　352
loudness　34
LTASS(long-term average speech spectrum)　42

M

MAF(minimum audible field)　36
MAIS(meaningful auditory integration scale)　194
malingering　351
Mann検査　109
MAP(minimum audible pressure)　36
mapping　174
marginal babbling　289
masking　83
maximum speech discrimination score　96
maximum speech recognition score　96
MCL(most comfortable loudness level)　92
MCL検査(most comfortable loudness test)　78, 92
midbrain deafness　345
middle ear implant　165
MLR(auditory middle latency response)　107
MLU(mean length of utterance)　265
moderate impairment/hearing loss　9
mother method　15
motherese　4
MRI撮影　165
MRL(minimum response level)　255
multi-talker noise　84
MUSS(meaningful use of speech scale)　195

N

NAL-NL1/NL2　147
narrow band noise　84
NF2(neurofibromatosis type 2)　185
NHS(newborn hearing screening)　116
non-organic hearing loss　351
normal hearing　9
normative hearing level　32
NRI(neural response imaging)　189
NRT(neural response telemetry)　174, 189

nystagmus 111

O

OAE(otoacoustic emissions) 103, 119, 120
OSPL90(output SPL for 90dB input SPL) 141
osseo-integration 現象 164
oVEMP 69
over masking 85

P

pediatric audiology 16, 252
pediatric audiometry 74
peep show test 125, 364
perilinguistic stage 11
phon 36
physiological hearing testing 74
Pierre-Robin 症候群 46
pitch 33
plateau method 85
play audiometry 125, 364
postlinguistic stage 11
postlinguistic deafness 263
prelinguistic stage 11
prelinguistic deafness 263
profound impairment/hearing loss including deafness 9
protosyllable 270
pseudohypacusis 351
psychogenic hearing loss 351
PTA(pure tone audiogram) 54, 79
PTA(pure tone average) 86
PTS(permanent threshold shift) 40
PVL(periventricular leukomalacia) 363
PVT-R 絵画語い発達検査 269, 270

R

Reading Test 教研式 読書力診断検査 270
real-ear measurement 143
recruitment phenomenon 89
refer 119
reference speech recognition curve 95
REIG(real-ear insertion gain) 143, 150
remote mapping 196
retrocochlear deafness 343
RI(residual inhibition)検査 94
RIC(Receiver-In-Canal) 131

RITE(Receiver-In-The-Ear) 131
RMS 343
RTG(reference test gain) 141
RTS(reference test setting of the gain control) 141

S

SAM 音(sinusoidally amplitude modulated tone) 107
SCTAW 標準抽象語理解力検査 269
selective attention 34
self-recording audiometry 78
sensation level 32
sequential bilateral cochlear implantation 191
severe impairment/hearing loss 9
shadow hearing 83
simulation 351
simultaneous bilateral cochlear implantation 191
single-sided deafness 342
SIR(speech intelligibility rating scale) 271
SISI 検査(short increment sensitivity index test) 78, 90
SLD(specific learning disorder) 363
slight impairment, mild hearing loss 9
SN 比 257
SOAE(spontaneous OAE) 104, 119
somatic sensation 2
sone 37
sound field audiometry 78
sound pressure 31
sound pressure level 31
SP(summating potential) 105
special sensation 2
speech 3
speech act 267
speech audiometry 95
speech coding strategy 168
speech discrimination score 96
speech discrimination test 95
speech noise 84
speech reading 215
speech recognition score 96
speech recognition threshold test 95
SR 検査(stapedial reflex test) 100
SRT(speech recognition threshold) 96
SSD(single side deafness) 181

static compliance 101
STC 失語症構文検査小児版 270
Steinberg-Gardner plots 91
Stenger test 352
SVR(slow vertex response) 107

T

temporal threshold drift 89
temporal threshold shift 89
tentative diagnosis 256
TEOAE(transient evoked OAE) 103, 119
THI(tinnitus handicap inventory) 93, 95
Treacher Collins 症候群 46
TRT(tinnitus retraining therapy) 95
TTD 現象 89
TTR(type-token ratio) 267
TTS(temporary threshold shift)現象 40, 89
tympanogram 101
tympanometry 100

U

UCL(uncomfortable loudness level) 92
UCL 検査(uncomfortable loudness test) 78, 92
under masking 85
unilateral hearing loss 342

V

VEMP(vestibular evoked myogenic potential) 69, 114
Vibrant Soundbridge®システム 166
visceral sensation 2
VNG(videonystagmography) 111
VOT(voice onset time) 43
VRA(visual reinforcement audiometry) 122, 254, 364

W・X

Weber の法則 38
weighted noise 84
white noise 84
WHO(World Health Organization) 382
WISC-Ⅳ知能検査 270, 273
X 連鎖遺伝 63

索引

和文

あ
愛着関係　12
アイデンティティの確立　315
アクーペディックアプローチ　16
足踏み検査　110
アセスメント　253
アタックタイム　142
アナログ補聴器　130
アブミ骨　49
アブミ骨筋反射検査　50, 102
アンダーマスキング　85

い
医学的弱視　355
医学モデル　378
閾値検査　78, 79
閾値上検査　78
意思疎通支援　383
異常眼球運動検査　111
異聴マトリックス　99
一過性 ANSD　347
一過性閾値上昇　40, 89
一側性難聴　342
一側聾　181
遺伝カウンセリング　64
遺伝性難聴　63
異同弁別　38
意味論　267
イヤホン　137
イヤモールド　137, 157
陰影聴取　83
インクルーシブ教育　326
インクルージョン　324
インサートイヤホン　155, 255
インピーダンスオージオメトリー　100
インピーダンステスト　175
インピーダンスマッチング　50
インプラントテスト　175
韻律　43, 308

う
ウエイトノイズ　84
ウェーバーの法則　38

え
永久閾値上昇　40
永久閾値変動　40
絵日記指導　305
遠隔手話サービス　384
遠隔マッピング　196
遠城寺式乳幼児分析的発達検査法　116, 274
遠心神経　51

お
応能負担の原則　383
オージオメータ　76
オーディオロジー　16
オーディトリー・ニューロパチー　104, 347
オーディトリー・バーバルセラピー　16, 195
オーバーマスキング　85
オープンフィッティング　138, 149
音
　──の大きさ　36
　──の三要素　34
　──の高さ　37
　──の波形　30
　──の風景　40
　──の弁別　38
音入れ　174, 186, 192
お話絵本　304
音圧　31
音圧レベル　31
音韻　43, 308
音韻修復　44
音韻論　265
音階　38
音響インピーダンス　100
音響カプラ　77, 139
音響耳管法　103
音響性耳小骨筋反射　50, 102
音響分析評価　272
音響利得　140, 147
音源　28
音源定位　57
音声コード化法　168
音声処理方式　168
音声信号　198
音声の長時間平均スペクトル　42
音程　38
温度刺激検査　114
音場　34
音場検査　77
音場語音検査　194
音波　28
音脈分凝　34

か
介護保険制度　18
介護予防　238, 240

外耳～
外耳　48
外耳道　48
外傷性鼓膜穿孔　60
回折　28
階層構造化　287
快適レベル　92
回転刺激検査　114
外胚葉　46
外有毛細胞　51, 103
乖離　273
外リンパ瘻　63, 65
会話指導　307
会話様式　257
蝸牛　50
　──の骨化・線維化　172
蝸牛管　51
蝸牛神経形成不全　62
蝸牛神経複合活動電位　189
蝸牛性耳硬化症　177
蝸牛マイクロホン電位　105
角加速度　67
学習レベル　293
拡大・代替コミュニケーション　361
カクテルパーティー効果　41, 180
加重雑音　84
加重電位　105
過少マスキング　85
過剰マスキング　85
数遊び法　126
可聴閾値　34
学校保健安全法　387
カテゴリー知覚　43
蝸電図　104
下部脳幹性難聴　345
画面拡大ソフト　362
刈り込み，シナプスの　47
カロリックテスト　114
感音難聴　61, 148, 224
感覚性失音楽　343
感覚の優位性　2
感覚レベル　32
観察法　268
感受期，聴覚学習　48
干渉　28
緩徐相　111
眼振　108
眼振計　111
眼振検査　111
顔面神経麻痺　59, 63

き
偽陰性反応　77

きこえについての質問紙 2002
　　　　　　　　　　　　　213, 225
擬似音声雑音　143
基準化検査　262
規準(性)喃語　270, 289
規準の設定　141
規準利得　141
規定選択法　147
気(導)骨導差　58
気導受話器　80
気導聴力検査　79, 81
キヌタ骨　49
機能性難聴　351
基本音　32
基本周波数　42
逆行性マスキング　39
吸音　28
球形嚢　51
球形嚢斑　67
キューサイン　215, 263
求心神経　51
急性中耳炎　58, 65
急速眼球運動検査　113
急速相　111
キュードスピーチ(法)
　　　　　25, 215, 257, 263, 326
驚愕反応　121
偽陽性反応　77
狭帯域雑音　33, 84
共通感覚　2
共同注意　292
共同注視　260
共鳴　28
共鳴動作　292
距離　197

く

クーイング　5, 289
屈折　28
クプラ　67
クプラ結石症　70
クリック音　106
グループ指導　22, 312
クロスオーバー周波数　183
クロスチェック　74, 89, 116, 126
クロスヒアリング　83

け

警告的レベル　2
継時マスキング　39
形態素　265
傾聴態度　303
傾聴反応　121

軽度・中等度難聴児の課題　319
軽度・中等度難聴児補聴器購入費助成
　事業　319, 386
軽度難聴　9
血管条　53
結合現象　164
原音節的　270
限局性学習障害　363
言語　3
言語運用　317
言語運用力　262
言語学習の臨界期　263
言語習得　10
言語習得後聾　263
言語習得前聾　263
言語達成度　262, 262
言語発達評価基準　265
言語野　53
検査音　80
検査環境　77
検査機器　76
原始的レベル　2
原始反射　5
検者　77
検出　280
検診難聴　351
健聴者　7

こ

語彙指導　303
語彙の文法化　287
構音訓練　235
構音検査　271
構音障害　238
後期高齢者医療制度　390
交叉聴取　83
高次脳機能障害　238
交信的発声　289
構成法　24, 290
拘束形態素　265
広帯域雑音　32
高調波　32
高調波ひずみ　143
後天性 APD　349
行動学的聴覚検査　74
喉頭原音　42
高度難聴　9
構文指導　304
向膨大部流　68
後迷路性難聴　61, 63, 343
合理的配慮　274, 326, 329, 386
高齢者医療確保法　390
語音識別　228

語音聴取　227
語音聴力検査　95
語音弁別検査　96
語音明瞭度　54
語音明瞭度曲線　95
語音了解閾値検査　96
国際音声信号　143
国際障害者年　382
国際生活機能分類　17, 277, 382
国リハ式〈S-S 法〉言語発達遅滞検査
　　　　　　　　　　　　　270
固視　68
鼓室形成術　59
骨固定型補聴器　132, 162
骨導受話器　80
骨導聴力検査　60, 79, 82
骨導補聴器　132
骨部外耳道　48
固定周波数記録　88
固定周波数ピッチ・マッチ法　93
異なり語率　267
ことばと聞こえの教室　22
ことばの聞きとり検査　126
ことばのテストえほん　269
個別指導　22
鼓膜　48
鼓膜穿孔　58
鼓膜穿通用針電極　104
鼓膜チューブ留置術　59
コミュニケーションストラテジー
　　　　　209, 217, 229, 237, 321
コミュニケーションパートナー
　　　　　　　　　280, 298, 301
コミュニケーションモード
　　　　　　　　　257, 263, 282
コミュニケーションモダリティ　284
語用論　267
コルチ器　51
　──の消失　57
語聾　343, 345
コンプライアンス　100

さ

鰓弓　46
鰓溝　46
最高語音明瞭度　96
鰓耳腎症候群　46
最小閾値　54
最小可聴閾値　34, 36
最小反応閾値　255
最大音響利得高周波数平均値　141
最大出力音圧レベル　135, 147, 157
　──の再調整　152

鰓嚢　46
サイン言語　215
サウンドスケープ　40
サウンドスペクトログラム　272
錯聴現象　37
詐聴　351
雑音　32, 198
雑音抑制　144, 148
残響　199
残響音　29
残響時間　29
三項的相互行為フレーム　298
残存聴力活用型人工内耳　181
暫定的診断　256
三半規管　51, 68

し

子音　42
視運動性眼振検査　113
耳音響放射検査　103, 120
視覚強化式聴力検査　122, 254, 364
視覚聴覚二重障害　354
自覚的応答　74
自覚的聴覚検査　74, 78
耳管　49
耳管開放症　103
耳管機能検査　103
耳管狭窄症　103
時間記録法　269
耳管鼓室気流動態法　103
時間サンプリング法　269
時間分解能　54
自記オージオメトリー　78, 88
識別　280
磁気誘導補聴援助システム　201
耳硬化症　60
指向性機能　149
指向性マイクロホン　144
耳垢塞栓　61
自己開示　318
自己免疫疾患　62
視刺激検査　113
事象記録法　269
耳小骨　49
耳小骨筋反射検査　50
事象サンプリング法　269
自助型ストラテジー　218
自声強調　138, 149
耳石　67
耳石器　50, 69
自然法　25, 290
失語症　238
実耳挿入利得　143, 150, 158, 160

実耳測定　143
疾病利得　351
質問応答水準　260
質問紙検査法　116
自動聴性脳幹反応検査（自動 ABR）
　　　　　　　　　　　118, 119
児童発達支援センター　21, 385
児童福祉法　385
シナプス形成　47
シナプトパチー　348
自発眼振検査　111
自発耳音響放射　104, 119
耳閉感　138, 149
自閉症スペクトラム障害　323, 363
耳胞　66
耳鳴　66, 93
耳鳴検査　78, 93
耳鳴順応療法　95
社会資源　382
社会的文脈　288
社会モデル　378
弱視手話　356
弱視難聴　355
弱視ろう　355
シャドーヒアリング　83
遮蔽検査　94
就学時健康診断　387
周期　30
自由形態素　265
重心動揺検査　109
集団教育　22
重度難聴　9
周波数　30
周波数選択性　54
周波数特性　134, 147, 157
　――の再調整　152
周波数特性図　140
周波数変換　144, 149
周波数レスポンス　140
就労移行支援　384
就労定着支援　384
手指法　25, 263
出力ダイナミックレンジ　170
手話　25, 237
受話器　80
手話通訳　329, 380, 383
手話法　257
純音　30
　――による閾値上検査　89
　――のピッチ　37
純音オージオグラム　79
純音聴力検査　54, 79, 342
順向性マスキング　39

純粋語聾　345
障害者権利条約　382
障害者差別解消法　386
障害者自立支援法　380
障害者総合支援法　18, 156, 380, 383
障害受容　284, 311
障害認識
　　　　209, 213, 221, 223, 235, 313, 325
条件詮索反応聴力検査　123, 364
常染色体優性　63
常染色体劣性　63
象徴的レベル　3
情緒的相互交流　13
情動的コミュニケーション　12
情動伝搬　3
小児人工内耳適応基準　186
小児聴覚障害学　252
小児難聴のハビリテーション　21
小脳橋角部　63
小脳出血　71
上部脳幹性難聴　345
情報保障　284, 378
書記言語　274, 309
触手話　356, 358
書字検査　110
自立支援給付　383
心因性視覚障害　353
心因性難聴　351
神経線維腫症 2 型　185
神経反応テレメトリー　189
神経反応テレメトリーシステム　174
神経複合活動電位　105
進行性 ANSD　348
人工中耳　165
人工聴覚機器　162
信号的レベル　2
人工内耳　167
　――の歴史　168
人工内耳施設基準　171
人工内耳装用児の課題　322
人工内耳年齢　254
人工内耳用音声信号処理装置修理
　　　　　　　　　　　　　383
進行波　29
真珠腫性中耳炎　59
滲出性中耳炎　49, 59, 65, 155, 363
新生児聴覚スクリーニング検査
　　　　　　　　　　116, 155, 318
身体障害者手帳　156, 382
身体障害者福祉法　382
診断的視点，小児の言語評価　262
新版 K 式発達検査　273, 367
心理学的同調曲線　54

す

髄膜炎　59
髄膜腫　63
スケール　38
スティグマ　223, 274, 324
ステロイド依存性感音難聴　65
ステンゲルテスト　352
スピーカ法　115
スピーチオージオグラム　95
スピーチノイズ　32, 84
スピーチバナナ　43
スペクトル　32

せ

正弦波的振幅変調音　107
正常聴力　9
正常聴力耳　79
成人人工内耳適応基準　171
成人難聴のリハビリテーション　19
静的コンプライアンス　101
静的体平衡機能検査　109
世界保健機関　382
摂食嚥下障害　238
セルフアドボカシー　324
線形増幅　141
詮索反応　121
線スペクトル　32
全体法　290
選択的注意　34, 41
選択的聴取　303
前庭　50
前庭眼反射　68, 111
前庭機能遮断術　70
前庭神経炎　70
前庭水管拡張症　62, 65
前庭誘発筋電位　69, 114
先天性眼振　111
先天性サイトメガロウイルス感染症
　　363
先天性真珠腫　60
先天性難聴　12, 263
先天性の内耳形成不全　61
全盲難聴　355
全盲ろう　355

そ

騒音　40, 198
騒音計　32, 77
騒音健康診断　387
騒音性難聴　62
早期介入　318
早期支援　246

総合的訓練　227
総合評価　253
相互行為フレーム　298
挿入利得　147, 157
ソーン尺度　36
測定条件　77
側頭骨骨折　63
組織の観察　269
疎密波　28

た

第1鰓弓　46
第2鰓弓　46
体性感覚　2
ダイナミックレンジ　34, 92, 170
体平衡機能検査　109
体平衡の異常　108
ダウン症候群　363
他覚的耳鳴　66
他覚的聴覚検査　74, 100, 342
多感覚法　16
田中ビネー知能検査Ｖ　274
多発性硬化症　71
単音節明瞭度検査　271
段階性, 聴覚　280
単感覚法　16
短期目標, (リ)ハビリテーションの
　　225, 291
単脚直立検査　109
単語明瞭度検査　271
ダンパー　137
談話　268

ち

地域生活支援事業　383
遅延側音検査　352
知的障害　363
遅発性難聴　120
注意欠如・多動症　323, 363
中間的手話　25
中耳　49
注視眼振検査　111
中耳奇形　46, 60
中枢神経性めまい　70
中枢性聴覚障害　343
中枢性頭位眼振　71
中等度難聴　9
中途難聴　12, 223, 263
中途難聴・失聴者　13
中胚葉　46
聴覚
　――の情景分析　34
　――の病理　58

聴覚閾値　34
聴覚印象評価　271
聴覚音声法　257, 303
聴覚学　16
聴覚学習　16, 281
聴覚器官の発生　46
聴覚機能　2
聴覚機能検査　74
聴覚幻覚　345, 346
聴覚口話法
　　16, 24, 25, 257, 263, 303, 326
聴覚失認　343, 345
聴覚障害　7
　――のリハビリテーション　19
　――の歴史　14
聴覚障害者情報提供施設　386
聴覚情報処理障害　349
聴覚診断　253
聴覚の知識　303
聴覚的認知能力　254
聴覚的フィードバック回路　4
聴覚・読唇法　15
聴覚特別支援学校　22
聴覚疲労　40
聴覚フィードバック　192
聴覚フィルター　39
聴覚法　15
聴覚補充現象　148
聴覚補償機器　257
聴覚野の発達　47
聴覚路　53
長期目標, (リ)ハビリテーションの
　　291
超高齢社会　223
長時間平均スペクトル　42
聴神経腫瘍　63, 66, 71, 346
聴性行動観察　156, 188
聴性行動発達　254
聴性行動発達質問紙　254, 255
聴性行動反応聴力検査　120, 254, 364
聴性中間潜時反応　107
聴性定常反応　107
聴性脳幹インプラント　184
聴性脳幹反応　105
聴能　34
聴能訓練　16
重複障害　256, 323, 362
超分節　43
聴野　34
聴力閾値　78
聴力障害　7
聴力図　79
聴力レベル　31, 79, 147

直線加速度　67, 69
直立検査　109

つ

椎骨脳底動脈循環不全　71
追跡眼球運動検査　113
痛覚閾値　34
通級指導教室　22, 329
通常学級　329
ツチ骨　49
津守・稲毛式乳幼児精神発達診断法
　　　　　　　　116, 273

て

定位反応　121
低音障害型感音難聴　65
定期健康診断　387
定在波　29
低酸素性虚血性脳症　363
ディスクレパンシー　273
ディスコース　268
訂正方略　311
低髄液圧症候群　346
ティンパノグラム　101, 155
ティンパノメトリー　101
手書き文字　356, 360
デジタル補聴器　130
デジタル無線方式補聴援助システム
　　　　　　　　200
デシベル尺度　31
鉄路性眼振　111
テレメトリー検査　175
伝音難聴　58
電気眼振計　111
電気生理学的手法　74
点字ディスプレイ　361
電波干渉　200
電話リレーサービス　384

と

ドイツ法　15
頭位眼振検査　111
頭位変換眼振検査　113
透過　28
等価入力雑音　143
同口形異義語　228
統合失調症　346
統語論　266
同時マスキング　39
同側刺激　102
頭頂部緩反応　107
同定　43
動的体平衡機能検査　110

導入教育，補聴器適合の　224
頭部陰影効果　180
頭部遮蔽効果　180
等ラウドネス曲線　36
トータルコミュニケーション(法)
　　　　　　　25, 257, 263, 326
特殊感覚　2
読書行動　275
読唇　215
特定健康診査　390
特別支援学級　22, 327, 328
特別支援教育　326
特別支援教育コーディネーター　329
特例補装具　383
読話　215, 227, 237, 346
突発性難聴　62
トップダウン(情報)処理　44, 228, 232
トリーチャー・コリンズ症候群　46

な

内耳　50
内耳開窓　61
内耳性難聴　61
内臓感覚　2
内胚葉　46
内有毛細胞　51
内リンパ水腫　70
内リンパ嚢　53
ナラティブ　268
ナローバンドノイズ　33
喃語　289
軟骨伝導補聴器　132
軟骨部外耳道　48
難聴　7
　――の分類　8
難聴学級　22
難聴幼児通園施設　21

に

ニーポイント　142, 148
二言語二文化主義教育　17
日常生活用具　383
日常的観察　269
日本工業規格　140
日本語語音の口形分類　228
日本語対応手話　25, 215
日本語マッカーサー乳幼児言語発達質
　　問紙　269
日本手話　25, 215
入出力特性　141
乳幼児健康診査　386
乳幼児聴力検査　76, 114, 155, 255
入力ダイナミックレンジ　170

認知症　207, 223, 238, 390
認定補聴器技能者　240

ね・の

音色　40
ノイズ　32
ノイズリダクション　144, 148
脳幹インプラント　347
脳幹性難聴　345
脳室周囲白質軟化症　363
脳性麻痺　363
脳表ヘモジデリン沈着症　346
ノートテイカー　329
ノートテイク　217, 380
ノーマライゼーション　382
ノンリニア増幅　141, 144, 148

は

パーソナルナラティブ　268
ハーフゲイン　147
倍音　32
ハイポイント法　268
ハイリスク因子　7
バイリンガル・バイカルチュラル教育
　　　　　　　　17
バイリンガル教育　16, 26
ハウリング　137
ハウリング抑制　144, 149
白色雑音　84
波形　30
パターン知覚　4
波長　31
発声発語指導　308
発達性APD　349
発達遅滞　363
発話行為　267
発話明瞭度検査　271
話しことば　3
母親語　4
母親法　15, 290
ハビリテーション　10
バリアフリー　378
バルサルバ法　103
半規管系　50
半規管結石症　70
反射　28
反射音　29
反対側刺激　103
範疇的知覚　43
バンドノイズ　33, 84
反応閾値　5
反応聴力検査　254
反復喃語　289

反膨大部流　68

ひ

ピークレベル　140
ピープショウテスト　125, 254, 364
ピエール・ロバン症候群　46
比較選択法　148
非言語的なコミュニケーション　12
被検者　77
皮質性難聴　345
歪成分耳音響放射　104, 119
非線形増幅　141, 144
非注視時眼振検査　111
非重複喃語　290
筆記　217
筆談　360
ピッチ　34, 37
ピッチ・マッチ検査　93
ビデオ式眼振計　111
比弁別閾　38
評価基準　262
標準化検査　262
標準耳鳴検査法 1993　93
標準抽象語理解力検査（SCTAW）269
評定法　269
ピンクノイズ　32

ふ

ファーストフィッティング　147, 157
ファンクショナルゲイン
　　　　　　　149, 158, 165, 166
フィクショナルナラティブ　268
フェヒナーの法則　38
フォルマント　42
フォン尺度　36
不快レベル　92
複合音　32
不動毛　51
プラトー法　85
フランス法　15
ブリスタ　362
プローブマイク　150
プロソディ　43
プロモントリーテスト　171
分節　43
文法法　290

へ

平均純音聴力レベル　86
平均発話長　265
平衡器　66
平衡機能検査　74, 108, 171
平衡障害　108

ベケシー型オージオメトリー　88
ベビー型補聴器　133
ヘルペス脳炎　346
偏倚検査　110
片耳装用　146
ベント　138, 149
弁別　38, 280
弁別閾　38

ほ

保育所等訪問支援　385
母音　42
母音様発声　289
放課後等デイサービス　385
包括的訓練　227
放射　29
ホーン加工　137
母系遺伝　64
ポケット型補聴器　132
歩行検査　110
母子保健法　386
補充現象　34, 55, 89, 91
補装具　383
補聴援助システム　197, 329
補聴器購入費助成事業　156
補聴器相談医　240
補聴器装用，重複障害児　367
補聴器適合検査の指針（2010）
　　　　　　　　　　153, 211
補聴器特性測定装置　138
補聴年齢　254
ボトムアップ処理　44
ホワイトノイズ　32, 84

ま

マガーク効果　44
膜迷路　51, 61
マザリーズ　4
マスキング　38, 53, 58, 83
マスキングノイズ　84
末梢前庭疾患　70
マッピング　174, 177, 182, 186
マルチチャンネル処理　144
マルチトーカーノイズ　84
慢性中耳炎　58

み

ミッシング・ファンダメンタル　37
ミトコンドリア遺伝　63
耳あな型補聴器　132
耳かけ型補聴器　131
耳せん　137
耳鳴　66, 93

耳鳴検査　78, 93
耳鳴順応療法　95

む

無響室　29
無声音　42
ムンプス　342

め

迷走神経　48
迷路刺激検査　114
メタコミュニケーション　248
メニエール病　62, 65, 70
めまい　108
メル尺度　37
面接　210, 218

も

盲ろう　354
盲ろう者向け通訳・介助員　383
　――の派遣　360
モデリング　294
物語文法　268

や・ゆ

雇入時の健康診断　387
遊戯聴力検査　125, 254, 364
有声音　42
有声開始時間　43
誘発耳音響放射　103, 119
有毛細胞の障害　55
ユスティニアヌス法典　14
ユニバーサル支援　329
指点字　356, 359
指文字　25, 215

よ

要請型ストラテジー　218
要素的訓練　227
要約筆記　217, 380, 383
読み聞かせ　310

ら

ラウドネス　34, 36
　――の等感曲線　36
ラウドネススケール　175
ラウドネス・バランス検査　93
ラセン器　51
ラダーグラム　91
卵形嚢　51
卵形嚢斑　67

り

理解　280
リクルートメント現象　34, 89
利得　134, 147
　──の再調整　152
リニア増幅　141
リハビリテーション　10
リファー　119
リモートマイクロホンシステム　343
リモートマッピング　196
両脚直立検査　109
両耳加算　40, 57
両耳加重現象　180
両耳間移行減衰　83
両耳間強度差　180
両耳間時間差　180
両耳間通信　145
両耳装用　146
両耳聴　40, 57
両耳聴効果　191
両耳分離聴　41
両耳融合聴　41
良性発作性頭位めまい(症)　70, 111
両側人工内耳　180
両側人工内耳マッピング　191
両側性感音難聴　345
両側聴神経腫瘍　185
リリースタイム　143
臨界期，聴覚学習　48
臨界帯域幅　39
リング6音　193, 213

れ

連続記録法　269
連続周波数記録　88
連続周波数ピッチ・マッチ法　93
連続スペクトル　32

ろ

聾　7
聾学校　22
老人性難聴　62
労働安全衛生法　387
ろう文化宣言　17
六注法　24
ロンバールテスト　352
ロンベルグ現象　109

わ

ワイドバンドノイズ　32
ワイヤレスマッピング　186